ALIVE IN CHRIST

VIVOS EN CRISTO

NIVEL B / LEVEL B

vivosencristo.osv.com / aliveinchrist.osv.com

Sacramentos de la Penitencia y de la Eucaristía | Sacraments of Penance and Eucharist

Our Sunday Visitor

El Subcomité para el Catecismo de la Conferencia de Obispos Católicos de los Estados Unidos consideró que este texto, copyright 2015, está en conformidad con el *Catecismo de la Iglesia Católica*; podrá ser usado únicamente como complemento a otros textos catequéticos básicos.

Níhil Óbstat
Rvdo. Esaú Garcia
Census Librorum

Imprimátur
✠ Rvdmo. John Noonan
Obispo de Orlando
18 de mayo de 2015

Our Sunday Visitor Curriculum Division
200 Noll Plaza, Huntington, Indiana 46750
1-800-348-2440

Additional acknowledgments appear on page 672.

Vivos en Cristo Nivel B Student Book
ISBN: 978-1-61278-436-6
Item Number: CU5407

2 3 4 5 6 7 8 015016 22 21 20 19 18
Webcrafters, Inc., Madison, WI, USA; September 2018; Job# 138547

Vista general del contenido

Vista detallada del contenido

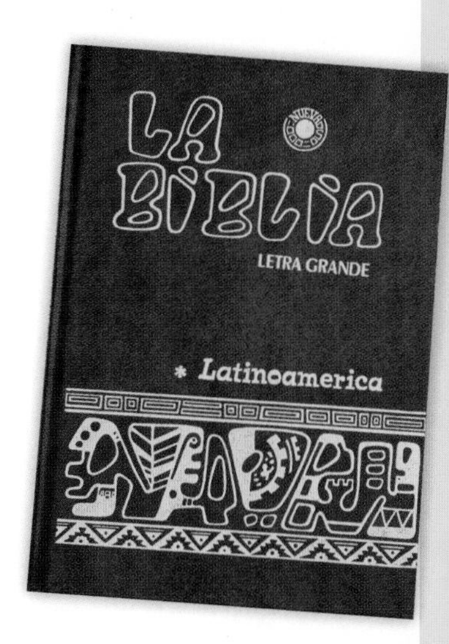

LA BIBLIA
LETRA GRANDE
Latinoamerica

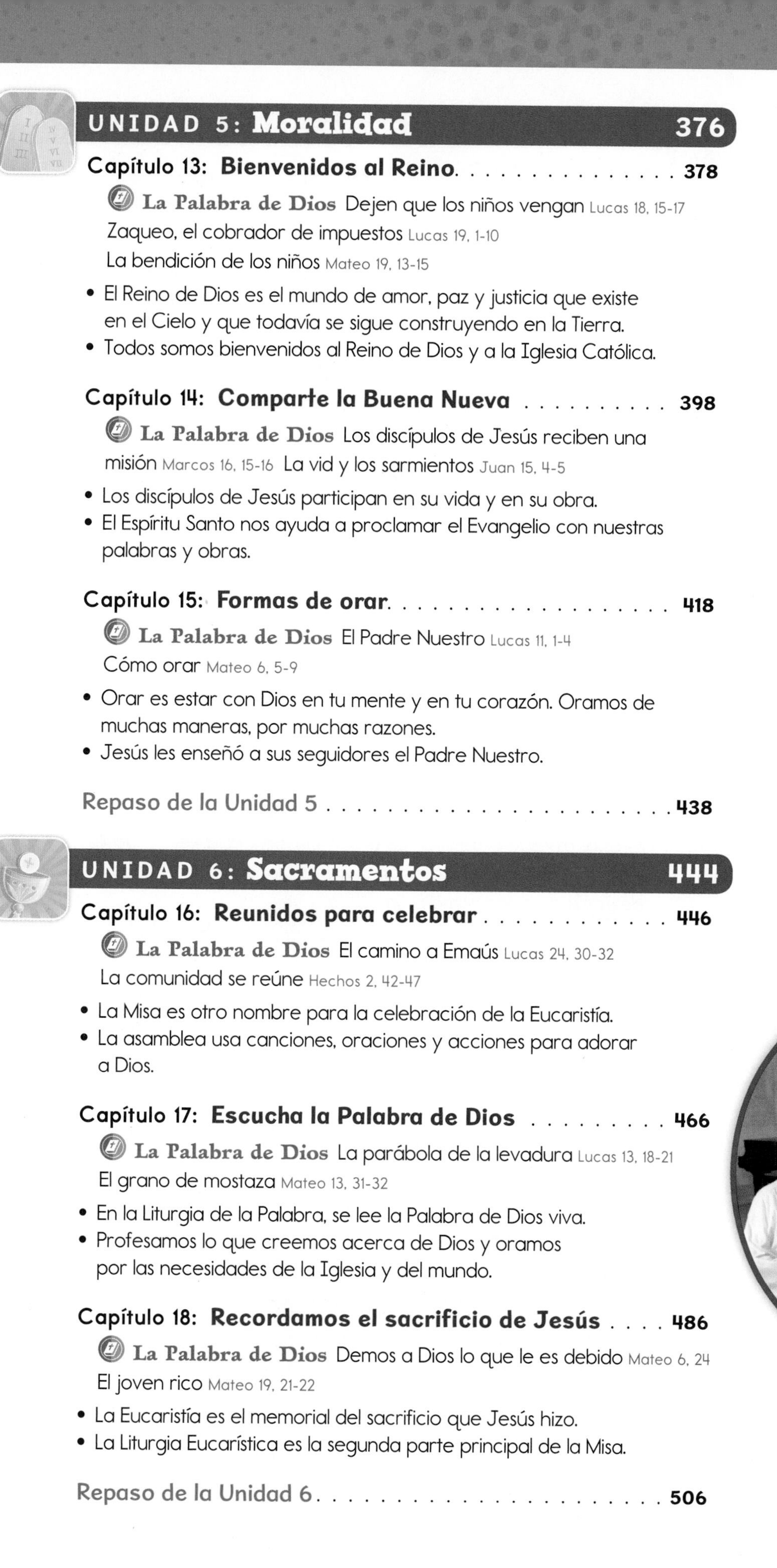

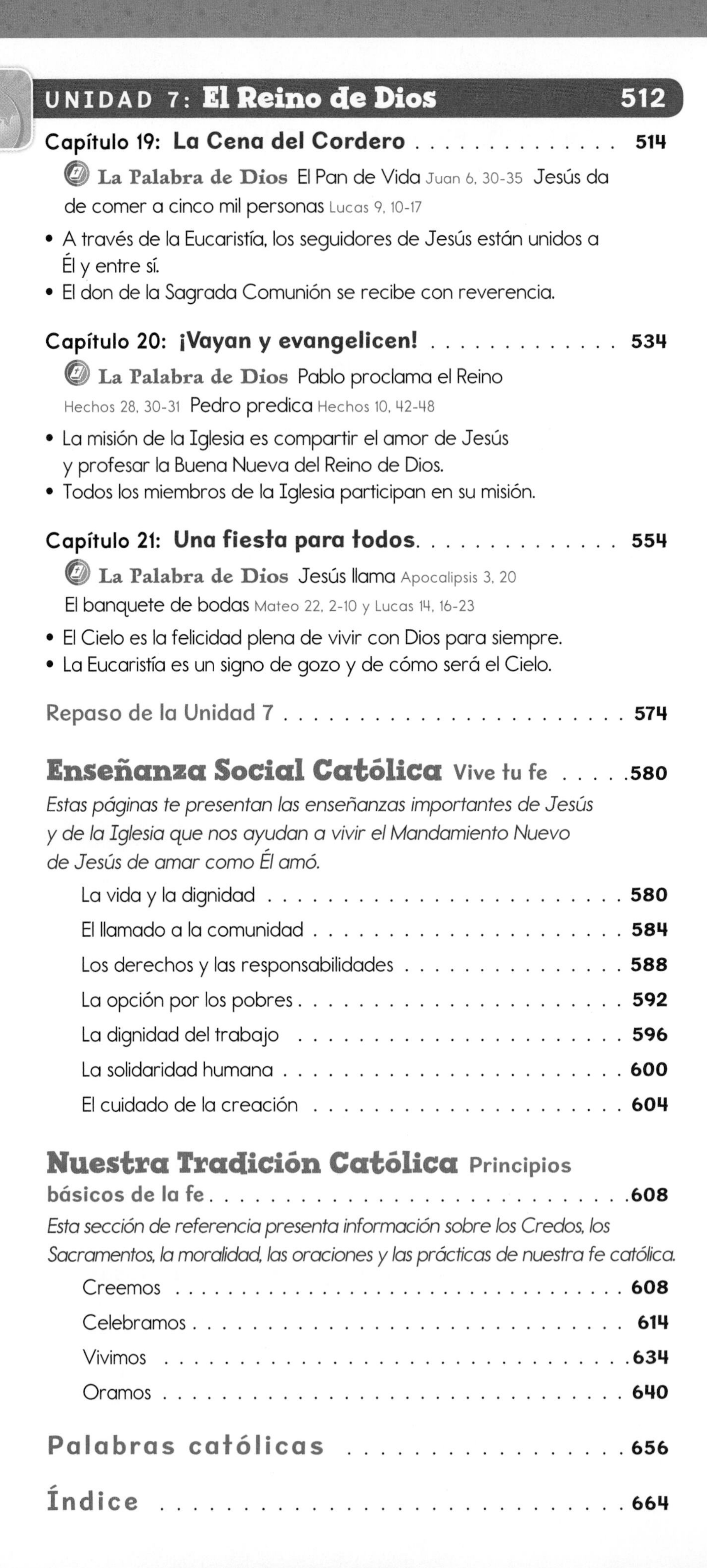

LEVEL B

Contents at a Glance

Contents in Detail

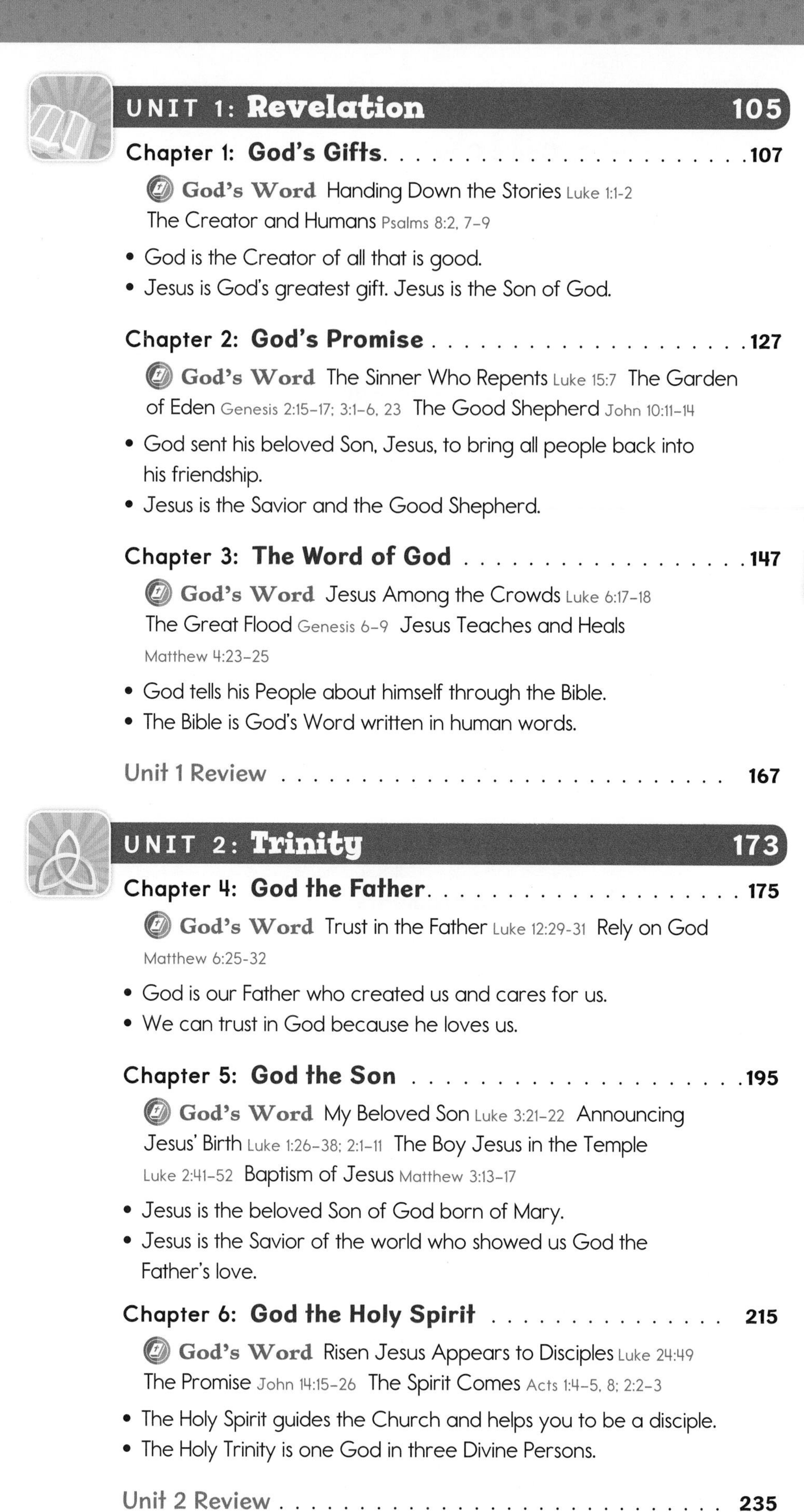

Holy
Bible

UNIT 3: Jesus Christ 241

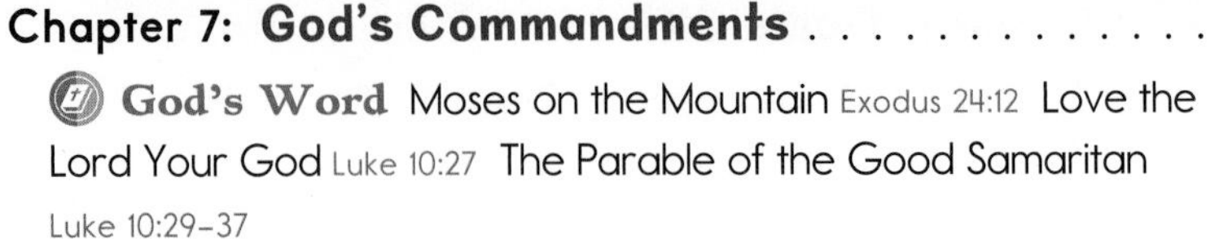

UNIT 4: The Church 309

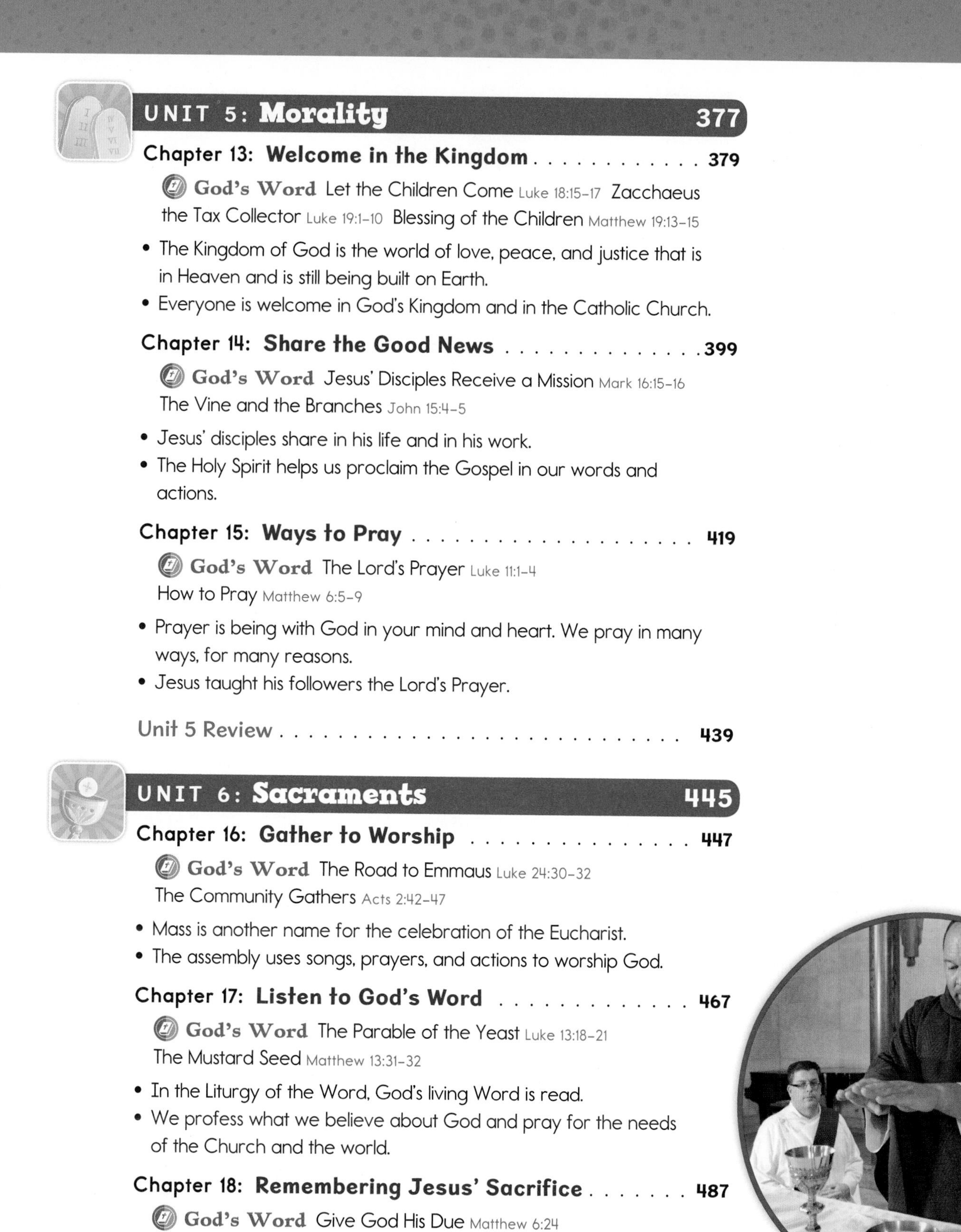

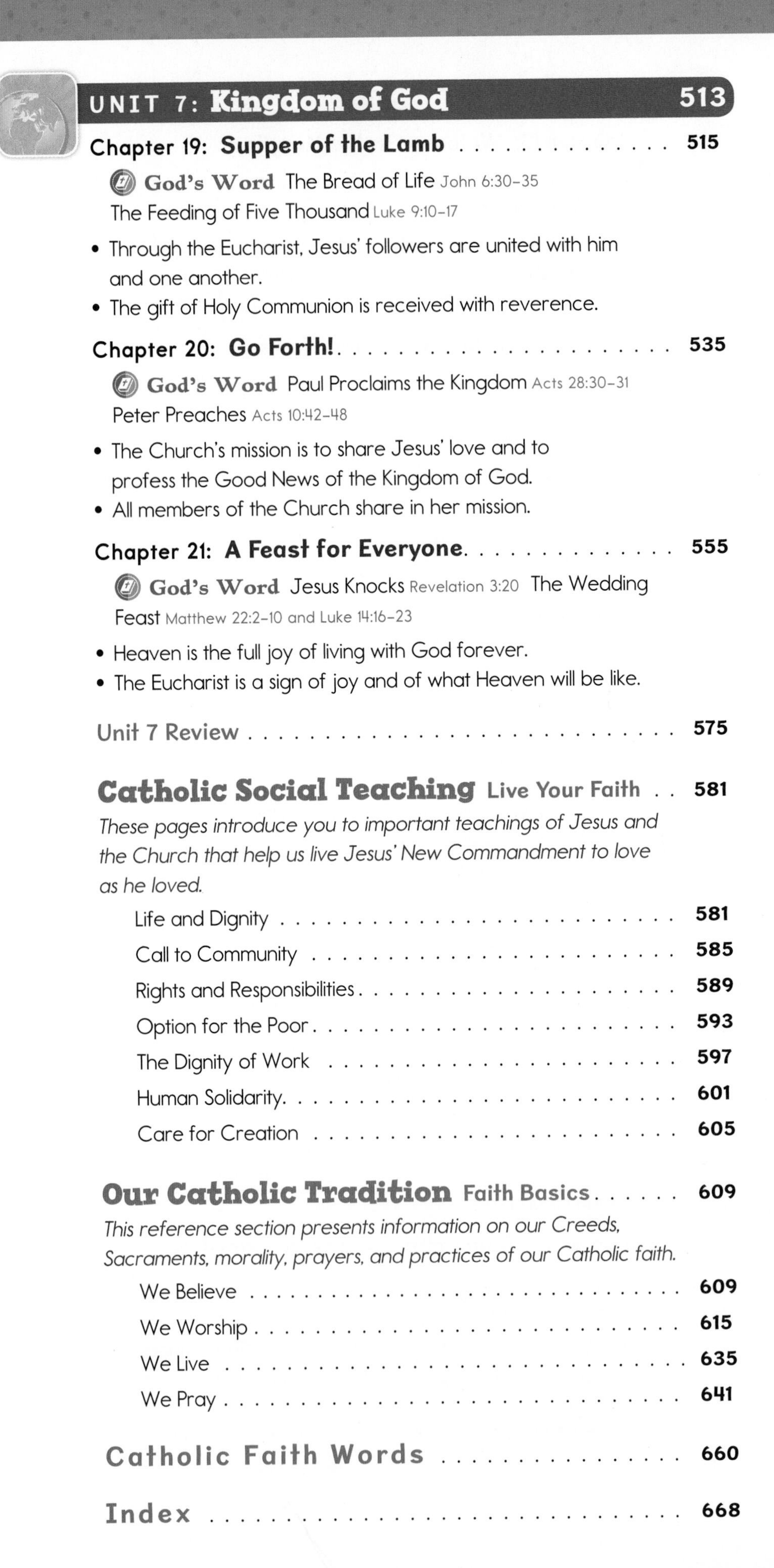

Un año nuevo

Oremos

Líder: Dios amoroso, tú compartes tu Palabra con nosotros en la Biblia. Gracias por invitarnos a ser tus hijos.

"¡Entremos, agachémonos, postrémonos; de rodillas ante el Señor que nos creó!" Salmo 95, 6

Todos: Gracias, Dios, por compartir tu vida y tu amor con nosotros. Queremos escuchar tu Palabra y vivir en tu amor.

La Palabra de Dios

Ustedes están en Cristo Jesús, y todos son hijos de Dios gracias a la fe. Todos se han revestido de Cristo, pues todos fueron entregados a Cristo por el bautismo. Gálatas 3, 26-27

¿Qué piensas?

- ¿Qué significa ser hijo de Dios?
- ¿Cómo nos invita Dios a conocerlo y amarlo?

A New Year

Let Us Pray

Leader: Loving God, you share your Word with us in the Bible. Thank you for inviting us to be your children.

"Enter, let us bow down in worship;
let us kneel before the LORD who made
us." Psalm 95:6

All: Thank you, God, for sharing your life and love with us. We want to listen to your Word and live in your love.

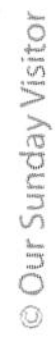

God's Word

"For through faith you are all children of God in Christ Jesus. For all of you who were baptized into Christ have clothed yourselves with Christ."
Galatians 3:26-27

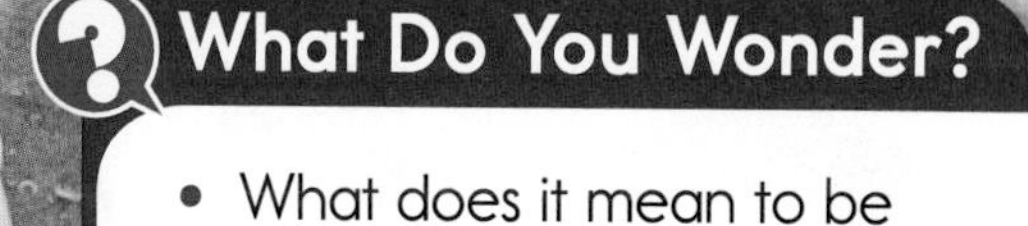

- What does it mean to be God's children?
- How does God invite us to know and love him?

Mirando hacia adelante

¿Qué sucederá este año?

¡Este año veremos todo acerca de aprender, amar y celebrar nuestra fe católica!

Cuando veas , sabrás que es un relato o una lectura de la Biblia. A través de los relatos de la Biblia descubrirás que Jesús, el Hijo, comparte el amor y la misericordia de Dios.

Cuando veas , sabrás que es el momento de orar. Cada vez que se reúnan en grupo, pueden escuchar a Dios y hablar con Él en oración. Se acercarán a Jesús mientras oran y aprenden sus enseñanzas.

Cuando veas , cantarás canciones para alabar a Dios y celebrar nuestra fe. Explorarás los días festivos y los tiempos de la Iglesia, y conocerás a muchos Santos, los héroes de nuestra Iglesia.

Subraya dos cosas que harás este año.

La estrella dorada de arriba señala el comienzo de una actividad para ayudarte a aprender lo que se enseña. Puedes subrayar, encerrar en un círculo, escribir, emparejar o dibujar.

Looking Ahead

What's going to happen this year?

This year is all about learning, loving, and celebrating our Catholic faith!

When you see , you know it's a story or reading from the Bible. Through Bible stories you will discover that Jesus the Son shares God's love and mercy.

When you see , you know it's time to pray. Each time you are gathered together, you can listen to and talk to God in prayer. You will grow closer to Jesus as you pray and get to know his teachings.

When you see , you will sing songs to praise God and celebrate our faith. You'll explore the Church's feasts and seasons and meet many Saints, our heroes of the Church.

Underline two things you will do this year.

The gold star above begins an activity to help you learn what's being taught. You may underline, circle, write, match, or draw.

Signos y celebraciones especiales

Durante gran parte de este año se aprenden los **Siete Sacramentos**. Los Sacramentos son signos y celebraciones especiales que Jesús le dio a su Iglesia. Las palabras importantes como esta están **resaltadas** en amarillo para que no las pases por alto.

Descubrirás cómo la Iglesia celebra el amor y el perdón de Dios en el Sacramento de la Reconciliación. Explorarás las distintas partes de la Misa y aprenderás cómo Jesús se nos ofrece en la Eucaristía.

Todo lo que aprendas y hagas en clase te ayudará a participar en las celebraciones de la parroquia de maneras nuevas.

Palabras católicas

En este recuadro verás de nuevo las palabras **resaltadas** y sus definiciones.

Siete Sacramentos signos y celebraciones especiales que Jesús le dio a su Iglesia. Nos permiten participar en la vida y la obra de Dios.

Comparte tu fe

¡Cuando veas estas divertidas letras verdes, sabrás que es el momento de hacer una actividad!

Piensa ¿Qué sabes acerca de las celebraciones de la Iglesia?

Comparte Cuéntale a un grupo pequeño cómo aprendiste esto. Escribe algo nuevo que aprendiste de tu grupo.

____

____

Special Signs and Celebrations

A big part of this year is learning about the **Seven Sacraments**. The Sacraments are special signs and celebrations that Jesus gave his Church. Important words like this are **highlighted** in yellow so you don't miss them.

You'll discover how the Church celebrates God's love and forgiveness in the Sacrament of Reconciliation. You will explore the different parts of the Mass and learn how Jesus gives himself to us in the Eucharist.

Everything you learn and do in class will help you take part in parish celebrations in new ways.

Catholic Faith Words

In this box you will see the **highlighted** words again and their definitions.

Seven Sacraments special signs and celebrations that Jesus gave his Church. They allow us to share in God's life and work.

Share Your Faith

When you see these fun green words, you know it's time for an activity!

Think What is something you know about Church celebrations?

Share Talk in a small group about how you learned this. Write one new thing you learned from your group.

____

____

La Palabra de Dios

¿Dónde encuentras relatos sobre Dios?

Palabras católicas

Biblia la Palabra de Dios escrita en palabras humanas.

La **Biblia** es la Palabra de Dios escrita en palabras humanas. Es un libro grande, compuesto por muchos libros pequeños. De hecho, la palabra *Biblia* significa "libros". Los libros de la Biblia se dividen en dos partes: el Antiguo Testamento y el Nuevo Testamento.

Otro nombre para la Biblia es *Sagrada Escritura*, que significa un "escrito santo". Oímos lecturas de la Sagrada Escritura durante la Misa y los demás Sacramentos.

Encierra en un círculo el nombre de las personas de las que has oído hablar.

El Antiguo Testamento

Es la primera parte de la Biblia y también la más larga. Habla de Dios y de su amor por nosotros, en especial por el pueblo judío, antes de que Jesús naciera.

El Nuevo Testamento

La segunda parte de la Biblia habla del amor de Dios por su pueblo después de la venida de Jesús. Trata sobre la vida y las enseñanzas de Jesús, sus seguidores y la Iglesia primitiva.

Noé | Moisés | Ester | María | Jesús | Juan Bautista

God's Word

Where can you find stories about God?

The **Bible** is the Word of God written down by humans. It is one great book, made up of many small books. In fact, the word *Bible* means "books." The books of the Bible are divided into two parts: The Old Testament and the New Testament.

Another name for the Bible is *Scripture*, which means "writing." We hear readings from Scripture during Mass and the other Sacraments.

Palabras católicas

Bible the Word of God written in human words

Circle the names of the people you have heard of.

The Old Testament

The first part of the Bible and also the largest. It tells about God and his love for us, especially the Jewish people, before Jesus was born.

The New Testament

The second part of the Bible tells of God's love for people after the coming of Jesus. It is about the life and teaching of Jesus, his followers, and the early Church.

Noah | Moses | Esther | Mary | Jesus | John the Baptist

Los Evangelios

El Nuevo Testamento empieza con cuatro libros muy especiales llamados Evangelios. La palabra *Evangelio* significa "Buena Nueva". Estos cuatro libros de los Evangelios hablan de la Buena Nueva que trajo Jesús acerca del Reino de Dios y de su amor salvador.

- Evangelio según Mateo
- Evangelio según Marcos
- Evangelio según Lucas
- Evangelio según Juan

Los Evangelios están llenos de relatos sobre Jesús, sus palabras, las palabras que otros decían acerca de Jesús y los relatos que contaba.

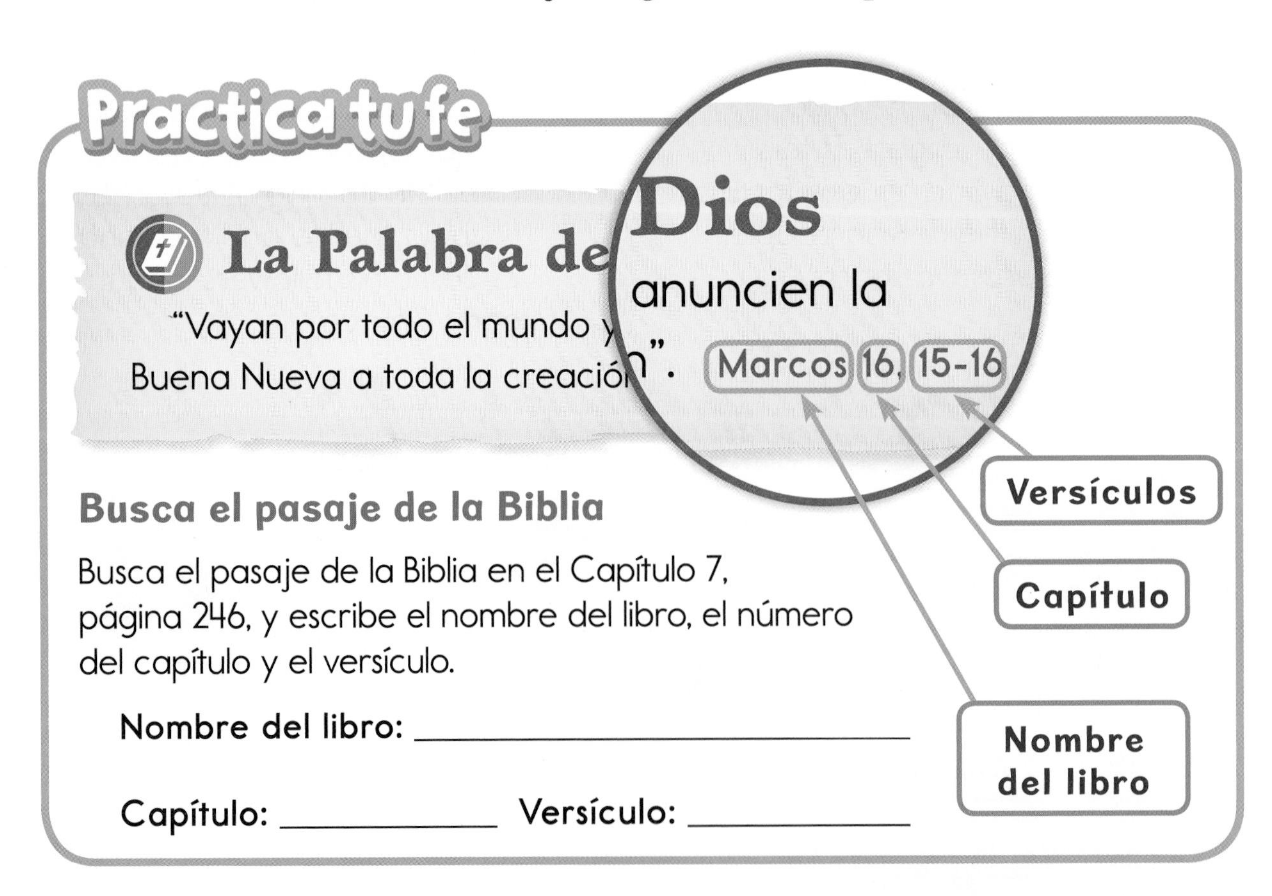

Busca el pasaje de la Biblia

Busca el pasaje de la Biblia en el Capítulo 7, página 246, y escribe el nombre del libro, el número del capítulo y el versículo.

Nombre del libro: ______________________

Capítulo: ____________ **Versículo:** ____________

The Gospels

The New Testament begins with four very special books called Gospels. The word Gospel means, "Good News." These four books of the Gospels tell of the Good News Jesus brought of the Kingdom of God and his saving love.

- The Gospel according to Matthew
- The Gospel according to Mark
- The Gospel according to Luke
- The Gospel according to John

The Gospels are filled with stories about Jesus, the words of Jesus, words other people said about Jesus, and stories that Jesus told.

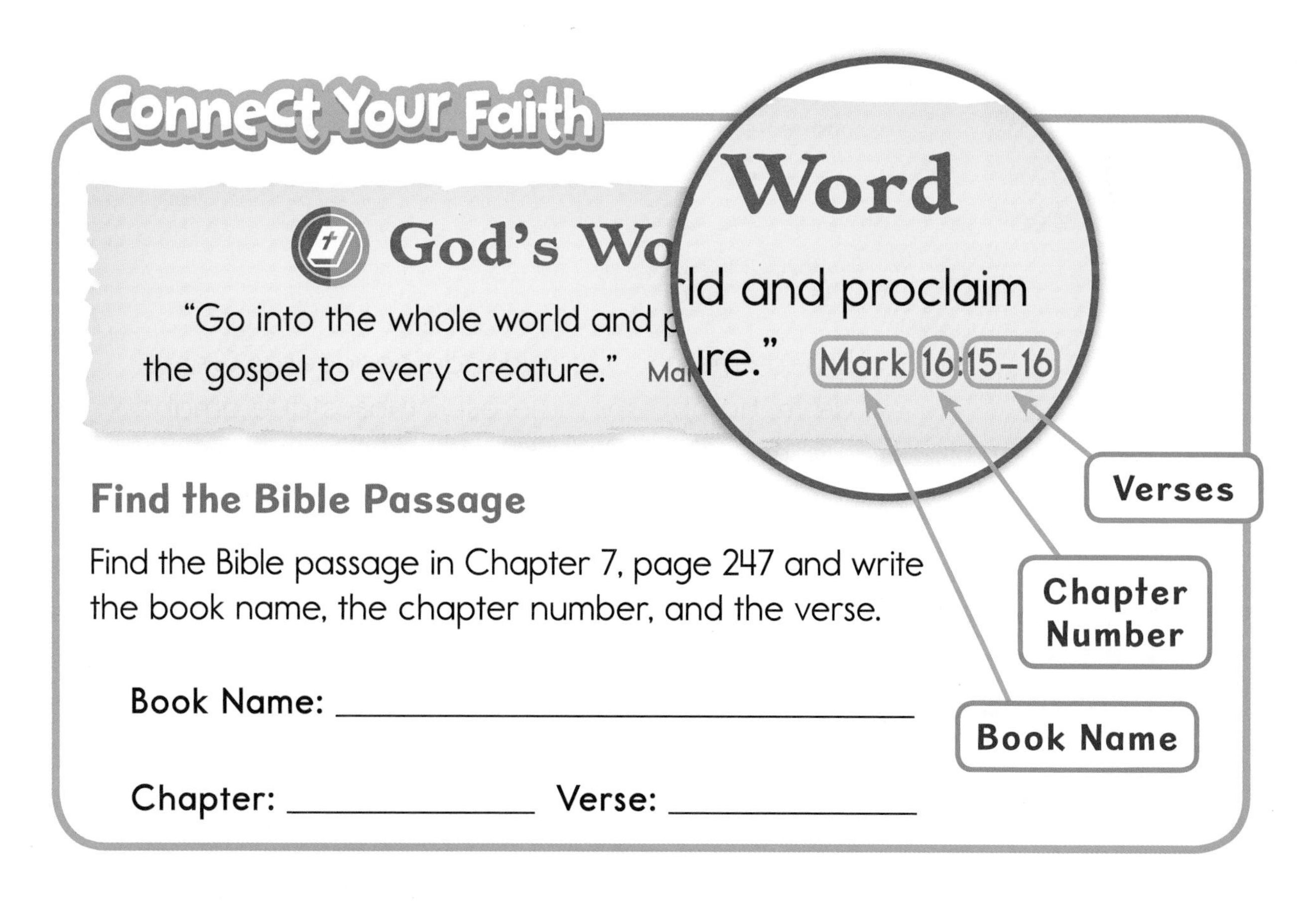

Find the Bible Passage

Find the Bible passage in Chapter 7, page 247 and write the book name, the chapter number, and the verse.

Book Name: ______________________

Chapter: ____________ Verse: ____________

Nuestra vida católica

¿Qué significa ser católico?

Cada capítulo de tu libro tiene la sección Nuestra vida católica. Esta sección te muestra de una manera especial qué significa ser católico. Las palabras, las imágenes y las actividades nos ayudan a acercarnos más a Jesús y a la Iglesia.

Crece como seguidor de Jesús

- aprende más sobre nuestra fe
- comprende los Sacramentos y participa de ellos
- vive como Jesús nos pide que vivamos
- habla con Dios y escúchalo en la oración
- sé un miembro activo de la Iglesia
- ayuda a los demás a conocer a Jesús a través de nuestras palabras y acciones

Gente de fe

Busca este recuadro, donde conocerás Gente de fe, hombres y mujeres virtuosos que amaban mucho a Dios y que hicieron su obra en la Tierra.

Vive tu fe

¡Sé una persona de fe! Dibújate en el marco.

Cuenta cómo puedes ser una persona de fe este año.

Our Catholic Life

What does it mean to be Catholic?

Each chapter in your book has an Our Catholic Life section. This section shows you in a special way what it means to be Catholic. Words, pictures, and activities help us grow closer to Jesus and the Church.

Grow as a Follower of Jesus

- know more about our faith
- understand and take part in the Sacraments
- live as Jesus calls us to
- talk and listen to God in prayer
- be an active member of the Church
- help others know Jesus through our words and actions

People of Faith

Look for this box, where you will meet People of Faith, holy men and women who loved God very much and did his work on Earth.

Live Your Faith

Be a Person of Faith! Draw yourself in the picture frame.

Tell how you can be a Person of Faith this year.

Oremos

Orar juntos

Cada capítulo tiene una página de oraciones para orar de muchas maneras diferentes. Puedes escuchar la lectura de la Palabra de Dios tomada de la Biblia, orar por las necesidades de los demás, pedir a los Santos que rueguen por nosotros y alabar a Dios Padre, Hijo y Espíritu Santo con palabras y canciones.

Reúnanse y comiencen con la Señal de la Cruz.

Líder: Bendito seas, Señor.

Todos: Bendito seas por siempre, Señor.

Líder: Oremos.

Inclinen la cabeza mientras el líder ora.

Todos: Amén.

Líder: Lectura del santo Evangelio según Juan.

Lean Juan 6, 35-38.

Palabra del Señor.

Todos: Gloria a ti, Señor Jesús.

Canten "Estamos Vivos en Cristo"

Estamos vivos en Cristo
Estamos vivos en Cristo
Él es quien nos libró
Estamos vivos en Cristo
Estamos vivos en Cristo
Él se entregó por mí
Y nuestra vida es Él
Y nuestra vida es Él

Pray Together

Every chapter has a prayer page, with lots of different ways to pray. You may listen to God's Word read from the Bible, pray for the needs of others, call on the Saints to pray for us, and praise God the Father, Son, and Holy Spirit in words and songs.

Gather and begin with the Sign of the Cross.

Leader: Blessed be God.

All: Blessed be God forever.

Leader: Let us pray.

Bow your heads as the leader prays.

All: Amen.

Leader: A reading from the holy Gospel according to John.

Read John 6:35–38.

The Gospel of the Lord.

All: Praise to you, Lord Jesus Christ.

Sing "Alive in Christ"

We are Alive in Christ
We are Alive in Christ
He came to set us free
We are Alive in Christ
We are Alive in Christ
He gave his life for me
We are Alive in Christ
We are Alive in Christ

FAMILIA + FE

VIVIR Y APRENDER JUNTOS

SUS HIJOS APRENDIERON >>>

Esta página es para ustedes, los padres, para animarlos a hablar sobre su fe y para ver las muchas maneras en que ustedes ya viven su fe en la vida diaria familiar.

La Palabra de Dios

En esta sección hallarán una cita de la Sagrada Escritura y un resumen de lo que su hijo ha aprendido en el capítulo.

Lo que creemos

- La información en viñetas resalta los puntos principales de la doctrina en el capítulo.

Aquí hallarán las conexiones del capítulo con el *Catecismo de la Iglesia Católica*.

Gente de fe

Aquí conocen al Santo, Beato o Venerable presentado en Gente de fe.

LOS NIÑOS DE ESTA EDAD >>>

Esta sección les da una idea de cómo es probable que su hijo, a esta edad en particular, sea capaz de comprender lo que se le enseña. Sugiere maneras en que pueden ayudar a su hijo a comprender, vivir y amar mejor su fe.

Cómo comprenden las lecciones Su hijo ha comenzado a comprender que no es la única persona en el mundo. Puede aprender a ver las cosas desde otra perspectiva que no sea la propia, lo que significa que está comenzando a desarrollar empatía y compasión.

A los siete u ocho años de edad, la mayoría de los niños son capaces de tomar decisiones morales. Ustedes pueden ayudar a su hijo a desarrollarse moralmente, dándole buenos ejemplos y pautas morales claras. Con eso, su hijo será capaz de distinguir lo correcto de lo incorrecto.

A esta edad, a los niños les encanta celebrar. A muchos les gusta la música y se sienten cómodos con los rituales. En casa, traten de cantar juntos algunos himnos y recen con gestos cuando oren en familia. No duden en hacer oraciones espontáneas con su hijo o en pedirle que dirija la oración familiar.

CONSIDEREMOS ESTO >>>

Esta sección incluye una pregunta que los invita a reflexionar sobre su propia experiencia y a considerar cómo la Iglesia les habla sobre su propio viaje en la fe.

HABLEMOS >>>

- Aquí hallarán algunas preguntas prácticas que estimulan a conversar sobre el contenido de la lección, a compartir la fe y hacer conexiones con su vida familiar.
- Pidan a su hijo que comparta algo que haya aprendido sobre su libro.

OREMOS >>>

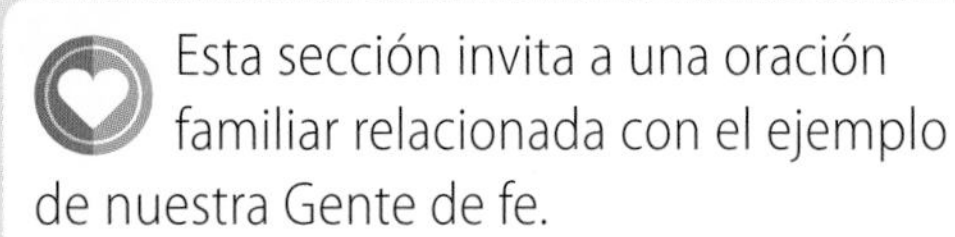

Esta sección invita a una oración familiar relacionada con el ejemplo de nuestra Gente de fe.

Hombres y mujeres santos, rueguen por nosotros. Amén.

Visiten **vivosencristo.osv.com** para encontrar un glosario multimedia de Palabras católicas, lecturas dominicales, y recursos de Santos y tiempos festivos.

FAMILY+FAITH

LIVING AND LEARNING TOGETHER

YOUR CHILD LEARNED >>>

This page is for you, the parents, to encourage you to talk about your faith and see the many ways you already live your faith in daily family life.

God's Word

In this section, you will find a Scripture citation and a summary of what your child has learned in the chapter.

Catholics Believe

- Bulleted information highlights the main points of doctrine of in the chapter.

Here you will find chapter connections to the *Catechism of the Catholic Church.*

People of Faith

Here you meet the Saint, Blessed, or Venerable featured in People of Faith.

CHILDREN AT THIS AGE >>>

This feature gives you a sense of how your child, at this particular age, will likely be able to understand what is being taught. It suggests ways you can help your child better understand, live, and love their faith.

How They Understand the Lessons Your child has begun to understand that he or she is not the only person in the world. He or she can learn to see things from perspectives other than their own, which means they are beginning to develop empathy and compassion.

At age seven or eight most children are capable of making moral choices. You can help your child develop morally by giving them good examples and clear moral guidelines. With that your child will be able to choose between right and wrong.

At this age children love to celebrate. Many like music and find comfort in ritual. Try singing some hymns at home with them and using gestures when you pray as a family. Don't hesitate to do spontaneous prayer with your child or to have him lead family prayer.

CONSIDER THIS >>>

This section includes a question that invites you to reflect on your own experience and consider how the Church speaks to you on your own faith journey.

LET'S TALK >>>

- Here you will find some practical questions that prompt discussion about the lesson's content, faith sharing, and connections with your family life.
- Ask your child to share one thing he's learned about his book.

LET'S PRAY >>>

This section encourages family prayer connected to the example of our People of Faith.

Holy men and women, pray for us. Amen.

For a multimedia glossary of Catholic Faith Words, Sunday readings, seasonal and Saint resources, and chapter activities go to **aliveinchrist.osv.com**.

Madre de misericordia

Oremos

Líder: Madre de misericordia, ruega por nosotros para que mostremos bondad y misericordia cuando sea necesario.

El Señor es bueno y misericordioso.

Basado en Salmo 103

Todos: Amén.

La Palabra de Dios

María estaba en una boda en Caná. También estaban Jesús y sus amigos. María vio que no había más vino para los invitados. Le dijo a Jesús: "No tienen vino". Jesús le preguntó qué quería de él. Su tiempo no había llegado todavía. Pero María se dirigió a los sirvientes y les dijo: "Hagan lo que él les diga."

Basado en Juan 2, 1-5

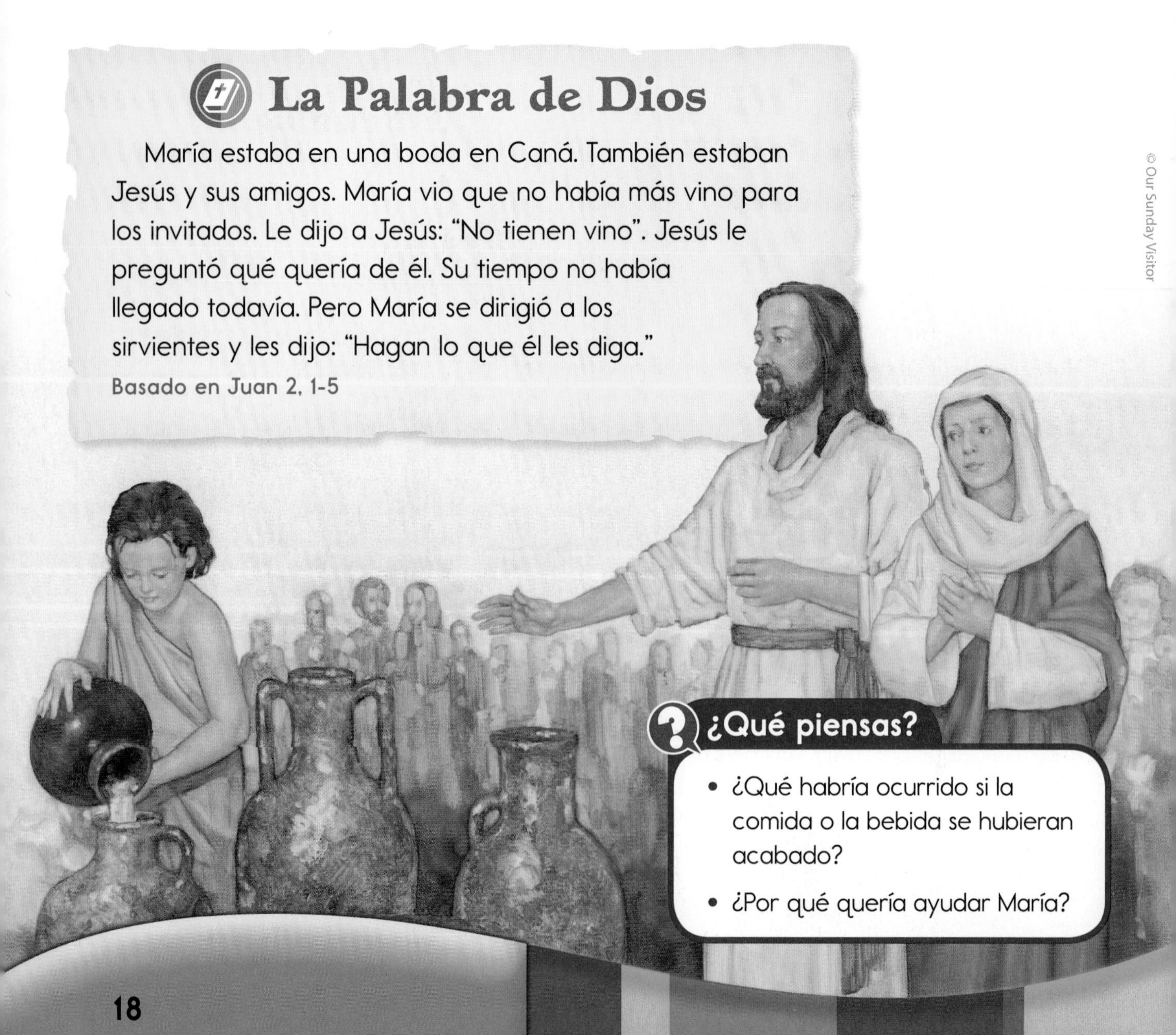

¿Qué piensas?

- ¿Qué habría ocurrido si la comida o la bebida se hubieran acabado?
- ¿Por qué quería ayudar María?

Mother of Mercy

Let Us Pray

Leader: Mother of Mercy, pray for us that we show kindness and mercy when it is needed.

The LORD is kind and merciful.

Based on Psalm 103

All: Amen.

God's Word

Mary was at a wedding feast in Cana. Jesus and his friends were there too. Mary saw that there was no more wine for the guests. She told Jesus, "They have no wine." Jesus asked his mother how this affected him. His time had not yet come. But Mary turned to the servants and said, "Do whatever he tells you."

Based on John 2:1–5

What Do You Wonder?

- What would have happened if the food or drinks had run out?
- Why did Mary want to help?

Tiempo Ordinario

Tiempo Ordinario

- Este tiempo del año litúrgico llega dos veces, después de Navidad y durante un período más largo después de Pascua.
- Durante este tiempo, aprendemos más acerca de las enseñanzas de Jesús para continuar creciendo como sus discípulos.
- También honramos a María y a los Santos.

El Tiempo Ordinario ocurre dos veces al año. La Iglesia celebra las palabras y las obras de Jesús.

En el Tiempo Ordinario el sacerdote se viste de verde. La iglesia también se decora con verde.

Hay muchas fiestas de María durante el Tiempo Ordinario. El color de la Iglesia para las fiestas de María es el blanco.

El ejemplo de María

María es la Madre de Jesús. Ella es la más importante de todos los Santos. La Iglesia honra a María con títulos diferentes. Uno de esos títulos es María, Nuestra Señora de la Merced (mostrar merced, o misericordia, significa perdonar y amar a los demás). María es ejemplo de amor, bondad y perdón.

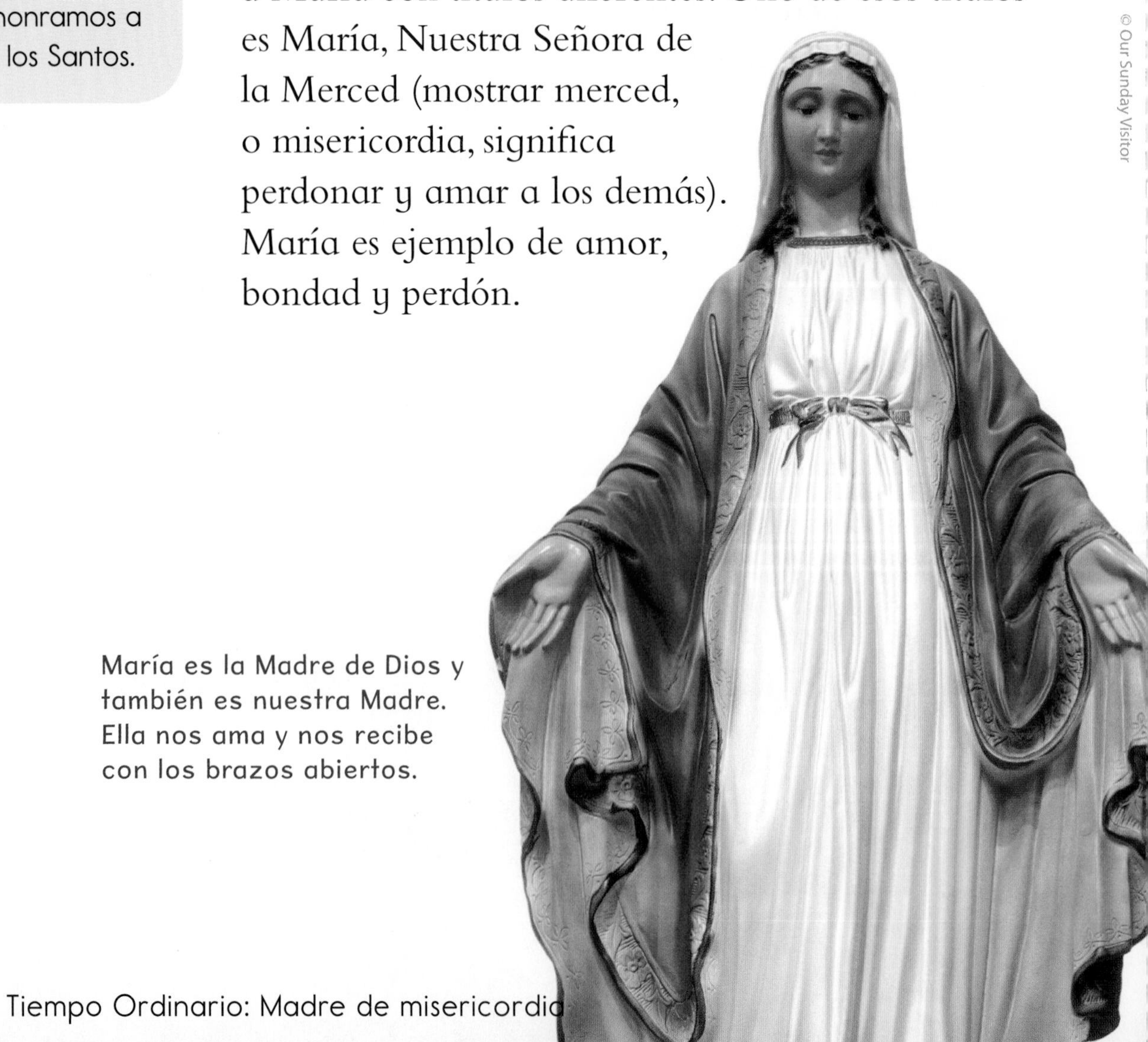

María es la Madre de Dios y también es nuestra Madre. Ella nos ama y nos recibe con los brazos abiertos.

Ordinary Time

Ordinary Time occurs twice in the year. The Church celebrates the words and works of Jesus.

In Ordinary Time the priest wears green. The church is decorated in green, too.

There are many feasts of Mary during Ordinary Time. The Church color for Mary's feasts is white.

Mary's Example

Mary is the Mother of Jesus. She is the greatest of Saints. The Church honors Mary with different titles. One of these titles is Mary, Our Lady of Mercy—to show mercy means to be forgiving and loving to others. Mary is an example of love, kindness, and forgiveness.

Ordinary Time

- This season of the Church year comes twice, after Christmas and for a longer time after Easter.
- During this time, we learn more about Jesus' teachings so we continue to grow as his disciples.
- We also honor Mary and the Saints.

Mary is the Mother of God and our Mother, too. She loves us and welcomes us with open arms.

Muestras de amor

Las acciones de María mostraban amor. Ella se quedó con su prima Isabel, quien iba a tener un bebé. Ella buscó a su Hijo, Jesús, cuando estaba perdido en Jerusalén. María se quedó junto a la Cruz cuando Jesús murió. Ella perdonó a quienes lo lastimaron, como hizo Jesús. María nos muestra cómo debemos amar y perdonar.

Mostrar misericordia

Subraya la manera en que María mostró misericordia hacia los demás después de la Muerte de Jesús.

Las personas misericordiosas piensan en lo que necesitan los demás y tratan de ayudar. Dios es misericordioso. Él nos perdona cuando pecamos. Jesús también nos muestra cómo ser misericordiosos. Muchos de sus relatos en los Evangelios hablan de cómo ser misericordiosos.

- **¿Cómo nos muestra Jesús su misericordia?**
- **¿Cómo te ha mostrado misericordia alguien? ¿Cómo puedes mostrarla hacia los demás?**

Actividad

Representa una oración de misericordia Haz gestos adecuados con esta oración de misericordia. Muestra qué significan las palabras. Di la oración todas las mañanas.

Jesús, ten piedad de mí.
María, ayúdame hoy a mostrar
misericordia hacia los demás. Amén.

Acting Out of Love

Mary's actions showed love. She stayed with her cousin Elizabeth who was going to have a baby. She searched for her Son, Jesus, when he was lost in Jerusalem. Mary stayed at the Cross when Jesus died. She forgave those who hurt him, as Jesus did. Mary shows us how to love and forgive others.

Showing Mercy

Merciful people think of what others need and try to help. God is merciful. He forgives us when we sin. Jesus shows us how to be merciful, too. Many of his stories in the Gospels are about being merciful.

Underline the way that Mary showed mercy to others after Jesus' Death.

➔ **How has Jesus shown his mercy to us?**

➔ **How has someone shown mercy to you? How can you show mercy to others?**

Activity

Act Out a Mercy Prayer Make gestures to go with this mercy prayer. Show what the words mean. Say the mercy prayer every morning.

Jesus, have mercy on me.
Mary, help me show mercy to others today. Amen.

Gente de fe

Capítulo	Persona	Festividad
1	Santísima Virgen María	1 de enero
2	San Cristóbal Magallanes Jara	21 de mayo
3	San Lucas	18 de octubre
4	Beata Juliana de Norwich	13 de mayo
5	San Pedro	29 de junio
6	San Arnoldo Janssen	15 de enero
7	Santa Isabel de Hungría	17 de noviembre
8	Santa Teresa del Niño Jesús	1 de octubre
9	Santa Juana Francisca de Chantal	12 de agosto
10	San Pío X (Giuseppe Sarto)	21 de agosto
11	San Benito José Labré	16 de abril
12	Papa San Víctor	28 de julio
13	Santa Brígida de Kildare	1 de febrero
14	Beata Madre Teresa de Calcuta	5 de septiembre
15	San Alfonso de Ligorio	1 de agosto
16	San Tarcisio	15 de agosto
17	San Pablo	29 de junio
18	Beata Imelda Lambertini	13 de mayo
19	Venerable Pierre Toussaint	
20	San Antonio Claret	24 de octubre
21	Santa María Magdalena de Pazzi	25 de mayo

María

San Pedro

Pierre Toussaint

People of Faith

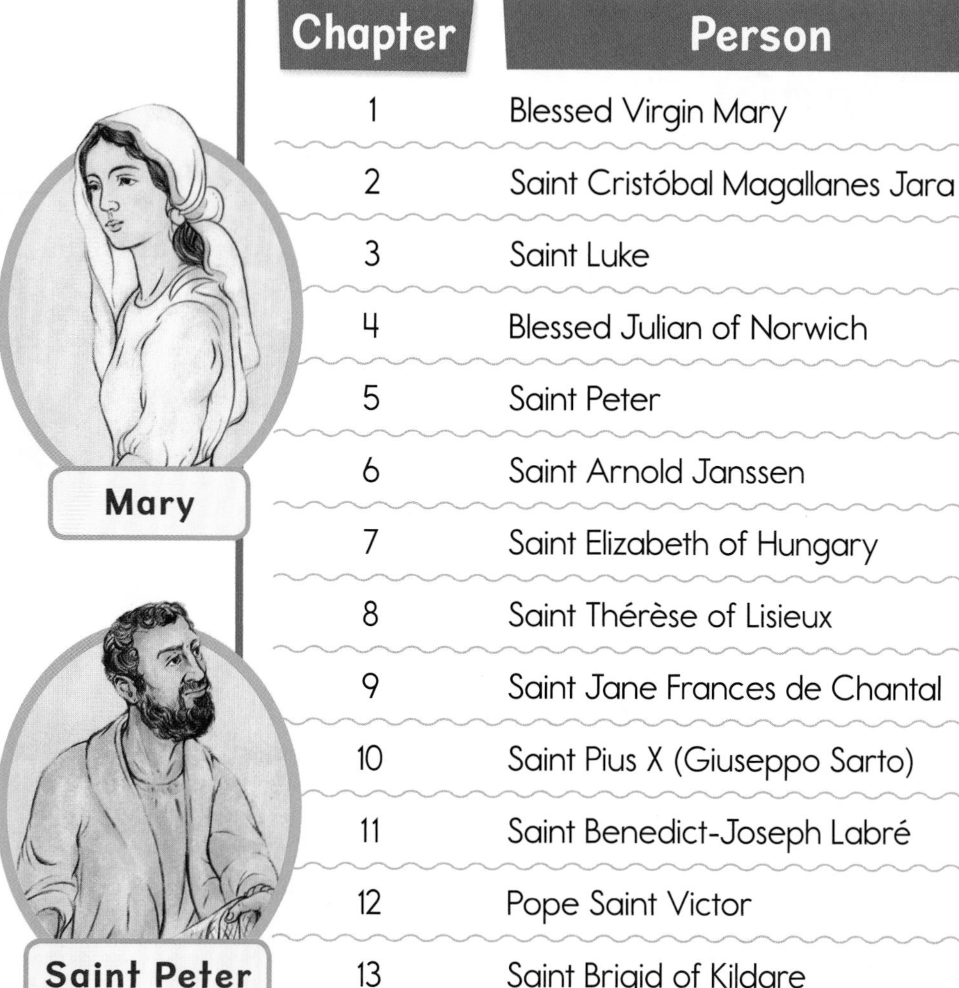

Chapter	Person	Feast Day
1	Blessed Virgin Mary	January 1
2	Saint Cristóbal Magallanes Jara	May 21
3	Saint Luke	October 18
4	Blessed Julian of Norwich	May 13
5	Saint Peter	June 29
6	Saint Arnold Janssen	January 15
7	Saint Elizabeth of Hungary	November 17
8	Saint Thérèse of Lisieux	October 1
9	Saint Jane Frances de Chantal	August 12
10	Saint Pius X (Giuseppo Sarto)	August 21
11	Saint Benedict-Joseph Labré	April 16
12	Pope Saint Victor	July 28
13	Saint Brigid of Kildare	February 1
14	Blessed Mother Teresa of Calcutta	September 5
15	Saint Alphonsus Liguori	August 1
16	Saint Tarcisius	August 15
17	Saint Paul	June 29
18	Blessed Imelda Lambertini	May 13
19	Venerable Pierre Toussaint	
20	Saint Anthony Claret	October 24
21	Saint Mary Magdalene de Pazzi	May 25

Oremos

Ave María

Reúnanse y comiencen con la Señal de la Cruz.

Líder: Lectura del santo Evangelio según Lucas.

Lean Lucas 1, 39-42. 45.

Palabra del Señor.

Todos: Gloria a ti, Señor Jesús.

Inclinen la cabeza y recen juntos el Ave María.

Lado 1: Dios te salve, María, llena eres de gracia; el Señor es contigo. Bendita Tú eres entre todas las mujeres, y bendito es el fruto de tu vientre, Jesús.

Lado 2: Santa María, Madre de Dios, ruega por nosotros, pecadores, ahora y en la hora de nuestra muerte. Amén.

Líder: Pueden ir en paz para amar y servir al Señor, como María lo hizo durante toda su vida.

Todos: Demos gracias a Dios

Canten "Madre de la Iglesia"

Ruega por nosotros, Madre de la Iglesia,
Virgen del Adviento, esperanza nuestra.
De Jesús la aurora, del cielo la puerta,
ruega por nosotros, Madre de la Iglesia.

Let Us Pray

Hail Mary

Gather and begin with the Sign of the Cross.

Leader: A reading from the holy Gospel according to Luke.

Read Luke 1:39–42, 45.

The Gospel of the Lord.

All: Praise to you, Lord Jesus Christ.

Bow your heads and pray the Hail Mary together.

Side 1: Hail, Mary, full of grace, the Lord is with thee. Blessed art thou among women and blessed is the fruit of thy womb, Jesus.

Side 2: Holy Mary, Mother of God, pray for us sinners, now and at the hour of our death. Amen.

Leader: Go forth to love and serve the Lord, as Mary did throughout her life.

All: Thanks be to God.

Sing "Mary, Our Mother"

Mother of Jesus, be with us every day.
We want to stay close to you always.
You are our mother.
We are your children.
Guide us in every way each day.
Guide us in every way.

FAMILIA + FE

VIVIR Y APRENDER JUNTOS

HABLAMOS DEL TIEMPO ORDINARIO >>>

Las fiestas de María y los Santos se celebran durante todo el Año Litúrgico. El Tiempo Ordinario es el tiempo más largo del calendario de la Iglesia. Tiene treinta y tres o treinta y cuatro domingos. Se le llama Tiempo Ordinario porque todos los domingos están numerados en orden. El Tiempo Ordinario se divide en dos partes. La primera empieza desde el final del tiempo de Navidad hasta el Miércoles de Ceniza. La segunda empieza desde el final del tiempo de Pascua hasta el primer Domingo de Adviento, que comienza el ciclo siguiente, o el nuevo año litúrgico. La Fiesta de Nuestra Señora de la Merced se celebra el 1 de enero, durante el primer período del Tiempo Ordinario.

La Palabra de Dios

Lean **Juan 2, 1–11**, el relato del Evangelio de la boda de Caná. Es el primer milagro o signo en el Evangelio según Juan. También nos ayuda a pensar en la compasión de María por los demás y su confianza en Jesús.

AYUDEN A SUS HIJOS A COMPRENDER >>>

La misericordia

- La mayoría de los niños de esta edad entienden la misericordia como tener una segunda oportunidad. Necesitan que se los anime a ampliar esta comprensión para incluir el perdón.
- Por lo general, a esta edad los niños necesitan cierta guía para comprender que, como seguidores de Jesús, deben ofrecer misericordia y perdón a los demás.
- Casi siempre, los niños aprenden el concepto de misericordia al recibir misericordia. También necesitan confiar en que, cuando cometen errores, siguen siendo amados.

COSTUMBRES DE LA FAMILIA CATÓLICA >>>

Misericordia y perdón

Cada vez que un miembro de la familia le da a otro un signo manifiesto de perdón, o el beneficio de la duda, o minimiza las respuestas negativas como errores sin mala intención, está extendiendo su misericordia. Al actuar de esta forma, le están dando a su hijo una experiencia, o un ejemplo, de la capacidad (mucho mayor) de Dios de tener misericordia y perdón.

ORACIÓN EN FAMILIA >>>

Recen juntos esta oración en la cena del 1 de enero para celebrar la Fiesta de Nuestra Señora de la Merced:

María, Madre nuestra y modelo de Misericordia, enséñanos a ser misericordiosos y bondadosos unos con otros. Te rogamos que le pidas a Dios que muestre su misericordia a todos los que necesitan de ella. Te lo pedimos en nombre de Jesús. Amén.

Visiten **vivosencristo.osv.com** para encontrar un glosario multimedia de Palabras católicas, lecturas dominicales, y recursos de Santos y tiempos festivos.

FAMILY + FAITH

LIVING AND LEARNING TOGETHER

TALKING ABOUT ORDINARY TIME >>>

Feasts of Mary and the Saints occur all during the Church Year. Ordinary Time is the longest of all the Church seasons. It has thirty-three or thirty-four Sundays. It is called Ordinary Time because all the Sundays are numbered in order. Ordinary Time is divided into two parts. The first is from the end of the Christmas season until Ash Wednesday. The second is from the end of the Easter season until the first Sunday of Advent, which begins the next cycle, or a new liturgical year. The Feast of Our Lady of Mercy occurs on January 1, during the first period of Ordinary Time.

God's Word

Read **John 2:1–11**, the Gospel story of the Wedding Feast of Cana. It is the first miracle or sign in the Gospel according to John. It also helps us think about Mary's compassion for others and her trust in Jesus.

HELPING YOUR CHILD UNDERSTAND >>>

Mercy

- Most children this age understand mercy as being given another chance. They need to be encouraged to expand that understanding to include forgiveness.
- Usually at this age, children need some guidance to understand that as a follower of Jesus, they need to offer others mercy and forgiveness.
- For the most part, children learn the concept of mercy from receiving mercy. They need to trust that when they make mistakes, they are still loved.

CATHOLIC FAMILY CUSTOMS >>>

Mercy and Forgiveness

Each time a family member gives another an overt sign of forgiveness, or the benefit of the doubt, or minimizes negative responses to honest mistakes, he or she extends mercy to the other. When acting in these ways, you are giving your child an experience of, or an example of, God's (much greater) capacity for mercy and forgiveness.

FAMILY PRAYER >>>

Say this prayer together at dinner on January 1 to celebrate the Feast of Our Lady of Mercy:

Mary, our Mother and model of Mercy, teach us to be merciful and kind to each other. We pray that you will ask God to show his mercy to all who are in need of it. We ask this in Jesus' name. Amen.

For a multimedia glossary of Catholic Faith Words, Sunday readings, seasonal and Saint resources, and chapter activities go to **aliveinchrist.osv.com**.

Llamados a ser santos

Oremos

Líder: Querido Jesús, tú siempre estás conmigo. Tú me ayudas a ser un hijo de la luz. Tú me guías para tomar las decisiones correctas. Gracias.

"El Señor es mi pastor: nada me falta". Salmo 23, 1

Todos: Amén.

La Palabra de Dios

Sabemos que, para los que aman a Dios, todas las cosas suceden para bien. Aquellos que fueron creados por Dios fueron hechos a imagen y semejanza de su Hijo, para que él fuera el primogénito de una familia numerosa. Basado en Romanos 8, 28-29

¿Qué piensas?

- ¿De qué manera te pareces a Jesús?
- ¿Cómo cuida Jesús de ti?

Called to Be Saints

Let Us Pray

Leader: Dear Jesus, you are always with me. You help me to be a child of the light. You guide me to make right choices. Thank you.

"The LORD is my shepherd;
there is nothing I lack." Psalm 23:1

All: Amen.

God's Word

We know that for those who love God, all things work together for good. Those whom God created were made in the image of his Son, in order that he might be the first born within a large family.

Based on Romans 8:28–29

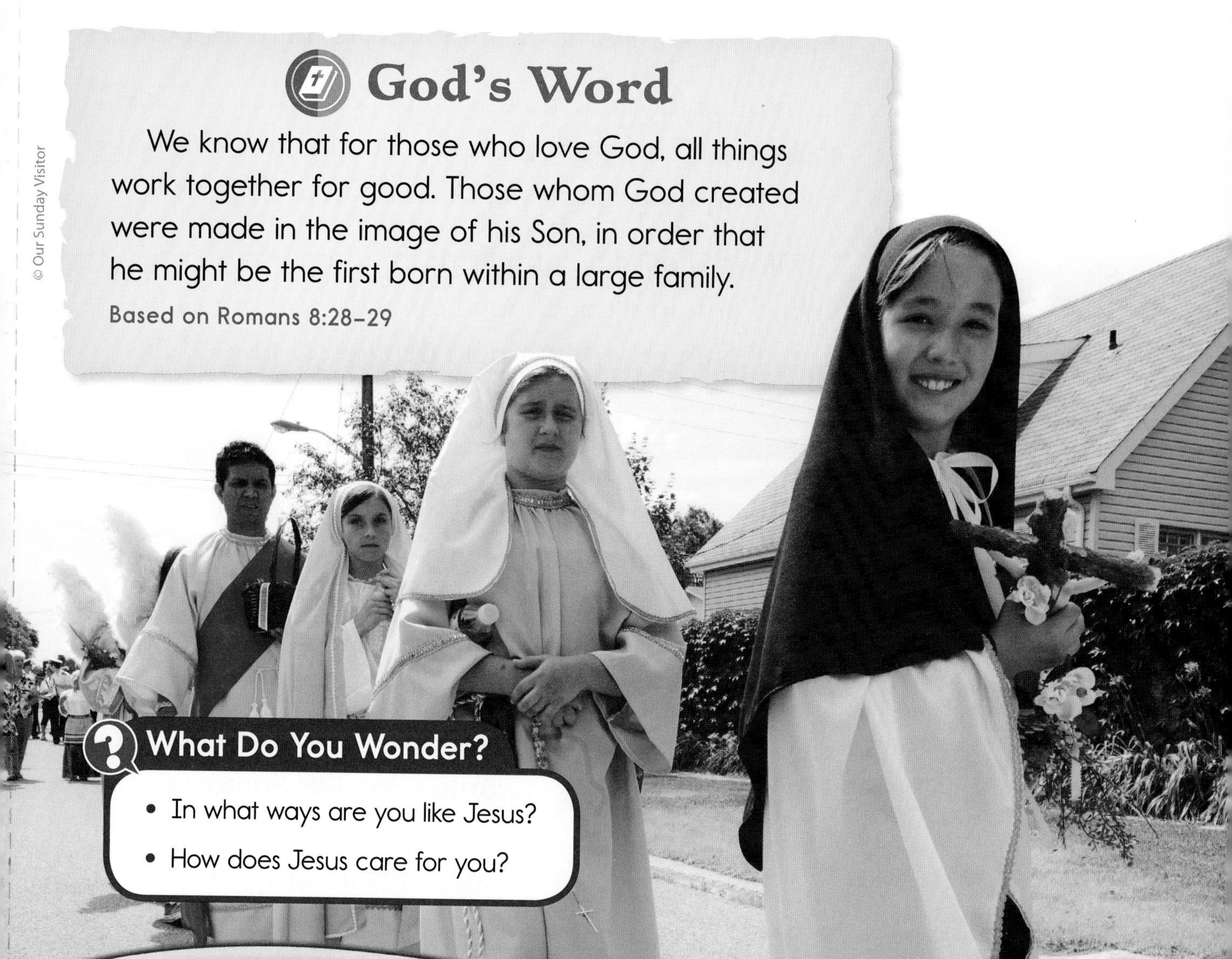

What Do You Wonder?

- In what ways are you like Jesus?
- How does Jesus care for you?

Recordamos a nuestros Santos

La Solemnidad de Todos los Santos, el 1 de noviembre, honra a todas las personas que están en el Cielo. No conocemos el nombre de todos los que están en el Cielo. Pero la Iglesia dedica este día para celebrar a todos los que están disfrutando de la presencia de Dios para siempre.

1. Subraya la misión que comparten los miembros bautizados de la Iglesia.
2. Encierra en un círculo lo que significa.

Sabemos que el Bautismo convierte a una persona en un miembro de la Iglesia. Todos los que están bautizados comparten la misión de ser hijos de la luz.

Esto significa que amas a Dios por sobre todas las cosas y que participas con todos de su amor. También significa que compartes la Buena Nueva de Jesús.

Dios te llama a cumplir tu misión para toda tu vida. Cuando alguien que ha vivido como un hijo de la luz muere en la gracia de Dios, se une a Dios en el Cielo para siempre. Nos alegramos por todos los que están en el Cielo. Los llamamos Santos.

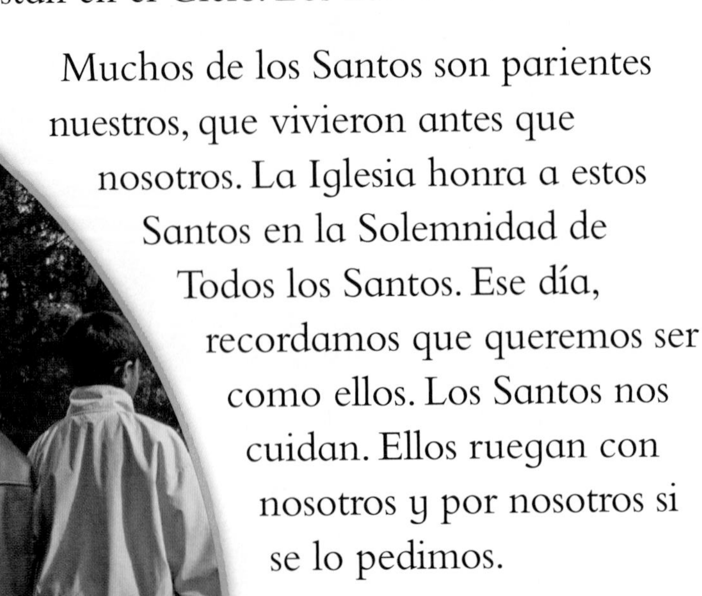

Muchos de los Santos son parientes nuestros, que vivieron antes que nosotros. La Iglesia honra a estos Santos en la Solemnidad de Todos los Santos. Ese día, recordamos que queremos ser como ellos. Los Santos nos cuidan. Ellos ruegan con nosotros y por nosotros si se lo pedimos.

Remembering Our Saints

The Feast of All Saints, on November 1, honors all people who are in Heaven. We do not know the names of all those who are in Heaven. But the Church sets aside this day to celebrate everyone enjoying God's presence forever.

We know that Baptism makes a person a member of the Church. Everyone who is baptized shares a mission to be children of the light.

This means you love God above all things and that you share his love with everyone. It also means you share the Good News of Jesus.

God calls you to do your mission for your whole life. When someone who has lived like a child of the light dies in God's grace, that person joins God in Heaven forever. We are happy for all those in Heaven. We call them Saints.

1. Underline the mission that the baptized members of the Church share.
2. Circle what it means.

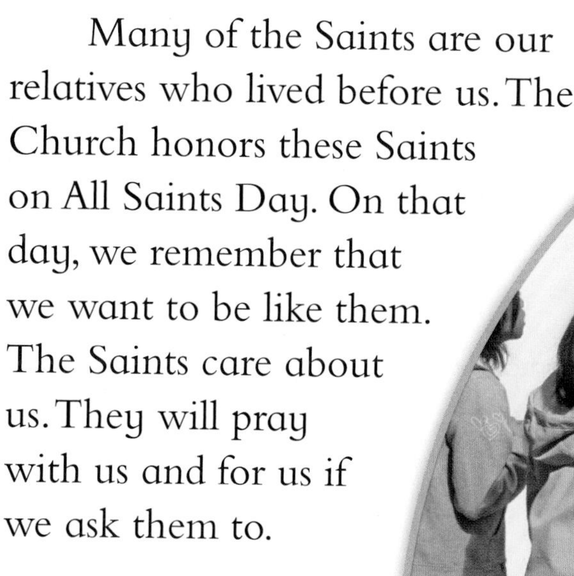

Many of the Saints are our relatives who lived before us. The Church honors these Saints on All Saints Day. On that day, we remember that we want to be like them. The Saints care about us. They will pray with us and for us if we ask them to.

Oremos

Damos gracias

Reúnanse y comiencen con la Señal de la Cruz.

Líder: Oremos.
Señor Dios, que nos bendices con el don de la vida.

Todos: Te damos gracias.

Líder: Tú nos diste todos los dones de la creación.

Todos: Te damos gracias.

Líder: Tú nos hiciste tus hijos, tu Pueblo santo.

Todos: Te damos gracias.

Líder: Tú nos invitas a amarte amando a los demás.

Todos: Te damos gracias.

Líder: Tú nos has dado tu Espíritu Santo.

Todos: Te damos gracias.

Líder: Amado Dios,
Tú nos has dado todo.
Bendecimos tu nombre.
Te damos gracias.

Todos: Canten "Letanía de los Santos"

Let Us Pray

Giving Thanks

Gather and begin with the Sign of the Cross.

Leader: Let us pray.
Lord God, you bless us with the gift of life.

All: We give you thanks.

Leader: You gave us all the gifts of creation.

All: We give you thanks.

Leader: You made us your children, your holy People.

All: We give you thanks.

Leader: You invite us to love you by loving others.

All: We give you thanks.

Leader: You have given us your Spirit.

All: We give you thanks.

Leader: Dear God,
You have given us everything.
We bless your name.
We thank you.

All: Sing "Litany of Saints"

FAMILIA + FE

VIVIR Y APRENDER JUNTOS

HABLAMOS DEL TIEMPO ORDINARIO >>>

En la Solemnidad de Todos los Santos, honramos a todos los hombres y mujeres virtuosos que están en el Cielo y que son un ejemplo para nosotros. También recordamos que cada uno de nosotros es llamado en el Bautismo a ser una persona santa, guiada por la luz de Cristo. Para los católicos, la Solemnidad de Todos los Santos es un día de precepto.

La Palabra de Dios

Lean **Romanos 8, 28–29**, una de las últimas cartas de Pablo, donde habla con firmeza acerca de la fe y el poder transformador del Bautismo.

AYUDEN A SUS HIJOS A COMPRENDER >>>

Los Santos

- La mayoría de los niños de esta edad se preguntan cómo es el Cielo.
- A esta edad, a muchos niños les gusta tener un Santo patrono.
- En la mayoría de los casos, los niños están comenzando a comprender la conexión entre su relación con Dios y las decisiones que toman en su vida.

FIESTAS DEL TIEMPO >>>

Solemnidad de Todos los Santos

1 de noviembre

Esta es una ocasión maravillosa para resaltar las cualidades de los miembros de la familia que han fallecido. Si su hijo comparte una cualidad espiritual con alguien de la familia, señálenla como un elogio, tal como: "Eres igual a tu bisabuela, que era siempre generosa y luchaba por la justicia". Aunque no podemos saber con certeza quién está en el Cielo, animen a su hijo a ver a los parientes fallecidos como aliados espirituales en la Comunión de los Santos.

ORACIÓN EN FAMILIA >>>

Usen esta oración para rezar por todos los miembros de la familia que han fallecido en años recientes:

Querido Jesús, somos hijos de la luz en la Tierra. Sabemos que hay hijos de la luz en el Cielo. Oramos para que nuestro pariente (nombre) esté hoy viviendo feliz contigo. Con todos los Santos, te honramos a Ti, a tu Padre y al Espíritu Santo. Amén.

Visiten **vivosencristo.osv.com** para encontrar un glosario multimedia de Palabras católicas, lecturas dominicales, y recursos de Santos y tiempos festivos.

FAMILY + FAITH

LIVING AND LEARNING TOGETHER

TALKING ABOUT ORDINARY TIME >>>

On the Feast of All Saints, we honor all the Saints—the holy men and women in Heaven who are examples for us. We also call to mind that each of us is called in Baptism to be a holy person, a person guided by the light of Christ. For Catholics, All Saints' Day is a holy day of obligation.

God's Word

Read **Romans 8: 28–29**, one of Paul's last letters where he speaks strongly about faith and the transforming power of Baptism.

HELPING YOUR CHILD UNDERSTAND >>>

Saints

- Most children this age wonder about Heaven and what it is like.
- At this age many children like to have a patron Saint.
- In most cases children are beginning to understand the connection between their relationship with God and the choices they make in their lives.

FEASTS OF THE SEASON >>>

All Saints' Day

November 1

This is a wonderful time to highlight the good qualities of family members who have passed away. If your child shares a spiritual quality with a family member, point it out in a compliment, such as, "You are like your great-grandma, who was always generous and outspoken for justice." Although we cannot know with certainty who is in Heaven, encourage your child to view departed relatives as spiritual allies in the Communion of Saints.

FAMILY PRAYER >>>

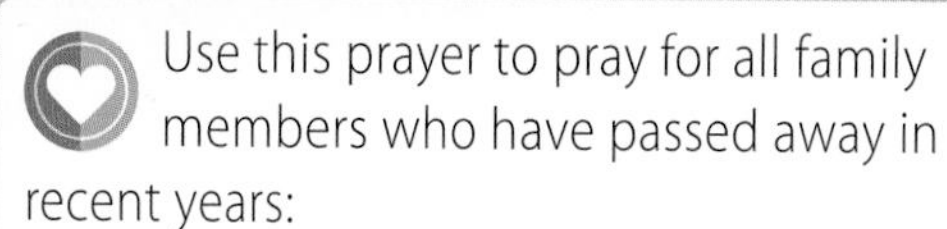

Use this prayer to pray for all family members who have passed away in recent years:

Dear Jesus, we are children of the light on Earth. We know that there are children of the light in Heaven. We pray that our relative (name) is living happily with you today. With all of the Saints, we honor you, your Father, and the Holy Spirit. Amen.

For a multimedia glossary of Catholic Faith Words, Sunday readings, seasonal and Saint resources, and chapter activities go to **aliveinchrist.osv.com**.

Cambiemos nuestro corazón

Oremos

Líder: Señor Dios, envía tu Espíritu Santo para que nos ayude a ver tu camino con mayor claridad.

"Abran el camino a Yavé..." Isaías 40, 3

Por Cristo, nuestro Señor.

Todos: Amén.

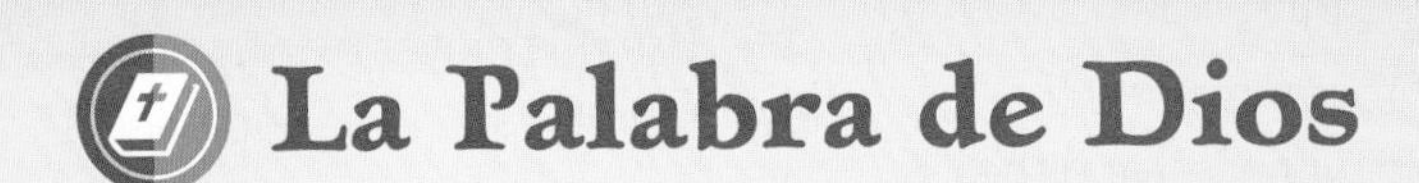

La Palabra de Dios

El pueblo judío estaba esperando que llegara el Mesías. Muchos se habían alejado de Dios. Juan Bautista les dijo: "Regresen a Dios. Arrepiéntanse de sus pecados. Cambien su corazón." Basado en Marcos 1, 1-8

¿Qué piensas?

- ¿Qué significa cambiar el corazón?
- ¿Qué palabras o acciones le dicen a alguien que estás arrepentido?

Change Our Hearts

Let Us Pray

Leader: Lord, God, send your Holy Spirit
to help us see your path more clearly.

"...prepare the way of the LORD!" Isaiah 40:3

Through Christ, our Lord.

All: Amen.

God's Word

The Jewish people were waiting for the Messiah to come. Many had turned away from God. John the Baptist said to them, "Turn back to God. Be sorry for your sins. Change your hearts." Based on Mark 1:1–8

What Do You Wonder?

- What does it means to change your heart?
- What words or actions tell someone that you are sorry?

Preparación

Adviento

- El tiempo de cuatro semanas antes de Navidad.
- Durante este tiempo, nos preparamos para celebrar la venida de Jesús.

El Adviento es el primer tiempo del año litúrgico. Durante las cuatro semanas de Adviento, toda la Iglesia se prepara para celebrar el regreso de Jesús con gloria.

El color del Adviento es el morado. El sacerdote se viste de morado. La iglesia tiene decoraciones moradas.

Subraya para qué nos preparamos durante el Adviento.

El color morado te recuerda que debes cambiar tu corazón para la Segunda Venida de Jesús. Te recuerda que debes pedir el perdón y la misericordia de Dios.

Las Posadas es una celebración que se realiza en México, que honra el viaje de María y José a Belén.

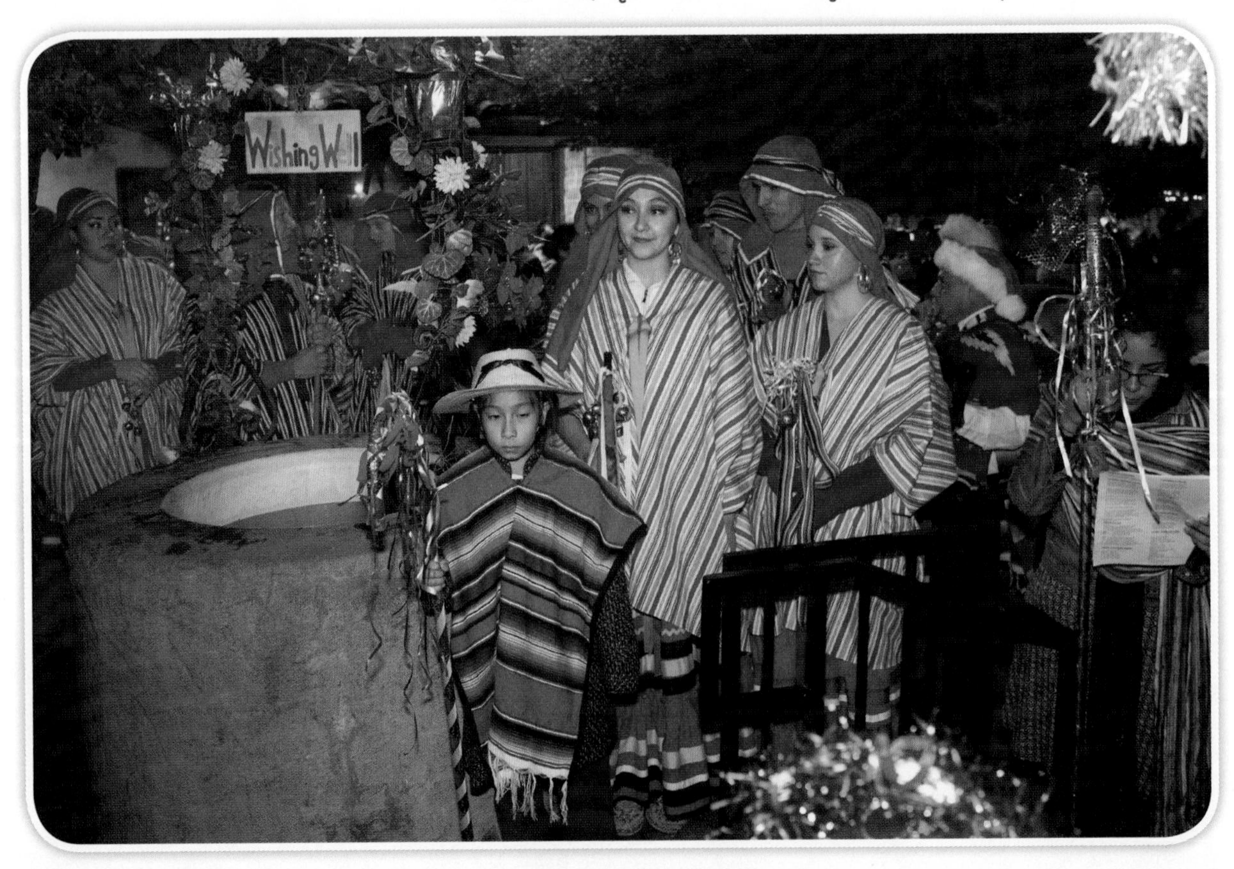

Preparing

Advent is the first season of the Church year. During the four weeks of Advent, the whole Church prepares to celebrate Jesus' coming again in glory.

Purple is the Advent color. The priest wears purple colors. The church has purple decorations.

The color purple reminds you to change your heart for Jesus' Second Coming. It reminds you to ask for God's forgiveness and mercy.

Advent

- The season of four weeks before Christmas.
- During this time, we prepares to celebrate the coming of Jesus.

Using a purple marker or crayon, underline what we prepare for during Advent.

Las Posadas is a celebration in Mexico that honors Mary and Joseph's journey to Bethlehem.

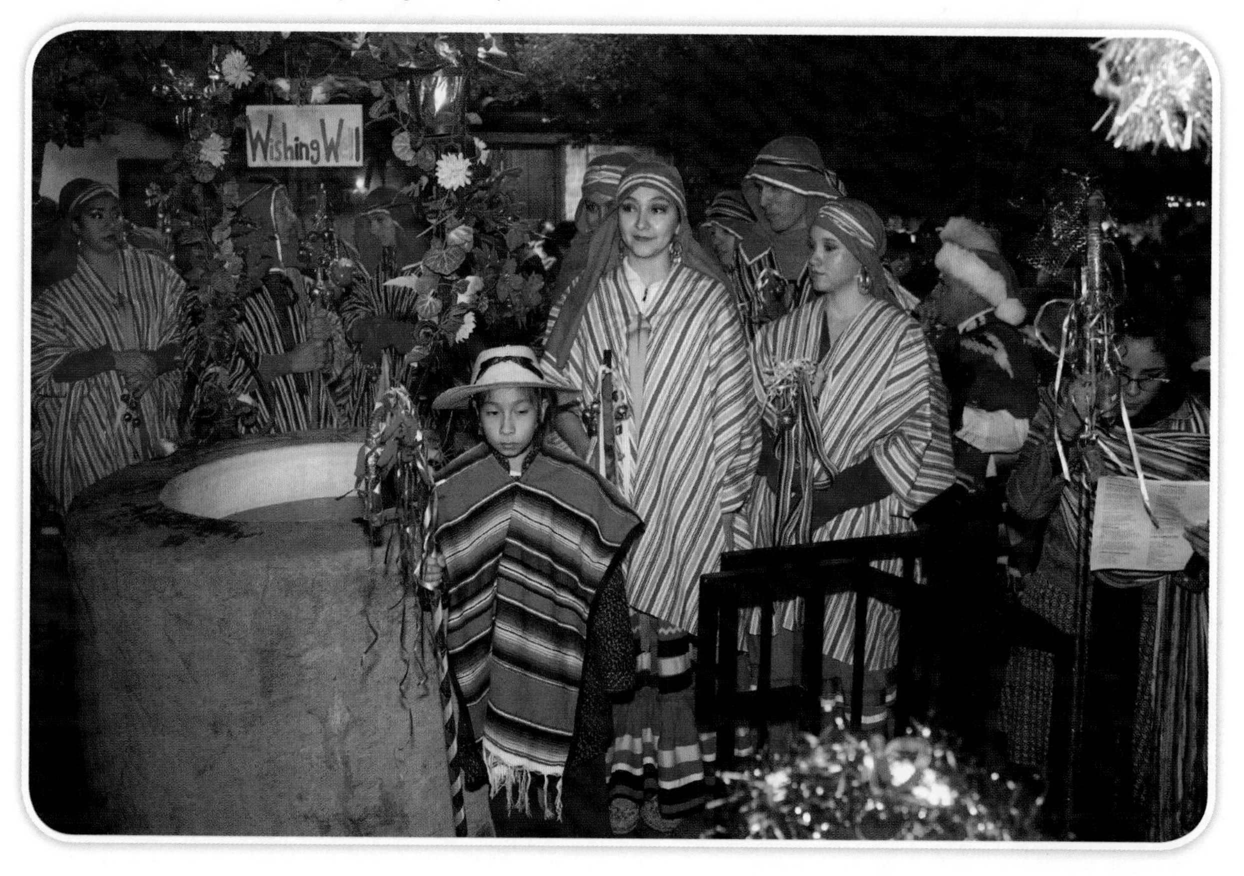

Más cerca de Dios

Puede que algunas veces olvides que Dios está cerca. Puede que tomes decisiones que te alejan de Él. El Adviento es un buen momento para recordar el amor de Dios por ti. Es un tiempo para acercarse a Él.

➔ **¿Cómo puedes estar más cerca a Jesús?**

Actividad

Llena el pesebre Dentro del pesebre, escribe una manera en que mostrarás tu amor por los demás durante el Adviento. Decora el pesebre para hacer un lecho suave para el niño Jesús.

Closer to God

Sometimes you may forget that God is near. You may make choices that draw you away from God. Advent is a good time to remember God's love for you. It is a time to draw closer to him.

➔ **What is one way you can grow closer to Jesus?**

Activity

Fill the Manger Inside the manger, write one way you will show your love for others during Advent. Decorate the manger to make a soft bed for Baby Jesus.

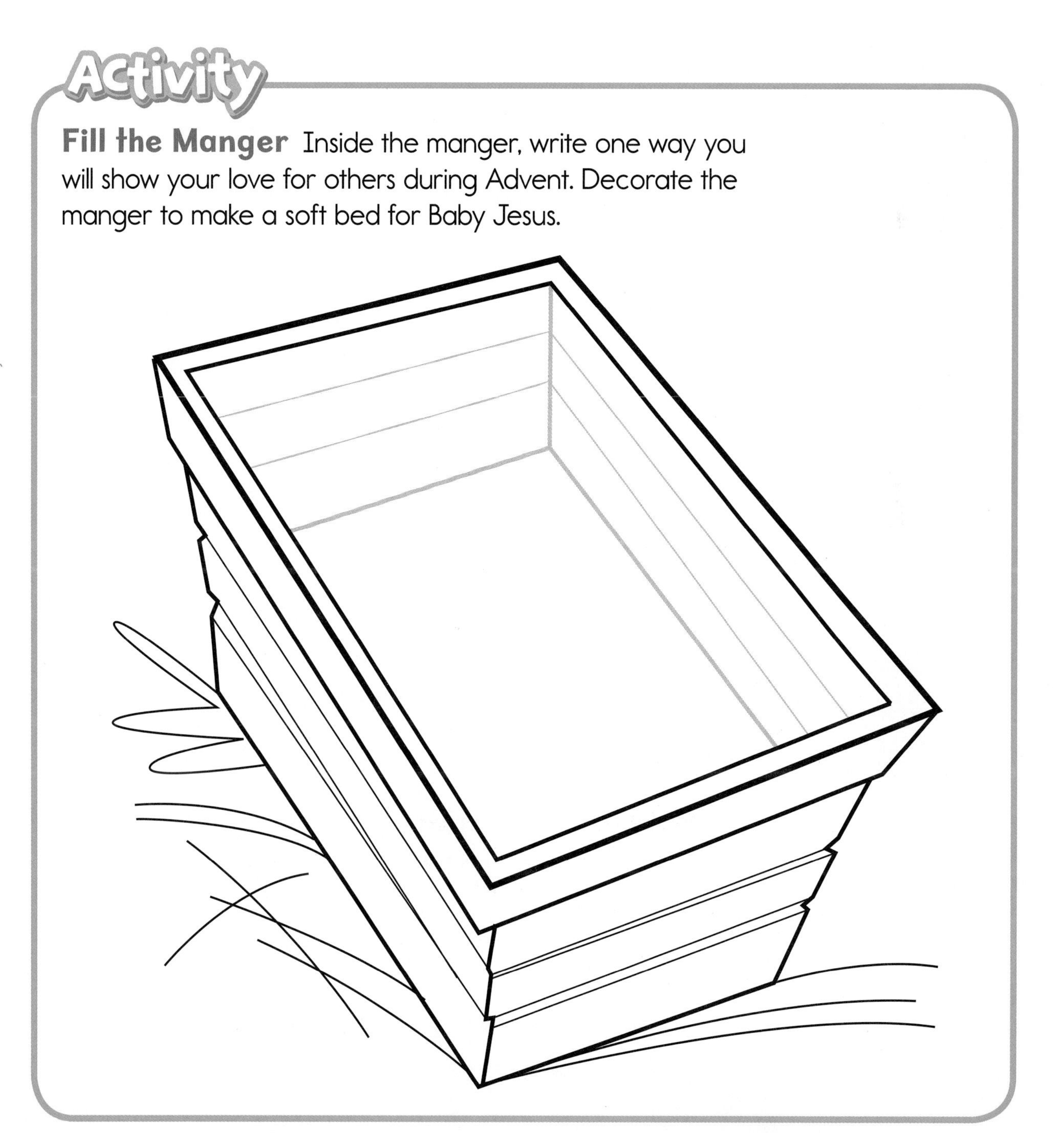

Oración por la misericordia de Dios

Esta es una oración de petición. Una oración de petición es una oración para pedir algo. En esta oración pedimos la misericordia y el perdón de Dios.

Oremos

Reúnanse y comiencen con la Señal de la Cruz.

Líder: Nuestra ayuda está en el Nombre del Señor.

Todos: Que hizo el cielo y la tierra.

Líder: Señor, que viniste a unir a todos los pueblos en paz. Señor, ten piedad.

Todos: Señor, ten piedad.

Líder: Señor, que viniste a enseñarnos a ser santos. Cristo, ten piedad.

Todos: Cristo, ten piedad.

Líder: Señor, que vendrás de nuevo con gloria para salvar a tu pueblo. Señor, ten piedad.

Todos: Señor, ten piedad.

Líder: Dios tenga misericordia de nosotros, perdone nuestros pecados y nos lleve la vida eterna.

Todos: Amén.

Prayer for God's Mercy

This is a prayer of petition. A prayer of petition is an asking prayer. In this prayer we ask for God's mercy and forgiveness.

Let Us Pray

Gather and begin with the Sign of the Cross.

Leader: Our help is in the name of the Lord.

All: Who made Heaven and Earth.

Leader: Lord, you came to gather all peoples in peace. Lord, have mercy.

All: Lord, have mercy.

Leader: Lord, you came to show us how to be holy. Christ, have mercy.

All: Christ, have mercy.

Leader: Lord, you will come again in glory to save your people. Lord, have mercy.

All: Lord, have mercy.

Leader: May God have mercy on us, forgive us our sins, and bring us to everlasting life.

All: Amen.

Escucha la Palabra de Dios

Líder: Lectura del santo Evangelio según Marcos.

Lean Marcos 1, 14-15.

Palabra del Señor.

Todos: Gloria a ti, Señor Jesús.

Oración alrededor de la corona de Adviento

Siéntense en silencio alrededor de la corona de Adviento. Piensen en una manera como cambiarán su corazón durante el Adviento.

Líder: Gloria al Padre y al Hijo y al Espíritu Santo.

Todos: Como era en el principio, ahora y siempre, por los siglos de los siglos. Amén.

¡Evangeliza!

Líder: Podemos ir en paz para amar y servir al Señor, mostrándonos bondadosos unos con otros.

Todos: Demos gracias a Dios.

Canten "Preparen el Camino"

Listen to God's Word

Leader: A reading from the holy Gospel according to Mark.

Read Mark 1:14–15.

The Gospel of the Lord.

All: Praise to you, Lord Jesus Christ.

Pray Around the Advent Wreath

Sit in silence before the Advent wreath. Think of a way you will change your heart during Advent.

Leader: Glory be to the Father, and to the Son, and to the Holy Spirit:

All: as it was in the beginning, is now, and ever shall be, world without end. Amen.

Go Forth!

Leader: Let us go forth to love and serve the Lord by showing kindness to one another.

All: Thanks be to God.

Sing "Candles of Advent"

FAMILIA + FE

VIVIR Y APRENDER JUNTOS

HABLAMOS DEL ADVIENTO >>>

La palabra *Adviento* significa "venida". El Adviento es el tiempo en que la Iglesia se prepara para celebrar la venida al mundo de Jesús, el Salvador, y nos recuerda que Él vendrá de nuevo en el último día. Durante este tiempo, nos preparamos para la alegría de la Navidad y para la Segunda Venida de Cristo. Por siglos, en el Antiguo Testamento, el Pueblo de Israel aguardó con mucha esperanza la llegada de un Mesías. A pesar de su gran deseo de un Mesías, con frecuencia muchos no habían preparado su corazón para su llegada. Los siglos de esperar por el Mesías acallaron su expectativa. San Juan Bautista fue enviado como mensajero para exhortar a la gente a arrepentirse y a pedir perdón. En cada Adviento, oímos este mismo llamado de una manera especial.

La Palabra de Dios

Lean **Marcos 1, 1–8**, San Juan Bautista llama a sus oyentes a arrepentirse y a pedir el perdón como preparación para recibir al Mesías.

AYUDEN A SUS HIJOS A COMPRENDER >>>

El Adviento

- Este año, la mayoría de los niños de esta edad se preparan para celebrar el Sacramento de la Reconciliación por primera vez. Ellos necesitan la ayuda de ustedes para comprender que arrepentirse por haber pecado incluye la voluntad de cambiar hábitos, actitudes y acciones que los alejen de amar a Dios, a los demás y a sí mismos.
- La mayoría de los niños pequeños no captan por completo la realidad de la Segunda Venida de Cristo. Es más útil cuando usted les recalca que el arrepentimiento del pecado y el cambio de comportamiento son una de las maneras de prepararnos para la alegría de la Navidad.

FIESTAS DEL TIEMPO >>>

Las Posadas

Del 16 al 24 de diciembre

Las Posadas es un ritual tradicional mexicano que abarca desde el 16 hasta el 24 de diciembre. Es, en esencia, una novena. Las familias recrean el momento en que José y María, su esposa embarazada, buscan una habitación cuando se acerca el momento del parto. Cada noche, niños y adultos se unen en procesión hasta diferentes hogares, pidiendo alojamiento para esa noche. Se invita a la gente a leer las Sagradas Escrituras, orar y cantar canciones de Adviento y villancicos de Navidad. Comienza una fiesta y los anfitriones ofrecen refrigerios.

ORACIÓN EN FAMILIA >>>

Pidan a los miembros de la familia que compartan algo que hicieron durante el día para preparar su corazón para la llegada de Jesús. Luego, recen:

Dios, Padre de misericordia, fue tu voluntad que tu Hijo se hiciera hombre para darnos de nuevo la vida. Bendice estos alimentos, tus dones, para que con nuevas fuerzas nos preparemos para la gloriosa venida de Cristo. Amén.

Visiten **vivosencristo.osv.com** para encontrar un glosario multimedia de Palabras católicas, lecturas dominicales, y recursos de Santos y tiempos festivos.

FAMILY+FAITH

LIVING AND LEARNING TOGETHER

TALKING ABOUT ADVENT >>>

The word Advent means coming. Advent is the season when the Church prepares to celebrate the coming of Jesus, the Savior, into the world and reminds us that he will come again on the last day. During this time, we prepare ourselves for the joy of Christmas and for the Second Coming of Christ. For centuries, the People of Israel in the Old Testament waited in great hope for the coming of a Messiah. Despite their great desire for a Messiah, many often failed to prepare their hearts for his coming. The centuries of waiting for the Messiah muted their anticipation. John the Baptist was sent as a messenger to exhort the people to repent and ask forgiveness. Each Advent, we hear this same call in a special way.

God's Word

Read **Mark 1:1–8**, John the Baptist challenges his hearers to repent and ask forgiveness in preparation for receiving the Messiah.

HELPING YOUR CHILD UNDERSTAND >>>

Advent

- Most children at this age are preparing to celebrate the Sacrament of Reconciliation for the first time this year. They need help from you to understand that sorrow for sin includes a willingness to change habits, attitudes, and actions that keep them from loving God, others, and self.
- Most younger children will not fully grasp the reality of the Second Coming of Christ. It is more helpful for them when you emphasize sorrow for sin and change of behavior as one of the ways we get ourselves ready for the joy of Christmas.

FEASTS OF THE SEASON >>>

Las Posadas

December 16–December 24

Las Posadas (Spanish for "the inns") is a traditional Mexican ritual that takes place from December 16 through December 24. It is, in essence, a novena. Families re-enact the moment when Joseph and his pregnant wife, Mary, search for a room as her time to give birth approaches. Children and adults join in procession to different homes every night asking for lodging for the night. People are invited in to read Scriptures, pray, and sing Advent songs and Christmas carols called villancicos. A fiesta begins, and refreshments are provided by the hosts.

FAMILY PRAYER >>>

Have family members share one thing they did to prepare their hearts for Jesus' coming during the day. Then pray:

God, the Father of mercies, you willed your Son to become a man in order to give life back to us. Bless this food, your gift, so that with new strength, we may prepare for the glorious coming of Christ. Amen.

For a multimedia glossary of Catholic Faith Words, Sunday readings, seasonal and Saint resources, and chapter activities go to **aliveinchrist.osv.com**.

Gloria a Dios

Oremos

Líder: Querido Dios, estamos muy felices de que nos hayas enviado a tu Hijo, Jesús. Te damos gracias. Queremos ser tan amorosos y bondadosos como Él lo fue. Queremos glorificarte.

"¡Que Dios tenga piedad y nos bendiga, nos ponga bajo la luz de su rostro!" Salmo 67, 2

Todos: Amén.

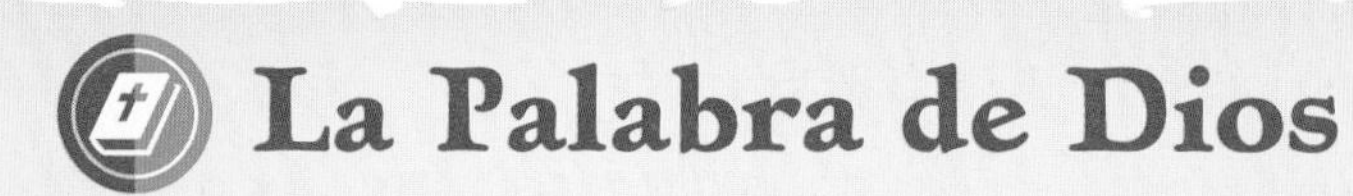

La Palabra de Dios

Bendito sea el Dios y Padre de nuestro Señor Jesucristo, quien los ha bendecido a ustedes en Cristo con toda clase de bendiciones. Dios los eligió antes de la creación del mundo. Él quiere que sean santos y amorosos. Él los adoptó como sus hijos por medio de Jesucristo. Dios quiere que alaben su gloria.

Basado en Efesios 1, 3-6

¿Qué piensas?

- ¿Qué clase de bendiciones te da Dios?
- ¿Cómo glorifican a Dios los niños?

Glory to God

Let Us Pray

Leader: Dear God, we are so happy you sent us your Son, Jesus. Thank you. We want to be as loving and kind as he was. We want to give you glory.

"May God be gracious to us and bless us;
may his face shine upon us." Psalm 67:2

All: Amen.

God's Word

Blessed be the God and Father of our Lord Jesus Christ, who has blessed you in Christ with every blessing. God chose you before the world was created. He wants you to be holy and loving. He adopted you as his children through Jesus Christ. God wants you to give him glory. Based on Ephesians 1:3–6

What Do You Wonder?

- What kind of blessings does God give you?
- How do children give glory to God?

Tiempo de Navidad

La Navidad es un tiempo de alegría. Dura desde la Fiesta de Navidad, el 25 de diciembre, hasta la Fiesta del Bautismo del Señor. Durante este tiempo, el sacerdote usa vestiduras blancas o doradas. Puedes ver el pesebre de Navidad puesto en la iglesia por todo este tiempo. También oirás relatos sobre las cosas que le sucedieron a Jesús cuando era niño.

Subraya el don más importante que Dios le ha dado al mundo.

Gloria a Dios

En la Navidad, la Iglesia celebra el nacimiento de Jesús. Recordamos que Jesús es el don más importante que Dios le dio al mundo. Dios envió a un ángel para que les avisara a algunos hombres que estaban cuidando ovejas (pastores) que Jesús el Salvador había nacido. El ángel les dijo que fueran a un establo para hallarlo. Después, los ángeles cantaron una canción de alabanza a Dios.

Season of Christmas

Christmas is a joyful season. It lasts from the Feast of Christmas on December 25 until the Feast of the Baptism of Jesus. During this season, the priest wears white or gold vestments. You can see the Christmas Nativity scene in church for the whole season. You'll also hear about all the things that happened to Jesus as a young child.

Underline the best gift God has given to the world.

Glory to God

The Church celebrates the birth of Jesus at Christmas. We remember that Jesus is the best gift God gave to the world. God sent an angel to tell some men who watch sheep (shepherds) that Jesus the Savior was born. The angel told them to go to a stable to find him. Then the angels sang a song of praise to God.

Comparte la Buena Nueva

El ángel compartió la Buena Nueva de Jesús con los pastores. En la Misa, cantamos lo que los ángeles cantaron en la primera Navidad:

"Gloria a Dios en el cielo,
y en la tierra paz a los hombres
de buena voluntad." Basado en Lucas 2, 8-14

Los pastores de los campos, como nosotros, eran siervos de la fe. Ellos creyeron lo que el ángel les había dicho sobre Jesús. Después de ver al niño Jesús, compartieron la Buena Nueva con otros.

➔ **¿Qué otra Buena Nueva sobre Jesús conoces? ¿A quién puedes contársela?**

Actividad

Recibe al niño Jesús

Dibuja a tu familia recibiendo al niño Jesús en Navidad.

Share the Good News

The angel shared the Good News about Jesus with the shepherds. At Mass, we sing what the angels sang that first Christmas:

> "Glory to God in the highest,
> and on earth peace to people
> of good will." Based on Luke 2:8–14

Like us, the shepherds in the fields were people of faith. They believed what the angel told them about Jesus. After they saw the Baby Jesus, they shared the Good News with others.

➔ **What other Good News about Jesus do you know? Who can you tell?**

Welcome Baby Jesus
Draw how your family welcomes Jesus at Christmas.

Celebremos la Navidad

Esta oración es una celebración de la Palabra y un acto de alabanza y de acción de gracias. Es un momento de orar con la Iglesia, usando las Sagradas Escrituras.

Oremos

Reúnanse y comiencen con la Señal de la Cruz.

Líder: Bendito sea el nombre del Señor.

Todos: Ahora y siempre.

Líder: Oremos.

Inclinen la cabeza mientras el líder reza.

Todos: Amén.

Escucha la Palabra de Dios

Líder: Lectura del santo Evangelio según Lucas.

Lean Lucas 2, 8-14.

Palabra del Señor.

Todos: Gloria a ti, Señor Jesús.

Adelántense y oren ante el Nacimiento.

Líder: Dios, Padre nuestro, te damos gracias por el don de Jesús, tu Hijo.

Todos: Te alabamos, te bendecimos, te damos gracias.

Celebrate Christmas

This prayer is a celebration of the Word and an act of praise and thanksgiving. It is a moment of prayer with the Church, using the Scriptures.

Let Us Pray

Gather and begin with the Sign of the Cross.

Leader: Blessed be the name of the Lord.

All: Now and forever.

Leader: Let us pray.

Bow your heads as the leader prays.

All: Amen.

Listen to God's Word

Leader: A reading from the holy Gospel according to Luke.

Read Luke 2:8–14.

The Gospel of the Lord

All: Praise to you, Lord Jesus Christ.

Come forward and pray before the Nativity scene.

Leader: God, our Father, we thank you for the gift of Jesus, your Son.

All: We praise you, we bless you,we thank you.

Líder: Te damos gracias por todos los dones de la creación.

Todos: Te alabamos, te bendecimos, te damos gracias.

Líder: Te pedimos que bendigas a todo tu pueblo.

Todos: Te alabamos, te bendecimos, te damos gracias.

¡Evangeliza!

Líder: Pueden ir en paz para cantar la gloria de Dios y para compartir su paz con los demás.

Todos: Demos gracias a Dios.

Canten "Vamos, Pastores, Vamos"

Vamos, pastores, vamos, vamos a Belén
a ver en ese Niño la gloria del Edén.

Ese precioso niño yo me muero por Él,
sus ojitos me encantan, su boquita también.
El Padre le acaricia, la Madre mira en Él:
y los dos extasiados contemplan aquel ser,
contemplan aquel ser.

Música de las misiones, siglo XVI

Leader: We thank you for all the gifts of creation.

All: We praise you, we bless you,we thank you.

Leader: We ask your blessing on all your people.

All: We praise you, we bless you,we thank you.

Go Forth!

Leader: Go forth to sing of God's glory and to share his peace with others.

All: Thanks be to God.

Sing "Away in a Manger"

Away in a manger, no crib for a bed,
the little Lord Jesus laid down his sweet head.
The stars in the sky looked down where he lay,
the little Lord Jesus, asleep on the hay.

Be near me, Lord Jesus, I ask thee to stay
close by me forever, and love me I pray.
Bless all the dear children in thy tender care,
and take us to Heaven to live with thee there.

Away in a manger, no crib for a bed,
the little Lord Jesus, asleep on the hay.

Verse 1, Little Children's Book for Schools and Families, ca. 1885; verse 3, Gabriel's Vineyard Songs, 1892, alt. Music: William James Kirkpatrick, alt.

FAMILIA + FE

VIVIR Y APRENDER JUNTOS

HABLAMOS DE LA NAVIDAD >>>

El tiempo de la Navidad empieza con la celebración del nacimiento de Cristo, el 25 de diciembre, y termina con la Fiesta del Bautismo del Señor. Durante esta época, la Iglesia celebra todos los acontecimientos de los primeros años de Jesús, hasta que comienza su ministerio público con su bautismo. El color litúrgico del tiempo es blanco o dorado. Todas las liturgias de la Navidad durante este tiempo están llenas de alegría. Celebran la llegada del Mesías y envían a la asamblea a difundir la Buena Nueva de la luz de Cristo que se halla en el Pueblo de Dios.

La Palabra de Dios

Lean **Efesios 1, 3–6** para aprender sobre la imagen de Pablo acerca del ilimitado amor de Dios, que se extiende a todos como miembros de un mismo cuerpo que actúa unido para difundir el Evangelio.

AYUDEN A SUS HIJOS A COMPRENDER >>>

La Navidad

- A la mayoría de los niños de esta edad les fascina el relato del nacimiento de Jesús, y les encanta visitar el pesebre o Nacimiento de la parroquia. Dediquen tiempo para visitar el Nacimiento varias veces durante el tiempo de la Navidad.
- Comúnmente, los niños de este nivel conocen algunos himnos navideños populares; repetir estos himnos les enseña el relato y el significado del tiempo.

COSTUMBRES DE LA FAMILIA CATÓLICA >>>

Tradiciones de la Navidad

Los rituales y las tradiciones de las familias católicas son importantes para el desarrollo de la fe de todos en la familia. Ellos prestan un significado más profundo a los adultos y dan a los niños una base estable para su crecimiento. Es probable que ustedes estén transmitiendo algunas de las tradiciones de su infancia. Si no han iniciado ninguna todavía, consideren las siguientes:

- Lean el relato de la Navidad de los Evangelios cada víspera o en el día de la Navidad, cuando su familia se reúna para abrir los regalos.
- Bendigan su casa durante la solemnidad de la Epifanía. Pueden hallar instrucciones y oraciones en **vivosencristo.osv.com**.
- Donen ropa, juguetes, libros o juegos — nuevos y usados— a una tienda de segunda mano o un refugio.
- Enseñen a su hijo un himno de Navidad (Noche de Paz, Al Mundo Paz) y cántenlo con frecuencia. La repetición los ayudará a recordar la letra.

ORACIÓN EN FAMILIA >>>

Dios, Padre Misericordioso, te damos gracias y te alabamos por todas las bendiciones y dones que nos has dado, especialmente el don de tu hijo, Jesús. Amén.

Visiten **vivosencristo.osv.com** para encontrar un glosario multimedia de Palabras católicas, lecturas dominicales, y recursos de Santos y tiempos festivos.

FAMILY + FAITH

LIVING AND LEARNING TOGETHER

TALKING ABOUT CHRISTMAS >>>

The Christmas season begins with the celebration of Christ's birth on December 25 and ends with the Feast of the Baptism of the Lord. During this time, the Church celebrates all of the events of Jesus' early years until he begins his public ministry at his baptism. The liturgical color of the season is white or gold. All of the Christmas liturgies during this season are joy-filled. They celebrate the arrival of the Messiah, and they send the assembly forth to spread the Good News of the light of Christ found in the People of God.

God's Word

Read **Ephesians 1:3–6** to learn about Paul's image of God's unlimited love that includes all as members of the same body who work together to spread the Gospel.

HELPING YOUR CHILD UNDERSTAND >>>

Christmas

- Most children this age are fascinated by the story of the birth of Jesus, and they love to visit the parish Nativity scene. Take time to go to the Nativity scene several times during the Christmas season.
- Ordinarily, second-graders know some popular Christmas hymns; repetition of those hymns teaches them the story and the meaning of the season.

CATHOLIC FAMILY CUSTOMS >>>

Christmas Traditions

Catholic family rituals and traditions are important for faith development for the whole family. They lend deeper meaning to adults and give children a stable base to grow on. You are probably passing on some of the traditions of your childhood. If you have not started any yet, consider some of these:

- Read the Christmas story from the Gospels every Christmas Eve or Day as your family gathers to open gifts.
- Bless your house on the feast of the Epiphany. You can find directions and prayers at **aliveinchrist.osv.com**.
- Donate new and used clothes, toys, books, or games to a thrift store or shelter.
- Teach your child a Christmas hymn (Silent Night, Joy to the World). Sing it often. The repetition will help them remember the words.

FAMILY PRAYER >>>

God, our Gracious Father, we give you thanks and praise for all the blessings and gifts you have given us, especially the gift of your Son, Jesus. Amen.

For a multimedia glossary of Catholic Faith Words, Sunday readings, seasonal and Saint resources, and chapter activities go to **aliveinchrist.osv.com**.

Enséñame tus caminos

Oremos

Líder: Señor Dios, envía tu Espíritu Santo para que guíe nuestras acciones y las haga amorosas.

"¡Ojalá te gusten las palabras de mi boca, esta meditación a solas ante ti...!"
Salmo 19, 15a

Por Cristo, nuestro Señor.

Todos: Amén.

La Palabra de Dios

Somos la obra de Dios, creados en Cristo Jesús. Dios nos hizo para vivir una vida de buenas obras.
Basado en Efesios 2, 10

¿Qué piensas?

- ¿Qué aspecto tiene la obra de Dios?
- ¿Qué clase de buenas obras pueden hacer los niños?

Teach Me Your Ways

Let Us Pray

Leader: Lord, God, send your Holy Spirit
to guide our actions and make them loving.

"Let the words of my mouth be acceptable,
the thoughts of my heart before you."
Psalm 19:15a

Through Christ, our Lord.

All: Amen.

God's Word

We are the work of God's hands, created in Jesus Christ. God made us to lead a life of good works.
Based on Ephesians 2:10

What Do You Wonder?

- What does God's handiwork look like?
- What kinds of good works can children do?

Amor y sacrificio

Subraya las cosas que hace la Iglesia durante la Cuaresma.

La Cuaresma es un tiempo para cambiar nuestro corazón. Comienza el Miércoles de Ceniza y dura cuarenta días. Durante la Cuaresma, el sacerdote se viste de morado y la iglesia se decora con este color.

Los cuarenta días de la Cuaresma son un buen momento para pensar en la bondad amorosa de Dios hacia todas las personas. Cuando el pueblo se había apartado de Dios, Él les envió a un Salvador. Sin importar cuántas veces pequemos, Dios sigue invitándonos a recuperar nuestra amistad con Él.

Cada día durante la Cuaresma, toda la Iglesia lee y escucha relatos sobre el amor de Dios. Oímos los relatos de las obras de Jesús. Oímos la historia de su sacrificio para salvarnos de nuestros pecados. Mientras escuchamos, tratamos de pensar cómo podemos ser más amorosos con los demás.

Love and Sacrifice

Lent is a season to change our hearts. It begins on Ash Wednesday, and it lasts forty days. The priest wears purple during Lent, and the church is decorated in purple.

Underline the things that the Church does during Lent.

The forty days of Lent are a good time to think about God's loving kindness to all people. When the people had turned from God, he sent them a Savior. No matter how many times we sin, God still invites us back into friendship with him.

Each day during Lent, the whole Church reads and listens to stories of God's love. We hear the stories of the works of Jesus. We hear about his sacrifice to save us from our sins. As we listen, we try to think of ways that we can be more loving to others.

Ama a Dios y a los demás

Estás aprendiendo muchos relatos acerca de Jesús. Mientras aprendes estos relatos, encontrarás maneras nuevas de seguirlo. Jesús nos enseña a recordar una cosa muy importante: Ama a Dios por sobre todas las cosas y ama a tu prójimo como a ti mismo.

➔ **¿Cuál es una manera en que podrías amar a tu prójimo como a ti mismo?**

Actividad

Ordena el mensaje Ordena las palabras para hallar una cosa muy importante que nos enseña Jesús.

MAA A SOID
AAM A UT
OJÓPIRM

☐☐☐ ☐ ☐☐☐☐ y
☐☐☐ ☐ ☐☐
☐☐☐☐☐☐☐

Love God and Others

You are learning many stories about Jesus. As you learn these stories, you will find new ways to follow him. Jesus teaches us to remember one very important thing: Love God above all things, and love your neighbor as you love yourself.

➔ **What is one way you could love your neighbor as much as you love yourself?**

Activity

Unscramble the Message Unscramble the words to find one very important thing Jesus teaches us.

OLVE OGD
VELO RUYO
GBEHRONI

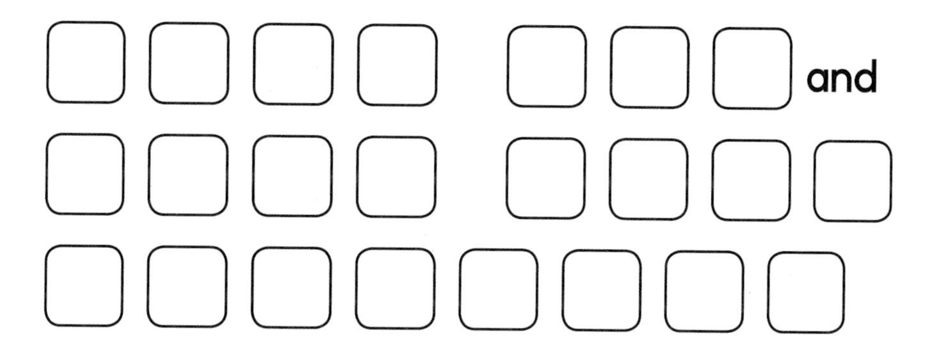

Celebremos la Cuaresma

Esta oración incluye una oración para persignarse. Es una acción ritual en la que se hace la Señal de la Cruz sobre el cuerpo.

Oremos

Reúnanse y comiencen con la Señal de la Cruz.

Líder: Oh, Señor, abre mis labios.

Todos: Para que mi boca te alabe.

Líder: Señor Jesús, tú nos has mostrado el camino al Padre.

Todos: Señor, ten piedad.

Líder: Señor Jesús, tú nos has dado la verdad.

Todos: Cristo, ten piedad.

Líder: Señor Jesús, tú nos conduces a la vida eterna.

Todos: Señor, ten piedad.

Líder: Que Dios todopoderoso tenga misericordia de nosotros, perdone nuestros pecados y nos lleve a la vida eterna.

Todos: Amén.

Escucha la Palabra de Dios

Líder: Lectura del santo Evangelio según Juan.

Lean Juan 3, 16-17

Palabra del Señor.

Celebrate Lent

This prayer includes a signing prayer. A signing prayer is a ritual prayer of action where the Sign of the Cross is traced on your body.

Let Us Pray

Gather and begin with the Sign of the Cross.

Leader: O Lord, open my lips.

All: That my mouth shall praise you.

Leader: Lord Jesus, you have shown us the way to the Father.

All: Lord, have mercy.

Leader: Lord Jesus, you have given us the truth.

All: Christ, have mercy.

Leader: Lord Jesus, you lead us to everlasting life.

All: Lord, have mercy.

Leader: May almighty God have mercy on us, forgive us our sins, and bring us to everlasting life.

All: Amen.

Listen to God's Word

Leader: A reading from the holy Gospel according to John.

Read John 3:16–17.

The Gospel of the Lord.

Todos: Gloria a ti, Señor Jesús.

Persignarse los sentidos

Líder: Oremos. Padre de nuestro Señor Jesucristo, tú nos elegiste para ser tu pueblo santo.

Hagan una cruz sobre su frente.

Líder: Jesús compartió la Buena Nueva con los demás.

Hagan una cruz sobre sus labios.

Líder: Jesús, nos mostraste cómo debemos amar perdonando y curando a los demás.

Hagan una cruz sobre su corazón.

¡Evangeliza!

Líder: Padre, tu Hijo Jesús nos enseña tus caminos. Ayúdanos a conocerte, amarte y servirte ahora y siempre. Te lo pedimos en nombre de Jesús.

Todos: Amén.

Canten "Cristo, Sáname"

Cristo, sáname
Cristo, transfórmame.
Cristo, renuévame.
Cristo, quiero seguirte.

All: Praise to you, Lord Jesus Christ.

Signing of the Senses

Leader: Let us pray. Father of our Lord, Jesus Christ, you chose us as your holy people.

Trace a cross on your forehead.

Leader: Jesus shared the Good News with others.

Trace a cross on your lips.

Leader: Jesus, you showed us how to love by forgiving and healing others.

Trace a cross on your heart.

Go Forth!

Leader: Father, your Son Jesus teaches us your ways. Help us to know, love, and serve you, now and forever. In Jesus' name we pray.

All: Amen.

Sing "These Ashes"

These ashes we receive reminding us
it's time for a change of heart.
These ashes we receive reminding us
it's time for a brand new start,
to follow in Jesus' way, to follow in Jesus' way.

FAMILIA + FE

VIVIR Y APRENDER JUNTOS

HABLAMOS DE LA CUARESMA >>>

La Cuaresma es un recorrido de cuarenta días que comienza el Miércoles de Ceniza. Recibir las cenizas en la frente marca la promesa de arrepentirnos o cambiar para acercarnos más a Dios y a la Iglesia. También es un recordatorio para que las familias trabajen en fortalecer sus relaciones. La reconciliación entre hermanos, sacrificarse unos por otros y orar juntos en familia son maneras en que el recorrido cuaresmal puede traer la conversión a su hogar.

La Palabra de Dios

Lean **Efesios 2, 10** y reflexionen sobre la idea de ser, ustedes mismos, una obra de Dios.

AYUDEN A SUS HIJOS A COMPRENDER >>>

La Cuaresma

- Por lo usual, a esta edad, los niños son capaces de mencionar algunas cosas que pueden cambiar para acercarse más a Jesús.
- La mayoría puede relacionarse con el concepto de la conversión, a través de los relatos del Evangelio de Zaqueo y el hijo pródigo.
- Los niños de esta edad generalmente necesitan ideas concretas y ejemplos de cómo cambiar su conducta.

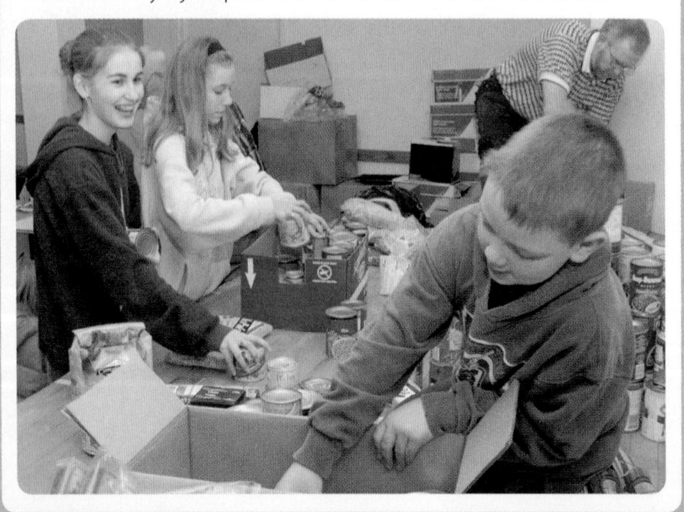

FIESTAS DEL TIEMPO >>>

Solemnidad de San José

19 de marzo

San José es el padre adoptivo de Jesús. Era un hombre de fe y obediente a Dios. Él amaba y protegía a su esposa, María, y se ocupaba de su familia. Muchas parroquias celebran la solemnidad con una Mesa de San José, donde la gente puede comer y comprar postres caseros. El producto de la venta se suele dar a los pobres.

ORACIÓN EN FAMILIA >>>

Durante la Cuaresma, recen con frecuencia esta oración antes de las comidas:

Líder: Que Dios, nuestro Padre misericordioso, nos conceda toda la alegría de regresar, como el hijo pródigo, a la felicidad de esta casa.

Todos: Amén.

Líder: Que Cristo los guíe a través del recorrido de la Cuaresma para cambiar su corazón.

Todos: Amén.

Líder: Que Dios Todopoderoso nos bendiga, Padre, Hijo y Espíritu Santo.

Todos: Amén.

Visiten **vivosencristo.osv.com** para encontrar un glosario multimedia de Palabras católicas, lecturas dominicales, y recursos de Santos y tiempos festivos.

FAMILY + FAITH

LIVING AND LEARNING TOGETHER

TALKING ABOUT LENT >>>

Lent is a forty-day journey that begins on Ash Wednesday. The receiving of ashes on one's forehead marks a promise to repent or change to grow closer to God and the Church. It is also a reminder for families to work on strengthening their relationships. Reconciliation between siblings, sacrificing for one another, and praying together as a family are all ways the Lenten journey can bring conversion to your home.

God's Word

Read **Ephesians 2:10**, and reflect on the idea of you personally being God's handiwork.

HELPING YOUR CHILD UNDERSTAND >>>

Lent

- Usually at this age, children are able to name some of the things they can change to grow closer to Jesus.
- Most children this age can relate to the concept of conversion through the Gospel stories of Zacchaeus and the Prodigal Son.
- Children at this age ordinarily need some concrete ideas and modeling on how to change behavior.

FEASTS OF THE SEASON >>>

Feast of Saint Joseph

March 19

Saint Joseph is the foster father of Jesus. He was a man of faith and obedient to God. He loved and protected his wife, Mary, and provided for his family. Many parishes celebrate the feast with a Saint Joseph's Table where people can enjoy a meal and buy homemade baked goods. The proceeds usually go to the poor.

FAMILY PRAYER >>>

During Lent, pray this prayer often before your family meals:

Leader: May God, our merciful Father, grant you all the joy of returning, like the Prodigal Son, to the happiness of this house.

All: Amen.

Leader: May Christ guide you through your journey of Lent to change your heart.

All: Amen.

Leader: May Almighty God bless us, the Father, the Son, and the Holy Spirit.

All: Amen.

For a multimedia glossary of Catholic Faith Words, Sunday readings, seasonal and Saint resources, and chapter activities go to **aliveinchrist.osv.com**.

Los Tres Días

Oremos

Líder: Señor, Dios, tú siempre cuidas de nosotros.
Aún cuando nos olvidamos, tú estás allí.
Ayúdanos a recordar tu amor.
Por Cristo, nuestro Señor.

"Pero yo, Señor, confío en ti, yo dije:
Tú eres mi Dios. Mi porvenir está
en tus manos". Salmo 31, 15-16a

Todos: Amén.

La Palabra de Dios

"... y Jesús gritó muy fuerte: 'Padre, en tus manos encomiendo mi espíritu.' Y dichas estas palabras, expiró. El capitán, al ver lo que había sucedido, reconoció la mano de Dios y dijo: 'Realmente este hombre era un justo.' Y toda la gente que se había reunido para ver este espectáculo, al ver lo ocurrido, comenzó a irse golpeándose el pecho." Lucas 23, 46-48

¿Qué piensas?

- ¿Por qué murió Jesús?
- ¿Por qué el pueblo dejó que Jesús muriera?

The Three Days

Let Us Pray

Leader: Lord, God, you are always taking care of us.
Even when we forget, you are there.
Help us to remember your love.
Through Christ, our Lord.

"But I trust in you, LORD;
I say, 'You are my God.'
My destiny is in your hands." Psalm 31:15–16a

All: Amen.

God's Word

"Jesus cried out in a loud voice, 'Father, into your hands I commend my spirit'; and when he had said this he breathed his last. The centurion who witnessed what had happened glorified God and said, 'This man was innocent beyond doubt.' When all the people who had gathered for this spectacle saw what had happened, they returned home beating their breasts."
Luke 23:46–48

What Do You Wonder?

- Why did Jesus die?
- Why did the people let Jesus die?

Recordamos

La Iglesia dedica toda una semana para recordar la Muerte y Resurrección de Jesús. Este tiempo se llama Semana Santa. Comienza el Domingo de Ramos y termina al atardecer del Domingo de Pascua. Los primeros días son parte de la Cuaresma. El Domingo de Ramos, el pueblo recibió a Jesús con estas palabras:

"¡Hosanna al hijo de David!". Mateo 21, 9

Encierra en un círculo los tres días especiales de la Semana Santa.

Hay tres días muy especiales en Semana Santa. Estos días se llaman Triduo Pascual.

- Jueves Santo
- Viernes Santo
- Sábado Santo

Miembros de la asamblea cargan la Cruz durante una procesión de Viernes Santo.

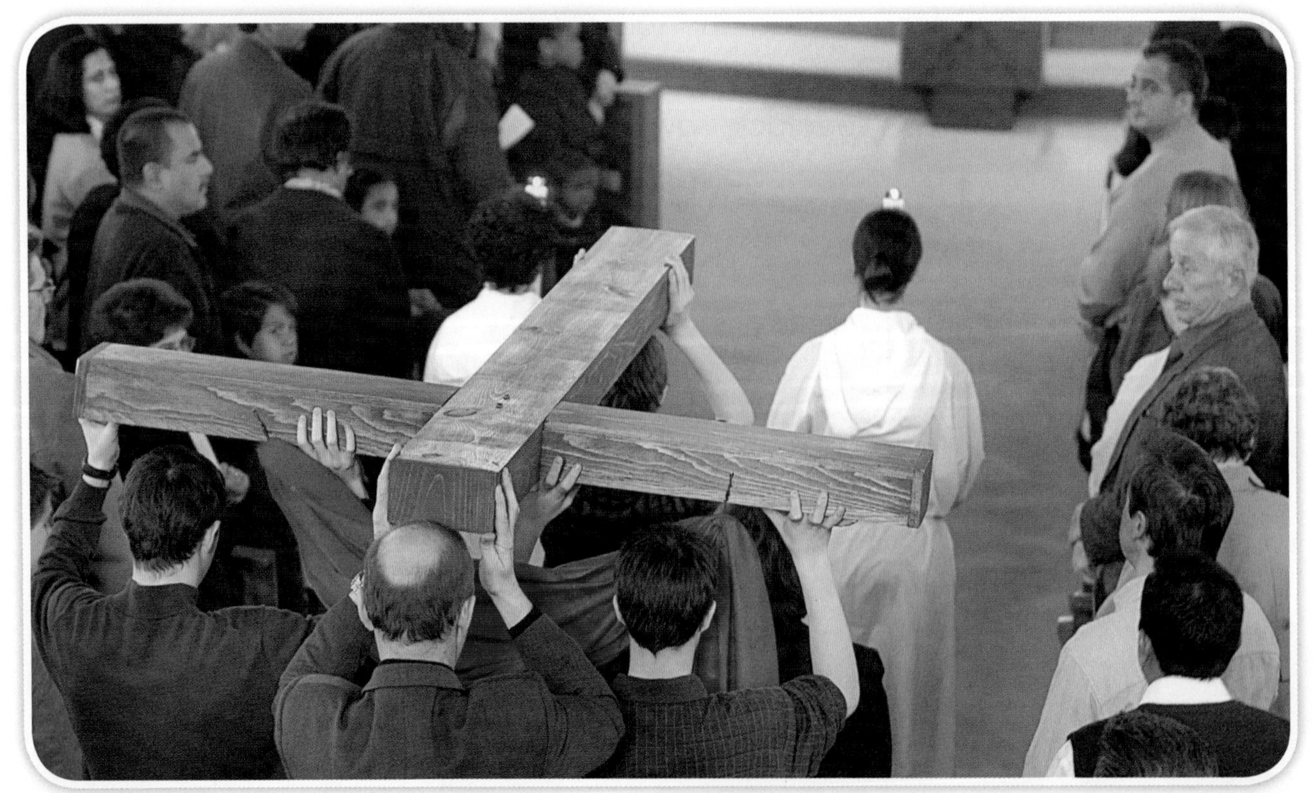

We Remember

The Church sets aside a whole week to remember Jesus' dying and rising. It is called Holy Week. It begins on Passion Sunday and ends on the evening of Easter Sunday. The first days are part of Lent. On Palm Sunday, the people welcomed Jesus with the words,

"Hosanna to the Son of David!" Matthew 21:9

There are three very special days in Holy Week. These days are called the Easter Triduum.

- Holy Thursday
- Good Friday
- Holy Saturday

Circle the three special days during Holy Week.

Members of the assembly carry the Cross during a procession on Good Friday.

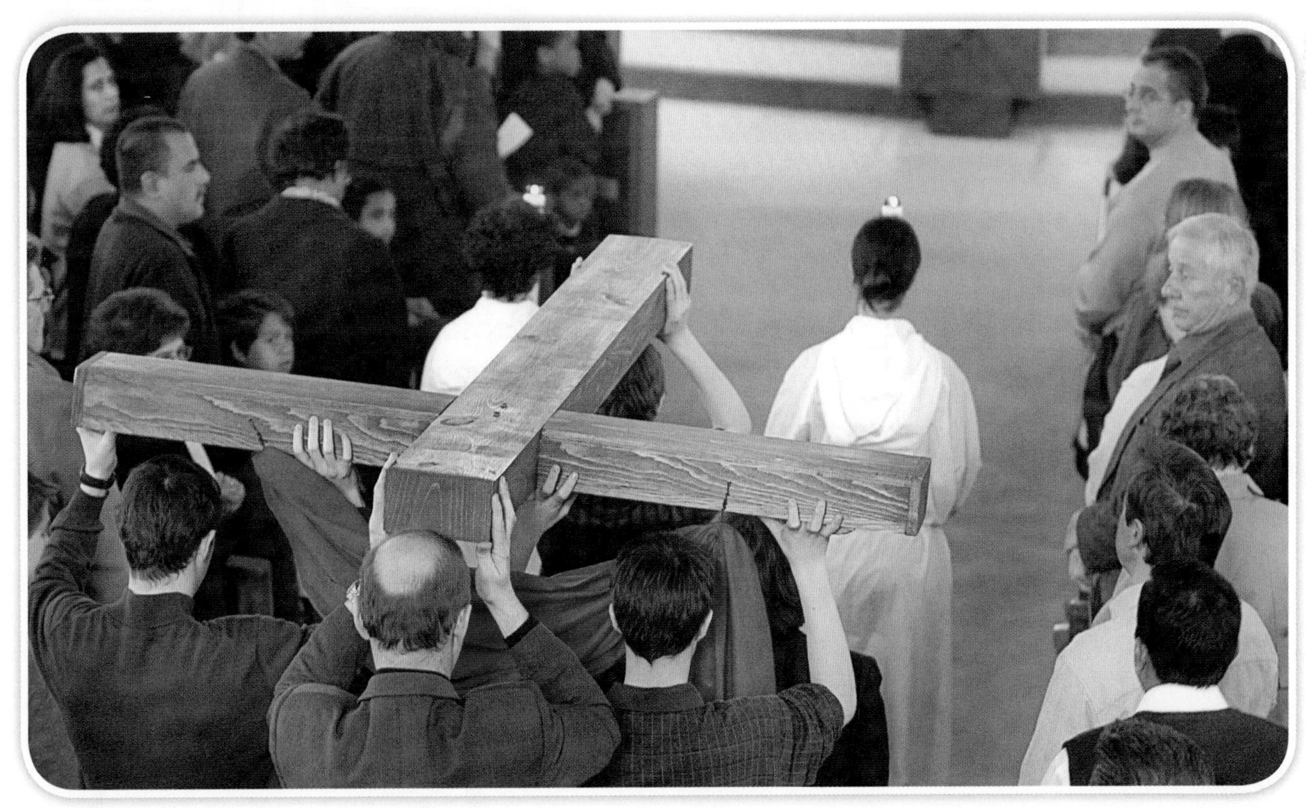

Viernes Santo

El Viernes Santo, la Iglesia recuerda el día en que Jesús murió en la Cruz. Él murió para salvar a todas las personas del pecado y de la muerte eterna. En este día, las personas hacen una procesión en honor a la Santa Cruz. Ellos se inclinan o se arrodillan ante la Cruz. A veces, la tocan o la besan. Hacen esto para agradecer a Jesús por haber dado su vida por nosotros.

Ayudar a los demás

Jesús cargó con su Cruz hasta el lugar donde iba a morir. Amaba tanto a todas las personas que estaba dispuesto a morir por ellas. Cuando nosotros hacemos algo difícil para ayudar a los demás, a veces también decimos que estamos "cargando con una cruz". Estamos dispuestos a pensar en sus necesidades.

➜ **¿Qué cosa has hecho por los demás, aunque fuera difícil?**

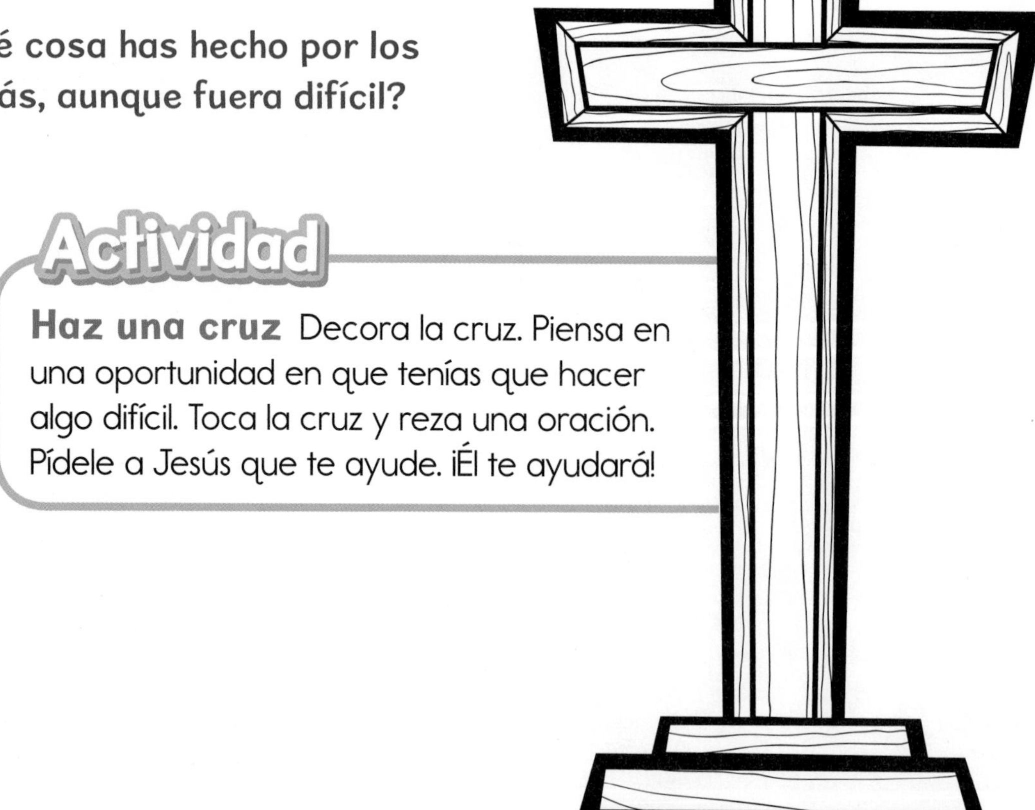

Actividad

Haz una cruz Decora la cruz. Piensa en una oportunidad en que tenías que hacer algo difícil. Toca la cruz y reza una oración. Pídele a Jesús que te ayude. ¡Él te ayudará!

Good Friday

On Good Friday, the Church remembers the day that Jesus died on a Cross. He died to save all people from sin and everlasting death. On this day, people walk up in a procession to honor the holy Cross. They bow or kneel before the Cross. Sometimes they touch or kiss it. They do this to thank Jesus for giving his life for us.

Helping Others

Jesus carried his Cross to the place where he would die. He loved all people so much he was willing to die for them. When we do something that is difficult in order to help others, sometimes we say that we are "carrying a cross," too. We are willing to think of their needs.

➔ **What is something you have done for others, even though it was hard?**

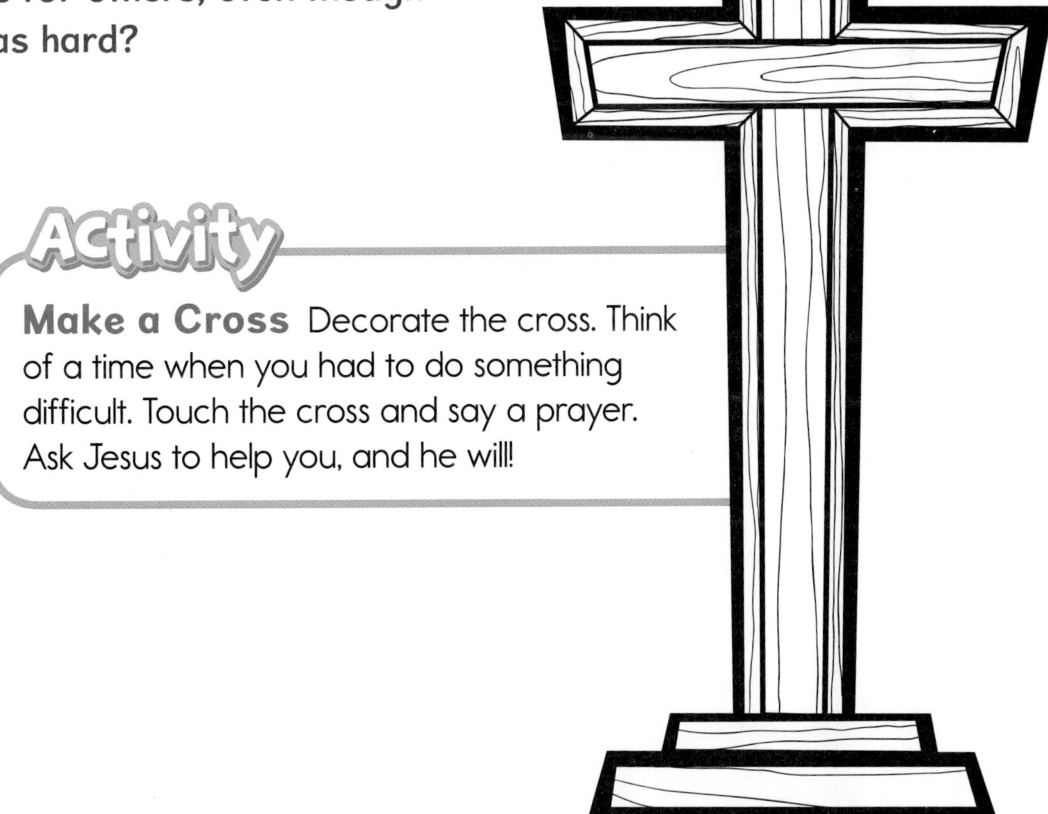

Activity

Make a Cross Decorate the cross. Think of a time when you had to do something difficult. Touch the cross and say a prayer. Ask Jesus to help you, and he will!

Honremos la Cruz

Esta celebración contiene una Oración de los fieles, que es una oración de intercesión. También rezamos una oración ritual para honrar la Cruz.

Oremos

Reúnanse y comiencen con la Señal de la Cruz.

Líder: Oh, Señor, abre mis labios.

Todos: Para que mi boca proclame tu alabanza.

Inclinen la cabeza mientras el líder reza.

Líder: Oremos.

Todos: Amén.

Oración de los fieles

Líder: Oremos por el santo Pueblo de Dios.

Todos: Señor, guía a tu Iglesia.

Líder: Oremos por nuestro obispo, por todos los obispos, sacerdotes y diáconos, y por todos los que trabajan en el ministerio de nuestra Iglesia.

Todos: Espíritu Santo, guía a nuestros líderes.

Líder: Oremos por todos los miembros de nuestra parroquia que están preparándose para el Bautismo.

Todos: Señor, hazlos miembros de tu familia.

Honor the Cross

This celebration includes a Prayer of the Faithful, which is a prayer of intercession. We also pray a ritual prayer of honoring the Cross.

Let Us Pray

Gather and begin with the Sign of the Cross.

Leader: O Lord, open my lips.

All: That my mouth shall speak your praise.

Bow your heads as the leader prays.

Leader: Let us pray.

All: Amen.

Prayer of the Faithful

Leader: Let us pray for the holy People of God.

All: Lord, guide your Church.

Leader: Let us pray for our bishop, for all bishops, priests, and deacons, and for all who work in ministry in our Church.

All: Holy Spirit, guide our leaders.

Leader: Let us pray for all in our parish who are preparing for Baptism.

All: Lord, make them members of your family.

Procesión a la Cruz

Con las manos juntas, oren en silencio a Jesús. Caminen lentamente y en silencio para honrar la Cruz. Inclínense profundamente y toquen el pie de la Cruz.

Todos: Canten "Nueva Vida"

Una nueva vida. Tu misma vida.
Una nueva familia. Tu misma familia.
Hijos tuyos para siempre.

¡Evangeliza!

Líder: Creemos que, por medio de su muerte, Cristo destruyó la muerte para siempre. Le pedimos que nos dé la vida eterna.

Todos: Amén

Líder: Dios Todopoderoso nos bendiga, Padre, Hijo y Espíritu Santo.

Todos: Amén.

Procession to the Cross

Fold your hands and pray silently to Jesus. Walk up slowly and in silence to honor the Cross. Bow deeply and touch the foot of the Cross.

All: Sing "We Remember (The Three Days)"

We remember; we give thanks.
We remember.
God's love is everlasting.
All thanks and praise to God.

Go Forth!

Leader: We believe that by his dying
Christ destroyed death forever.
May he give us everlasting life.

All: Amen.

Leader: May almighty God bless us,
the Father, the Son, and the Holy Spirit.

All: Amen.

FAMILIA + FE

VIVIR Y APRENDER JUNTOS

HABLAMOS DE LA PASCUA >>>

La Semana Santa es la más importante del Año Litúrgico. Empieza con el Domingo de Ramos y continúa hasta la Oración de Vísperas del Domingo de Pascua. El Triduo o "tres días" señala el momento más sagrado de la Semana Santa. Empieza al atardecer del Jueves Santo y termina al atardecer del Domingo de Pascua. Durante estos tres días, toda la Iglesia ayuna y ora, con expectativa y esperanza. El Viernes Santo, la asamblea participa en la Adoración de la Cruz. El Viernes Santo, la Iglesia reza oraciones especiales por la salvación del mundo y se lee toda la Pasión. No hay consagración de hostias el Viernes Santo; la congregación recibe hostias que fueron consagradas en la Misa vespertina del Jueves Santo.

La Palabra de Dios

Lean **Lucas 23, 1–49**, el relato de la Pasión y Muerte de Jesús en la Cruz.

AYUDEN A SUS HIJOS A COMPRENDER >>>

La Semana Santa

- Generalmente, los niños de esta edad sienten interés por los sucesos de la Semana Santa.
- La mayoría de los niños de este nivel ha recibido recientemente la Primera Comunión, o se prepara para hacerlo. Participar en los servicios del Jueves Santo los beneficiará.
- Comúnmente, a los niños de esta edad se les dificulta comprender por qué Jesús murió si era inocente.

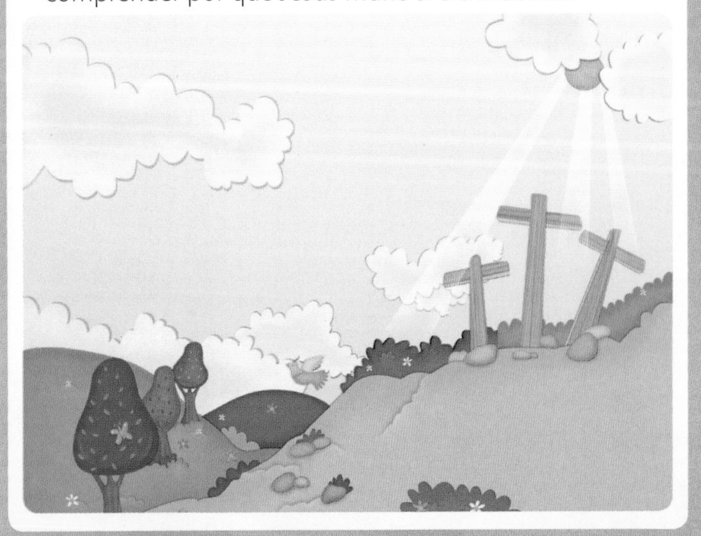

COSTUMBRES DE LA FAMILIA CATÓLICA >>>

Objetos sagrados

En el transcurso de la Semana Santa, hablen con su hijo sobre el significado de cada día. Enseñen a su hijo a reverenciar los objetos sagrados asociados con cada uno de esos días.

Lleven a casa las palmas que se reparten en la Misa del Domingo de Ramos. Colóquenlas en un sitio de honor, detrás de un crucifijo o una imagen religiosa.

El Viernes Santo, permitan que su hijo sostenga con reverencia una cruz o un crucifijo.

ORACIÓN EN FAMILIA >>>

El Jueves Santo y el Viernes Santo, recen esta oración antes de la cena:

Señor Jesucristo, quien, cumpliendo con la voluntad de tu Padre, fuiste obediente hasta la muerte; que nuestro alimento espiritual sea como el tuyo: hacer siempre la buena y santa voluntad del Padre. Porque tú vives y reinas por los siglos de los siglos. Amén.

Visiten **vivosencristo.osv.com** para encontrar un glosario multimedia de Palabras católicas, lecturas dominicales, y recursos de Santos y tiempos festivos.

FAMILY+FAITH

LIVING AND LEARNING TOGETHER

TALKING ABOUT EASTER >>>

Holy Week is the holiest week of the Church Year. It begins on Passion Sunday and continues until Evening Prayer on Easter Sunday. The Triduum or "three days" mark the most sacred time of Holy Week. It begins at sundown on Holy Thursday and ends at sundown on Easter Sunday. During these three days, the whole Church fasts and prays with anticipation and hope. On Good Friday, the assembly participates in the Adoration of the Cross. The Church prays special prayers for the salvation of the world at Good Friday services, and the full Passion is read. No hosts are consecrated on Good Friday; the congregation receives hosts that were consecrated at the Holy Thursday evening Mass.

God's Word

Read **Luke 23:1–49**, the story of Jesus' Passion and Death on the Cross.

HELPING YOUR CHILD UNDERSTAND >>>

Holy Week

- Usually children this age are interested in the events of Holy Week.
- Most children in second grade have either recently received First Communion or are preparing to do so. Participation in Holy Thursday services would benefit them.
- Ordinarily, children this age find it difficult to understand why Jesus died if he was innocent.

CATHOLIC FAMILY CUSTOMS >>>

Holy Objects

Throughout Holy Week, talk with your child about the meaning of each day. Teach your child reverence for the holy objects associated with each day.

Bring home palm leaves that are distributed during Passion Sunday Mass. Position them in a place of honor behind a crucifix or religious picture.

On Good Friday, allow your child to reverently hold a cross or crucifix.

FAMILY PRAYER >>>

On Holy Thursday and Good Friday, pray this prayer before your evening meal:

Lord Jesus Christ, who, in fulfilling your Father's will, became obedient unto death; may our spiritual food be like yours: always to do the Father's good and gracious will. For you live and reign forever and ever. Amen.

For a multimedia glossary of Catholic Faith Words, Sunday readings, seasonal and Saint resources, and chapter activities go to **aliveinchrist.osv.com**.

Nos alegramos

Oremos

Líder: Señor Dios, envía tu Espíritu Santo,
para que veamos y oigamos al Cristo Resucitado
y Él nos guíe hacia acciones buenas y amorosas.

"Haz, Señor, que conozca tus caminos,
muéstrame tus senderos". Salmo 25, 4

Por Cristo, nuestro Señor.

Todos: Amén.

La Palabra de Dios

En la tarde del domingo de Pascua, los discípulos estaban reunidos en una casa. Tenían las puertas cerradas por miedo a los judíos. De repente, llegó Jesús, se puso de pie en medio de ellos y les dijo: "¡La paz esté con ustedes!". Les mostró las manos y el costado, y los discípulos se alegraron mucho. Jesús les volvió a decir: "¡La paz esté con ustedes! Como el Padre me envió a mí, así los envío yo también." Basado en Juan 20, 19–21

¿Qué piensas?

- ¿Por qué tenían tanto miedo los discípulos?
- ¿Cómo vivimos la paz de Jesús en nuestra vida?

We Rejoice

Let Us Pray

Leader: Lord, God, send your Holy Spirit,
that we will see and hear the Risen Christ
as he guides us to right and loving actions.

"Make known to me your ways, LORD;
teach me your paths." Psalm 25:4

Through Christ, our Lord.

All: Amen.

God's Word

On Easter Sunday evening, the disciples were together in a house. They had the doors locked because they were afraid of the Jews. All of a sudden, Jesus came and stood among them and said, "Peace be with you." He showed them his hands and his side and the disciples rejoiced. Jesus said to them again, "Peace be with you. As the Father has sent me, so I send you."

Based on John 20:19–21

What Do You Wonder?

- Why were the disciples so afraid?
- How do we experience Jesus' peace in our lives?

Tiempo de alegría

Toda la Iglesia celebra con alegría la Resurrección del Señor. El sacerdote usa vestiduras blancas. Celebramos la Pascua durante cincuenta días.

Subraya el período de tiempo en que la Iglesia celebra la Pascua.

La Pascua siempre transcurre cuando es primavera en el hemisferio norte del mundo. Es el tiempo más feliz del año litúrgico. Cantamos el Aleluya y tocamos campanas.

Después de que Dios Padre resucitó a Jesús a una nueva vida, Jesús se reunió con sus seguidores varias veces. ¡Ellos estaban muy contentos de volver a verlo! Entonces, Jesús regresó a su Padre en el Cielo. Pero él prometió que enviaría al Espíritu Santo para que estuviera siempre con ellos.

Muchas parroquias incluyen una búsqueda de huevos como parte de la celebración del Domingo de Pascua.

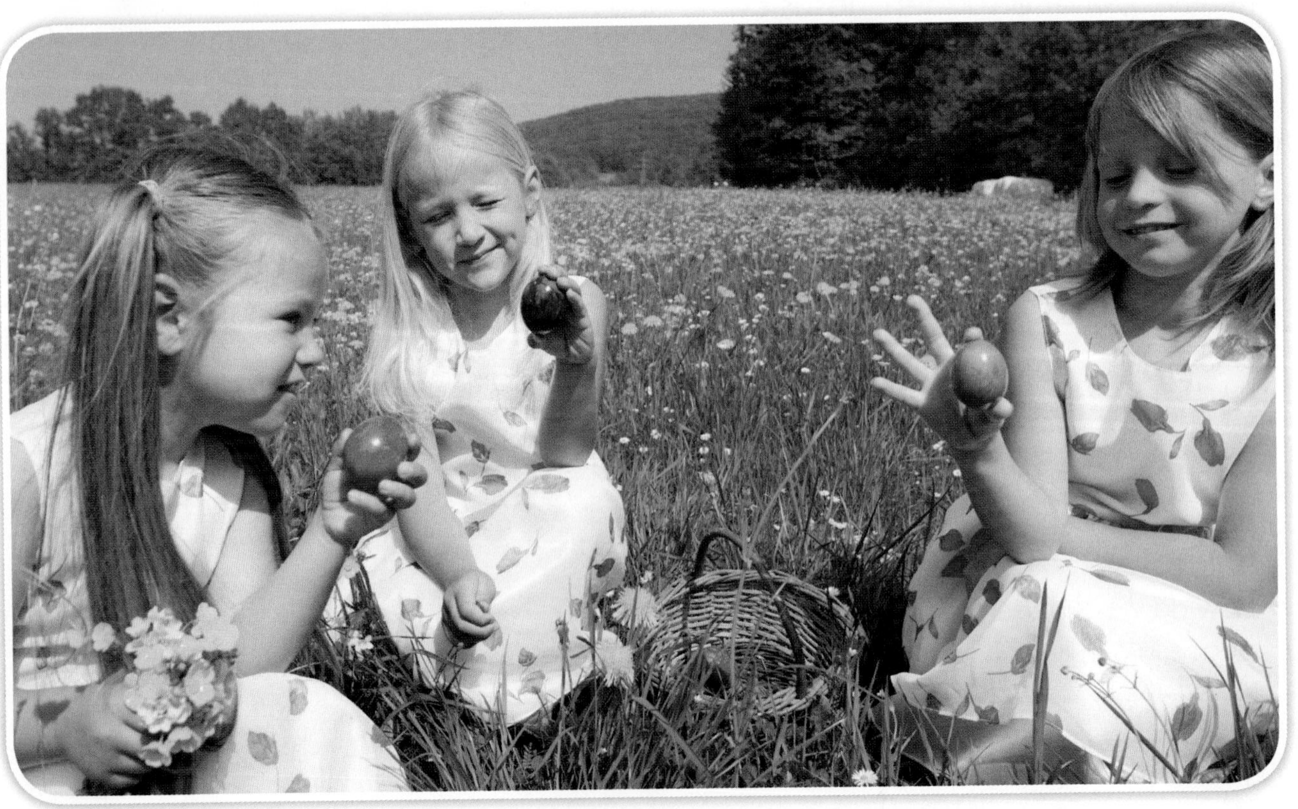

A Joyful Season

The whole Church joyfully celebrates the Resurrection of the Lord. The priest wears white vestments. We celebrate Easter for fifty days.

Easter is always in the spring in the northern half of the world. It is the most joyful season in the Church year. We sing Alleluia and ring bells.

After God the Father raised Jesus to new life, Jesus met with his followers several times. They were so happy to see him again! Then Jesus returned to his Father in Heaven. But he promised to send the Holy Spirit to be with them always.

Underline the length of time that the Church celebrates Easter.

Many parishes include an Easter egg hunt for children during the celebration of Easter Sunday.

Oremos

Celebremos la Pascua

Reúnanse y comiencen con la Señal de la Cruz.

Líder: Luz y paz en Jesucristo, aleluya.

Todos: Demos gracias a Dios, aleluya.

El Padre Nuestro y la paz del Señor

Líder: Oremos con las palabras que Jesús nos enseñó.

Todos: Padre nuestro…

Líder: Que el Dios de luz y de paz llene nuestros corazones y nuestras vidas.

Todos: Amén.

Líder: Démonos unos a otros la señal de la paz de Cristo.

Ofrézcanse unos a otros la señal de la paz.

Líder: Pueden ir en paz, aleluya.

Todos: Demos gracias a Dios, aleluya.

Canten "Resucitó"

Let Us Pray

Celebrate Easter

Gather and begin with the Sign of the Cross.

Leader: Light and peace in Jesus Christ, Alleluia.

All: Thanks be to God, Alleluia.

The Lord's Prayer and Peace

Leader: Let us pray in the words that Jesus taught us.

All: Our Father . . .

Leader: May the God of light and peace fill our hearts and lives.

All: Amen.

Leader: Let us offer to each other a sign of the peace of Christ.

Offer one another a sign of peace.

Leader: Go in peace, Alleluia.

All: Thanks be to God, Alleluia.

Sing "Easter Alleluia"

FAMILIA + FE

VIVIR Y APRENDER JUNTOS

HABLAMOS DE LA PASCUA >>>

La celebración del tiempo de Pascua abarca los cincuenta días siguientes al Triduo. Las liturgias de Pascua celebran la alegría de la salvación. Se canta nuevamente el Aleluya. El Pueblo de Dios renueva su compromiso bautismal en el rito de la aspersión del agua bendita. El Evangelio descubre el significado del suceso pascual y ayuda a la asamblea a celebrar el poder salvador de Dios. Con la celebración de la Pascua, somos enviados a difundir la Buena Nueva.

La Palabra de Dios

Lean **Juan 20, 19–21**, el relato de dos apariciones del Cristo Resucitado a los discípulos. La primera, cuando Tomás no estaba, y la segunda, cuando Tomás estaba presente y expresó su fe.

AYUDEN A SUS HIJOS A COMPRENDER >>>

La Pascua

- A esta edad, por lo general, los niños se acercan al significado del tiempo pascual por medio de las canciones y las lecturas del Evangelio pascual durante el tiempo.
- A esta edad, la mayoría de los niños pueden identificarse con el miedo de los discípulos: tanto su miedo a los judíos, como a la reacción de Jesús tras su deserción durante su Pasión.
- Normalmente, las destrezas de razonamiento están más desarrolladas a esta edad, por lo que los niños pueden comenzar a preguntar más sobre los sucesos de Pascua.

FIESTAS DEL TIEMPO >>>

La Ascensión del Señor señala la Ascensión al Cielo del Cristo Resucitado, la cual se celebra cuarenta días después de la Pascua. Es un día de precepto. A veces, las diócesis mueven la celebración de la solemnidad al domingo siguiente a la Ascensión del Señor, en el Séptimo Domingo de Pascua.

ORACIÓN EN FAMILIA >>>

Recen con alegría esta oración los domingos del tiempo de Pascua, antes de la comida:

Oh Dios, fuente de vida, llena nuestro corazón con la alegría de la Pascua. En tu bondad, nos has dado alimentos para comer; concédenos también que podamos continuar viviendo la nueva vida que el Cristo Resucitado ha ganado para nosotros, porque Él vive y reina contigo por los siglos de los siglos. Amén.

Visiten **vivosencristo.osv.com** para encontrar un glosario multimedia de Palabras católicas, lecturas dominicales, y recursos de Santos y tiempos festivos.

FAMILY + FAITH

LIVING AND LEARNING TOGETHER

TALKING ABOUT EASTER >>>

The celebration of the Easter season includes the fifty days following the Triduum. The Easter liturgies reflect the joy of salvation. The Alleluia is sung once again. The People of God renew their baptismal commitment in the sprinkling rite. The Gospels unpack the meaning of the Easter event and help the assembly to celebrate God's saving power. We are sent out from the Easter celebration to spread the Good News.

God's Word

Read **John 20:19–21**, the story of two appearances of the Risen Christ to the disciples. The first, when Thomas was absent, and the second, when Thomas was present and expressed his faith.

HELPING YOUR CHILD UNDERSTAND >>>

Easter

- At this age, usually children will enter into the meaning of the season through the songs and the Easter Gospel readings throughout the season.
- Most children at this age can identify with the fear of the disciples, both that the disciples fear the Jews and Jesus' response to their desertion during his Passion.
- Normally, reasoning abilities begin to become more developed at this age, so children may begin to ask more questions about the Easter events.

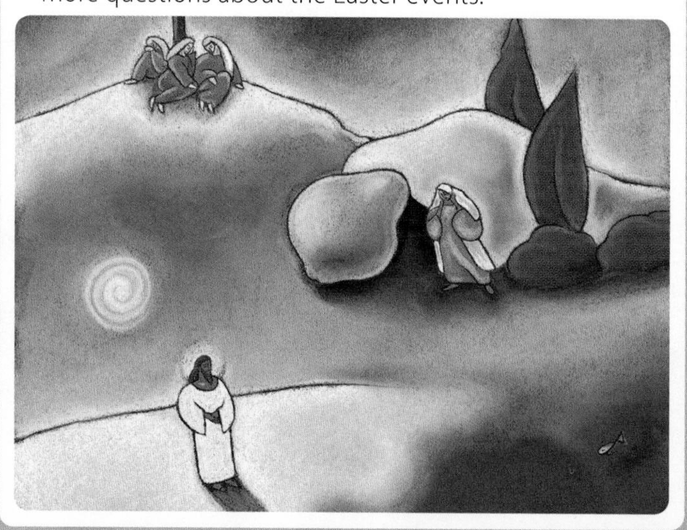

FEASTS OF THE SEASON >>>

Ascension Thursday marks the Ascension of the Risen Christ to Heaven, which is celebrated forty days after Easter. It is a holy day of obligation. Sometimes dioceses move the celebration of the feast to the Sunday following Ascension Thursday, the Seventh Sunday of Easter.

FAMILY PRAYER >>>

Joyfully pray this prayer at mealtime on the Sundays of the Easter season:

O God, source of life, fill our hearts with the joys of Easter. In your goodness, you have given us food to eat; grant also that we may continue to live that new life which the Risen Christ has won for us, for he lives and reigns with you forever and ever. Amen.

For a multimedia glossary of Catholic Faith Words, Sunday readings, seasonal and Saint resources, and chapter activities go to **aliveinchrist.osv.com**.

Pentecostés

Oremos

Líder: Ven, Espíritu Santo, ven con tu poder y tu luz para mostrarnos cómo debemos vivir solo para Dios.

"¡Que la gloria del Señor dure por siempre
y en sus obras el Señor se regocije!".

Salmo 104, 31

Todos: Amén.

La Palabra de Dios

Cuando llegó el día de Pentecostés, estaban todos reunidos en el mismo lugar. De repente vino del cielo un ruido como el de una violenta ráfaga de viento y llenó toda la casa donde estaban. Unas lenguas como de fuego aparecieron y se posaron sobre cada uno de ellos. Todos quedaron llenos del Espíritu Santo y comenzaron a hablar en otros idiomas, según el Espíritu les concedía.

Basado en Hechos de los Apóstoles 2, 1-4

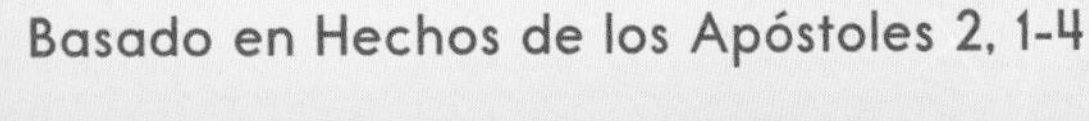

¿Qué piensas?

- ¿Cómo habría sido estar en la casa con los discípulos?
- ¿Por qué crees que empezaron a hablar en otros idiomas?

Pentecost

Let Us Pray

Leader: Come Holy Spirit,
come in power and light to show us
how to live for God alone.

"May the glory of the LORD endure forever;
may the LORD be glad in his works!"
Psalm 104:31

All: Amen.

God's Word

When the day of Pentecost had come, they were all together in one place. And suddenly from Heaven there came a sound like the rush of a violent wind, and it filled the entire house where they were sitting. Divided tongues, as of fire, appeared among them, and a tongue rested on each of them. All of them were filled with the Holy Spirit and began to speak in other languages, as the Spirit gave them ability.
Based on Acts of the Apostles 2:1–4

What Do You Wonder?

- What would it have been like to be in the room with the disciples?
- Why do you think they began to speak in other languages?

El poder del Espíritu Santo

El Espíritu Santo descendió hasta los seguidores de Jesús durante Pentecostés, cincuenta días después de la Pascua. Estaban todos reunidos en una casa. Extrañaban a Jesús. Jesús se había ido con su Padre al Cielo. No sabían bien qué hacer.

Entonces, el Espíritu Santo llegó en forma de viento y fuego. Los seguidores de Jesús se llenaron de alegría y esperanza. Salieron del lugar y empezaron a contar la Buena Nueva de Jesús.

Todas las personas entendieron sus palabras, y muchas fueron bautizadas ese día.

Actividad

Escribe los regalos Responde las preguntas para recordar Pentecostés.

¿Cómo llegó el Espíritu Santo hasta los seguidores de Jesús?

____

____

¿De qué se llenaron los seguidores de Jesús cuando llegó a ellos el Espíritu Santo?

____

____

The Power of the Holy Spirit

The Holy Spirit came to the followers of Jesus on Pentecost, fifty days after Easter. They were gathered in a room together. They missed Jesus. Jesus had gone to be with his Father in Heaven. They were not sure what to do.

Then the Holy Spirit came in wind and fire. Jesus' followers were filled with joy and hope. They went out of the room and began to tell the Good News of Jesus.

Everyone understood their words, and many were baptized that day.

Activity

Write the Gifts Answer the questions to remember Pentecost.

How did the Holy Spirit come to Jesus' followers?

____

____

What were Jesus' followers filled with when the Holy Spirit came to them?

____

____

Oremos

Celebremos al Espíritu Santo

Reúnanse y comiencen con la Señal de la Cruz.

Todos: Canten "Ven, Llena Mi Vida"

Ven, llena mi vida, Señor.
Ven, llena mi vida, Jesús.
Ven, llénala con tu poder;
ven, llena mi vida, Señor.

Hagan juntos la Señal de la Cruz e inclinen la cabeza mientras el líder reza.

Líder: Que el Señor nos bendiga y nos proteja.

Todos: Amén.

Líder: Que el rostro del Señor brille sobre nosotros.

Todos: Amén.

Líder: Que el Señor nos mire con amor y nos dé la paz.

Todos: Demos gracias a Dios,
aleluya, aleluya.

Let Us Pray

Celebrate the Spirit

Gather and begin with the Sign of the Cross.

All: Sing "Come to Us, Holy Spirit"

Come to us Holy Spirit
So we can know God's love
Come to us Holy Spirit
So we can know God's love

Pray the Sign of the Cross together and bow your heads as the leader prays.

Leader: May the Lord bless us and keep us.

All: Amen.

Leader: May the Lord's face shine upon us.

All: Amen.

Leader: May the Lord look upon us with kindness, and give us peace.

All: Thanks be to God,
Alleluia, Alleluia.

FAMILIA + FE

VIVIR Y APRENDER JUNTOS

HABLAMOS DE LA PASCUA >>>

En la Fiesta de Pentecostés, la Iglesia celebra la llegada del Espíritu Santo. Pentecostés ocurre cincuenta días después de Pascua. Esto marca el fin del tiempo de Pascua. Durante Pentecostés, el color del santuario y de las vestimentas sacerdotales es el rojo, que simboliza el fuego de Pentecostés y el poder del Espíritu Santo.

Las imágenes de viento y fuego en Pentecostés significan la manifestación de la presencia y el poder de Dios. Esta presencia y poder transformaron a los discípulos en valientes predicadores y maestros que difundieron la Buena Nueva por donde quiera que fueron.

La Palabra de Dios

Lean **Hechos de los Apóstoles 2, 1–11**, el relato del primer Pentecostés.

AYUDEN A SUS HIJOS A COMPRENDER >>>

Pentecostés

- Los niños de esta edad generalmente se relacionan muy bien con el dramático suceso de Pentecostés.
- Comúnmente, los niños de esta edad comprenderán que el Espíritu Santo es muy poderoso.
- Los niños de esta edad aprenderán a rezarle al Espíritu Santo para pedirle ayuda cuando otros lo hagan.

FIESTAS DEL TIEMPO >>>

Memoria de Santa Catalina de Siena

29 de abril

Santa Catalina de Siena es una de las cuatro Santas consideras doctoras de la Iglesia. Santa Catalina dijo una vez: "Si eres lo que debes ser, ¡prenderás fuego al mundo entero!".

ORACIÓN EN FAMILIA >>>

Durante la semana entre el domingo de Pentecostés y el domingo de la Solemnidad de la Santísima Trinidad, recen juntos la siguiente oración vespertina:

Ven, Espíritu Santo, prende fuego a nuestro corazón con amor y valor. Guíanos para extender nuestro amor a los demás y para predicar el mensaje de Jesús con nuestros actos. Amén.

Visiten **vivosencristo.osv.com** para encontrar un glosario multimedia de Palabras católicas, lecturas dominicales, y recursos de Santos y tiempos festivos.

FAMILY + FAITH

LIVING AND LEARNING TOGETHER

TALKING ABOUT EASTER >>>

The Church celebrates the coming of the Holy Spirit on the Feast of Pentecost. Pentecost occurs fifty days after Easter. It marks the end of the Easter season. On Pentecost, the sanctuary colors and priest's vestments are red, symbolizing the fire of Pentecost and the empowerment of the Holy Spirit.

The images of wind and fire at Pentecost signify the manifestation of God's presence and power. This presence and power transformed the disciples into courageous preachers and teachers who spread the Good News everywhere they went.

God's Word

Read **Acts of the Apostles 2:1–11**, the story of the first Pentecost.

HELPING YOUR CHILD UNDERSTAND >>>

Pentecost

- Children at this age will usually relate very well to the drama of the Pentecost event.
- Ordinarily, children of this age will understand the Holy Spirit as being very powerful.
- Children this age will learn to pray to the Holy Spirit for help when they hear that others do.

FEASTS OF THE SEASON >>>

Feast of Saint Catherine of Siena

April 29

Saint Catherine of Siena is one of four women Saints considered to be doctors of the Church. Saint Catherine once said: "If you are what you should be, you will set the whole world ablaze!"

FAMILY PRAYER >>>

During the week between Pentecost Sunday and Trinity Sunday, pray the following prayer together as an evening prayer:

Come Holy Spirit, set our hearts on fire with love and courage. Guide us to reach out in love to others and to preach the message of Jesus in our actions. Amen.

For a multimedia glossary of Catholic Faith Words, Sunday readings, seasonal and Saint resources, and chapter activities go to **aliveinchrist.osv.com**.

Vista general de las unidades

Units at a Glance

UNIDAD 1

Revelación

Nuestra Tradición Católica

- Dios nos dio muchos dones. Sus dones nos dicen cómo es Él. (CIC, 41)
- Podemos aprender acerca de los dones y el amor de Dios a través de la Biblia. (CIC, 105)
- Adán y Eva se alejaron de Dios. De todas maneras, Dios siguió amándolos. (CIC, 410)
- Jesús, el único Hijo de Dios, es el don más grande de Dios. Es nuestro Salvador. Recupera nuestra amistad con Dios Padre. (CIC, 430, 452)

¿Cómo nos ayuda Jesús a encontrar nuestro camino hacia Dios su Padre?

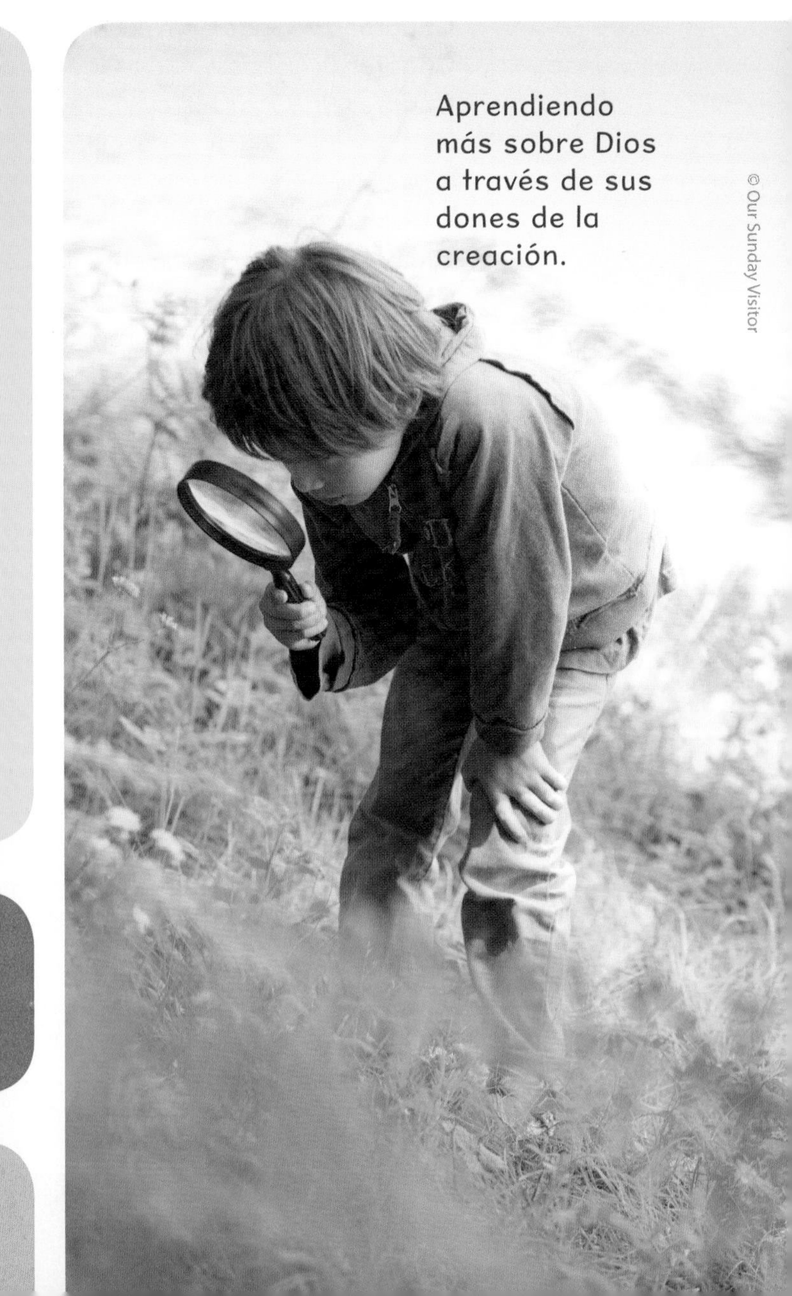

Aprendiendo más sobre Dios a través de sus dones de la creación.

Revelation

Our Catholic Tradition

- God gave us many gifts. His gifts tell us about what he is like. (CCC, 41)
- We can learn about God's gifts and his love from the Bible. (CCC, 105)
- Adam and Eve turned away from God. God continued to love them anyway. (CCC, 410)
- Jesus, God's only Son, is God's greatest gift. He is our Savior. He brings us back into friendship with God the Father. (CCC, 430, 452)

How does Jesus help us find our way to God his Father?

Learning more about God through his gifts of creation.

Los dones de Dios

Oremos

Líder: Dios, te damos gracias por todo lo que has creado.

La tierra y todo lo que hay en ella pertenece a Dios; el mundo y todos los que viven en él son de Dios. Basado en el Salmo 24, 1

Todos: Gracias, Dios, por crear a cada uno de nosotros. Amén.

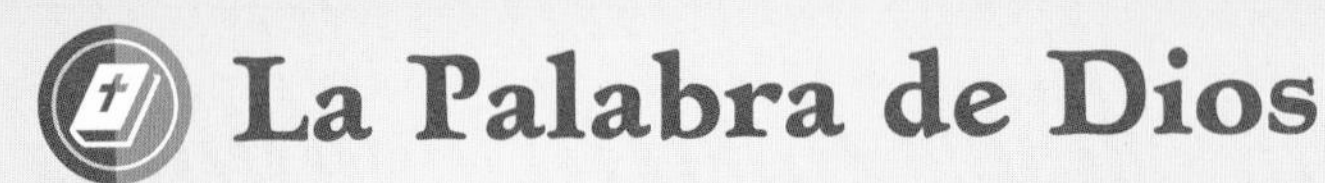

La Palabra de Dios

Muchas personas se han esforzado por escribir sobre los acontecimientos que sucedieron entre nosotros, tal como los que estuvieron allí, al principio, nos transmitieron los acontecimientos y los relatos.

Basado en Lucas 1, 1-2

¿Qué piensas?

- ¿Qué relatos tenemos sobre Jesús y su familia?
- ¿Cómo nos enseñan los relatos a cuidar de las cosas que Dios nos ha dado?

God's Gifts

Let Us Pray

Leader: God, we thank you for all that you have made.

The earth and all that is in it belong to God;
the world and all who live in it are God's.
Based on Psalm 24:1

All: Thank you, God, for creating each of us. Amen.

God's Word

Many have worked to write about the events that have happened among us just as those who were there at the beginning have handed the events and stories down to us.
Based on Luke 1:1–2

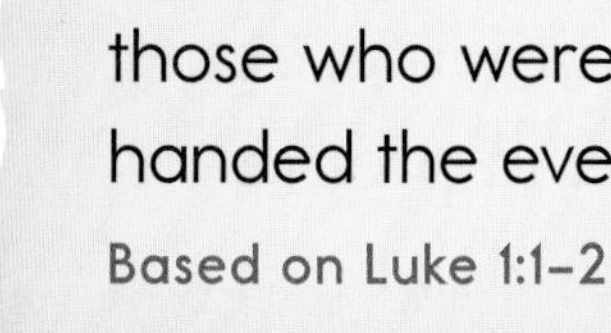

What Do You Wonder?

- What stories do we have about Jesus and his family?
- How do stories teach us to care for the things God has given us?

Alabar y agradecer

¿Qué es lo más especial de la creación de Dios?

Palabras católicas

salmos poemas y oraciones de la Biblia; pueden decirse o cantarse

creación todo lo hecho por Dios

David era un pastor que vivió hace mucho tiempo. Se convirtió en rey del Pueblo de Dios. Escribió poemas de alabanza y agradecimiento y oraciones a Dios. Muchos de los poemas de David forman parte de la Biblia. Se les llama **salmos**. En la Misa oramos con los salmos.

A menudo, David cuidaba de las ovejas en los campos durante la noche. Estaba asombrado por las maravillas del cielo nocturno. Mientras miraba todo lo que hay en la **creación**, alababa a Dios por sus dones.

David estaba agradecido, principalmente, de que las personas hayan sido hechas a la propia imagen de Dios. Esto significa que las personas pueden pensar y amar y hacer elecciones. Ninguna otra de las cosas que Dios creó puede hacerlo.

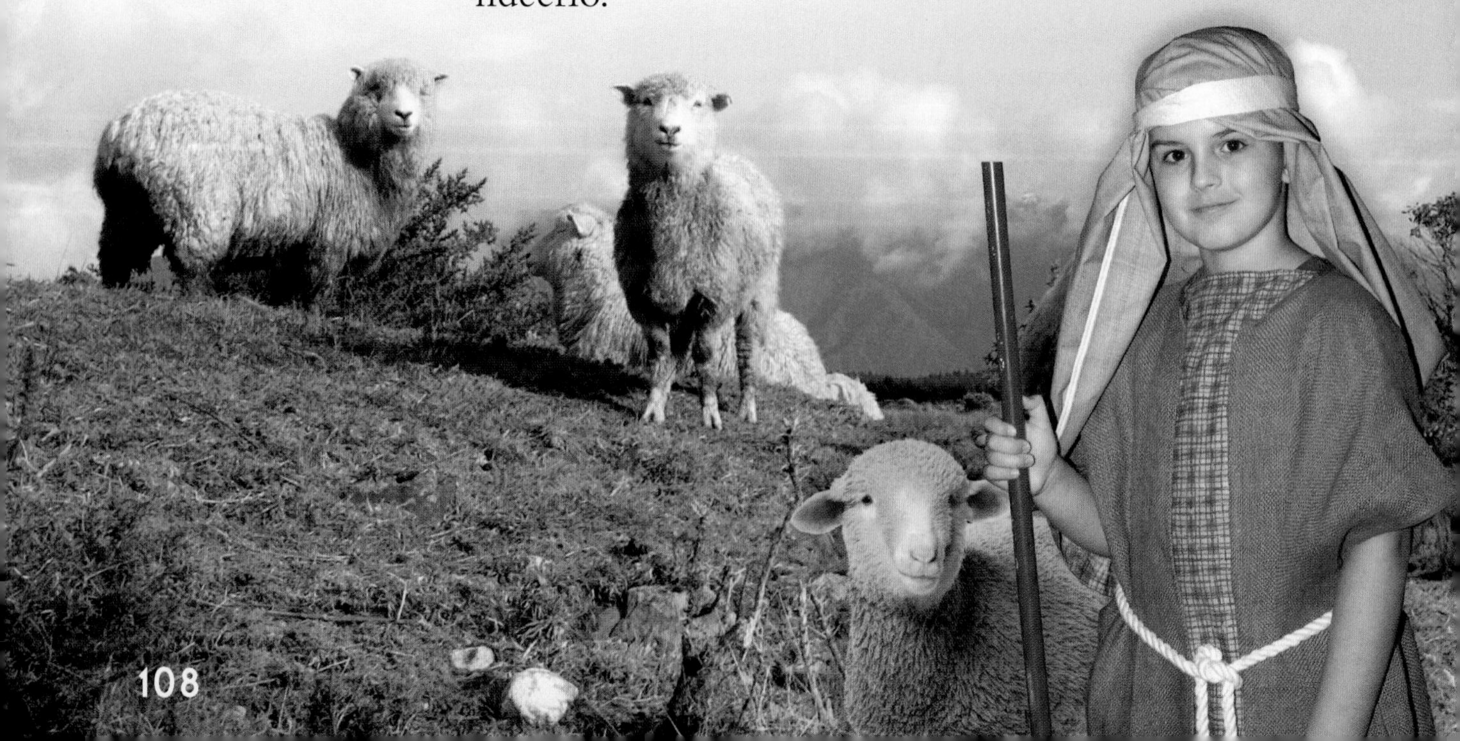

Praise and Thanks

What is most special about God's creation?

David was a shepherd a very long time ago. He became a king of God's People. He wrote poems of praise and thanks and prayers to God. Many of David's poems are part of the Bible. They are called **psalms**. Sometimes you hear the psalms at Mass.

David often watched the sheep in the fields at night. He was amazed by the wonders of the night sky. As he looked at everything in **creation**, he praised God for his gifts.

David was grateful, most of all, that people had been made in God's own image. This means people can think and love and make choices. Nothing else God made can do these things.

Catholic Faith Words

psalms poems and prayers from the Bible; they can be said or sung

creation everything made by God

A imagen de Dios

Los seres humanos somos la parte más especial de la creación de Dios. Dios quiere que cuides de los numerosos dones de la creación. Este es uno de los salmos de David sobre los seres humanos.

Subraya los nombres de las criaturas que Dios *no* hizo a su propia imagen.

La Palabra de Dios

El Creador y los humanos

"¡Oh Señor, nuestro Dios, qué grande es tu nombre en toda la tierra!... Has hecho [que el hombre] domine las obras de tus manos, tú lo has puesto todo bajo sus pies: ovejas y bueyes por doquier, y también los animales silvestres, aves del cielo y peces del mar, y cuantos surcan las sendas del océano." Salmo 8, 2. 7-9

Comparte tu fe

Piensa Escribe o dibuja una manera en que cuidas de la creación.

Comparte Habla con un compañero sobre estas cosas.

In God's Image

Humans are the most special part of God's creation. God wants you to take care of the many gifts of creation. Here is one of David's psalms about humans.

God's Word

The Creator and Humans

"O LORD, our Lord, how awesome is your name through all the earth!... You have given [man] rule over the works of your hands, put all things at his feet: All sheep and oxen, even the beasts of the field, the birds of the air, the fish of the sea, and whatever swims the paths of the seas." Psalm 8:2, 7–9

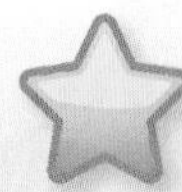

Underline the names of creatures that God did *not* make in his own image.

Share Your Faith

Think Write or draw one way you take care of creation.

Share Talk with a partner about these things.

El Hijo de Dios

¿Por qué Jesús es el mayor don de Dios?

Palabras católicas

pecado la decisión de una persona de desobedecer a Dios a propósito y de hacer algo que esa persona sabe que está mal. Los accidentes y los errores no son pecados.

Hijo de Dios un nombre para Jesús que te dice que Dios es su Padre. El Hijo de Dios es la Segunda Persona Divina de la Santísima Trinidad.

David sabía que Dios es el Creador de todo lo que es bueno. Pero David nació mucho antes para conocer el don más grande de Dios.

El don más grande de Dios es su hijo, Jesús. Jesús es hombre y Dios, humano y divino. Era humano, tal como todos nosotros, excepto de una manera. Nunca desobedeció a Dios Padre. Jesús no cometió **pecado**.

Jesús aprendió de su familia acerca de su fe judía y la manera de orar. Escuchaba a María, su Madre, y a José, su padre adoptivo. Jesús hacía lo que ellos le pedían.

➔ **¿Cuáles son unas cosas que tú también haces que Jesús podría haber hecho?**

The Son of God

Why is Jesus God's greatest gift?

David knew that God is the Creator of everything that is good. But David was born too soon to know about God's greatest gift.

God's greatest gift is his Son, Jesus. Jesus is man and God, human and divine. He was human, just like all of us, except in one way. He never disobeyed God the Father. Jesus did not commit **sin**.

Jesus learned about his Jewish faith and how to pray from his family. He listened to Mary, his Mother, and Joseph, his foster father. Jesus did what they asked him to do.

➔ **What are some other things that Jesus might have done that you also do?**

Catholic Faith Words

sin a person's choice to disobey God on purpose and do what he or she knows is wrong. Accidents and mistakes are not sins.

Son of God a name for Jesus that tells you God is his Father. The Son of God is the Second Divine Person of the Holy Trinity.

Parecidos, pero diferentes

Mientras estuvo en la Tierra, Jesús veía cosas interesantes todos los días, tal como tú. Disfrutaba las flores, los pájaros en el aire y los árboles frutales. Aprendía a hacer cosas nuevas, tal como tú.

Jesús es humano. También es divino, lo que significa que es Dios. Jesús es el **Hijo de Dios** que se hizo hombre. Por esa razón miras a Jesús para aprender más sobre Dios, su Padre.

➔ **¿En qué se parecen Jesús y tú? ¿En qué son diferentes?**

Practica tu fe

Halla la palabra oculta Colorea las X de rojo. Colorea las O de azul, verde o amarillo para hallar un nombre para Jesús que tú hayas oído.

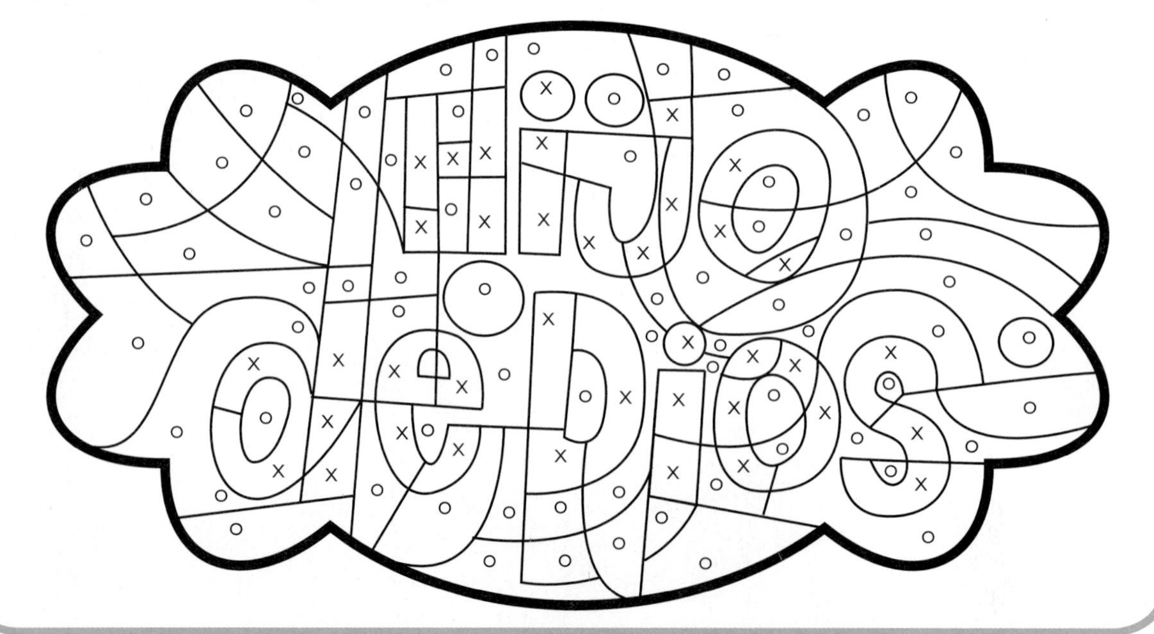

Alike But Different

While he was on Earth, Jesus saw interesting things every day, just as you do. He enjoyed the flowers, the birds of the air, and the fruit trees. He learned to do new things, just like you.

Jesus is human. He is also divine, which means he is God. Jesus is the **Son of God** who became man. That is why you look to Jesus to learn more about God his Father.

➔ **In what ways are you and Jesus alike? How are you different?**

Connect Your Faith

Find the Hidden Word Color the Xs red. Color the Os blue, green, or yellow to find a name for Jesus that you have heard.

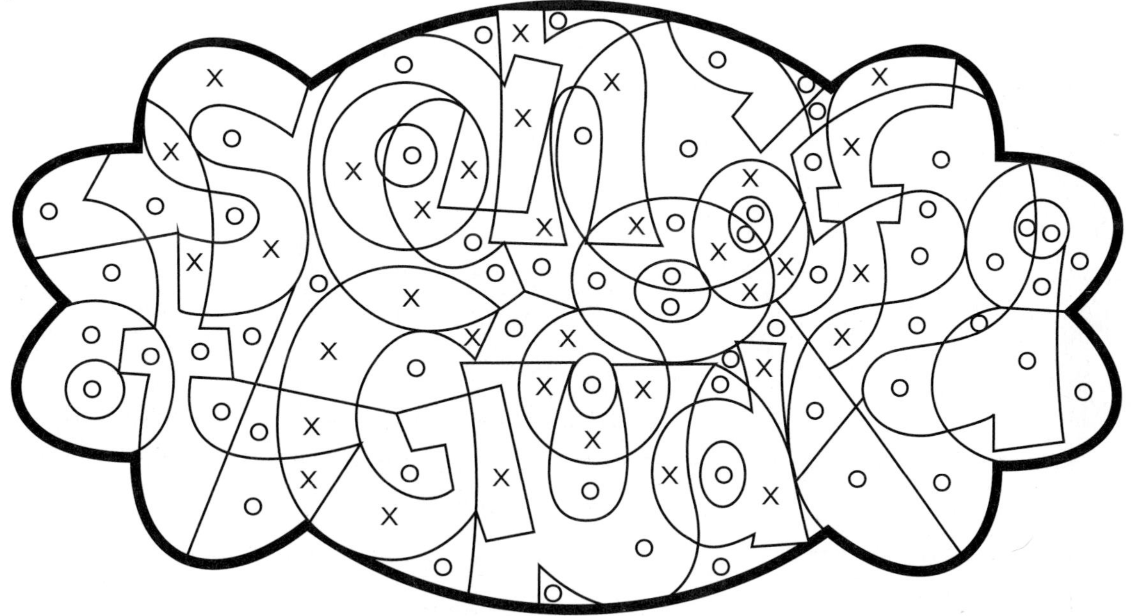

Nuestra vida católica

¿Cómo usan las personas lo que Dios ha creado?

Dios creó todas las cosas de la nada. Él compartió con nosotros la habilidad de hacer cosas para usarlas y disfrutarlas.

Completa los espacios en blanco con las cosas que se pueden hacer con los dones de la creación de Dios.

Usar los dones de Dios

Don de la creación	Cosas que hacemos
 madera de los árboles	casas, papel, ______
 algodón	ropa, ______
 trigo	pan, cereal, ______
 lana de las ovejas	suéteres, abrigos, ______
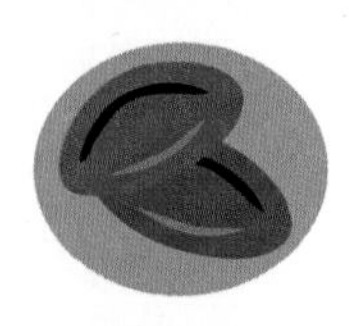 granos de cacao	chocolate, ______

Our Catholic Life

How do people use what God has created?

God created everything from nothing. He shared with us the ability to make things to use and enjoy.

Fill in the blanks with things that can be made from the gifts of God's creation.

Making Use of God's Gifts

	Gift of Creation	Things We Make From It
	wood from trees	houses, paper, ________
	cotton	clothing, ________
	wheat	bread, cereal, ________
	wool from sheep	sweaters, coats, ________
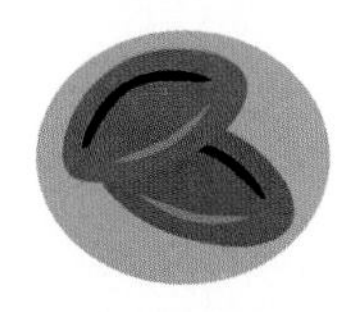	cacao beans	cocoa, ________

Gente de fe

Santísima Virgen María, siglo I

María fue un don especial de Dios. Dios eligió a María para que fuera la Madre de Jesús, su Hijo. Cuando el ángel Gabriel le contó que sería la Madre de Jesús, le dijo: "¡Bendita tú eres!". María es también la Madre de la Iglesia. Esto significa que también es nuestra Madre. El Ave María es la oración más conocida sobre la Madre de Dios. Decimos el Ave María cuando rezamos el Rosario.

1 de enero

Comenta: ¿Qué puede ayudarte a hacer hoy María?

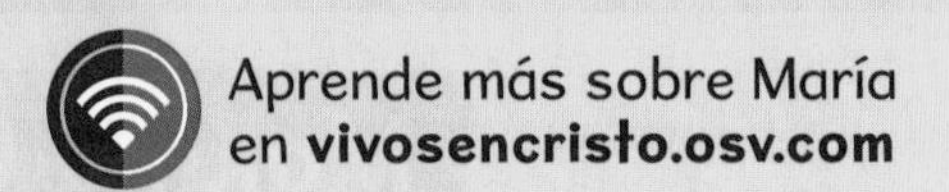

Vive tu fe

Cuenta ¿Qué don de la creación de Dios ves en la ilustración? ¿Cómo cuidamos de este don de la creación?

____

____

____

____

Escribe el nombre de una persona o una cosa de la que puedes cuidar.

____

People of Faith

January 1

Blessed Virgin Mary, first century

Mary was a special gift from God. God chose Mary to be the Mother of Jesus, his Son. When the Angel Gabriel told her she would be the Mother of Jesus, he said, "Blessed are you!" Mary is also the Mother of the Church. That means that she is our Mother, too. The Hail Mary is the most well known prayer about the Mother of God. We pray the Hail Mary when we pray the Rosary.

Discuss: What can Mary help you do today?

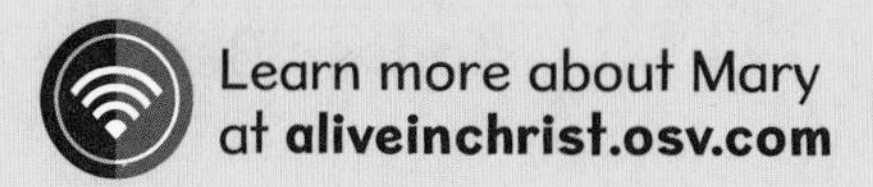

Learn more about Mary at **aliveinchrist.osv.com**

Live Your Faith

Tell What gift of God's creation do you see in the picture? How do we take care of this gift of creation?

____

____

____

____

Write the name of one person or thing that you can take care of.

____

Oremos

Oración de bendición

Reúnanse y empiecen con la Señal de la Cruz.

Líder: Bendice Dios

Todos: Oh, Dios, bendice

Líder: La Tierra maravillosa donde vivimos y jugamos.

Todos: Bendice Dios

Líder: El sol y la luna que iluminan nuestro camino.

Todos: Bendice Dios

Líder: Los árboles y las plantas, los grandes y los pequeños.

Todos: Bendice Dios

Líder: Las aves que vuelan, los peces del mar.

Todos: Bendice Dios

Líder: A las personas como tú y como yo.

Todos: Bendice Dios

Líder: Al don de Jesús,
tu propio Hijo.

Todos: Bendice Dios

Líder: Enviado para bendecirnos a todos.

Todos: Canten "A Ti, Dios"

A ti, Dios, te alabamos;
A ti, Señor, te reconocemos;
A ti, eterno Padre, te venera la creación.
A ti, eterno Padre, te venera toda la creación.

Let Us Pray

Blessing Prayer

Gather and begin with the Sign of the Cross.

Leader: Bless God

All: Oh, God, bless

Leader: The wonderful Earth where we live and play.

All: Bless God

Leader: The sun and moon that light our way.

All: Bless God

Leader: The trees and plants both large and small.

All: Bless God

Leader: The birds that fly, the fish in the sea.

All: Bless God

Leader: The people just like you and me.

All: Bless God

Leader: The gift of Jesus, your own Son.

All: Bless God

Leader: Sent to bless us, everyone.

All: Sing "God Is a Part of My Life"

God is a part of my life.
God is a part of my life.
God is a part of my life;
I rejoice, I rejoice, I rejoice.

FAMILIA + FE

VIVIR Y APRENDER JUNTOS

SUS HIJOS APRENDIERON >>>

Este capítulo trata sobre el don de Dios de la creación y el lugar especial que los humanos ocupan en ella porque estamos hechos a imagen y semejanza de Dios.

La Palabra de Dios

Lean **Lucas 1, 1–2** para aprender más acerca de aquellos que han contado la historia de Dios.

Lo que creemos

- Dios es el Creador de todo lo que es bueno.
- Jesús es el don de Dios más importante. Jesús es el Hijo de Dios.
- Para aprender más, vayan al *Catecismo de la Iglesia Católica* 256, 319 y 454 en **usccb.org**.

Gente de fe

Esta semana, sus hijos conocerán a la Santísima Virgen María, a quien honramos como Madre de Dios y Madre de la Iglesia.

CONSIDEREMOS ESTO >>>

¿Cuándo fue la última vez que la creación de Dios los maravilló?

¿Se dan cuenta de que la creación es una de las muchas maneras en que Dios se muestra a ustedes? Dios…"es un Dios vivo y personal, profundamente cercano a nosotros, creándonos y sustentándonos. Aunque es totalmente diferente, oculto, glorioso y maravilloso, Él se comunica con nosotros por medio de la creación y se revela a sí mismo mediante los profetas y, sobre todo, en Jesucristo, con quien nos encontramos en la Iglesia, especialmente en las Escrituras y en los sacramentos. De estas muchas formas, Dios habla a nuestros corazones donde podemos acoger su amorosa presencia" (*CCEUA, p. 55*).

LOS NIÑOS DE ESTA EDAD >>>

Cómo comprenden la creación de Dios La mayoría de los niños de esta edad tienen una idea clara de lo que es causa y efecto. Esto hace que les resulte natural creer en un Creador cuando ven el mundo creado. También tienen una idea clara de que todo tiene un propósito. Por esta razón, es una oportunidad excelente para que aprendan que todo lo que hay en el mundo natural es un don de Dios y tiene una función o un significado dado por Dios.

HABLEMOS >>>

- Pidan a su hijo que hable de los dones de Dios. ¿Cuál es el más importante? (Jesús)
- Comenten las maneras en que su familia usa los dones de Dios de la creación en sus rutinas diarias.

OREMOS >>>

María, Madre de Dios, ruega por nuestra familia y ayúdanos a amar siempre a tu Hijo, Jesús. Amén.

Visiten **vivosencristo.osv.com** para encontrar un glosario multimedia de Palabras católicas, lecturas dominicales, y recursos de Santos y tiempos festivos.

FAMILY + FAITH

LIVING AND LEARNING TOGETHER

YOUR CHILD LEARNED >>>

This chapter is about God's gift of creation and the special place humans have in it because we are made in the image and likeness of God.

God's Word

Read **Luke 1:1–2** to learn more about those who have worked to tell God's story.

Catholics Believe

- God is the Creator of all that is good.
- Jesus is God's greatest gift. Jesus is the Son of God.

To learn more, go to the *Catechism of the Catholic Church* #256, 319, and 454 at **usccb.org**.

People of Faith

This week, your child met the Blessed Virgin Mary who we honor as the Mother of God and the Mother of the Church.

CHILDREN AT THIS AGE >>>

How They Understand God's Creation Most children at this age have a strong sense of cause and effect. This makes it natural for them to believe in a Creator when they see the created world. They also have a strong sense that everything has a purpose. For this reason, it is an excellent time for them to learn that everything in the natural world is a gift from God and has a God-given role or meaning.

CONSIDER THIS >>>

When was the last time that God's creation amazed you?

Do you realize creation is one of the many ways God shows himself to you? God… "is living and personal, profoundly close to us in creating and sustaining us. Though he is totally other, hidden, glorious, and wondrous, he communicates himself to us in Jesus Christ, whom we meet in the Church, especially in Scripture and the Sacraments. In these many ways, God speaks to our hearts where we may welcome his loving presence" (*USCCA, p. 51*).

LET'S TALK >>>

- Ask your child to talk about God's gifts. Which is his greatest? (Jesus)
- Talk about ways your family uses God's gifts of creation in your daily routines.

LET'S PRAY >>>

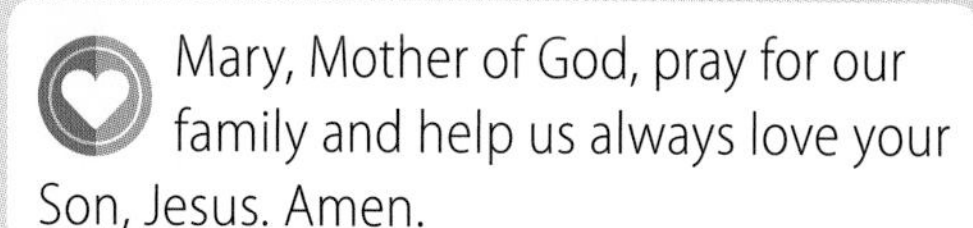

Mary, Mother of God, pray for our family and help us always love your Son, Jesus. Amen.

For a multimedia glossary of Catholic Faith Words, Sunday readings, seasonal and Saint resources, and chapter activities go to **aliveinchrist.osv.com**.

Capítulo 1 Repaso

A **Trabaja con palabras** Escribe las palabras correctas del Vocabulario para completar cada oración.

Vocabulario

creación

salmos

don

pecado

cuidar

1. Todo lo que Dios ha creado se llama ______________________________.

2. Tú puedes ______________________________ de la creación.

3. Jesús vivió sin ______________________________.

4. David escribió ______________________________ de alabanza y agradecimiento a Dios.

5. Jesús es el mayor ______________________________.

B **Confirma lo que aprendiste** Traza una línea que una la Columna A con el mejor final de la Columna B.

Columna A	Columna B
6. Jesús es humano y	Dios es el Padre de Jesús.
7. El nombre Hijo de Dios te dice que	María y José.
8. Dios creó todas las cosas de	Creador.
9. David sabía que Dios es el	el Hijo de Dios.
10. Jesús aprendió a orar con	la nada.

Chapter 1 Review

A **Work with Words** Write the correct words from the Word Bank to complete each sentence.

Word Bank

creation

psalms

gift

sin

care

1. All that God has made is called ______________________.

2. You can ______________________ for creation.

3. Jesus did not ______________________.

4. David wrote ______________________ of praise and thanks to God.

5. Jesus is God's greatest ______________________.

B **Check Understanding** Draw a line from the words ending in Column A to the best ending in Column B.

Column A	Column B
6. Jesus is human and	God is the Father of Jesus.
7. The name Son of God tells you that	Mary and Joseph.
8. God created everything from	Creator.
9. David knew that God is the	the Son of God.
10. Jesus learned how to pray from	nothing.

La promesa de Dios

Oremos

Líder: Dios, te damos gracias por mostrarnos cómo vivir.

Dios eligió a su servidor David.
Él sacó a David del redil de los corderos.
Dios lo llamó cuando cuidaba a las ovejas
para pastorear a Jacob y a su pueblo, Israel.

Basado en el Salmo 78, 70-71

Todos: Gracias, Padre, por enviar personas fieles para que nos ayuden a conocer el camino. Amén.

La Palabra de Dios

Jesús dijo: "Yo les digo que de igual modo habrá más alegría en el cielo por un solo pecador que vuelve a Dios que por noventa y nueve justos que no tienen necesidad de convertirse". Lucas 15, 7

¿Qué piensas?

- ¿Cómo le hablas a Dios?
- ¿Cuáles son los momentos en los que dices que lo lamentas?

God's Promise

Let Us Pray

Leader: God, we thank you for showing us how to live.

God chose his servant David.
He took David from the sheepfolds.
From tending sheep, God brought him
to shepherd Jacob and his People, Israel.

Based on Psalm 78:70–71

All: Thank you, Father, for sending faithful people to help us know the way. Amen.

God's Word

Jesus said, "I tell you, in just the same way there will be more joy in heaven over one sinner who repents than over ninety-nine righteous people who have no need of repentance." Luke 15:7

What Do You Wonder?

- How do you talk to God?
- When are some times that you say you are sorry?

Nuestros primeros padres, llamados Adán y Eva, en el jardín de Edén.

Libre para elegir

¿Qué elección hicieron Adán y Eva?

Dios da a todas las personas la libertad y la habilidad para elegir. El primer libro de la Biblia nos cuenta un relato sobre la elección que hicieron Adán y Eva.

La Palabra de Dios

El jardín del Edén

Dios puso a Adán y a Eva en un jardín llamado Edén. Tenían todo lo que necesitaban para vivir y ser felices.

Dios les dijo a Adán y a Eva que eran libres de comer de todos los árboles del jardín, excepto uno. Dijo Dios: "Cuando coman de ese árbol, seguramente morirán".

Satán, un ángel caído y enemigo de Dios y su Pueblo, se disfrazó de serpiente y dijo a la mujer: "Eso no es verdad. Si comen ese fruto, serán como Dios".

Our first parents, called Adam and Eve, in the Garden of Eden.

Free to Choose

What choice did Adam and Eve make?

God gives all people the freedom and ability to choose. The first book of the Bible tells a story about a choice made by Adam and Eve.

 God's Word

The Garden of Eden

God put Adam and Eve in a garden called Eden. They had all they needed to live and be happy.

God told Adam and Eve that they were free to eat from all the trees in the garden, except one. God said, "When you eat from that tree, you will surely die."

Satan, a fallen angel and enemy of God and his People, disguised himself as a serpent and said to the woman, "This is not true. If you eat that fruit you will be like God."

Palabras católicas

Pecado Original
el primer pecado cometido por Adán y Eva, y que fue transmitido a todas las personas

Eva vio el fruto del árbol y comió un poco. Le dio un poco a Adán. Él también comió.

Adán y Eva eligieron hacer lo que Dios no quería que hicieran. Así que Dios los echó del jardín del Edén.

Basado en Génesis 2, 15-17; 3, 1-6. 23

Dios les dio una elección a Adán y a Eva. En lugar de hacer lo que Él les pidió que hicieran, ellos eligieron desobedecer a Dios. Esto se llama **Pecado Original**.

➔ **¿Qué les sucedió a Adán y a Eva cuando eligieron desobedecer a Dios?**

Comparte tu fe

Piensa Escribe o dibuja una manera en la que puedes obedecer a Dios en la escuela y una manera en la que puedes obedecer a Dios en casa.

Comparte tu respuesta con un compañero.

Eve saw the tree's fruit and ate some. She gave some to Adam. He ate it, too.

Adam and Eve chose to do what they knew God did not want them to do. So God sent them away from the Garden of Eden.

Based on Genesis 2:15–17; 3:1–6, 23

Catholic Faith Words

Original Sin the first sin committed by Adam and Eve and passed down to everyone

God gave Adam and Eve a choice. Instead of doing what he asked them to do, they chose to disobey God. This is called **Original Sin**.

➔ **What happened to Adam and Eve when they chose to disobey God?**

Share Your Faith

Think Write or draw one way you can obey God at school and one way you can obey God at home.

Share your answer with a partner.

Dios envía a un Salvador

¿Cómo nos salva y nos guía Jesús?

Palabras católicas

Salvador un título de Jesús, quien fue enviado al mundo para salvar a todas las personas perdidas por el pecado y para guiarlas de regreso a Dios Padre

Dios no les dio la espalda a Adán y a Eva. En lugar de eso, Dios prometió que enviaría a un **Salvador**. Dios prometió que el Salvador guiaría al pueblo para recuperar la amistad con Él.

Dios cumplió su promesa. Él envió a su propio Hijo para que fuera el Salvador de todas las personas. Jesús vino al mundo para salvar a todas las personas y guiarlas hacia Dios. Jesús quería que las personas amaran a Dios y fueran felices con Dios otra vez.

God Sends a Savior

How does Jesus save and lead us?

God did not turn away from Adam and Eve. Instead, God promised to send a **Savior**. God promised that the Savior would lead all people back to friendship with him.

God kept his promise. He sent his own Son to be the Savior of all people. Jesus came into the world to save all people and lead them to God. Jesus wanted people to love God and to be happy with God again.

Catholic Faith Words

Savior a title for Jesus, who was sent into the world to save all people lost through sin and to lead them back to God the Father

Jesús, el Buen Pastor

Jesús quería que las personas comprendieran que Él es el Salvador. Jesús contó un relato para mostrar que Él es como un pastor y sus seguidores son como ovejas. Los pastores cuidan de sus ovejas y las conducen al pasto y al agua. Los pastores se aseguran de que sus ovejas no se pierdan.

Subraya lo que hacen los pastores. Habla acerca de la manera en que Jesús es como un pastor.

La Palabra de Dios

El Buen Pastor

Jesús dijo: "Yo soy el Buen Pastor. El buen pastor da su vida por las ovejas. No así el asalariado, que no es el pastor ni las ovejas son suyas. Cuando ve venir al lobo, huye abandonando las ovejas, y el lobo las agarra y las dispersa. A él ... no le importan nada las ovejas. Yo soy el Buen Pastor y conozco a los míos como los míos me conocen a mí". Juan 10, 11-14

Practica tu fe

Otro nombre para Jesús Completa los espacios en blanco para deletrear un título de Jesús.

Yo soy el B  n P  r.

Jesus, the Good Shepherd

Jesus wanted the people to understand he is the Savior. Jesus told a story to show that he is like a shepherd and his followers are like sheep. Shepherds care for their sheep and lead them to grass and water. Shepherds make sure their sheep do not get lost.

Underline what shepherds do. Talk about how Jesus is like a shepherd.

God's Word

The Good Shepherd

Jesus said, "I am the good shepherd. A good shepherd lays down his life for the sheep. A hired man, who is not a shepherd and whose sheep are not his own, sees a wolf coming and leaves the sheep and runs away, and the wolf catches and scatters them … he … has no concern for the sheep. I am the good shepherd, and I know mine and mine know me." John 10:11–14

Connect Your Faith

Another Name for Jesus Fill in the blanks to spell out a title for Jesus.

I am the G  d S  p  r .

Nuestra vida católica

¿Qué sucede cuando haces una elección?

Fuiste creado a imagen de Dios. Dios te dio la libertad para hacer elecciones. Eres responsable de las elecciones que haces.

Cada vez que haces una elección, suceden cosas. Todas las elecciones tienen resultados, o consecuencias. Las buenas elecciones tienen consecuencias buenas para ti y para los demás. Las malas elecciones tienen consecuencias malas para ti y pueden dañar a los demás.

Traza una línea que una la mala elección de la izquierda con la buena elección de la derecha.

Malas elecciones	Buenas elecciones
Ser perezoso en la escuela y no hacer la tarea •	• Cuidar de tus pertenencias
Burlarse de los demás •	• Trabajar mucho y prestar atención en clase
No hacer las tareas domésticas o dejar que otro las haga por ti •	• Orar todos los días
Ser descuidado con lo que te han dado •	• Ayudar en casa sin que te lo pidan
No buscar el tiempo para hablar con Dios •	• Tratar a todas las personas con amabilidad

Our Catholic Life

What happens when you make a choice?

You were created in God's image. God gave you the freedom to make choices. You are responsible for the choices you make.

Every time you make a choice, things happen. All choices have results, or consequences. Good choices have good consequences for you and for others. Bad choices can have bad consequences for you and may hurt others.

Draw a line from the bad choice on the left to the good choice on the right.

Bad Choices	Good Choices
Goofing off at school and not doing your homework	Taking care of your belongings
Making fun of others	Working hard and paying attention in class
Skipping your chores or letting someone else do them	Praying every day
Being careless with what you have been given	Helping out at home without being asked
Not taking time to talk to God	Treating all people with kindness

Gente de fe

21 de mayo

San Cristóbal Magallanes Jara, 1869–1927

San Cristóbal Magallanes Jara creció en México. De niño, era pastor. Más tarde, como sacerdote, trató de ser como Jesús, el Buen Pastor. Cuidaba de las personas de su aldea construyendo escuelas, fundando un periódico y capacitando hombres para que fueran sacerdotes. Fue arrestado cuando iba a decir Misa en una granja. Algunas personas pensaban que estaba tratando de rebelarse contra el gobierno. No era así, pero de todos modos lo mataron. Antes de morir, San Cristóbal perdonó a las personas que lo mataron.

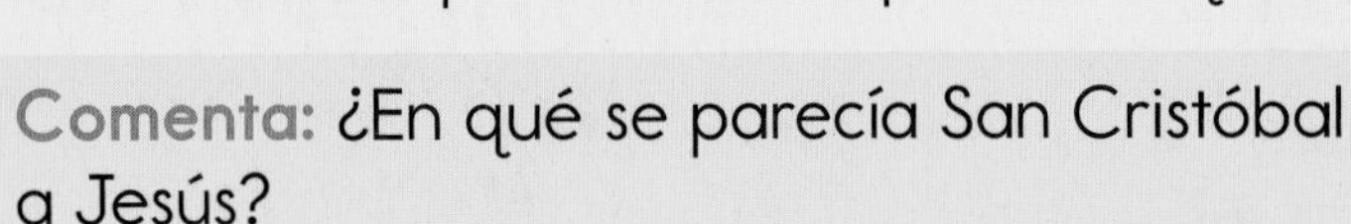

Comenta: ¿En qué se parecía San Cristóbal a Jesús?

Aprende más sobre San Cristóbal en **vivosencristo.osv.com**

Vive tu fe

Encierra en un círculo las buenas acciones que te llevan a Dios.

Orar

Ser amable

Decir mentiras

Escribe una buena acción que harás esta semana. Yo ...

____.

People of Faith

May 21

Saint Cristóbal Magallanes Jara, 1869–1927

Saint Cristóbal Magallanes Jara grew up in Mexico. When he was a boy, he was a shepherd. Later, as a priest, he tried to be like Jesus, the Good Shepherd. He took care of the people in his village by building schools, starting a newspaper, and training men to become priests. He was arrested on his way to say Mass at a farm. Some people thought that he was trying to rebel against the government. He wasn't, but he was killed anyway. Before he died, Saint Cristóbal forgave the people who killed him.

Discuss: How was Saint Cristóbal like Jesus?

Learn more about Saint Cristóbal at **aliveinchrist.osv.com**

Live Your Faith

Circle Good Actions

Circle the actions that lead to God.

Praying

Being kind

Telling a lie

Write one good action that you will do this week.

I will …

____.

Oremos

Oración de alabanza

Reúnanse y empiecen con la Señal de la Cruz.

Líder: El Señor es mi pastor.
Tengo todo lo que necesito.

Todos: El Señor es mi pastor.
Tengo todo lo que necesito.

Líder: Me llevas a verdes pastos.
Me guías por el camino correcto.

Todos: El Señor es mi pastor.
Tengo todo lo que necesito.

Líder: No tengo miedo.
Tu vara y tu bastón me dan valor.

Todos: El Señor es mi pastor.
Tengo todo lo que necesito.

Líder: Tu bondad y tu amabilidad me siguen
todos los días de mi vida.

Todos: El Señor es mi pastor.
Tengo todo lo que necesito.

Basado en el Salmo 23

Canten "Jesús, el Buen Pastor"

El Señor es mi pastor,
la vida ha dado por mí;
yo su voz he de escuchar
y suyo siempre seré.

 Let Us Pray

Prayer of Praise

Gather and begin with the Sign of the Cross.

Leader: The Lord is my shepherd.
I have all that I need.

All: The Lord is my shepherd.
I have all that I need.

Leader: You lead me to green pastures.
You guide me on the right path.

All: The Lord is my shepherd.
I have all that I need.

Leader: I am not afraid.
Your rod and staff give me courage.

All: The Lord is my shepherd.
I have all that I need.

Leader: Your goodness and kindness follow me
all the days of my life.

All: The Lord is my shepherd.
I have all that I need.

Based on Psalm 23

 Sing "Jesus, Shepherd"

You are the shepherd,
we are the sheep.
Come, Good Shepherd,
lead us home.

FAMILIA + FE

VIVIR Y APRENDER JUNTOS

SUS HIJOS APRENDIERON >>>

Este capítulo presenta nuestra necesidad de Jesús, nuestro Salvador, quien nos muestra el camino a su Padre.

La Palabra de Dios

Lean **Lucas 15, 7** para ver cómo Dios se alegra cuando las personas acuden a Él.

Lo que creemos

- Dios envió a su Hijo amado, Jesús, para que volviéramos a estar en amistad con Él.
- Jesús es el Salvador y el Buen Pastor.

Para aprender más, vayan al *Catecismo de la Iglesia Católica* 457–458 en **usccb.org.**

Gente de fe

Esta semana, su hijo conoció a San Cristóbal Magallanes Jara, un sacerdote mexicano que fue martirizado por acusaciones falsas de promover una revuelta.

LOS NIÑOS DE ESTA EDAD >>>

Cómo comprenden el plan de Dios Así como hay un propósito para todo lo que Dios hizo, hay un plan para nuestra vida. Dios nos da el libre albedrío porque las acciones no pueden ser en verdad buenas o amorosas si no son hechas libremente. A medida que su hijo aprende sobre el plan de Dios para su vida, también comprenderá que hay momentos en que nos alejamos del plan de Dios. Es importante que los niños sepan que Dios los ayudará a ser lo que Él ha dispuesto que sean, y que Dios siempre nos ofrece el camino de regreso a Él.

CONSIDEREMOS ESTO >>>

¿En qué momento se han arrepentido de algo que dijeron o hicieron?

En ocasiones, todos hacemos cosas desconsideradas o completamente hirientes. Pecamos y necesitamos obtener la redención. "En nuestras iglesias contemplamos a Jesús clavado a una Cruz, una imagen que nos recuerda su doloroso sacrificio para el perdón de todos nuestros pecados y culpas. Si no hubiese existido el pecado, Jesús no habría sufrido por nuestra redención. Cada vez que vemos el crucifijo, podemos reflexionar sobre la misericordia infinita de Dios, quien nos salva mediante la obra reconciliadora de Jesús" (*CCEUA, p. 258*).

HABLEMOS >>>

- Pregunten a su niño qué piensa que significa ser responsable por sus decisiones.
- Comenten cómo debemos reaccionar cuando alguien piensa que hemos hecho algo que no hicimos.

OREMOS >>>

San Cristóbal, pídele a Jesús que cuide a nuestra familia como un pastor que cuida a su rebaño. Amén.

Visiten **vivosencristo.osv.com** para encontrar un glosario multimedia de Palabras católicas, lecturas dominicales, y recursos de Santos y tiempos festivos.

FAMILY + FAITH

LIVING AND LEARNING TOGETHER

YOUR CHILD LEARNED >>>

This chapter introduces our need for Jesus, our Savior, who shows us the way to his Father.

God's Word

Read **Luke 15:7** to see how God rejoices when people turn to him.

Catholics Believe

- God sent his beloved Son, Jesus, to bring all people back into his friendship.
- Jesus is the Savior and the Good Shepherd.

To learn more, go to the *Catechism of the Catholic Church* #457–458 at **usccb.org**.

People of Faith

This week, your child met Saint Cristóbal Magallanes Jara, a Mexican priest who was martyred on false charges of encouraging a revolt.

CHILDREN AT THIS AGE >>>

How They Understand God's Plan Just as there is a purpose for everything God made, there is a plan for each of our lives. God gives each of us free will because actions cannot truly be good or loving if they are not done freely. As your child learns about God's plan for his or her life, he or she will also understand that there are times when we stray from God's plan. It's important for children to know that God will help them become what he made them to be and that God always provides us a way back to himself.

CONSIDER THIS >>>

When have you ever regretted something you've said or done?

At times, we all do things that are insensitive or downright hurtful. We sin and need to be redeemed. "In our churches, we behold Jesus nailed to the Cross, an image that reminds us of his painful sacrifice to bring about the forgiveness of all our sins and guilt. . . . Each time we see the crucifix, we can reflect on the infinite mercy of God, who saves us through the reconciling act of Jesus" (*USCCA, p. 243*).

LET'S TALK >>>

- Ask your child what he or she thinks it means to be responsible for your choices.
- Talk about how to react when someone thinks you have done something you didn't.

LET'S PRAY >>>

Saint Cristóbal, ask Jesus to watch over our family as a shepherd watches over his sheep. Amen.

For a multimedia glossary of Catholic Faith Words, Sunday readings, seasonal and Saint resources, and chapter activities go to **aliveinchrist.osv.com**.

Capítulo 2 Repaso

A **Trabaja con palabras** Escribe la letra de la palabra o las palabras del Vocabulario para completar correctamente cada oración.

Vocabulario

a. Salvador

b. Pecado Original

c. Pastor

d. Jesús

e. amistad

1. La elección de Adán y Eva de desobedecer a Dios se llama ☐.
2. Dios prometió que enviaría un ☐.
3. El Salvador que Dios envió era ☐.
4. Jesús es el Buen ☐.
5. Jesús recupera la ☐ de las personas con Dios.

B **Confirma lo que aprendiste** Rellena el círculo que está junto a la respuesta correcta.

6. Fuiste creado a imagen ____ .

   ○ de tu amigo ○ propia ○ de Dios

7. Dios te dio la ____ de hacer elecciones.

   ○ responsabilidad ○ libertad ○ plan

8. Todas las elecciones tienen resultados, o ____.

   ○ consecuencias ○ libertad ○ responsabilidad

9. ____ eres responsable de las elecciones que haces.

   ○ Los santos ○ Otros ○ Tú

10. Jesús es como un pastor y sus ____ son como las ovejas.

   ○ amigos ○ seguidores ○ padres

Chapter 2 Review

A Work with Words Write the letter of the correct word or words from the Word Bank to complete each sentence.

Word Bank

a. Savior
b. Original Sin
c. Shepherd
d. Jesus
e. friendship

1. The choice of Adam and Eve to disobey God is called ☐.
2. God promised to send a ☐.
3. The Savior God sent was ☐.
4. Jesus is the Good ☐.
5. Jesus brings people back into ☐ with God.

B Check Understanding Fill in the circle beside the correct answer.

6. You were created in ____ image.
   ○ your friend's ○ your own ○ God's
7. God gave you the ____ to make choices.
   ○ responsibility ○ freedom ○ plan
8. All choices have results, or ____.
   ○ consequences ○ freedom ○ responsibility
9. ____ are responsible for the choices you make.
   ○ The Saints ○ Others ○ You
10. Jesus is like a shepherd and his ____ are like sheep.
    ○ friends ○ followers ○ parents

La Palabra de Dios

Oremos

Líder: Tu palabra, Señor, nos enseña cada día.

"Tu palabra, Señor, es para siempre, inmutable en los cielos." Salmo 119, 89

Todos: Gracias, Dios, por tu Palabra. Amén.

La Palabra de Dios

"Jesús bajó con ellos y se detuvo en un lugar llano. Había allí un grupo impresionante de discípulos suyos y una cantidad de gente… Habían venido para oírlo y para que los sanara de sus enfermedades." Lucas 6, 17-18

¿Qué piensas?

- ¿Qué te dice Jesús?
- ¿Cómo escucharás a Jesús?

The Word of God

Let Us Pray

Leader: Your Word, O God, teaches us each day.

"Your word, LORD, stands forever,
it is firm as the heavens." Psalm 119:89

All: Thank you, God, for your Word. Amen.

God's Word

"And he came down with them and stood on a stretch of level ground. A great crowd of his disciples and a large number of the people ... came to hear him and to be healed of their diseases." Luke 6:17–18

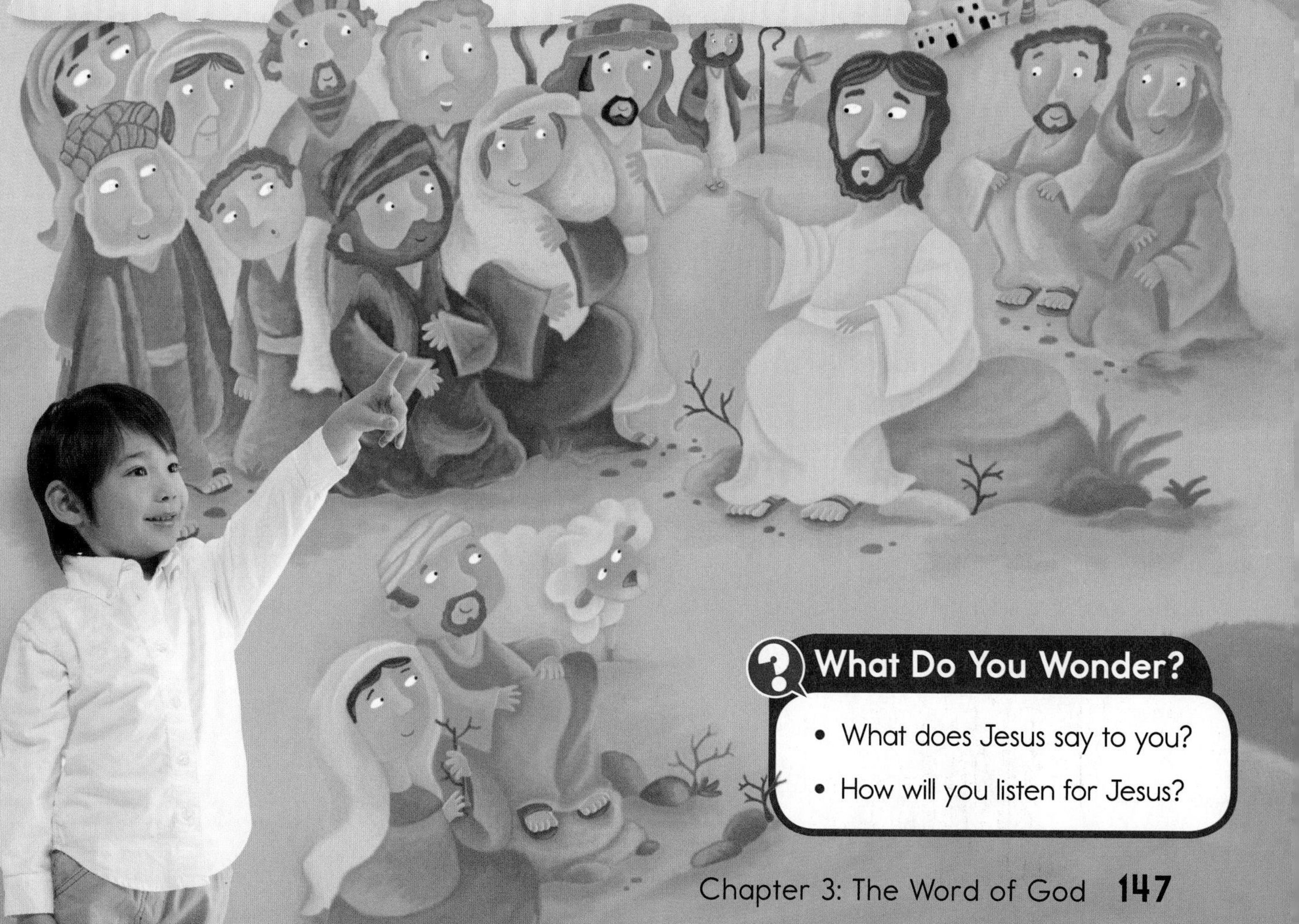

What Do You Wonder?

- What does Jesus say to you?
- How will you listen for Jesus?

Aprender acerca de Dios

¿Dónde está escrita la Palabra de Dios?

Dios quiere que las personas crean en Él y que lo amen. Quiere que tú recuerdes su amor especial. El siguiente es un relato sobre el amor de Dios por su Pueblo.

La Palabra de Dios

El diluvio

Una vez, Dios le dijo a Noé que construyera un barco grande llamado arca. También les dijo a Noé y a su familia que, en el arca, pusieran toda clase de animales diferentes. Vino un gran diluvio, y llovió durante cuarenta días. La familia de Noé y los animales estaban a salvo en el arca.

Luego la lluvia se detuvo y el sol salió. Noé alabó a Dios por salvar a su familia. Noé prometió que siempre cuidaría de su pueblo. El arcoíris fue una señal de la promesa de Dios. Basado en Génesis 6–9

Colorea la señal de la promesa de Dios a Noé.

Learning About God

Where is God's Word written?

God wants people to believe in him and to love him. He wants you to remember his special love. Here is a story about God's love for his People.

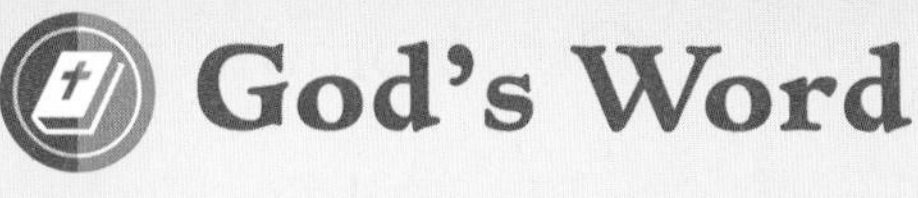

The Great Flood

Once God told Noah to build a large boat called an ark. He told Noah and his family to put all different kinds of animals on the ark, too. A great flood came, and the rains poured down for forty days. Noah's family and the animals were safe on the ark.

Then the rains stopped and the sun came out. Noah praised God for saving his family. God promised that he would always take care of his People. The rainbow was a sign of God's promise. Based on Genesis 6–9

Color in the sign of God's promise to Noah.

La Biblia

Puedes encontrar relatos del amor de Dios en un libro especial llamado la **Biblia**. La Biblia es la Palabra de Dios escrita en palabras humanas. Dios guió a los escritores humanos para que escribieran sobre Él y sus acciones salvadoras. En la Biblia, Dios te habla sobre Él y su plan para ti. Otro nombre para la Biblia es Sagrada Escritura.

La Biblia tiene dos partes principales. El **Antiguo Testamento** es la primera parte de la Biblia. Trata sobre la amistad entre Dios y su Pueblo antes del nacimiento de Jesús. En esta parte de la Biblia, hay libros históricos, libros de leyes, poesía, relatos y canciones. El relato del arca de Noé está en el Antiguo Testamento.

Palabras católicas

Biblia la Palabra de Dios escrita en palabras humanas. La Biblia es el libro sagrado de la Iglesia.

Antiguo Testamento la primera parte de la Biblia acerca de Dios y su Pueblo antes de que naciera Jesús

Piensa ¿Cuál es una de las cosas que sabes sobre Dios? Escríbela aquí.

____

____

Comparte Habla con un compañero acerca de cómo lo aprendiste.

The Bible

You can find stories of God's love in a special book called the **Bible**. The Bible is the Word of God written in human words. God guided the human writers to write about him and his saving actions. In the Bible, God tells you about himself and his plan for you. Another name for the Bible is Sacred Scripture.

The Bible has two main parts. The **Old Testament** is the first part of the Bible. It is about the friendship between God and his People before the birth of Jesus. In this part of the Bible, there are history books, law books, poetry, stories, and songs. The story of Noah's Ark is in the Old Testament.

Catholic Faith Words

Bible the Word of God written in human words. The Bible is the holy book of the Church.

Old Testament the first part of the Bible about God and his People before Jesus was born

Share Your Faith

Think What is one thing you know about God? Write it here.

____

____

Share Talk with a partner about how you learned this.

La actual región de Galilea, Israel, donde Jesús vivió y enseñó.

El mensaje de Jesús

¿Cuándo lees u oyes relatos de la Biblia?

Jesús conocía los relatos de Dios y su Pueblo. Jesús también contó muchos relatos. Estos relatos ayudaron a las personas a conocer y a amar a Dios Padre. Jesús también ayudó a las personas a amar a Dios por medio de sus acciones.

La Palabra de Dios

Jesús enseña y sana

Jesús recorrió toda Galilea. Enseñaba en las sinagogas donde los judíos estudiaban la Sagrada Escritura y oraban. Les contó a las personas acerca de la Buena Nueva del Reino de Dios. Sanó a muchas personas que estaban enfermas.

Jesús se hizo muy conocido. Personas de diferentes ciudades iban para oír las enseñanzas de Jesús. Llevaban a sus amigos que no podían caminar y Jesús los curaba. Grandes multitudes seguían a Jesús a donde fuera. Basado en Mateo 4, 23-25

1. Subraya las cosas que Jesús dijo e hizo.
2. Encierra en un círculo las razones por las que siguieron a Jesús.

The modern-day region of Galilee, Israel, where Jesus lived and taught.

Jesus' Message

When do you read or hear Bible stories?

Jesus knew the stories of God and his People. Jesus told many stories also. These stories helped people know and love God the Father. Jesus helped people love God by his actions, too.

God's Word

Jesus Teaches and Heals

Jesus went all around Galilee. He taught in the synagogues where the Jewish people studied Scripture and prayed. He told people about the Good News of God's Kingdom. He healed many people who were ill.

Jesus became well-known. People from different cities came to hear Jesus teach. They brought their friends who could not walk, and Jesus cured them. Large crowds followed Jesus wherever he went.

Based on Matthew 4:23–25

1. **Underline things that Jesus said and did.**
2. **Circle the reasons that people followed Jesus.**

Lee acerca de Jesús

Puedes aprender acerca de Jesús leyendo el **Nuevo Testamento**. El Nuevo Testamento es la segunda parte de la Biblia. Trata sobre la vida y las enseñanzas de Jesús y sus seguidores. Los cuatro primeros libros se llaman Evangelios. También hay cartas que escribieron los seguidores de Jesús a los nuevos cristianos.

Palabras católicas

Nuevo Testamento la segunda parte de la Biblia acerca de la vida y las enseñanzas de Jesús, de sus seguidores y de la Iglesia primitiva

Escucha la Palabra de Dios

Todos los domingos durante la Misa, oyes las lecturas del Antiguo y el Nuevo Testamento. También oyes la Palabra de Dios cuando lees relatos de la Biblia con tu familia. Puedes leer o representar algunos de estos relatos con tu familia o tus amigos. Cuando te reúnes con otros para aprender acerca de tu fe y orar, frecuentemente oyes relatos de la Biblia o salmos.

Practica tu fe

Escribe sobre Jesús Imagina que estás hablando a un grupo de niños más pequeños. ¿Qué les dirías acerca de Jesús? Escribe tres palabras que hablen sobre Él.

1. ______________________________

2. ______________________________

3. ______________________________

Read About Jesus

You can learn about Jesus by reading the **New Testament**. The New Testament is the second part of the Bible. It is about the life and teachings of Jesus and his followers. The first four books are called Gospels. There are also letters written by Jesus' followers to the new Christians.

Catholic Faith Words

New Testament the second part of the Bible about the life and teachings of Jesus, his followers, and the early Church

Listen to God's Word

Every Sunday during Mass, you hear readings from the Old and New Testaments. You also hear God's Word when you read Bible stories with your family. You can read or act out some of these stories with family or friends. When you gather with others to learn about your faith and pray, you often hear Bible stories or psalms.

Connect Your Faith

Write About Jesus Imagine you are talking to a group of younger children. What would you say to them about Jesus? Write three words that tell about him.

1. ______________________________

2. ______________________________

3. ______________________________

Nuestra vida católica

¿Cómo puedes aprender acerca del amor de Dios y cómo puedes compartirlo?

Jesús trataba a las personas con amabilidad. No le importaba si las personas eran jóvenes, viejas, sanas o enfermas. Cuidaba de todas las personas. Jesús nos enseña a vivir. Tú puedes aprender acerca del amor de Dios Padre a través de Jesús. Luego, puedes compartir su amor.

1. Escribe una manera en que puedes aprender acerca del amor de Dios esta semana.
2. Escribe una manera en que compartirás el amor de Dios esta semana.

Maneras de aprender acerca del amor de Dios	Maneras de compartir el amor de Dios
Leer la Biblia con nuestra familia.	Escuchar a nuestros padres.
Reunirnos con nuestra parroquia para practicar el culto.	Tratar amablemente a las personas.
Participar en la clase de religión.	Contar relatos sobre Jesús a otras personas.
Cantar canciones sobre Jesús.	Incluir a todos en nuestros juegos.
1. ______________________.	2. ______________________.

Our Catholic Life

How can you learn about and share God's love?

Jesus treated people kindly. He did not care if people were young, old, healthy, or sick. He cared for all people. Jesus teaches us how to live. You can learn about God the Father's love from Jesus. Then, you can share his love.

1. Write in one way you can learn about God's love this week.
2. Write in one way you will share God's love this week.

Ways to Learn about God's Love	Ways to Share God's Love
Read the Bible with our families.	Listen to our parents.
Gather with our parish to worship.	Treat people kindly.
Take part in religion class.	Tell others stories about Jesus.
Sing songs about Jesus.	Include everyone in our games.
1. ______________________.	2. ______________________.

Gente de fe

San Lucas, siglo I

San Lucas era un seguidor de Jesús. Él supo de Jesús a través de San Pablo y, probablemente, los Apóstoles y María. San Lucas escribió sus relatos sobre Jesús cuando se convirtió en uno de los Evangelistas. En su Evangelio, Lucas habla sobre el nacimiento de Jesús y, también, sobre cómo Jesús se preocupó por los pobres, los enfermos y los solitarios. Lucas viajaba con San Pablo. Escribió los relatos sobre sus viajes en otro libro de la Biblia llamado los Hechos de los Apóstoles. Lucas también fue doctor y pintor.

18 de octubre

Comenta: ¿Cuál es tu relato preferido sobre Jesús?

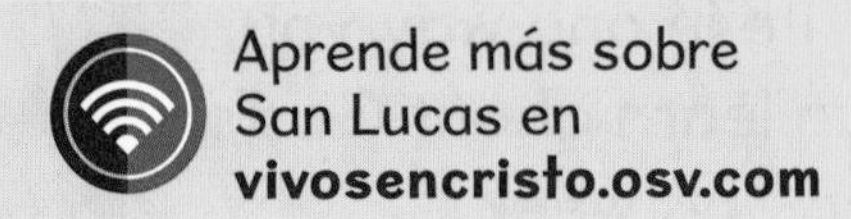

Vive tu fe

Dibuja un relato de la Biblia Piensa en una ocasión en que oíste un relato de la Biblia sobre el amor de Dios. Dibuja aquí parte de ese relato de la Biblia.

People of Faith

October 18

Saint Luke, first century

Saint Luke was a follower of Jesus. He learned about Jesus from Saint Paul and probably the Apostles and Mary. He wrote down their stories about Jesus in what became one of the Gospels. In his Gospel, Luke talks about Jesus' birth and also how Jesus cared for people who were poor, sick, and lonely. Luke traveled with Saint Paul. He wrote down stories about their trips in another book of the Bible called the Acts of the Apostles. Luke was also a doctor and a painter.

Discuss: What is your favorite story about Jesus?

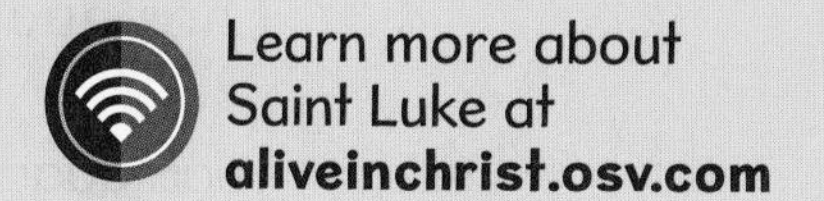
Learn more about Saint Luke at **aliveinchrist.osv.com**

Live Your Faith

Draw a Bible Story Think about a time when you heard a Bible story about God's love. Draw part of that Bible story here.

Oremos

Orar con la Palabra de Dios

Reúnanse y empiecen con la Señal de la Cruz..

Líder: La Biblia es la Palabra sagrada de Dios.
Es tan cierta como el cielo que nos cubre.
Es tan sólida como la Tierra que pisamos.
Escuchemos, sigamos y honremos la sagrada
Palabra de Dios.

Todos: Escucharemos la Palabra de
Dios que está en la Biblia.

Lector: Lean Juan 1, 1-2

Todos: Viviremos por la buena Palabra de
Dios que está en la Biblia.

Sigan al líder en una procesión.
Luego honren a la Biblia inclinándose delante de ella.

Todos: Honraremos la buena Palabra de Dios
que está en la Biblia.

Canten "Tu Palabra Me Da Vida"

Tu palabra me da vida,
confío en Ti, Señor.
Tu palabra es eterna,
en ella esperaré.

Pray with God's Word

Gather and begin with the Sign of the Cross.

Leader: The Bible is God's holy Word.
It is as sure as the sky above.
It is as solid as the Earth below.
Let us listen, follow, and honor
God's holy Word.

All: We will listen to
God's Word in the Bible.

Reader: Read John 1:1–2

All: We will live by God's good Word
in the Bible.

Follow the leader in a procession.
Then honor the Bible by bowing before it.

All: We will honor God's good Word in the Bible.

Sing "Your Words Are Spirit and Life"

Your words are spirit and life, O Lord:
richer than gold, stronger than death.
Your words are spirit and life, O Lord:
life everlasting.

Based on Psalm 19:8–11: Text and Music.

FAMILIA + FE

VIVIR Y APRENDER JUNTOS

SUS HIJOS APRENDIERON >>>

Este capítulo explica cómo el Antiguo Testamento y el Nuevo Testamento son la Biblia, la Palabra inspirada de Dios.

La Palabra de Dios

Lean **Lucas 6, 17–18** para aprender más acerca de cómo escuchar la Palabra de Dios.

Lo que creemos

- Dios le habla de Sí mismo a su Pueblo a través de la Biblia.
- La Biblia es la Palabra de Dios escrita por los humanos.

Para aprender más, vayan al *Catecismo de la Iglesia Católica* 61, 69 en **usccb.org**.

Gente de fe

Esta semana, su hijo conoció a San Lucas, autor del Evangelio de Lucas y de los Hechos de los Apóstoles, el cual relata la historia de la Iglesia primitiva.

LOS NIÑOS DE ESTA EDAD >>>

Cómo comprenden la Biblia Como católicos, creemos que la Biblia es la Palabra de Dios. Al principio, es posible que su hijo tenga dificultad para comprender cómo la Sagrada Escritura es la Palabra de Dios, pero fue escrita por seres humanos. Los niños de esta edad podrían pensar que, de alguna manera, Dios envió la Biblia a la humanidad como un libro o que, literalmente, dictó cada palabra que fue escrita. Con el tiempo, su hijo comprenderá mejor que el Espíritu Santo inspiró a personas devotas a escribir lo que está en la Biblia, y que la Sagrada Escritura refleja la cultura y la personalidad de los escritores al tiempo que transmite el mensaje fundamental de Dios.

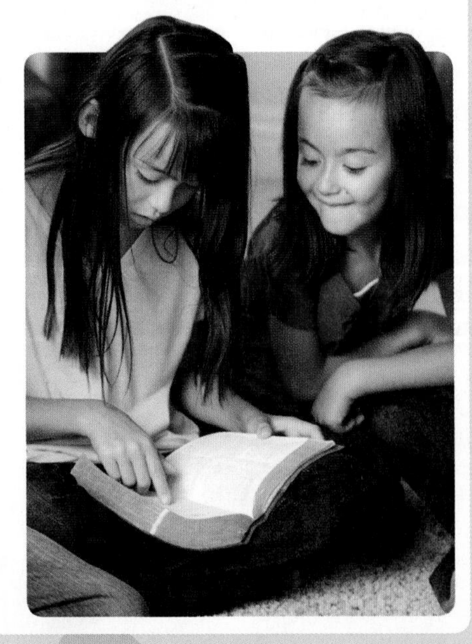

CONSIDEREMOS ESTO >>>

¿Qué los inspira?

"Las Sagradas Escrituras están inspiradas por Dios y es la Palabra de Dios. Por ello, Dios es el autor de las Sagradas Escrituras, lo que significa que Él inspiró a los autores humanos, actuando en ellos y por ellos... *Inspiración* es la palabra que se usa para referirse a la asistencia divina dada a los autores humanos de las Sagradas Escrituras. Esto significa que guiados por el Espíritu Santo, los autores humanos hicieron uso total de sus talentos y habilidades mientras que, a la vez, escribían lo que Dios quería". (*CCEUA, p. 29*).

HABLEMOS >>>

- Pidan a su hijo que mencione algo que haya aprendido acerca de la Biblia.
- Comenten uno de sus relatos favoritos acerca de Jesús y cualquier otro recuerdo familiar que tengan que incluya la Biblia.

OREMOS >>>

San Lucas, ayúdanos a escucharnos siempre los unos a los otros. Amén.

Visiten **vivosencristo.osv.com** para encontrar un glosario multimedia de Palabras católicas, lecturas dominicales, y recursos de Santos y tiempos festivos.

FAMILY + FAITH

LIVING AND LEARNING TOGETHER

YOUR CHILD LEARNED >>>

This chapter explains how the Old Testament and New Testament are the Bible, God's inspired Word.

God's Word

Read **Luke 6:17–18** to learn more about listening to God's Word.

Catholics Believe

- God tells his People about himself through the Bible.
- The Bible is God's Word written by humans.

To learn more, go to the *Catechism of the Catholic Church* #61, 69 at **usccb.org**.

People of Faith

This week, your child met Saint Luke, author of the Gospel of Luke and the Acts of the Apostles, which recounts the story of the early Church.

CHILDREN AT THIS AGE >>>

How They Understand the Bible As Catholics we believe that the Bible is God's Word. At first, your child might have trouble understanding how Scripture is the Word of God, but was written down by human beings. Children this age might think that God somehow delivered the Bible as a book to humankind or literally dictated each word that was written. Over time your child will understand better that the Holy Spirit inspired people of faith to write down what is in the Bible, and that Scripture reflects the culture and personalities of the writers while still transmitting God's message at its core.

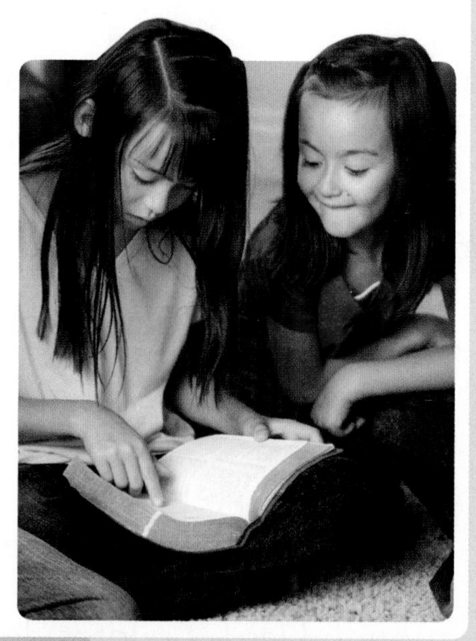

CONSIDER THIS >>>

What gives you inspiration?

"Sacred Scripture is inspired by God and is the Word of God. Therefore, God is the author of Sacred Scripture, which means he inspired the human authors, acting in and through them.... *Inspiration* is the word used for the divine assistance given to the human authors of the books of Sacred Scripture. This means that guided by the Holy Spirit, the human authors made full use of their talents and abilities while, at the same time, writing what God intended. Sacred Scripture is inspired by God and is the Word of God. Therefore, God is the author of Sacred Scripture, which means he inspired the human authors, acting in and through them" (*USCCA, pp. 26–27*).

LET'S TALK >>>

- Ask your child to name one thing he or she learned about the Bible.
- Share one of your favorite stories about Jesus and any family memories you have that include the Bible.

LET'S PRAY >>>

Saint Luke, help us to always listen to each other. Amen.

For a multimedia glossary of Catholic Faith Words, Sunday readings, seasonal and Saint resources, and chapter activities go to **aliveinchrist.osv.com**.

Capítulo 3 Repaso

A **Trabaja con palabras** Escribe la letra de la palabra o las palabras del Vocabulario para completar correctamente cada oración.

Vocabulario

a. Antiguo Testamento
b. Jesús
c. Dios
d. Nuevo
e. Sagrada Escritura

1. La Biblia es la Palabra de ☐.
2. El Nuevo Testamento nos cuenta acerca de ☐.
3. La primera parte de la Biblia es el ☐.
4. Otro nombre para la Biblia es ☐.
5. Los primeros cuatro libros del ☐ Testamento son los Evangelios.

B **Confirma lo que aprendiste** Encierra en un círculo la respuesta correcta.

6. El Antiguo Testamento nos cuenta acerca de ____ y su Pueblo elegido.

   Jesús   Dios   Adán

7. Puedes leer ____ para aprender acerca del amor de Dios.

   el periódico   el himnario   la Biblia

8. Cuando ____ compartes el amor de Dios.

   eres amable   eres desagradable   robas

9. El Nuevo Testamento trata acerca de la vida y las ____ de Jesús.

   enseñanzas   amigos   mascotas

10. Oyes la ____ de Dios cuando lees los relatos de la Biblia.

   canciones   risa   Palabra

Chapter 3 Review

A **Work with Words** Write the letter of the word or words from the Word Bank to complete each sentence.

Word Bank

a. Old Testament
b. Jesus
c. God's
d. New
e. Scripture

1. The Bible is ☐ Word.
2. The New Testament tells about ☐.
3. The first part of the Bible is the ☐.
4. One name for the Bible is Sacred ☐.
5. The first four books of the ☐ Testament are the Gospels.

B **Check Understanding** Circle the correct answer.

6. The Old Testament tells about ____ and his Chosen People.

   Jesus God Adam

7. You can read the ____ to learn about God's love.

   newspaper hymnal Bible

8. When you ____ you share God's love.

   are kind are unkind steal

9. The New Testament is about Jesus' life and ____.

   teachings friends pets

10. You hear God's ____ when you read Bible stories.

   songs laugh Word

UNIDAD 1

Repaso de la Unidad

A Trabaja con palabras

Completa cada oración con la palabra correcta del Vocabulario.

Vocabulario

- Biblia
- Jesús
- Salvador
- Dios
- creación

1. El Antiguo y el Nuevo Testamento forman la ____________________.
2. Estás hecho a imagen y semejanza de ____________________.
3. El don más grande de Dios es ______________.
4. Dios prometió enviar un ____________________.
5. La ____________________ es todo lo hecho por Dios.

B Confirma lo que aprendiste

Rellena el círculo que está junto a la respuesta correcta.

6. ¿Quién contó el relato del Buen Pastor?
   - ◯ Juan
   - ◯ Jesús
7. ¿Qué es la Palabra de Dios escrita en palabras humanas?
   - ◯ un libro
   - ◯ la Biblia
8. ¿Quién escribió los salmos?
   - ◯ David
   - ◯ Jesús
9. ¿Qué parte de la Biblia trata sobre Jesús?
   - ◯ El Nuevo Testamento
   - ◯ El Antiguo Testamento
10. ¿Quién guió a los escritores de la Biblia?
    - ◯ Adán
    - ◯ Dios

Unit Review

A Work with Words

Complete each sentence with the correct word from the Word Bank.

Word Bank

Bible
Jesus
Savior
God
Creation

1. The Old and New Testaments make up the ________________.
2. You are made in the image and likeness of ________________.
3. God's greatest gift is ________________.
4. God promised to send a ________________.
5. ________________ is everything made by God.

B Check Understanding

Fill in the circle beside the correct answer.

6. Who told the story of the Good Shepherd?
   ◯ John ◯ Jesus
7. What is the Word of God written in human words?
   ◯ a book ◯ the Bible
8. Who wrote the psalms?
   ◯ David ◯ Jesus
9. Which part of the Bible is about Jesus?
   ◯ New Testament ◯ Old Testament
10. Who guided the Bible writers?
    ◯ Adam ◯ God

Repaso de la Unidad

Traza una línea que una la Columna A con el mejor final de la Columna B.

Columna A	Columna B
11. Los seres humanos son	el libro sagrado de la Iglesia.
12. La Biblia es	tus elecciones.
13. Eres responsable por	la parte más especial de la creación de Dios.
14. Puedes aprender acerca de Dios	todas las personas.
15. Jesús se preocupaba por	leyendo la Biblia.

C Relaciona Encierra en un círculo la respuesta correcta.

16. ____ es el pecado que cometieron Adán y Eva.

Pecado antiguo **Mentira original** **Pecado Original**

17. ____ es el nombre de Jesús que te dice que Dios es su Padre.

Hijo de Dios **Cristo** **Buen Pastor**

18. Elegir desobedecer a Dios a propósito es un ____.

pecado **amigo** **hecho**

19. Los primeros cuatro libros del Nuevo Testamento se llaman ____.

Hechos **Cartas** **Evangelios**

20. El ____ Testamento cuenta acerca de Dios y su Pueblo antes de que naciera Jesús.

Nuevo **Antiguo** **Original**

Draw a line from Column A to the best ending in Column B.

Column A	Column B
11. Humans are	the holy book of the Church.
12. The Bible is	your choices.
13. You are responsible for	the most special part of God's creation.
14. You can learn about God by	all people.
15. Jesus cared for	reading the Bible.

C Make Connections **Circle the correct answer.**

16. ____ is the sin committed by Adam and Eve.

Old Sin **Original lie** **Original Sin**

17. ____ is the name of Jesus that tells you God is his Father.

Son of God **Christ** **Good Shepherd**

18. Choosing to disobey God on purpose is a ____.

sin **friend** **fact**

19. The first four books of the New Testament are called ____.

Acts **Letters** **Gospels**

20. The ____ Testament tells about God and his People before Jesus was born.

New **Old** **Original**

Repaso de la Unidad

Escribe el nombre o los nombres que responden mejor la pregunta.

21. Yo fui un rey del pueblo de Dios. Escribí poemas de alabanza y agradecimiento a Dios. ¿Quién soy?

____

22. Vivíamos en el jardín llamado Edén. Desobedecimos a Dios. ¿Quiénes somos?

____

23. Soy el Buen Pastor. Guié al Pueblo de Dios de regreso a Él. ¿Quién soy?

____

24. Construí un arca que salvó a mi familia de un diluvio. ¿Quién soy?

____

25. Guié a los escritores de la Biblia. ¿Quién soy?

____

Unit Review

Write the name or names that best answer the question.

21. I was a king of God's people. I wrote poems of praise and thanks to God. Who am I?

____

22. We lived in the Garden called Eden. We disobeyed God. Who are we?

____

23. I am the Good Shepherd. I lead God's People back to him. Who am I?

____

24. I built an ark that saved my family from a flood. Who am I?

____

25. I guided the Bible writers. Who am I?

____

UNIDAD 2

Nuestra Tradición Católica

- Hay tres Personas Divinas en la Santísima Trinidad. (CIC, 253)
- Dios Padre nos ama y cuida de nosotros. (CIC, 239)
- Podemos confiar en y contar siempre con Dios Padre. (CIC, 322)
- Jesús, el Hijo de Dios, nos da el ejemplo con su vida y sus enseñanzas. (CIC, 561)
- Dios Espíritu Santo guía a la Iglesia y nos ayuda a ser santos. (CIC, 747)

¿De qué manera la Señal de la Cruz nos recuerda a la Santísima Trinidad?

Trinity

Our Catholic Tradition

- There are three Divine Persons in the Holy Trinity. (CCC, 253)
- God the Father loves and cares for us. (CCC, 239)
- We can trust and rely on God the Father. (CCC, 322)
- Jesus, the Son of God, sets an example for us with his life and teachings. (CCC, 561)
- God the Holy Spirit guides the Church and helps us to be holy. (CCC, 747)

How does the Sign of the Cross remind us of the Holy Trinity?

Dios Padre

Oremos

Líder: Dios, nos llamaste para que fuéramos tus hijos.

Dios me dijo: "Tú eres mi hijo;
te he creado hoy". Basado en el Salmo 2, 7

Todos: Dios, por favor, bendícenos hoy y todos los días. Amén

La Palabra de Dios

"No estén pendientes de lo que comerán o beberán: ¡no se atormenten! Estas son cosas tras las cuales corren todas las naciones del mundo, pero el Padre de ustedes sabe que ustedes las necesitan. Busquen más bien el Reino, y se les darán también esas cosas." Lucas 12, 29-31

¿Qué piensas?

- ¿Cómo conoces a Dios?
- ¿Por qué llamamos a Dios nuestro Padre?

God the Father

Let Us Pray

Leader: God, you call us to be your children.

God said to me: "You are my child;
today I have created you." Based on Psalm 2:7

All: God, please bless us today and every day. Amen.

God's Word

"...do not seek what you are to eat and what you are to drink, and do not worry anymore. All the nations of the world seek for these things, and your Father knows that you need them. Instead, seek his kingdom, and these other things will be given you besides." Luke 12:29–31

What Do You Wonder?

- How do you know God?
- Why do we call God our Father?

Cuidar de los hijos de Dios

¿Cómo te cuida Dios?

Este es un relato sobre un sacerdote que creó un hogar para los niños necesitados.

Palabras católicas

Santo un héroe de la Iglesia que amó mucho a Dios, que llevó una vida santa y que ahora está con Dios en el Cielo

Dios Padre la Primera Persona Divina de la Santísima Trinidad

San Juan Bosco

Lorenzo y Giovanni se acurrucaron solos en las sombras. Ellos oían a las madres y a los padres que llamaban a sus hijos. Nadie decía sus nombres. El Padre Juan Bosco encontró a los niños con frío y en la oscuridad. Ellos le dijeron al Padre Juan que muchos otros niños vivían solos en las calles.

"Abriré un hogar para los niños de las calles. Les enseñaré a leer, a arreglar cosas y a orar", dijo el Padre Juan.

El Padre Juan ayudó a muchos niños sin hogar a sentirse amados. Les enseñó que Dios es el Padre de todos. Llevó una vida santa y después de su muerte, fue declarado **Santo**.

➔ **¿Cómo crees que era el hogar para niños del Padre Juan?**

Care for God's Children

How does God care for you?

This is a story about a priest who made a home for children in need.

Saint John Bosco

Lorenzo and Giovanni huddled alone in the shadows. They heard mothers and fathers calling for their children. Nobody called their names. Father John Bosco found the boys cold and in the dark. They told Father John that many other children lived alone on the streets.

"I will start a home for the children of the streets. I will teach them how to read, fix things, and pray," said Father John.

Father John helped many homeless children to feel loved. He taught them that God is everyone's Father. He led a holy life and after he died, he was named a **Saint**.

➔ **What do you think Father John's home for children was like?**

Catholic
Faith Words

Saint a hero of the Church who loved God very much, led a holy life, and is now with God in Heaven

God the Father the First Divine Person of the Holy Trinity

Dios Padre

El Padre Juan Bosco trataba a los niños pequeños como si fueran suyos. Les demostraba amor y les enseñaba acerca de Dios, como hizo Jesús.

Jesús enseñó acerca del gran amor de su Padre. A Dios lo llamas "Padre" porque Él te ha creado y cuida de ti. Él cuida de todos. **Dios Padre** te ama así como lo hace un buen padre.

"...yo nunca me olvidaría de ti.
Mira cómo te tengo grabada
en la palma de mis manos." Isaías 49, 15-16

Comparte tu fe

Piensa Dibuja el contorno de tu mano. Escribe una manera en que sabes que Dios cuida de ti.

Comparte Con un compañero, hablen acerca de maneras en que pueden dar gracias a Dios.

God the Father

Father John Bosco treated the young children like they were his own. He showed them love and taught them about God, like Jesus did.

Jesus taught about his Father's great love. You call God "Father" because he created you and cares for you. He cares for everyone. **God the Father** loves you as a good parent does.

"I will never forget you.
See, upon the palms of my hands
I have engraved you." Isaiah 49:15–16

Share Your Faith

Think Trace the outline of your hand. Write one way that you know God cares for you.

Share With a partner, talk about ways you can thank God.

El amor del Padre

¿Qué significa confiar en Dios?

Jesús les decía a las personas que no se preocuparan mucho. Decía que Dios Padre quiere que tengan todo lo que necesitan.

La Palabra de Dios

Confía en Dios

No se preocupen por lo que comerán o vestirán. La vida es más importante que el alimento y la ropa. Miren a las aves del cielo. Ellas no plantan su alimento; no recogen semillas, sin embargo su Padre celestial las alimenta. ¿No son ustedes más importantes que ellas? Aprendan de la manera en que las flores silvestres crecen. Ellas no trabajan ni tejen, pero son hermosas. Si Dios cuida tanto del pasto del campo, ¿cuánto más cuidará de ustedes? No se preocupen. Su Padre celestial sabe lo que necesitan. Basado en Mateo 6, 25–32

1. Colorea las flores y las aves.
2. Dibújate en la imagen.

The Father's Love

What does it mean to trust in God?

Jesus told people not to worry too much. He said that God the Father wants you to have everything you need.

God's Word

Rely on God

Do not worry about what you will eat or wear. Life is more important than food and clothing. Look at the birds in the sky. They do not plant their food; they do not gather grain, yet your heavenly Father feeds them. Are you not more important than they? Learn from the way the wild flowers grow. They do not work or spin, but they are beautiful. If God cares so much for the grass of the field, how much more will he take care of you? Do not worry. Your heavenly Father knows what you need. Based on Matthew 6:25–32

1. Color the flowers and the birds.
2. Draw yourself into the picture.

Volver a Dios en oración

Palabras católicas

oración hablar con Dios y escucharlo

confiar creer en alguien y contar con esa persona

Jesús enseñó a sus seguidores a orar al Padre para pedirle lo que necesitaran. En tu **oración**, estarás hablando y escuchando a Dios Padre como hizo Jesús. A veces, decimos Dios o Señor cuando oramos a Dios Padre.

Jesús sabía que siempre puedes **confiar** en Dios. Siempre puedes contar con Dios y saber que quiere lo mejor para ti. Dios, tu Padre amoroso, está escuchando siempre.

Practica tu fe

Rezar a Dios Ordena las siguientes palabras para hallar los primeros versos de la oración que Jesús nos enseñó.

REDPA RESONUT,
UEQ TÁSSE NE
LE LEICO,
FADITICANOS
EAS UT BENROM.

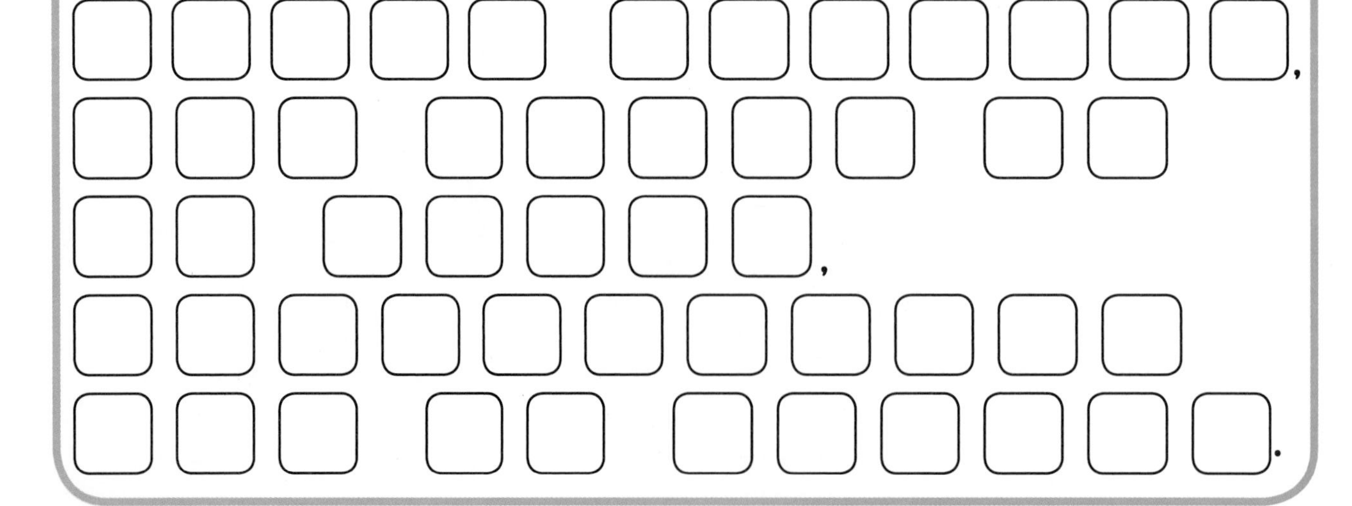

Turn to God in Prayer

Jesus told his followers to pray to the Father for whatever they might need. In your **prayer**, you will be talking to and listening to God the Father as Jesus did. Sometimes we say God or Lord when we pray to God the Father.

Jesus knew that you can always **trust** God. You can always depend on God and know that he loves you and wants what is best for you. God, your loving Father, is always listening.

Catholic Faith Words

prayer talking to and listening to God

trust to believe in and depend on someone

Connect Your Faith

Pray to God Unscramble the words below to find the first lines of the prayer Jesus taught us.

ROU HERFAT,
OHW TRA NI
VANHEE,
WODLELAH EB
HTY MENA.

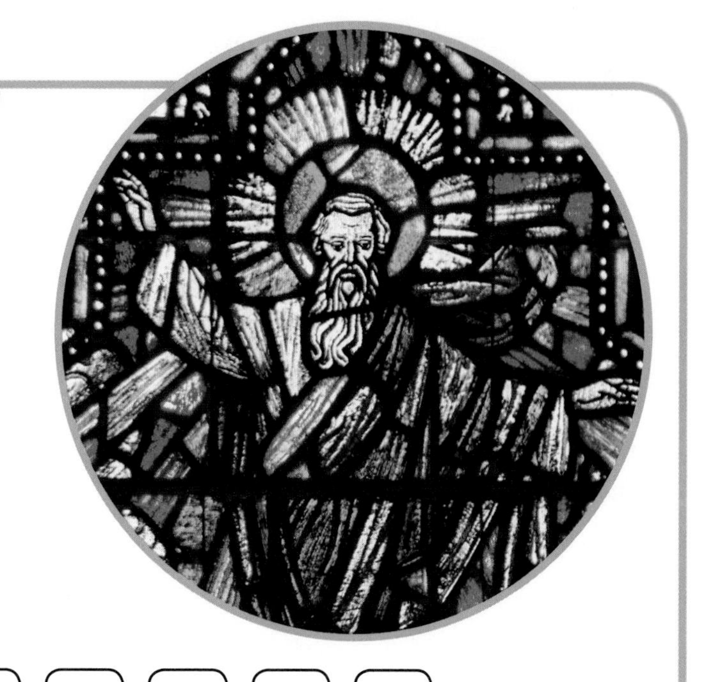

___ ______,
___ ___ __
______,
________ __
___ ____.

Nuestra vida católica

¿Qué significa confiar?

Cuando amas o respetas a alguien, confías en esa persona. Crees que esa persona hará lo que es mejor para ti. Sabes que puedes contar con esa persona en los momentos buenos y en los malos.

A veces, las personas en las que confías pueden decepcionarte, aunque no tuvieran la intención de hacerlo. Esto es porque somos humanos. Pero siempre puedes contar con Dios. Eres su hijo. Él está contigo todos los días. Puedes confiar en que Dios te ama y cuida de ti.

Relaciona a las personas de la izquierda con una cosa que puedes confiar en ellas para hacer.

Personas en tu vida	Puedes confiar en ellas
Miembros de tu familia	para protegerte
Amigos	para amarte y cuidarte
Maestros	para ayudarte a estar más cerca de Dios
Guardias de cruce peatonal y oficiales de la policía	para ayudarte a aprender
Miembros de la familia de tu parroquia	para ser honestos en el juego y tratarte amablemente

Our Catholic Life

What does it mean to have trust?

When you love or respect someone, you trust in him or her. You believe that the person will do what is best for you. You know you can depend on that person in good times and bad times.

Sometimes, people you trust may let you down, even though they do not mean to. That is because we are human. But you can always depend on God. You are his child. He is with you every day. You can trust God to love you and care for you.

Match the people on the left with one thing you can trust them to do.

People in Your Life	You Can Trust Them
Family Members	to protect you
Friends	to love you and take care of you
Teachers	to help you grow closer to God
Crossing Guards and Police Officers	to help you learn
Members of Your Parish Family	to play fair and treat you kindly

Gente de fe

Beata Juliana de Norwich, 1342-c. 1430

13 de mayo

Beata Juliana vivía en un pueblo de Inglaterra llamado Norwich. Le gustaba orar. Oraba hablando con Dios como hablaba con su madre o su padre. Juliana decía que cuando oramos, no tenemos que preocuparnos porque Dios siempre cuidará de nosotros. Juliana decía que debemos pedir ayuda a Dios en todo lo que hacemos. Fue la primera mujer que escribió un libro en inglés. Trataba sobre el amor de Dios.

Comenta: ¿Cómo te cuida Dios?

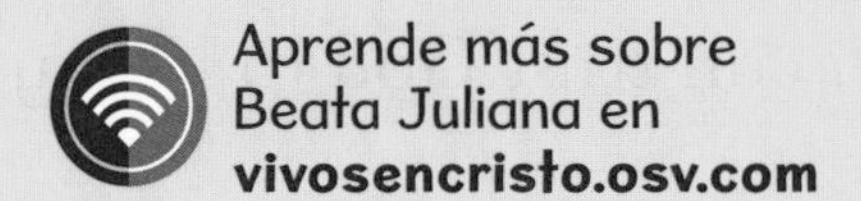

Vive tu fe

Halla el mensaje Encierra en un círculo las letras rojas. Luego copia esas letras en orden en las líneas que están debajo para obtener un mensaje especial.

EGNFMO KRTJLE ACPYZR XTEMNO VKCCBU

CVPLLE ZASRTD VMISSO NLSRSC CBUMMI

USDABA CBRQVÁ LMDDEE PZTMMI

☐☐ ☐☐

☐☐☐☐☐☐☐☐☐,

☐☐☐☐ ☐☐☐☐☐☐☐

☐☐ ☐☐.

Nombra una persona con la que puedas compartir este mensaje.

People of Faith

Blessed Julian of Norwich, 1342–c.1430

Blessed Julian lived in a town in England called Norwich. She loved to pray. She prayed by talking to God like she talked to her mother or father. Julian said that when we pray, we don't have to worry because God will always take care of us. Julian said that we should ask God for help in all we do. She was the first woman to write a book in English. It was about God's love.

May 13

Discuss: How does God care for you?

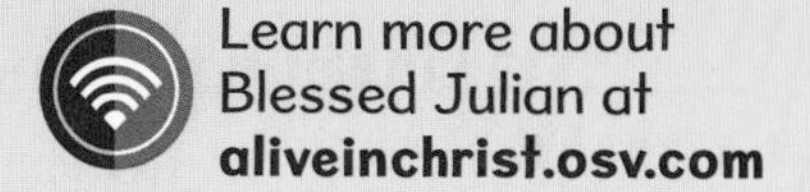
Learn more about Blessed Julian at **aliveinchrist.osv.com**

Live Your Faith

Find the Message Circle the red letters. Then copy the circled letters in order on the lines below for a special message.

EGDFMO	KRNJLO	ACTYZW	XTOMNR	VKRCBY
CVGLLO	ZADRTW	VMISSL	NLLRST	CBAMMK
USEABC	CBAQVR	LMEDEO	PZFMMY	MNOHKU

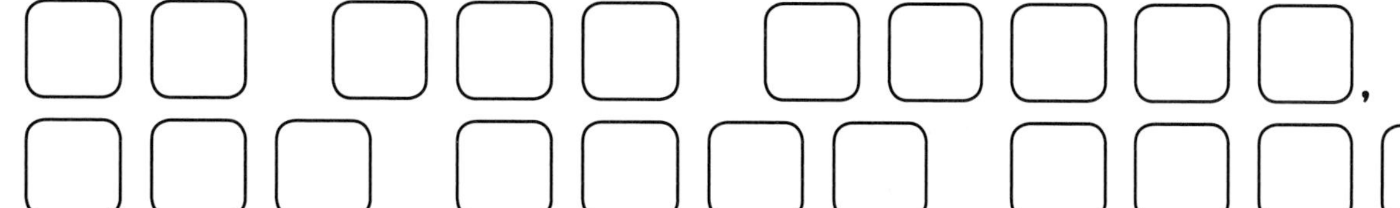

Name one person you can share this message with.

Oremos

Oración para pedir

Reúnanse y empiecen con la Señal de la Cruz.

Líder: Oremos por aquellos que necesitan la ayuda de Dios.

Todos: Te rogamos, Señor.

Líder: Por las personas que han perdido su hogar, oremos al Señor.

Todos: Te rogamos, Señor.

Líder: Por las personas que están lejos de su familia, oremos al Señor.

Todos: Te rogamos, Señor.

Líder: Para ayudar a cuidar de los demás como hizo Jesús, oremos al Señor.

Todos: Te rogamos, Señor.

Canten "Mi Amigo Jesús"

Yo tengo un amigo,
se llama Jesús,
el que perdona mis culpas.
Yo tengo un amigo,
se llama Jesús,
el que me llena de amor.

Let Us Pray

Asking Prayer

Gather and begin with the Sign of the Cross.

Leader: Let us pray for those who need God's help.

All: Lord, hear our prayer.

Leader: For people who have lost their homes, let us pray to the Lord.

All: Lord, hear our prayer.

Leader: For people who are far from their families, let us pray to the Lord.

All: Lord, hear our prayer.

Leader: For help to care for others as Jesus did, let us pray to the Lord.

All: Lord, hear our prayers.

Sing "People Worry"

People worry about this and that.
People worry about this and that!
But Jesus tells us, "Don't worry.
Don't worry about this and that!"

FAMILIA + FE

VIVIR Y APRENDER JUNTOS

SUS HIJOS APRENDIERON >>>

Este capítulo explora el amor de Dios Padre y la importancia de la oración para profundizar nuestra relación con Él.

La Palabra de Dios

Lean **Lucas 12, 29–31** y vean por qué Dios no quiere que nos preocupemos.

Lo que creemos

- Dios es nuestro Padre, que nos creó y nos cuida.
- Podemos confiar en Dios porque Él nos ama.

Para aprender más, vayan al *Catecismo de la Iglesia Católica* 322, 2780–2782 en **usccb.org.**

Gente de fe

Esta semana, su hijo conoció a Santa Juliana de Norwich, quien dijo que todo "será para bien" para aquellos que confían en Dios.

LOS NIÑOS DE ESTA EDAD >>>

Cómo comprenden a Dios Padre Dios se revela a sí mismo como un padre amoroso. Los niños que tienen un buen padre en su hogar podrán identificarse con esto y relacionarlo con su comprensión del amor de Dios por nosotros. Por el contrario, si el niño no tiene un padre en su hogar o ha tenido experiencias negativas con una figura paterna, es posible que tenga dificultad para integrar el concepto de Dios como un padre. Saber cómo Dios dispone que los padres cuiden a sus hijos puede ser útil para comprender esto, y conocer a Dios como un Padre perfecto puede convertirse en una fuente particular de consuelo y esperanza para estos niños.

CONSIDEREMOS ESTO >>>

¿Qué importancia tiene la confianza en una relación?

Sin confianza no existe siquiera la posibilidad de una relación. A lo largo del Antiguo Testamento hay una creciente comprensión de la relación especial entre Dios y los israelitas, a medida que ellos aprenden a confiar cada vez más profundamente en el cuidado providencial de Dios. "La revelación de Jesús de Dios como su padre brota de ser profundamente consciente no solo de ese mismo cuidado providencial sino también de una intimidad indescriptible" (c.f. por ejemplo, Jn14) (*CCEUA, p. 519*).

HABLEMOS >>>

- Pidan a su hijo que mencione personas en quienes la familia confía y comenten por qué.
- Compartan una ocasión en que supieron que realmente podían contar con Dios. Digan cómo el depender de Dios y confiar en Él significó un cambio para ustedes o la familia.

OREMOS >>>

"Tú verás que todas las cosas serán para bien". (Oración de Santa Juliana de Norwich)

Visiten **vivosencristo.osv.com** para encontrar un glosario multimedia de Palabras católicas, lecturas dominicales, y recursos de Santos y tiempos festivos.

FAMILY+FAITH

LIVING AND LEARNING TOGETHER

YOUR CHILD LEARNED >>>

This chapter explores God the Father's love and the importance of prayer to deepen our relationship with him.

God's Word

Read **Luke 12:29–31** and see why God doesn't want us to worry.

Catholics Believe

- God is our Father who created us and cares for us.
- We can trust in God because he loves us.

To learn more, go to the *Catechism of the Catholic Church* #322, 2780–2782 at **usccb.org**.

People of Faith

This week, your child met Blessed Julian of Norwich who said that all "shall be well" for those who trust in God.

CHILDREN AT THIS AGE >>>

How They Understand God the Father God reveals himself as a loving father. Second-graders who have good fathers at home will be able to relate to this and connect it with an understanding of God's love for us. Alternatively, if a child has no father in the home, or if they have had negative experiences with a father figure, they might have difficulty integrating the concept of God as a father. Knowing how God intends for parents to care for their children can help with this understanding, and knowing God as a perfect Father can become a particular source of comfort and hope to these children.

CONSIDER THIS >>>

How important is trust in a relationship?

Without trust there is not even the possibility of relationship. Throughout the Old Testament there is a growing understanding of the special relationship between God and the Israelites as they learn to trust ever more deeply in the providential care of God. "Jesus' revelation of God as his Father flows from a profound awareness not only of that same providential care but also of an indescribable intimacy" (cf., e.g., Jn14) (*USCCA, pp. 484–485*).

LET'S TALK >>>

- Ask your child to name people your family trusts. Discuss why.
- Share a time when you knew God was really there for you. Talk about how depending on and trusting in God made a difference for you or the family.

LET'S PRAY >>>

"All shall be well and all shall be well and all manner of thing shall be well." (Prayer of Blessed Julian of Norwich)

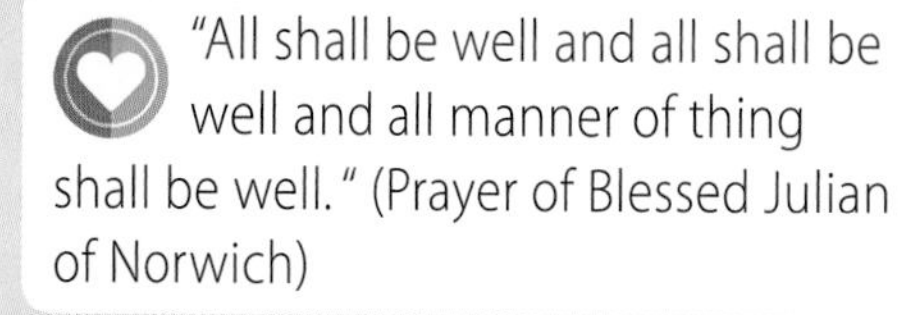

For a multimedia glossary of Catholic Faith Words, Sunday readings, seasonal and Saint resources, and chapter activities go to **aliveinchrist.osv.com**.

Capítulo 4 Repaso

A **Trabaja con palabras** Completa el espacio en blanco con la palabra correcta del Vocabulario.

Vocabulario

confía

cuida

Padre

contar

oración

1. Dios ____________________ de todos.

2. Jesús te enseñó a llamar ____________________ a Dios.

3. ____________________ en Dios.

4. La ____________________ es hablar con Dios y escucharlo.

5. Siempre puedes ____________________ con Dios.

B **Confirma lo que aprendiste** Completa cada oración de la Columna A con la letra correcta de la Columna B.

Columna A	Columna B
6. Un ☐ es una persona virtuosa que obedeció a Dios.	a. respetamos
7. Jesús enseñó a las personas a no ☐.	b. el gran amor de su Padre
8. Jesús enseñó acerca de ☐.	c. Santo
9. Amamos y ☐ a las personas en quienes confiamos.	d. mejor para ti
10. Dios te ama y quiere lo ☐.	e. preocuparse demasiado

Chapter 4 Review

A Work With Words Fill in the blank with the correct word from the Word Bank.

Word Bank

trust
cares
Father
depend
prayer

1. God ____________ for everyone.
2. Jesus taught you to call God the ____________.
3. ____________ God.
4. ____________ is talking to and listening to God.
5. You can always ____________ on God.

B Check Understanding Complete each sentence in Column A with the correct letter in Column B.

Column A	Column B
6. A ☐ is a holy person who obeyed God.	a. respect
7. Jesus told people not to ☐.	b. his Father's great love
8. Jesus taught about ☐.	c. Saint
9. We love and ☐ the people we trust.	d. best for you
10. God loves you and wants what is ☐.	e. worry too much

Dios Hijo

Oremos

Líder: Dios Padre, muéstranos a tu Hijo.

"Como un padre se compadece de sus hijos,
así el Señor se compadece de los
que lo honran". Basado en el Salmo 103, 13

Todos: Gracias, Dios, por enviar a tu Hijo para que nos muestre el camino hacia ti. Amén.

La Palabra de Dios

"Un día fue bautizado también Jesús entre el pueblo que venía a recibir el bautismo. Y mientras estaba en oración, se abrieron los cielos: el Espíritu Santo bajó sobre él y se manifestó exteriormente en forma de paloma, y del cielo vino una voz: 'Tú eres mi Hijo, hoy te he dado a la vida'." Lucas 3, 21-22

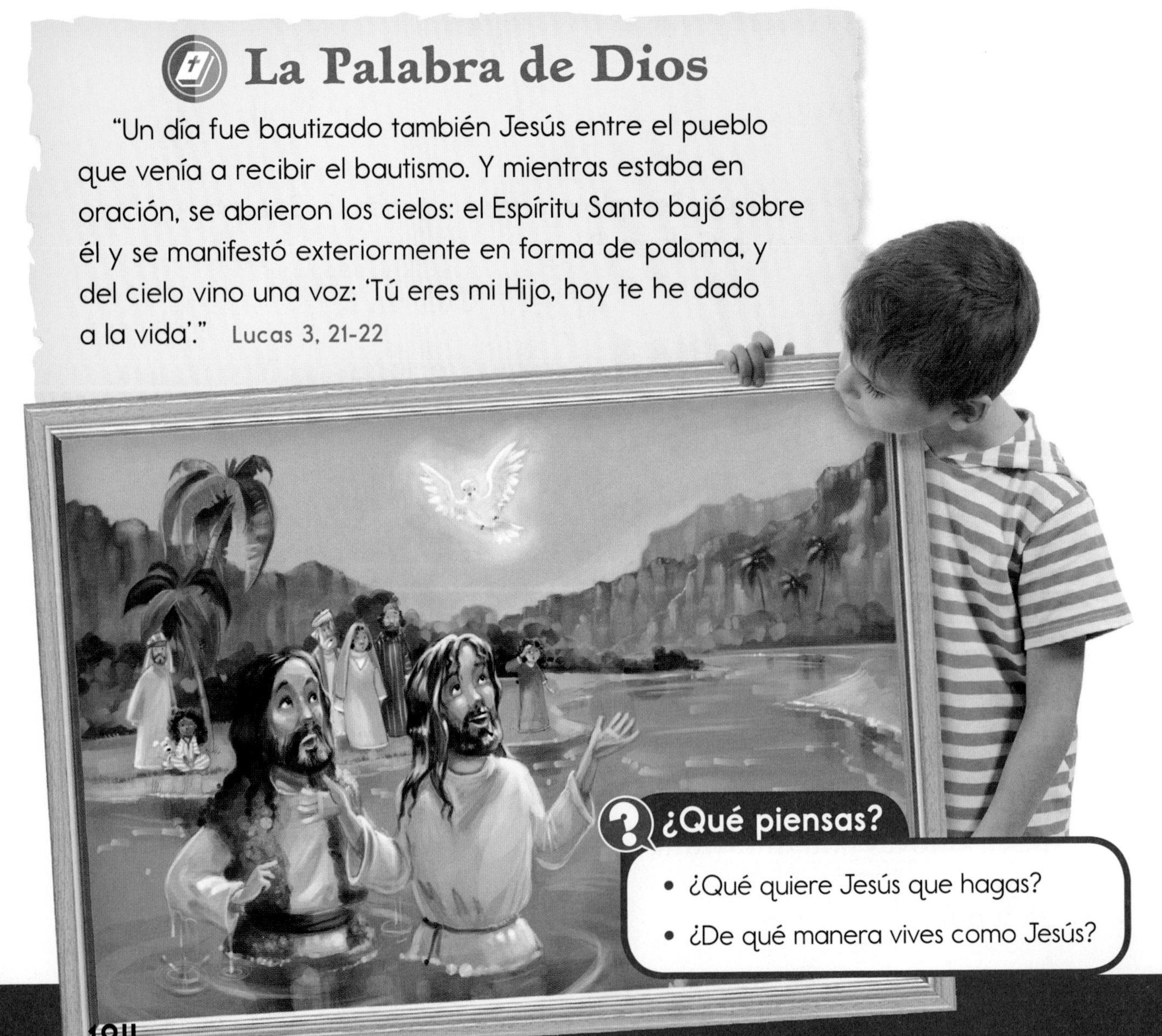

¿Qué piensas?

- ¿Qué quiere Jesús que hagas?
- ¿De qué manera vives como Jesús?

God the Son

Let Us Pray

Leader: God the Father, show us your Son.

"As a father has compassion on his children,
so the LORD has compassion on those
who honor him." Based on Psalm 103:13

All: Thank you, God, for sending your Son to show us the way to you. Amen.

God's Word

"After all the people had been baptized and Jesus also had been baptized and was praying, heaven was opened and the holy Spirit descended upon him in bodily form like a dove. And a voice came from heaven, 'You are my beloved Son; with you I am well pleased.'" Luke 3:21–22

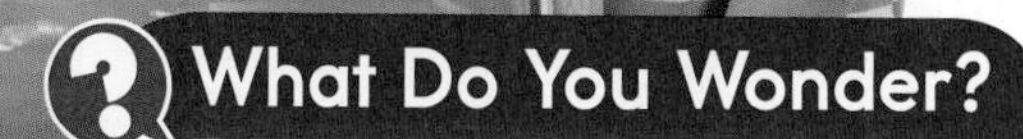

What Do You Wonder?

- What does Jesus want you to do?
- How do you live like Jesus?

Ha nacido un Salvador

¿Qué le dijo el ángel a María?

Palabras católicas

María la Madre de Jesús, la Madre de Dios. También se la llama "Nuestra Señora" porque es nuestra Madre y la Madre de la Iglesia.

ángel un tipo de ser espiritual que hace la obra de Dios, como entregar mensajes de Dios o ayudar a proteger a las personas del peligro

Todos los nombres tienen un significado especial. Hace mucho tiempo, Dios envió a su único Hijo a la Tierra. Dios lo envió para mostrar a todas las personas cómo deben vivir. Dios eligió a **María** para que fuera la Madre de su Hijo. Su Hijo tenía un nombre especial.

Dios envió al ángel Gabriel a María, en el pueblo de Nazaret. El **ángel** le dijo a María que daría a luz a un hijo y que debería llamarlo Jesús, que significa "Dios salva".

1. **Dibuja un cuadrado alrededor del ángel Gabriel, que está a la izquierda.**
2. **Dibuja un círculo alrededor de María y Jesús, que están a la derecha.**

A Savior Is Born

What did the angel tell Mary?

All names have special meanings. Long ago, God sent his only Son to Earth. God sent him to show all people how they should live. God chose **Mary** to be his Son's Mother. His Son had a special name.

God sent the Angel Gabriel to Mary in the town of Nazareth. The **angel** told Mary that she would give birth to a son and that she would name him Jesus, which means, "God saves."

Catholic Faith Words

Mary the Mother of Jesus, the Mother of God. She is also called "Our Lady" because she is our Mother and the Mother of the Church.

angel a type of spiritual being that does God's work, such as delivering messages from God or helping to keep people safe from harm

1. Draw a square around the Angel Gabriel on the left.
2. Draw a circle around Mary and Jesus on the right.

La Palabra de Dios

El anuncio del nacimiento de Jesús

Cuando el ángel Gabriel visitó a María, dijo: "Será grande y justamente será llamado Hijo del Altísimo". María no entendía cómo podía sucederle esto.

El ángel le respondió: "El Espíritu Santo y el poder del Altísimo descenderán sobre ti; por eso el niño santo que nacerá de ti será llamado Hijo de Dios". María le dijo al ángel: "Hágase en mí tal como has dicho".

Meses más tarde, Jesús nació en Belén. Cerca, había pastores que cuidaban de su rebaño. Un ángel del Señor se les apareció en medio de una gran luz. Los pastores estaban asustados.

El ángel dijo: "No tengan miedo. Miren, tengo una Buena Nueva de gran alegría para todas las personas. ¡Hoy ha nacido un salvador!". **Basado en Lucas 1, 26-38; 2, 1-11**

Comparte tu fe

Piensa Escribe o dibuja, dentro de la estrella, tu parte preferida del relato.

Comparte con un compañero.

 God's Word

Announcing Jesus' Birth

When the Angel Gabriel visited Mary he said, "He will be great and will be called Son of the Most High." Mary didn't understand how this could happen to her.

The angel said in reply, "The holy Spirit and the power of the Most High will come over you. Therefore the child to be born will be called holy, the Son of God." Mary told the angel, "May it be done to me as you say."

Months later, Jesus was born in Bethlehem. There were shepherds nearby caring for their flock. An angel of the Lord appeared to them in a great light. The shepherds were frightened.

The angel said, "Do not be afraid. Behold, I have Good News of great joy for all people. Today a savior has been born!" Based on Luke 1:26–38; 2:1–11

Share Your Faith

Think Write or draw your favorite part of the story inside the star.

Share with a partner.

La Sagrada Familia

¿De qué manera Jesús dio un ejemplo?

María y José volvieron con Jesús a Nazaret, donde creció. Juntos, son llamados la **Sagrada Familia**. Como la mayoría de los niños, a Jesús le encantaba aprender y jugar. Pero Jesús era también muy diferente; era el Hijo de Dios.

Palabras católicas

Sagrada Familia el nombre con el que se conoce a la familia de Jesús, María y José en la Tierra

La Palabra de Dios

El joven Jesús en el Templo

Cuando Jesús tenía doce años, María y José lo llevaron a Jerusalén para el día santo. De regreso a su casa, María y José se dieron cuenta de que Jesús no estaba. Estaban muy preocupados y regresaron a Jerusalén para encontrarlo.

Encontraron a Jesús sentado con los sabios en el Templo. Las preguntas y las respuestas de Jesús sorprendieron a todos los que estaban en el templo.

Jesús regresó a Nazaret y obedeció a sus padres. Crecía en edad, en conocimiento y en santidad. Basado en Lucas 2, 41-52

➔ **¿Qué cosa podría haber dicho Jesús a los sabios acerca de Dios?**

The Holy Family

How did Jesus set an example for others?

Mary and Joseph brought Jesus back to Nazareth where he grew up. Together, they are called the **Holy Family**. Like most children, Jesus loved to learn and play. But Jesus was also very different; he was the Son of God.

Catholic Faith Words

Holy Family the name for the human family of Jesus, Mary, and Joseph

God's Word

The Boy Jesus in the Temple

When Jesus was twelve, Mary and Joseph took him to Jerusalem for a holy day. On their way home, Joseph and Mary noticed that Jesus was missing. They were very worried and went back to Jerusalem to find him.

They found Jesus sitting with wise teachers in the Temple. Jesus' questions and answers amazed everyone in the temple.

Jesus came back to Nazareth and obeyed his parents. He grew in age, in learning, and in holiness. Based on Luke 2:41–52

➔ **What is one thing Jesus might have told the wise teachers about God?**

Jesús empieza su obra

Cuando Jesús tenía 30 años, fue a ver a su primo Juan, a quien llamamos Juan Bautista. Juan quería que todos los pecadores volvieran a Dios. Los bautizaba con el agua del río Jordán.

La Palabra de Dios

El bautismo de Jesús

Un día, Jesús le pidió a Juan que lo bautizara. Jesús nunca pecó. Pero quería dar un ejemplo a los demás. Después del bautismo de Jesús, el Espíritu Santo bajó sobre él en forma de paloma. Luego, una voz del Cielo dijo: "Tú eres mi Hijo, el Amado. Tú eres mi Elegido."

Después de esto, Jesús enseñó acerca de Dios, su Padre, y compartió el amor de su Padre con todos. Basado en Mateo 3, 13-17

Aprendemos acerca de Dios Padre de las personas que forman nuestra familia.

➔ **¿Quién te enseña acerca de Dios Padre?**

Practica tu fe

Encierra en un círculo las palabras Encierra en un círculo los nombres para Jesús y marca una X sobre las palabras que no lo son. ¿Cuál es tu nombre de Jesús preferido?

Buen Pastor **Salvador**

Juan **Dios Hijo**

Dios Primo

____

Jesus Begins His Work

When Jesus was thirty years old, he went to see his cousin John, whom we call John the Baptist. John wanted all sinners to turn toward God. He baptized them with water in the Jordan River.

God's Word

Baptism of Jesus

One day, Jesus asked John to baptize him. Jesus never sinned. But he wanted to set an example for others. After Jesus' baptism, the Holy Spirit came down on him in the form of a dove. Then a voice from Heaven said, "You are my beloved Son. I am pleased with you."

After this, Jesus taught about God his Father and shared his Father's love with everyone.

Based on Matthew 3:13–17

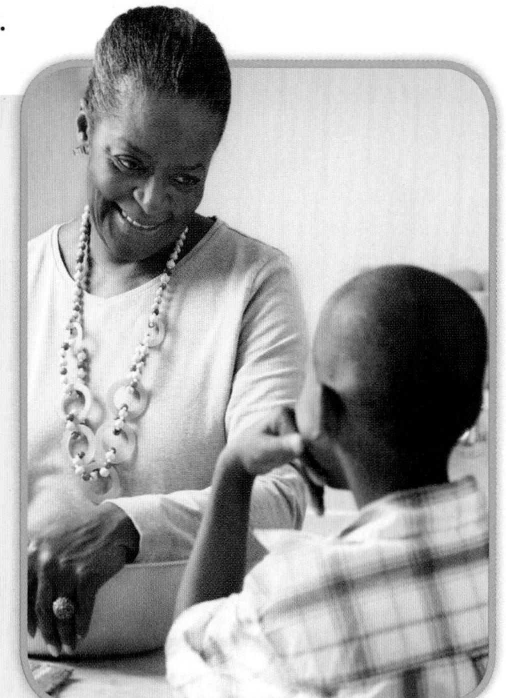

We learn about God the Father from the people in our families.

➔ **Who teaches you about God the Father?**

Connect Your Faith

Circle the Words Circle the names for Jesus and mark an X on the words that aren't. What's your favorite name for Jesus?

Good Shepherd

John

God the Cousin

Savior

God the Son

____

Nuestra vida católica

¿Qué nos enseña Jesús acerca de amar a Dios y a los demás?

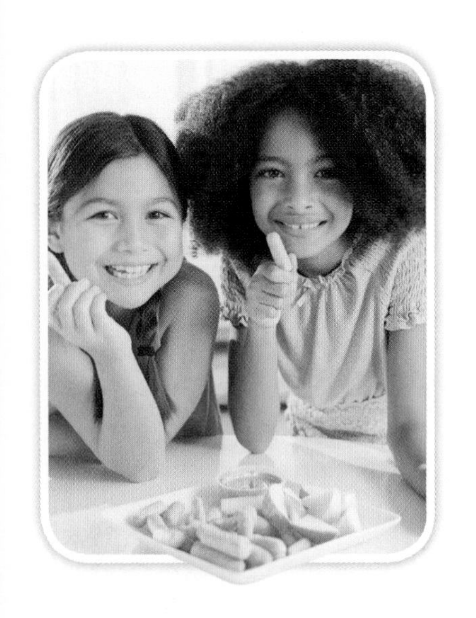

Después de su bautismo, Jesús viajó por todo el país para recordar a los demás que Dios los amaba. Les enseñó a amarse los unos a los otros y a ser buenos con los demás.

Jesús nos sigue enseñando hoy a través de la Biblia, la Iglesia, los Sacramentos y sus seguidores. Escucha atentamente y aprenderás cómo demostrar tu amor por Dios y los demás.

Completa los espacios en blanco con cosas que puedes decir para seguir las enseñanzas de Jesús.

Lo que Jesús nos enseña	Cosas que puedes decir
Perdonar a otras personas.	Te perdono.
Ser amable con los demás.	______________
Ayudar a los enfermos.	¿Puedo ir a visitarte?
Compartir con los demás.	Compartiré esta naranja contigo.
Orar con frecuencia.	______________

Our Catholic Life

What does Jesus teach us about loving God and others?

After his baptism, Jesus traveled throughout his country to remind others that God loved them. He taught them to love one another and to be good to others.

Jesus still teaches us today through the Bible, the Church, the Sacraments, and his followers. Listen carefully and you will learn how to show your love for God and others.

Fill in the blanks with things you can say to follow Jesus' teachings.

What Jesus Teaches	Things You Can Say
Forgive other people.	I forgive you.
Be kind to others.	______________
Help people who are sick.	May I come visit you?
Share with others.	I'll share this orange with you.
Pray often.	______________

Gente de fe

29 de junio

San Pedro, siglo I

San Pedro era pescador junto con su hermano, San Andrés. Un tiempo después, fue el líder de los seguidores de Jesús. Él sabía que Jesús era el Hijo de Dios y que también era un hombre. Él comía con Jesús. Oraba con Jesús. Caminaba y hablaba con Jesús. ¡Incluso fue a fiestas con Jesús! San Pedro sabía que Jesús se cansaba y tenía hambre. Sabía cuándo Jesús estaba feliz o triste. Pero por sobre todo, sabía que Jesús amaba a todos. Después de que Jesús murió, San Pedro habló a muchas personas acerca de Jesús. Es considerado el primer Papa.

Comenta: ¿Qué crees que Jesús podría haber hecho para divertirse?

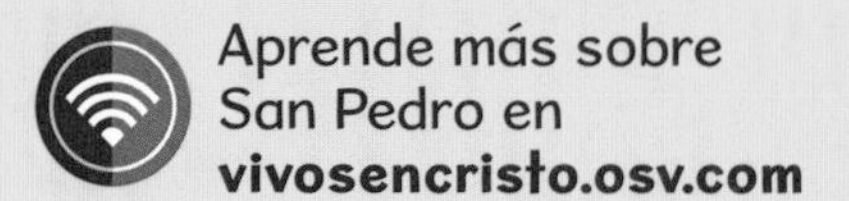

Aprende más sobre San Pedro en **vivosencristo.osv.com**

Vive tu fe

Conocer a Jesús Elige uno de los acontecimientos mostrados y representa lo que Jesús podría estar diciendo. ¿Qué le dirías a Jesús si estuvieras allí?

People of Faith

Saint Peter, first century

Saint Peter was a fisherman with his brother Saint Andrew. Later, he was the leader of Jesus' followers. He knew that Jesus was the Son of God. But he also knew Jesus was a man. He ate with Jesus. He prayed with Jesus. He walked and talked with Jesus. He even went to parties with Jesus! Saint Peter knew that Jesus got tired and hungry. He knew when Jesus was happy and sad. But most of all, he knew that Jesus loved everyone. After Jesus died, Saint Peter told many people about Jesus. He is considered to be the first Pope.

June 29

Discuss: What do you think Jesus might have done for fun?

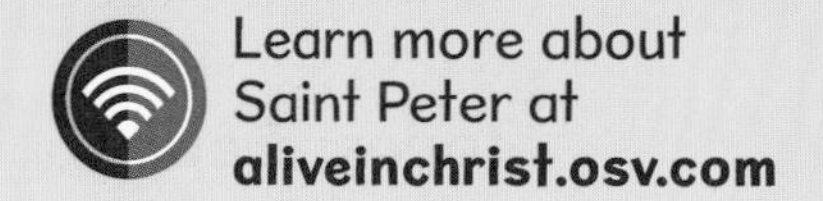
Learn more about Saint Peter at **aliveinchrist.osv.com**

Live Your Faith

Meet Jesus Choose one of the events shown and act out what Jesus might be saying. What would you say to Jesus if you were there?

Oremos

Oración con lenguaje de señas

Reúnanse y empiecen con la Señal de la Cruz.

Líder: Padre, enviaste a tu único Hijo, dándole "el Nombre que está sobre todo nombre" (Filipenses 2, 9), el nombre que significa "Dios salva". Acepta nuestra oración de alabanza y agradecimiento para

Todos: Decir con señas y orar: Jesús,

Líder: el Redentor que se volvió uno de nosotros;

Todos: Decir con señas y orar: Jesús,

Líder: quién nos enseñó con la palabra y el ejemplo;

Todos: Decir con señas y orar: Jesús,

Líder: quién sufrió y celebró con nosotros;

Todos: Decir con señas y orar: Jesús,

Líder: quién murió por nosotros y resucitó para salvarnos;

Todos: Decir con señas y orar: Jesús,

Líder: en cuyo nombre te glorificamos,
oh Dios, ahora y siempre.

Todos: Canten "Cristo Está Conmigo"

Cristo está conmigo,
junto a mí va el Señor,
me acompaña siempre
en mi vida hasta el fin.

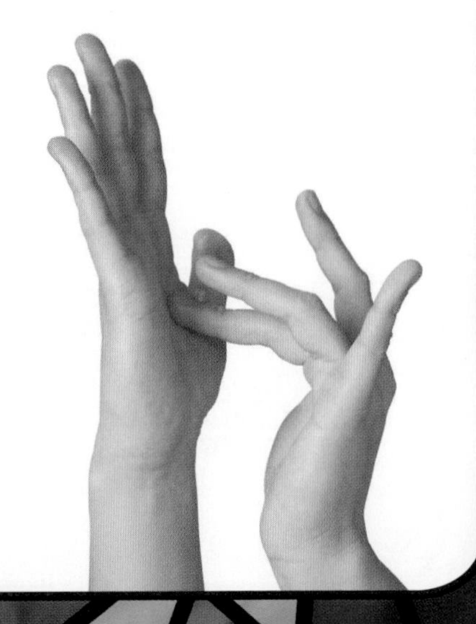

Let Us Pray

Signing Prayer

Gather and begin with the Sign of the Cross.

Leader: Father, you sent us your only Son, giving him "the name that is above every name" (Philippians 2:9), the name that means "God saves." Accept our prayer of praise and thanks for

All: Sign and pray—Jesus,

Leader: the Redeemer who became one of us;

All: Sign and pray—Jesus,

Leader: who taught us in word and example;

All: Sign and pray—Jesus,

Leader: who suffered and celebrated with us;

All: Sign and pray—Jesus,

Leader: who died for us and rose to save us;

All: Sign and pray—Jesus,

Leader: in whose name we give glory to you, O God, now and forever.

All: Sing "You are God"

Jesus, you are God.
There is none like you.
Jesus, you are God,
and we worship you.

FAMILIA + FE

VIVIR Y APRENDER JUNTOS

SUS HIJOS APRENDIERON >>>

Este capítulo explora la Sagrada Familia y la vida de Jesús en la Tierra.

La Palabra de Dios

Vayan a **Lucas 3, 21–22** para leer lo que sucedió en el bautismo de Jesús.

Lo que creemos

- Jesús es el Hijo amado de Dios, nacido de María.
- Jesús es el Salvador del mundo que nos mostró el amor de Dios Padre.

Para aprender más, vayan al *Catecismo de la Iglesia Católica* 452–454 en **usccb.org**.

Gente de fe

Esta semana, su hijo conoció a San Pedro, quien conoció a Jesús como Dios y como hombre.

LOS NIÑOS DE ESTA EDAD >>>

Cómo comprenden a Jesús, el Hijo de Dios Ya los niños de esta edad han escuchado con frecuencia muchos relatos de Jesús. Dado que los relatos del Evangelio apenas dejan entrever la niñez de Jesús (solo su infancia y a los 12 años), podría ser difícil para su hijo imaginar a Jesús como un niño de su misma edad. Es importante que los niños sepan que Jesús también tuvo siete y ocho años, y que ellos pueden seguirlo en las decisiones que toman en este momento. Esta comprensión aumentará a medida que ustedes indiquen a su hijo las oportunidades diarias en que puede ser como Jesús por las decisiones que tome.

CONSIDEREMOS ESTO >>>

¿Cómo se hace visible el amor en su familia?

El amor visible en su familia comienza en el corazón de Dios. "… el mandamiento de Cristo de amar es la puerta a todo el orden supernatural. Al mismo tiempo, [nos anima] a saber que Jesús afirma la bondad humana de cada persona. [Juntos, debemos] buscar los mismos fines de un amor mutuo unido al amor de Cristo, de crear una familia y de continuar creciendo en [nuestra] relación" (*CCEUA, p. 303*).

HABLEMOS >>>

- Pregunten a su hijo qué relatos ha escuchado acerca de Jesús esta semana (el nacimiento de Jesús, su infancia y su bautismo).
- Comenten cuál enseñanza de Jesús recuerdan haber aprendido cuando eran niños y de qué manera sigue siendo importante para ustedes.

OREMOS >>>

San Pedro, ruega por nosotros para que podamos conocer y amar a Jesús tanto como tú. Amén.

Visiten **vivosencristo.osv.com** para encontrar un glosario multimedia de Palabras católicas, lecturas dominicales, y recursos de Santos y tiempos festivos.

FAMILY+FAITH

LIVING AND LEARNING TOGETHER

YOUR CHILD LEARNED >>>

This chapter explores the Holy Family and Jesus' life on Earth.

God's Word

Go to **Luke 3:21–22** to read what happened at the baptism of Jesus.

Catholics Believe

- Jesus is the beloved Son of God born of Mary.
- Jesus is the Savior of the world who showed us God the Father's love.

To learn more, go to the *Catechism of the Catholic Church* #452–454 at **usccb.org**.

People of Faith

This week, your child met Saint Peter, who knew Jesus both as God and man.

CHILDREN AT THIS AGE >>>

How They Understand Jesus, God's Son Children at this age have often already heard many stories of Jesus. Because the Gospel stories offer few glimpses into Jesus' childhood (only infancy and age 12), it might be hard for your child to picture Jesus as a child his or her age. It is important for children this age to know that Jesus was also seven and eight years old, and that they can follow him in the choices they make right now. Their understanding of this will grow as you point out daily opportunities to be like Jesus through the choices your child makes.

CONSIDER THIS >>>

How is love made visible in your family?

The love visible in your family begins in the heart of God. "… Christ's command to love is the door to the whole supernatural order. At the same time, it encourages [us] to know that Jesus affirms the human good of each person. Together [we] must seek the same goals of mutual love united to Christ's love, the raising of a family and the continued growth of [our] relationship" (*USCCA, p. 286*).

LET'S TALK >>>

- Ask your child what stories about Jesus he or she heard this week (Jesus' birth, childhood, and baptism).
- Share what teaching of Jesus you remember learning about as a child and how it is still important to you today.

LET'S PRAY >>>

Saint Peter, pray for us that we may come to know and love Jesus as much as you did. Amen.

For a multimedia glossary of Catholic Faith Words, Sunday readings, seasonal and Saint resources, and chapter activities go to **aliveinchrist.osv.com**.

Capítulo 5 Repaso

A **Trabaja con palabras** Escribe la letra de la palabra o las palabras del Vocabulario para completar cada oración.

1. Jesús es el ☐.
2. ☐ le dijo a María que sería la Madre del Hijo de Dios.
3. ☐ es el Salvador del mundo.
4. ☐ era el primo de Jesús.
5. María, José y Jesús son ☐.

Vocabulario

a. la Sagrada Familia
b. Juan
c. Hijo de Dios
d. Jesús
e. El ángel Gabriel

B **Confirma lo que aprendiste** Haz una lista de cinco cosas que Jesús nos enseña. Escribe la palabra que falta en cada enseñanza.

6. ______________________ a otras personas.
7. Sé ______________________ con los demás.
8. ______________________ a los enfermos.
9. ______________________ con los demás.
10. ______________________ con frecuencia.

Chapter 5 Review

A **Work with Words** Write the letter of the correct word or words from the Word Bank to complete the sentence.

Word Bank

a. the Holy Family
b. John
c. Son of God
d. Jesus
e. The Angel Gabriel

1. Jesus is the ☐.
2. ☐ told Mary about being the Mother of God's Son.
3. ☐ is the Savior of the world.
4. ☐ was Jesus' cousin.
5. Mary, Joseph, and Jesus are ☐.

B **Check Understanding** Make a list of five things Jesus teaches us. Write the word that is missing from each teaching.

6. ______________________ other people.
7. Be ______________________ to others.
8. ______________________ people who are sick.
9. ______________________ with others.
10. ______________________ often.

Dios Espíritu Santo

Oremos

Líder: Dios, envíanos a tu Espíritu Santo.

"Que tu buen espíritu me guíe." Salmo 143, 10

Todos: Espíritu Santo, acompáñanos siempre. Amén.

La Palabra de Dios

"Ahora yo voy a enviar sobre ustedes lo que mi Padre prometió. Permanezcan, pues, en la ciudad hasta que sean revestidos de la fuerza que viene de arriba." Lucas 24, 49

¿Qué piensas?

- ¿Cómo es el Espíritu Santo?
- ¿Cómo sabes que el Espíritu Santo está contigo?

God the Holy Spirit

Let Us Pray

Leader: God, send us your Holy Spirit.

"May your kind spirit guide me." Psalm 143:10

All: Holy Spirit, be with us always. Amen.

God's Word

"And [behold] I am sending the promise of my Father upon you; but stay in the city until you are clothed with power from on high."

Luke 24:49

What Do You Wonder?

- What does the Holy Spirit look like?
- How do you know the Holy Spirit is with you?

Colorea el marco de vitral que rodea la imagen del Espíritu Santo.

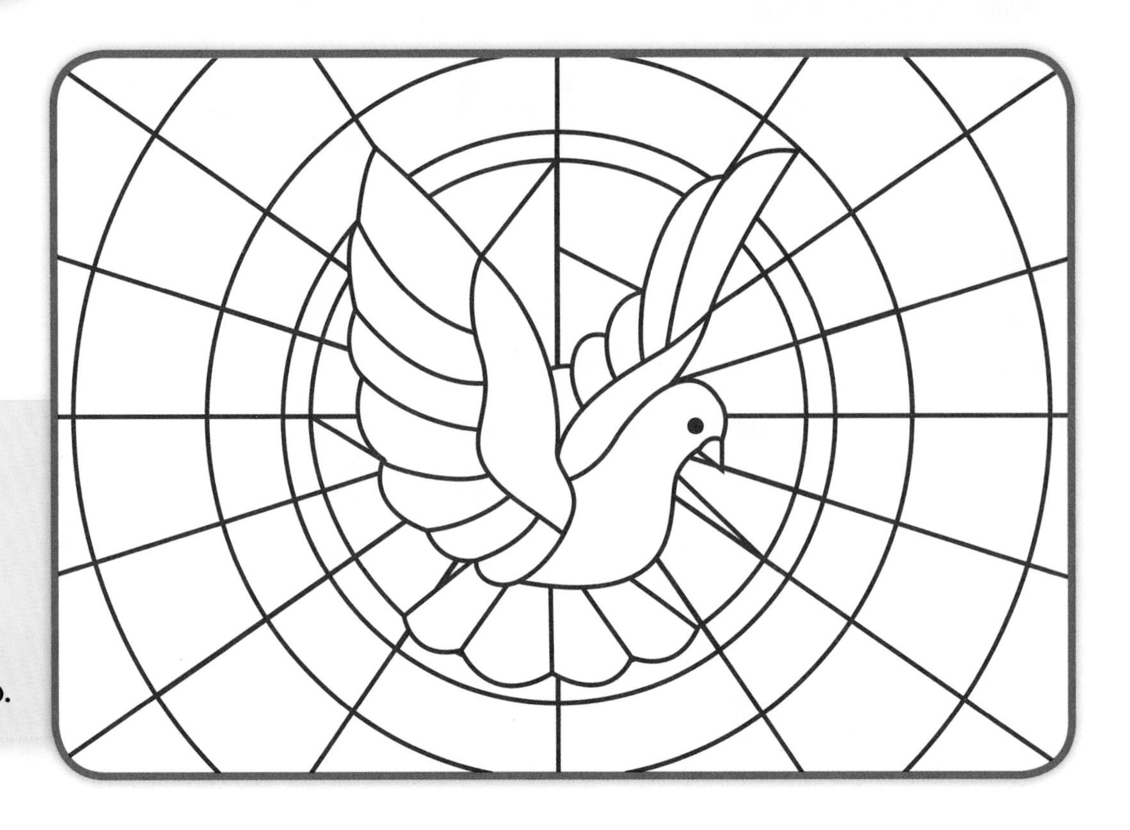

Uno en tres

¿Quién es la Santísima Trinidad?

No puedes ver el viento, pero sabes que está allí. Tampoco puedes ver al **Espíritu Santo**, pero puedes ver lo que el Espíritu hace.

Palabras católicas

Espíritu Santo la Tercera Persona Divina de la Santísima Trinidad

Santísima Trinidad un solo Dios en tres Personas Divinas: Dios Padre, Dios Hijo y Dios Espíritu Santo

La Palabra de Dios

La promesa

Jesús sabía que volvería a su Padre en el Cielo. Quería que sus seguidores continuaran su obra.

Jesús prometió a sus seguidores: "En adelante el Espíritu Santo, el Protector que el Padre les va a enviar en mi Nombre, les enseñará todas las cosas y les recordará todo lo que yo les he dicho". Basado en Juan 14, 15-26

Color in the stained glass frame around the image of the Holy Spirit.

One in Three

Who is the Holy Trinity?

You cannot see the wind, but you know that it is there. You cannot see God the **Holy Spirit** either, but you can see what the Spirit does.

God's Word

The Promise

Jesus knew he would be returning to his Father in Heaven. He wanted his followers to continue his work.

Jesus promised his followers, "The Advocate, the holy Spirit that the Father will send in my name— he will teach you everything and remind you of all that [I] told you." Based on John 14:15–26

Catholic Faith Words

Holy Spirit the Third Divine Person of the Holy Trinity

Holy Trinity the one God in three Divine Persons—God the Father, God the Son, and God the Holy Spirit

Padre, Hijo y Espíritu Santo

Jesús te enseña que Dios es el Padre de todos. Jesús es el Hijo de Dios. Y el Espíritu Santo, enviado desde el Padre y el Hijo, también es Dios.

Pero no son tres dioses. Hay un solo Dios, que es Padre, Hijo y Espíritu Santo. El nombre de la Iglesia para el Dios único en tres Personas Divinas es la **Santísima Trinidad**.

Dios Padre es la Primera Persona de la Santísima Trinidad. Dios Hijo se hizo hombre en Jesucristo. Él es la Segunda Persona de la Santísima Trinidad. Dios Espíritu Santo es la Tercera Persona de la Santísima Trinidad.

Creer en la Santísima Trinidad es la parte más importante de tu fe, y demuestras tu creencia cuando haces la Señal de la Cruz.

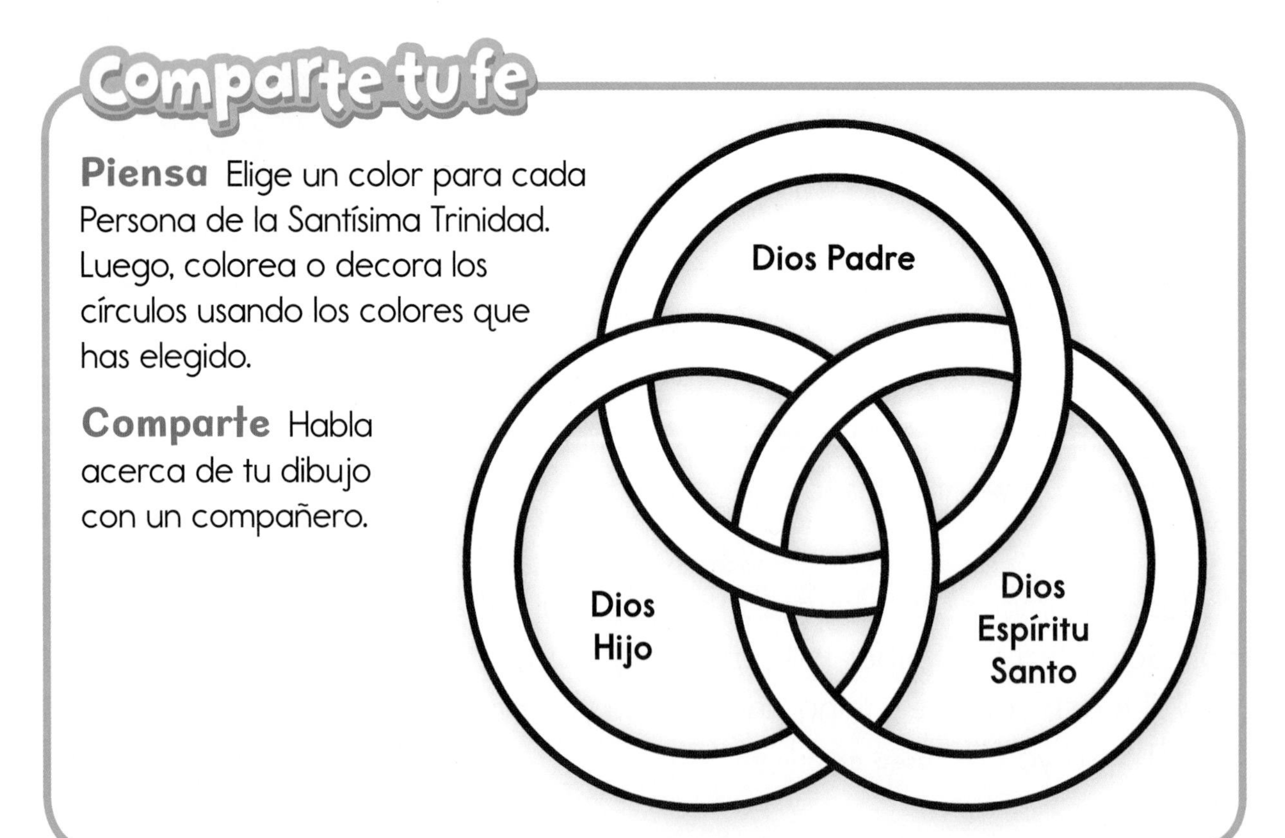

Father, Son, and Holy Spirit

Jesus teaches you that God is the Father of all. Jesus is the Son of God. And the Holy Spirit, sent from the Father and the Son, is also God.

But there are not three gods. There is only one God, who is Father, Son, and Holy Spirit. The Church's name for the one God in three Divine Persons is the **Holy Trinity**.

God the Father is the First Person of the Holy Trinity. God the Son became man in Jesus Christ. He is the Second Person of the Holy Trinity. God the Holy Spirit is the Third Person of the Holy Trinity.

Believing in the Holy Trinity is the most important part of your faith and you show your belief when you make the Sign of the Cross.

Share Your Faith

Think Choose a color for each Person of the Holy Trinity. Then color or decorate the circles using the colors you have chosen.

Share Talk about your picture with a partner.

God the Father

God the Son

God the Holy Spirit

Guiados por el Espíritu Santo

¿De qué manera está hoy con nosotros el Espíritu Santo?

Los seguidores de Jesús se llaman sus **discípulos**. Antes de volver al Cielo, les contó su plan.

Palabras católicas

discípulos seguidores de Jesús que creen en Él y viven según sus enseñanzas

Subraya cómo el Espíritu Santo llegó a los discípulos el día de Pentecostés.

La Palabra de Dios

La venida del Espíritu Santo

Jesús dijo a sus discípulos que esperaran la promesa del Padre de la que Él les había hablado. Él dijo: "Recibirán la fuerza del Espíritu Santo cuando venga sobre ustedes, y serán mis testigos en Jerusalén... y hasta los extremos de la tierra".

Los Doce discípulos y algunos otros seguidores de Jesús se quedaron en Jerusalén y oraron. Pronto llegó el Espíritu Santo. De repente, un ruido como el de una violenta ráfaga de viento vino desde el cielo y llenó toda la casa en donde estaban reunidos. Entonces, aparecieron sobre ellos lenguas de fuego, que se repartieron y se posaron sobre cada uno de ellos. Este día se llama Pentecostés. Basado en Hechos 1, 4-5. 8; 2, 2-3

Guided by the Spirit

How is the Holy Spirit with us today?

Jesus' followers are called his **disciples**. Before he returned to Heaven, he told them his plan.

God's Word

The Spirit Comes

Jesus told his disciples to wait for the promise of the Father that he had told them about. He said, "You will receive power when the holy Spirit comes upon you, and you will be my witnesses in Jerusalem … and to the ends of the earth."

The Twelve disciples and some other followers of Jesus stayed in Jerusalem and prayed. Soon the Holy Spirit came. Suddenly a noise like a strong driving wind came from the sky, and it filled the entire house in which they were gathered. Then tongues of fire appeared to them, which parted and came to rest on each one of them. This day is called Pentecost.

Based on Acts 1:4–5, 8; 2:2–3

Catholic Faith Words

disciples followers of Jesus who believe in him and live by his teachings

Underline the ways the Holy Spirit came to the disciples on the day of Pentecost.

El Espíritu Santo hoy

Después de que el Espíritu Santo llegó a ellos en **Pentecostés**, los Doce discípulos más cercanos de Jesús recibieron una guía para continuar su obra. Se hicieron conocidos como sus **Apóstoles**.

El Espíritu Santo llega hoy a través de los Sacramentos y la oración de la Iglesia, y en la Palabra de Dios. El Espíritu Santo guía a la Iglesia y hace santos a los discípulos de Jesús. Él te ayuda a hacer buenas elecciones y a crecer en amor.

Palabras católicas

Pentecostés cincuenta días después de la Resurrección cuando el Espíritu Santo desciende por primera vez sobre los Doce discípulos y la Iglesia

Apóstoles los Doce discípulos que Jesús eligió para que sean sus seguidores más cercanos. Después de la venida del Espíritu Santo, participaron en su obra y misión de una manera especial.

Discípulos de Jesús

Los discípulos de Jesús están en todas partes del mundo. El Espíritu Santo nos enseña a todos cómo orar. El Espíritu ayuda a los discípulos de hoy a recordar y a comprender los relatos de Jesús. Estás aprendiendo a ser discípulo de Jesús.

Practica tu fe

Encierra en un círculo los lugares Encierra en un círculo cada lugar del mapa en donde el Espíritu Santo te ayuda a ser un discípulo de Jesús.

The Holy Spirit Today

After the Holy Spirit came to them at **Pentecost**, Jesus' Twelve closest disciples were guided to continue his work. They became known as his **Apostles**.

The Holy Spirit comes today through the Church's Sacraments, prayer, and in God's Word. The Holy Spirit guides the Church and makes Jesus' disciples holy. He helps you make good decisions and grow more loving.

Disciples of Jesus

Jesus' disciples are in every part of the world. The Holy Spirit teaches us all how to pray. The Spirit helps today's disciples remember and understand the stories of Jesus. You are learning to be a disciple of Jesus.

Catholic Faith Words

Pentecost fifty days after the Resurrection when the Holy Spirit first came upon the Twelve disciples and the Church

Apostles the Twelve disciples Jesus chose to be his closest followers. After the coming of the Holy Spirit, they shared in his work and mission in a special way.

Connect Your Faith

Circle the Places Circle each place on the map where the Holy Spirit helps you be a disciple of Jesus.

Nuestra vida católica

¿Qué significa seguir a Jesús?

Los primeros seguidores de Jesús fueron sus amigos. Ellos viajaban con Jesús y escuchaban sus relatos. Vieron cómo Jesús trataba a los demás. Jesús pidió a sus Apóstoles y a otros discípulos que ayudaran a los demás a aprender acerca del amor de Dios.

Tú también eres amigo y seguidor de Jesús. Él quiere que lo escuches y que vivas de la manera en que Él vivió. Ser un discípulo de Jesús significa seguir su ejemplo.

Maneras de seguir a Jesús

- Orar a Dios Padre.
- Pedir a Dios Espíritu Santo que te guíe.
- Pensar en las demás personas, no solo en ti mismo.
- Ser justo con los miembros de tu familia y tus amigos.
- Ayudar a los necesitados.

En la huella, escribe o dibuja una manera en que hoy puedes seguir el ejemplo de Jesús.

Our Catholic Life

What does it mean to follow Jesus?

Jesus' first followers were his friends. They traveled with Jesus and listened to his stories. They saw how Jesus treated others. Jesus asked his Apostles and other disciples to help others learn about God's love.

You are Jesus' friend and follower, too. He wants you to listen to him and to live the way he lived. Being a disciple of Jesus means following his example.

Ways to Follow Jesus

- Pray to God the Father.
- Ask God the Holy Spirit to guide you.
- Think of other people, not only of yourself.
- Be fair to your family members and friends.
- Help people who are in need.

In the footprint, write or draw one way you can follow Jesus' example today.

Gente de fe

San Arnoldo Janssen, 1837–1909

San Arnoldo Janssen era un sacerdote alemán. Quería que todos supieran acerca de Jesús. Ayudó a sacerdotes y a hermanas, que se desempeñaban como misioneros, a construir iglesias en todo el mundo. Fueron a lugares tan lejanos como China. San Arnoldo oraba al Espíritu Santo para que lo ayudara con su obra. Él les pidió a algunas hermanas religiosas que lo ayudaran a orar. Estas hermanas se turnaban durante el día y la noche para orar por los misioneros. Hoy, a las hermanas como estas se les llama a veces Hermanas Rosadas porque usan hábitos de color rosa.

15 de enero

Comenta: ¿Por qué oras al Espíritu Santo?

Aprende más sobre San Arnoldo en **vivosencristo.osv.com**

Vive tu fe

Aprende de memoria
Memoriza la Oración para el Espíritu Santo.

Ven, Espíritu Santo, llena los corazones de tus fieles. Y enciende en ellos el fuego de tu amor.

Envía tu Espíritu y serán creados. Y renovarás la faz de la tierra.

People of Faith

Saint Arnold Janssen, 1837–1909

Saint Arnold Janssen was a German priest. He wanted everybody to know about Jesus. He helped priests and sisters, serving as missionaries, build churches all around the world. They went to faraway places like China. Saint Arnold prayed to the Holy Spirit to help with his work. He asked some religious sisters to help him pray. These sisters took turns praying all day and night for the missionaries. Today, sisters like these are sometimes called "Pink Sisters" because they wear pink habits.

January 15

Discuss: What do you pray to the Holy Spirit for?

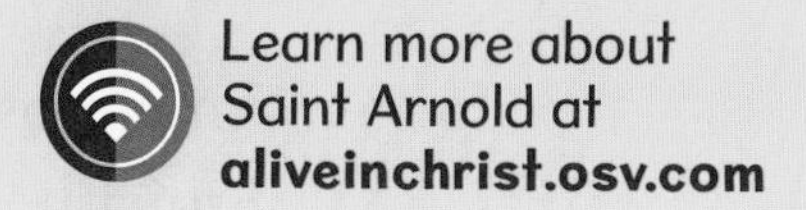
Learn more about Saint Arnold at **aliveinchrist.osv.com**

Live Your Faith

Learn by Heart

Memorize the Prayer for the Holy Spirit.

Come, Holy Spirit, fill the hearts of your faithful.
And kindle in them the fire of your love.
Send forth your Spirit and they will be created.
And you will renew the face of the earth.

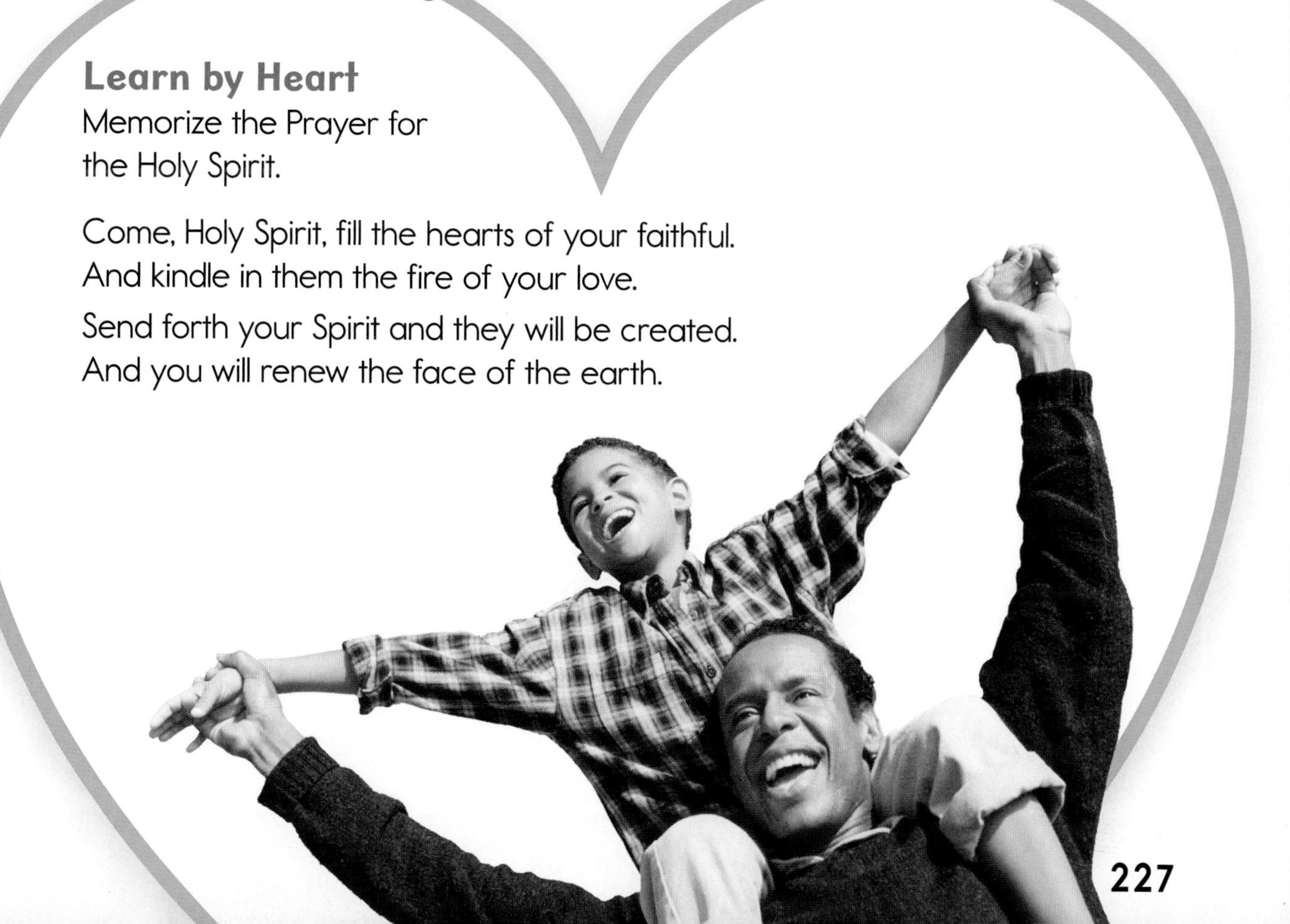

Oremos

Oración para el Espíritu Santo

Reúnanse y empiecen con la Señal de la Cruz.

Líder: Cantemos mientras le pedimos a Dios que nos envíe al Espíritu Santo cada día. En nuestra familia...

Todos: Envíanos a tu Espíritu, oh, Señor.

Líder: Con nuestros compañeros...

Todos: Envíanos a tu Espíritu, oh, Señor.

Líder: En todo lo que decimos y hacemos...

Todos: Envíanos a tu Espíritu, oh, Señor.

Líder: Te lo pedimos en nombre de Jesús.

Todos: Amén.

Canten "Ven, Espíritu de Dios"

Ven, Espíritu de Dios,
danos tu luz, ilumínanos.
Amor que encendió las estrellas,
enciende en nosotros tu fuego.

Let Us Pray

Prayer for the Holy Spirit

Gather and begin with the Sign of the Cross.

Leader: Let us sing as we ask God to send the Holy Spirit to us each day.
In our family ...

All: Send us your Spirit, O Lord.

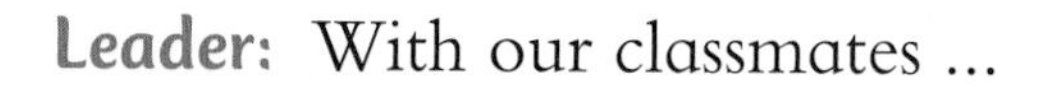

Leader: With our classmates ...

All: Send us your Spirit, O Lord.

Leader: In all that we say and do ...

All: Send us your Spirit, O Lord.

Leader: We ask this in Jesus' name.

All: Amen.

Sing "The Holy Spirit"

The Holy Spirit, sent from God above.
The Holy Spirit, bringing peace and love.
Receive the power of the Holy Spirit today!

The Holy Spirit, giving strength each day.
The Holy Spirit, showing us the way.
Receive the power of the Holy Spirit today!

FAMILIA + FE

VIVIR Y APRENDER JUNTOS

SUS HIJOS APRENDIERON >>>

Este capítulo explica que Jesús prometió enviar al Espíritu Santo para que sea nuestro consolador y nuestra guía.

La Palabra de Dios

Lean **Hechos 2, 1–4** para conocer sobre la llegada del Espíritu Santo durante el primer Pentecostés.

Lo que creemos

- El Espíritu Santo guía a la Iglesia y nos ayuda a ser discípulos.
- La Santísima Trinidad es un solo Dios en Tres Personas Divinas.

Para aprender más, vayan al *Catecismo de la Iglesia Católica* 237, 243 en **usccb.org**.

Gente de fe

Esta semana, su hijo conoció a San Arnoldo Janssen, un sacerdote alemán con una devoción especial al Espíritu Santo.

LOS NIÑOS DE ESTA EDAD >>>

Cómo comprenden a Dios Espíritu Santo Puede que todavía sea difícil para su hijo comprender al Espíritu Santo, pero los niños de esta edad están creciendo en su comprensión de que el Espíritu Santo vive en sus corazones. Debido a que la relación causa-efecto es tan importante para los niños de esta edad, reflexionar sobre los Dones y Frutos del Espíritu puede ayudarlos a ver la obra del Espíritu Santo en su propia vida. Hablen con su hijo acerca de los Frutos y los Dones del Espíritu. (Vean la sección *Vivimos* al final de su libro). Indiquen las ocasiones en que ven ejemplos de ellos en sus acciones.

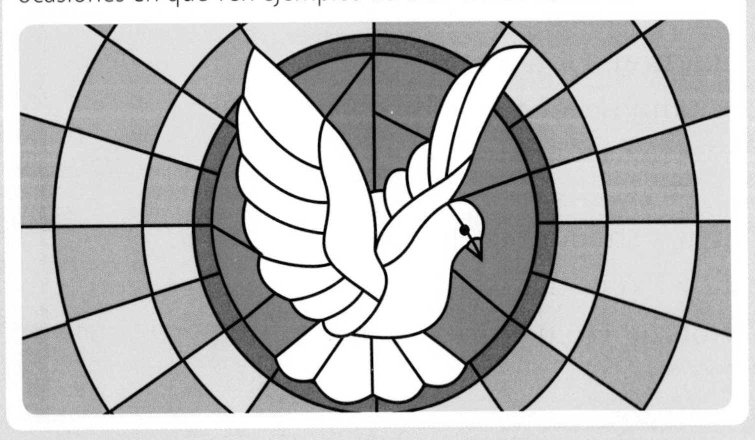

CONSIDEREMOS ESTO >>>

Imaginen que los invitan a algún lugar al que tienen muchos deseos de ir.

La mejor invitación que podemos recibir es la invitación a estar con Dios por toda la eternidad. "'El cielo es el fin último y la realización de las aspiraciones más profundas del hombre, el estado supremo y definitivo de dicha' (*CIC, 1024*) Esto se llevará a cabo mediante una perfecta comunión con la Santísima Trinidad, la Santísima Madre de Dios, los ángeles y los santos. Jesucristo nos abrió el cielo con su muerte y Resurrección" (*CCEUA, p. 164*).

HABLEMOS >>>

- Pidan a su hijo que describa quién es el Espíritu Santo y qué hace.
- Mencionen algunas maneras en que su familia puede ser seguidora de Jesús.

OREMOS >>>

Guárdame pues, oh Espíritu Santo, para que yo siempre pueda ser santo. (Oración de San Agustín)

Visiten **vivosencristo.osv.com** para encontrar un glosario multimedia de Palabras católicas, lecturas dominicales, y recursos de Santos y tiempos festivos.

FAMILY + FAITH

LIVING AND LEARNING TOGETHER

YOUR CHILD LEARNED >>>

This chapter explains that Jesus promised to send the Holy Spirit to be our helper and guide.

God's Word

Read **Acts 2:1–4** to find out about the coming of the Holy Spirit on the first Pentecost.

Catholics Believe

- The Holy Spirit guides the Church and helps you to be a disciple.
- The Holy Trinity is one God in three Divine Persons.

To learn more, go to the *Catechism of the Catholic Church* #237, 243 at **usccb.org**.

People of Faith

This week, your child met Saint Arnold Janssen, a German priest with a special devotion to the Holy Spirit.

CHILDREN AT THIS AGE >>>

How They Understand God the Holy Spirit The Holy Spirit might still be difficult for your child to understand, but children this age are growing in their understanding that the Holy Spirit lives in their heart. Because cause and effect is so important to children this age, reflecting on the Gifts and Fruits of the Spirit can help them see the work of the Holy Spirit in their own lives. Talk with your child about the Fruits and Gifts of the Spirit (See the *We Live* section in the back of your book.), and point out times when you see examples in their actions.

CONSIDER THIS >>>

Imagine being invited somewhere you really want to go.

The greatest invitation we ever get is the invitation to spend all of eternity with God. "'Heaven is the ultimate end and fulfillment of the deepest human longings, the state of supreme, definitive happiness' (CCC, no. 1024). This will be brought about by a perfect communion with the Holy Trinity, the Blessed Mother, the angels and saints. Jesus Christ opened heaven to us by his death and Resurrection" (*USCCA, p. 153*).

LET'S TALK >>>

- Have your child describe who the Holy Spirit is and what he does.
- Name some ways your family can be followers of Jesus.

LET'S PRAY >>>

Guard me, … O Holy Spirit, that I always may be holy. (Prayer of Saint Augustine)

For a multimedia glossary of Catholic Faith Words, Sunday readings, seasonal and Saint resources, and chapter activities go to **aliveinchrist.osv.com**.

Capítulo 6 Repaso

A Trabaja con palabras Completa cada oración con la palabra o las palabras correctas del Vocabulario.

1. El Espíritu Santo vino a los discípulos en forma de ☐.
2. La ☐ es un Dios en tres Personas Divinas.
3. El Espíritu Santo nos ayuda a tomar buenas ☐.
4. El día que vino el Espíritu Santo se llama ☐.
5. Los Doce discípulos se hicieron conocidos como los ☐ de Jesús después de que el Espíritu Santo vino a ellos.

Vocabulario

a. Apóstoles
b. viento
c. decisiones
d. Santísima Trinidad
e. Pentecostés

B Confirma lo que aprendiste Rellena el círculo correcto.

6. Demuestras la Santísima Trinidad cuando haces la ____.
   ○ Señal de la Cruz ○ Señal del Amor ○ Señal de la Paz
7. Ser un discípulo de Jesús significa seguir su ____.
   ○ orden ○ huella ○ ejemplo
8. Para seguir a Jesús, necesitas pensar en ____.
   ○ otras personas ○ ti mismo ○ solo tus amigos
9. Jesús pidió a sus Apóstoles que ayudaran a los demás a aprender acerca de ____.
   ○ los animales ○ la creación ○ el amor de Dios
10. El ____ guía a la Iglesia.
   ○ Amigo Santo ○ Espíritu Santo ○ Día Santo

Chapter 6 Review

A **Work With Words** Complete each sentence with the correct word or words from the Word Bank.

1. The Holy Spirit came to the disciples as ☐.
2. The ☐ is one God in three Divine Persons.
3. The Holy Spirit helps us make good ☐.
4. The day the Holy Spirit came is called ☐.
5. The Twelve disciples became known as Jesus' ☐ after the Holy Spirit came to them.

Word Bank

a. Apostles
b. wind
c. decisions
d. Holy Trinity
e. Pentecost

B **Check Understanding** Fill in the circle beside the correct answer.

6. You show belief in the Holy Trinity when you make the ____.
   - ○ Sign of the Cross
   - ○ Sign of Love
   - ○ Sign of Peace

7. Being a disciple of Jesus means following his ____.
   - ○ orders
   - ○ trail
   - ○ example

8. To follow Jesus, you need to think of ____.
   - ○ other people
   - ○ yourself
   - ○ only your friends

9. Jesus asked his Apostles to help others learn about ____.
   - ○ animals
   - ○ creation
   - ○ God's love

10. The ____ guides the Church.
    - ○ Holy Friend
    - ○ Holy Spirit
    - ○ Holy Week

Repaso de la Unidad

A **Trabaja con palabras** Completa cada oración con la letra de la palabra o las palabras correctas del Vocabulario.

Vocabulario

a. Espíritu Santo
b. discípulos
c. Santísima Trinidad
d. Padre
e. oración

1. A las personas que siguen a Jesús se les llama ☐.
2. Jesús prometió que enviaría al ☐.
3. Escuchar a Dios y hablar con Él se llama ☐.
4. Jesús nos enseñó a llamar ☐ a Dios.
5. Un solo Dios en tres Personas Divinas se llama ☐.

B **Confirma lo que aprendiste** Traza una línea que una las descripciones de la Columna A con los nombres correctos de la Columna B.

Columna A	Columna B
6. La Tercera Persona de la Santísima Trinidad	María
7. La Madre del Hijo de Dios	Juan Bosco
8. La Primera Persona de la Santísima Trinidad	Dios Espíritu Santo
9. Un santo que ayudaba a los niños sin hogar	Dios Hijo
10. La Segunda Persona de la Santísima Trinidad	Dios Padre

Unit Review

A Work with Words Complete each sentence with the letter of the correct word or words from the Word Bank.

1. People who follow Jesus are called ☐.
2. Jesus promised to send the ☐.
3. Listening and talking to God is called ☐.
4. Jesus taught us to call God ☐.
5. The one God in three Divine Persons is called the ☐.

Word Bank

a. Holy Spirit
b. disciples
c. Holy Trinity
d. Father
e. prayer

B Check Understanding Draw a line from the descriptions in Column A to the correct names in Column B.

Column A	Column B
6. The Third Person of the Holy Trinity	Mary
7. The Mother of God's Son	John Bosco
8. The First Person of the Holy Trinity	God the Holy Spirit
9. A Saint who helped homeless boys	God the Son
10. The Second Person of the Holy Trinity	God the Father

Repaso de la Unidad

Rellena el círculo que está junto a la respuesta correcta.

11. Siempre puedes ____ en que Dios te ama.

○ **respetar** ○ **confiar** ○ **saber**

12. Después de que Jesús fuera ____, recorrió el país donde vivía.

○ **bautizado** ○ **mayor** ○ **resucitado**

13. Jesús enseña hoy a través de la ____.

○ **Iglesia** ○ **aldea** ○ **Tierra**

14. Puedes seguir a Jesús ____ a las personas.

○ **maltratando** ○ **olvidando** ○ **perdonando**

15. Un ____ de Jesús sigue su ejemplo.

○ **enemigo** ○ **Santo** ○ **discípulo**

C Relaciona **Completa cada una de las siguientes oraciones.**

16. Un santo es una persona virtuosa que

______________________________.

17. Orar es hablar con ________________ y escucharlo.

18. Confiar es creer en alguien

y ____.

19. Los discípulos son personas que eligen ____________________.

20. Los Apóstoles son los Doce ____________________________.

Fill in the circle beside the correct answer.

11. You can always ____ God to love you.

○ respect ○ trust ○ know

12. After Jesus was ____ he traveled the country where he lived.

○ baptized ○ older ○ risen

13. Jesus teaches today through the ____.

○ Church ○ town ○ Earth

14. You can follow Jesus by ____ people.

○ mistreating ○ forgetting ○ forgiving

15. A ____ of Jesus follows his example.

○ enemy ○ Saint ○ disciple

C Make Connections Complete each sentence below.

16. A Saint is a holy person who ______________________.

17. Prayer is talking to and listening to ______________.

18. To trust is to believe in and ______________________.

19. Disciples are people who choose

______________________.

20. The Apostles are the Twelve ______________________.

Repaso de la Unidad

Escribe el nombre o los nombres que responden mejor la pregunta.

21. Yo soy la Madre de la Iglesia. ¿Quién soy?

____

22. Cuando yo era un niño, mis padres me buscaban y me encontraron en el Templo hablando con los sabios. ¿Quién soy?

____

23. Yo bauticé a mi primo Jesús en el río Jordán. ¿Quién soy?

____

24. Tú me recibes en los Sacramentos de la Iglesia, y yo te ayudo a orar. ¿Quién soy?

____

25. Juntos formamos la Sagrada Familia. ¿Quiénes somos?

____

Write the name or names that best answer the question.

21. I am the Mother of the Church. Who am I?

____

22. When I was a boy my parents were looking for me and found me in the Temple talking to the wise teachers. Who am I?

____

23. I baptized my cousin Jesus in the Jordan River. Who am I?

____

24. You receive me in the Church's Sacraments and I help you pray. Who am I?

____

25. Together we make up the Holy Family. Who are we?

____

UNIDAD 3

Jesucristo

Nuestra Tradición Católica

- Dios le dio a Moisés los Diez Mandamientos para ayudarnos a saber cómo vivir en amor. (CIC, 2077)
- Jesús nos dio un Mandamiento Nuevo de amar como Él nos ama. (CIC, 1970)
- Nuestra conciencia es un don de Dios que nos ayuda a tomar decisiones sobre el bien y el mal. (CIC, 1777–1778)
- Jesús nos enseña que Dios, nuestro Padre, siempre nos ofrece el perdón y nos muestra misericordia. (CIC, 545)

¿Por qué dependemos de la promesa de Jesús para obtener misericordia y perdón?

UNIT 3

Jesus Christ

Our Catholic Tradition

- God gave Moses the Ten Commandments to help us know how to live in love. (CCC, 2077)
- Jesus gave us a New Commandment to love as he loves us. (CCC, 1970)
- Our conscience is a gift from God that helps us make choices about right and wrong. (CCC, 1777–1778)
- Jesus teaches us that God our Father always offers forgiveness and shows us mercy. (CCC, 545)

Why do we depend on Jesus' promise for mercy and forgiveness?

Los Mandamientos de Dios

Oremos

Líder: Querido Dios, ayúdanos a conocer tu verdad y a seguirla.

"Abre mis ojos para que yo vea las maravillas de tu Ley... no me ocultes, pues, tus mandamientos". Salmo 119, 18-19

Todos: Gracias, Dios, por enseñarnos a seguirte. Amén.

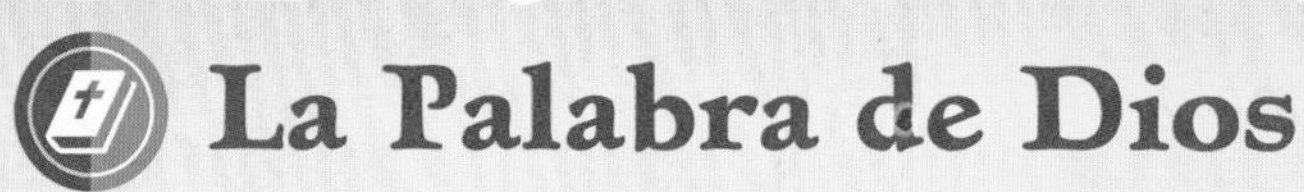

La Palabra de Dios

"Yavé dijo a Moisés: 'Sube a lo más alto del cerro y detente allí. Yo te daré unas tablas de piedra con la enseñanza y los mandamientos que tengo escritos en ellas, a fin de que los enseñes al pueblo'". Éxodo 24, 12

¿Qué piensas?

- ¿Quiénes te dan las reglas por las cuales vivir todos los días?
- ¿Por qué las personas necesitan reglas?

God's Commandments

Let Us Pray

Leader: Dear God, help us to know and follow your truth.

"Open my eyes to see clearly
the wonders of your law ...
do not hide your commandments from me."
Psalm 119:18–19

All: Thank you, God, for showing us how to follow you. Amen.

God's Word

"The LORD said to Moses: Come up to me on the mountain and, while you are there, I will give you the stone tablets on which I have written the commandments intended for their instruction."
Exodus 24:12

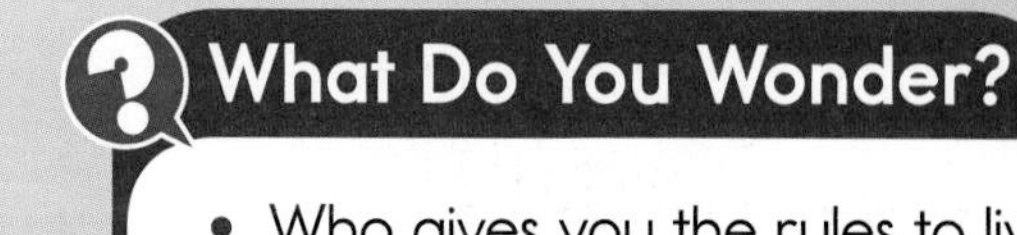

- Who gives you the rules to live by every day?
- Why do people need rules?

Los Diez Mandamientos

¿Qué puede ayudarme a tomar buenas decisiones?

Marca dos cosas que necesites ayuda para entenderlas.

Dios les dio a Moisés y a su Pueblo Elegido algunas leyes para ayudarlos. Estas leyes se llaman los **Diez Mandamientos**. Dios quiere que también tú sigas estas leyes. Ellas te ayudan a tomar buenas decisiones acerca de tu amistad con Dios y con los demás.

Los Diez Mandamientos		Cómo puedes vivirlos
1 Yo soy Yavé, tu Dios: no tendrás otros dioses fuera de mí.	☐	Haz que Dios sea lo más importante en tu vida.
2 No tomes en vano el nombre de Yavé, tu Dios.	☐	Usa el nombre de Dios de manera reverente.
3 Acuérdate del día Sábado, para santificarlo.	☐	Asiste a Misa y descansa los domingos.
4 Respeta a tu padre y a tu madre.	☐	Ama y obedece a tus padres y a tus tutores.
5 No mates.	☐	Sé bueno con las personas y con los animales.
6 No cometas adulterio.	☐	Sé respetuoso con lo que haces con tu cuerpo.
7 No robes.	☐	No tomes las cosas de los demás.
8 No atestigües en falso contra tu prójimo.	☐	Di la verdad.
9 No codicies la mujer de tu prójimo.	☐	Mantén puras tus ideas y tus palabras.
10 No codicies nada de lo de tu prójimo.	☐	Sé feliz con lo que tienes; no envidies lo que tienen los demás.

The Ten Commandments

What can help me to make good choices?

God gave Moses and his Chosen People some laws to help them. These laws are called the **Ten Commandments**. God wants you to follow these laws, too. They help you make good choices about your friendship with God and others.

Check two things you need help understanding.

The Ten Commandments		How You Can Live Them
1 I am the LORD your God: you shall not have strange Gods before me.	☐	Make God the most important thing in your life.
2 You shall not take the name of the LORD your God in vain.	☐	Use God's name in a reverent way.
3 Remember to keep holy the LORD'S Day.	☐	Attend Mass and rest on Sunday.
4 Honor your father and your mother.	☐	Love and obey your parents and guardians.
5 You shall not kill.	☐	Be kind to people and animals.
6 You shall not commit adultery.	☐	Be respectful in the things you do with your body.
7 You shall not steal.	☐	Don't take other people's things.
8 You shall not bear false witness against your neighbor.	☐	Tell the truth.
9 You shall not covet your neighbor's wife.	☐	Keep your thoughts and words clean.
10 You shall not covet your neighbor's goods.	☐	Be happy with the things you have; don't be jealous of what others have.

Los mandamientos de Jesús

Jesús aprendió y siguió los Diez Mandamientos. Cuando se hizo adulto, Jesús enseñó un mandamiento llamado el **Gran Mandamiento**. Este Mandamiento incluye a todos los demás y resume las leyes de Dios.

Palabras católicas

Diez Mandamientos leyes de Dios que les dicen a las personas cómo amarlo a Él y a los demás

Gran Mandamiento la ley de amar a Dios por sobre todas las cosas y a los demás como a ti mismo

La Palabra de Dios

"Amarás al Señor tu Dios con todo tu corazón, con toda tu alma, con todas tus fuerzas y con toda tu mente; y amarás a tu prójimo como a ti mismo". Lucas 10, 27

Los Mandamientos de Dios nos enseñan cómo vivir y mostrar amor. Aprender acerca de sus Mandamientos nos ayuda a acercarnos más a Él. Nos ayuda también a prepararnos para el Sacramento de la Penitencia y de la Reconciliación.

➔ **¿Cómo muestras el amor a Dios?**

Comparte tu fe

Piensa Elige un Mandamiento y escribe de qué maneras puedes seguirlo.

____

____

____

Comparte Habla de ello en un grupo pequeño.

Jesus' Commands

Jesus learned and followed the Ten Commandments. When he grew up, Jesus taught a Commandment called the **Great Commandment**. It includes all the other Commandments and sums up God's laws.

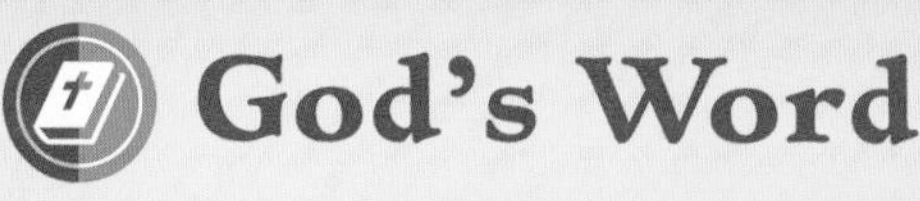

God's Word

"You shall love the Lord, your God, with all your heart, with all your being, with all your strength, and with all your mind, and your neighbor as yourself." Luke 10:27

Catholic Faith Words

Ten Commandments God's laws that tell people how to love him and others

Great Commandment the law to love God above all else and to love others the way you love yourself

God's Commandments teach us how to live and show love. Learning about his Commandments helps us grow closer to him. It also helps us prepare for the Sacrament of Penance and Reconciliation.

➔ **How do you show love for God?**

Share Your Faith

Think Pick one Commandment and write some ways you can follow it.

____

____

____

Share Talk about it in a small group.

El Mandamiento Nuevo

¿Qué nos pide Jesús que hagamos?

Jesús contó muchos relatos, o parábolas, para enseñar a sus seguidores que amar a Dios quiere decir amar a nuestro prójimo. Esta **parábola** es una de las que contó.

Palabras católicas

parábola un relato corto sobre la vida cotidiana que Jesús contó para enseñar algo acerca de Dios

Mandamiento Nuevo el mandamiento de Jesús para sus discípulos de amarse los unos a los otros como Él nos ha amado

La Palabra de Dios

La parábola del buen samaritano

Cierta vez, un hombre le preguntó a Jesús: "¿Quién es mi prójimo?". Para contestarle, Jesús le contó esta historia.

Un hombre caminaba solo por un camino. Unos ladrones aparecieron y lo golpearon. Tomaron todo lo que tenía y escaparon dejándolo medio muerto.

Un sacerdote judío venía por el mismo camino. Cuando vio al hombre, lo ignoró.

Más tarde, pasó por allí alguien que se ocupaba del Templo. Cuando vio al hombre, también lo ignoró.

The New Commandment

What does Jesus ask us to do?

Jesus told many stories, or parables, to teach his followers that loving God means loving our neighbor. Here is a **parable** he told.

God's Word

The Parable of the Good Samaritan

Once a man asked Jesus, "Who is my neighbor?" Jesus told this story to answer him.

A man was going along a road alone. Robbers came and beat him up. They took everything he had and ran away, leaving him half-dead.

A Jewish priest was going down the same road. When he saw the man, he ignored him.

Later, someone who took care of the Temple came along. When he saw the man, he also ignored him.

Catholic Faith Words

parable a short story Jesus told about everyday life to teach something about God

New Commandment Jesus' command for his disciples to love one another as he has loved us

Entonces pasó un hombre de Samaria y vio al que estaba tendido al costado del camino. Enseguida se acercó a ayudarlo. El samaritano le vendó las heridas y lo llevó a una posada. Después le dio dos monedas de plata al posadero para que cuidara al hombre.

Jesús entonces le preguntó: "¿Cuál de estos tres fue el prójimo de la víctima de los ladrones?" El hombre contestó: "El que se mostró compasivo con él".

Jesús dijo: "Vete y haz tú lo mismo." Lucas 10, 29-37

Este relato muestra que es prójimo cualquiera que tenga una necesidad. El Samaritano vio a un hombre que necesitaba ayuda. Él le demostró bondad y respeto. Jesús nos dice cómo debemos tratarnos unos a otros. Tenemos que amarnos unos a otros como Él nos ha amado. Este es el que se llama **Mandamiento Nuevo**.

Practica tu fe

Haz una representación Planea una escena del Buen samaritano.

1. Toma nota de cada parte e incluye algunos objetos de utilería.
2. Túrnate con tus compañeros para representar los diferentes papeles.

¿Cuáles de las decisiones tomadas en este relato fueron buenas y cuáles fueron malas?

Then a man from Samaria came along and saw the man lying on the roadside. He hurried over to help. The Samaritan bandaged the man's sores and took him to an inn. The Samaritan gave the innkeeper two silver coins to help take care of the man.

Then Jesus asked, "Which of the three was a neighbor to the robbers' victim?" The man said, "The one who treated him with mercy."

Jesus said, "Go and do likewise." Luke 10:29–37

This story shows that a neighbor is any person who is in need. The Samaritan saw a man who needed help. He showed him kindness and respect. Jesus tells us how we should treat each other. We are to love one another as he has loved us. This is called the **New Commandment**.

Connect Your Faith

Act It Out Plan a Good Samaritan skit.

1. Make notes for each part and include some props.
2. Take turns acting out different roles.

What good or bad choices were made in this story?

Nuestra vida católica

¿Cómo puedes ser un buen prójimo?

En el relato del buen samaritano, Jesús enseñó que los prójimos no son solamente tus vecinos. Todas las personas son prójimos. Un prójimo puede ser alguien que necesite algo, como el hombre al que habían robado. Puede ser alguien que ayude, como el samaritano.

Como seguidores de Cristo, ¿cómo debemos tratar a Dios? Como prójimos, ¿cómo debemos tratarnos entre sí? Nos lo dicen el Gran Mandamiento y el Mandamiento Nuevo de Jesús.

Escribe una manera en la que amas a Dios y otra en la que puedes amar al prójimo.

El Gran Mandamiento	El Mandamiento Nuevo
"Ama a Dios sobre todas las cosas y ama a tu prójimo como a ti mismo".	"Ámense unos a otros como yo los he amado".
Dedica tiempo a estar con Dios todos los días en oración.	No juzgues a las personas por cómo se ven ni por cuánto tienen.
Agradécele todo lo que nos ha dado.	Tiéndeles la mano a los que están solos.
Acércate más a Él aprendiendo más de Él.	Cuando alguien te pide perdón, dáselo gustoso.
______________________	______________________

Our Catholic Life

How can you be a good neighbor?

In the story of the Good Samaritan, Jesus taught that neighbors aren't just the people who live next door to you. All people are neighbors. A neighbor can be someone who is in need, like the man who was robbed. A neighbor can be someone who helps, like the Samaritan.

As followers of Christ, how are we to treat God? As neighbors, how are we to treat one another? The Great Commandment and Jesus' New Commandment tell us.

Write one way you love God and one way you can love your neighbor.

The Great Commandment	The New Commandment
"Love God above all things, and love your neighbor as you love yourself."	"Love one another as I have loved you."
Spend time with God every day in prayer.	Don't judge people by how they look or by how many things they have.
Thank him for all he has given us.	Reach out to people who are lonely.
Grow closer to him by learning more about him.	When someone asks you for forgiveness, give it gladly.
______________________	______________________

Gente de fe

Santa Isabel de Hungría, 1207–1231

Santa Isabel fue una princesa húngara. Para ella era muy importante el mandamiento de Jesús de amarnos unos a otros. Se pasó la vida entera cuidando a los pobres y a los que sufrían. Isabel daba de comer a los hambrientos en la puerta del castillo. Vendió sus joyas y usó el dinero para construir hospitales. Cuando su esposo murió, se puso muy triste. Trabajaba mucho para cuidar a sus cuatro hijos, pero sin dejar de ayudar a los pobres también.

17 de noviembre

Comenta: ¿Qué has donado a los necesitados?

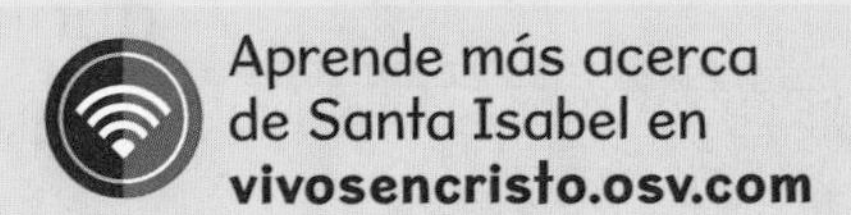

Vive tu fe

Ama a los demás Da dos ejemplos de personas que sean tu prójimo y de cómo se ayudan ustedes unos a otros.

1. ______________________________

____

____

____

2. ______________________________

____

____

____

People of Faith

November 17

Saint Elizabeth of Hungary, 1207–1231

Saint Elizabeth was a princess of Hungary. Jesus' command to love one another was very important to Elizabeth. She spent her entire life caring for people who were poor and suffering. Elizabeth fed the hungry by giving them food at the castle gate. She sold her jewels and used the money to build hospitals. When her husband died, she was very sad. She worked hard to take care of her four children, but she kept helping the poor, too.

Discuss: What have you donated to those in need?

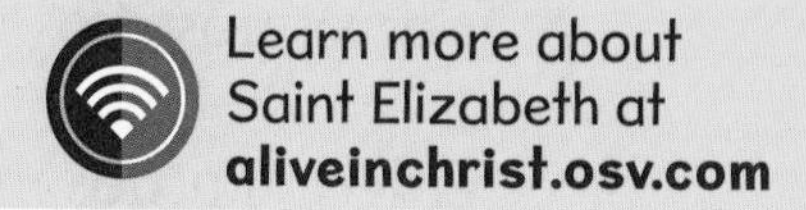

Learn more about Saint Elizabeth at **aliveinchrist.osv.com**

Live Your Faith

Love Others Give two examples of people who are your neighbors and how you help each other.

1. ______________________________

____

____

____

2. ______________________________

____

____

____

Oremos

Oración de alabanza

Reúnanse y empiecen con la Señal de la Cruz.

Líder: Jesús, tú nos dices que eres el Camino,
la Verdad y la Vida.

Ver Juan 14, 6.

Todos: Nosotros te alabamos y te honramos.

Líder: Tú nos muestras el camino hacia el Padre,

Todos: nosotros te alabamos y te honramos.

Líder: Tú nos enseñas la verdad acerca del amor,

Todos: nosotros te alabamos y te honramos.

Líder: Tú nos das esperanza y vida,

Todos: nosotros te alabamos y te honramos.

Líder: Ayúdanos, Señor, a amar como tú
amas, total y absolutamente.

Todos: Amén.

Canten "Alabaré"

Alabaré, alabaré,
alabaré a mi Señor.
Alabaré, alabaré,
alabaré a mi Señor.

Let Us Pray

Prayer of Praise

Gather and begin with the Sign of the Cross.

Leader: Jesus, you tell us you are the Way, the Truth, and the Life.

See John 14:6.

All: We praise and honor you.

Leader: You show us the way to the Father,

All: we praise and honor you.

Leader: You teach us the truth about love,

All: we praise and honor you.

Leader: You give us hope and life,

All: we praise and honor you.

Leader: Help us, Lord, to love as you do, fully and completely.

All: Amen.

Sing "Loving God"

Love the Lord, your God,
with all your heart,
with all your soul,
with all your mind,
and with all your strength.

Text and music by Nathan Heironimus.

FAMILIA + FE

VIVIR Y APRENDER JUNTOS

SUS HIJOS APRENDIERON >>>

Este capítulo explica que los Diez Mandamientos nos enseñan a amar a Dios por sobre todas las cosas y a amar a los demás. Esto está resumido en el Gran Mandamiento.

La Palabra de Dios

Lean **Éxodo 24, 12** para saber lo que le dijo Dios a Moisés acerca de los Diez Mandamientos.

Lo que creemos

- Los Diez Mandamientos son las leyes de Dios para su Pueblo.
- Jesús nos enseña a amar a Dios por sobre todas las cosas y a amar a los demás como a uno mismo.

Para aprender más, vayan al *Catecismo de la Iglesia Católica* 830, 2053 en **usccb.org**.

Gente de fe

Esta semana, su hijo conoció a Santa Isabel de Hungría, una princesa que usó su riqueza para alimentar a los hambrientos y construir hospitales para los enfermos.

LOS NIÑOS DE ESTA EDAD >>>

Cómo comprenden el Gran Mandamiento Los niños de esta edad apenas están aprendiendo a superar las tendencias egocéntricas de la niñez temprana. Pero en una sociedad tan enfocada en la comodidad y la satisfacción individual, puede ser contracultural hablar de poner a Dios por sobre todas las cosas o de amar a los demás tanto como a uno mismo. Su hijo necesitará mucha orientación para comprender cómo se traduce esto en las decisiones prácticas que toma cada día. Mucha de esta orientación llegará como el ejemplo que ustedes le den en el cuidado a los demás y en darle prioridad a Dios por sobre lo demás.

CONSIDEREMOS ESTO >>>

¿Cómo les sirven las reglas de su hogar para amarse los unos a los otros?

Es posible que los niños piensen que las reglas limitan nuestra libertad, pero de hecho ellas nos conducen a obtener los beneficios de un amor más profundo. "... Dios nos ha dado la virtud de la caridad, el mismo amor que Él nos tiene. Nuestro Señor nos pide que aceptemos este amor y que le respondamos con él. Jesús hizo del amor a Dios el primero de los dos grandes Mandamientos: 'Amarás al Señor, tu Dios, con todo tu corazón, con toda tu alma y con toda tu mente (Mateo, 22:37)'" (*CCEUA, p. 365*).

HABLEMOS >>>

- Hablen acerca de las reglas de la familia y por qué son importantes.
- Pregunten a su hijo qué reglas nos da Dios (los Diez Mandamientos) y qué nos encomienda Jesús que hagamos (amarnos los unos a los otros como Él nos ha amado).

OREMOS >>>

Santa Isabel, ruega por nosotros para que siempre amemos a nuestros prójimos como a nosotros mismos. Amén.

Visiten **vivosencristo.osv.com** para encontrar un glosario multimedia de Palabras católicas, lecturas dominicales, y recursos de Santos y tiempos festivos.

FAMILY+FAITH

LIVING AND LEARNING TOGETHER

YOUR CHILD LEARNED >>>

This chapter explains that the Ten Commandments teach us how to love God above all things and to love others. They are summed up in the Great Commandment.

God's Word

Read **Exodus 24:12** to learn what God said to Moses about the Ten Commandments.

Catholics Believe

- The Ten Commandments are God's laws to his People.
- Jesus teaches you to love God above all things and love others as you love yourself.

To learn more, go to the *Catechism of the Catholic Church* #830, 2053 at **usccb.org**.

People of Faith

This week, your child met Saint Elizabeth of Hungary, a princess who used her wealth to feed the hungry and build hospitals for the sick.

CHILDREN AT THIS AGE >>>

How They Understand the Great Commandment

Children at this age are just beginning to move out of the self-centered tendencies of earlier childhood. But in a society so focused on individual comfort and fulfillment, it can be counter-cultural to speak of putting God over everything else or loving others as much as one loves one's self. Your child will need much guidance to understand how this translates into the practical decisions he or she makes every day. Much of this guidance will come in the form of the example you provide of caring for others and prioritizing God over other things.

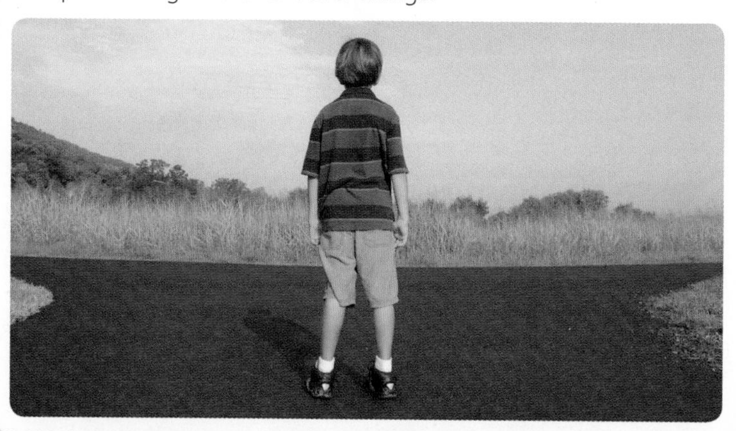

CONSIDER THIS >>>

How do the rules in your home help you to love each other?

Children might think that rules restrict our freedom, but in actuality they lead us to reap the benefits of a deeper love. "... God has given us the virtue of love, the very love that he has for us. Our Lord asks us to accept this love and respond to him with it. Jesus made the love of God the first of the two greatest Commandments: 'You shall love the Lord, your God, with all your heart, with all your soul, and with all your mind (Matthew 22:37)'" *(USCCA, p. 343).*

LET'S TALK >>>

- Talk about family rules and why they are important.
- Ask your child what rules God gives us (Ten Commandments) and what Jesus commands us to do (to love one another as he has loved us).

LET'S PRAY >>>

Saint Elizabeth, pray for us that we always love our neighbors as ourselves. Amen.

For a multimedia glossary of Catholic Faith Words, Sunday readings, seasonal and Saint resources, and chapter activities go to **aliveinchrist.osv.com**.

Capítulo 7 Repaso

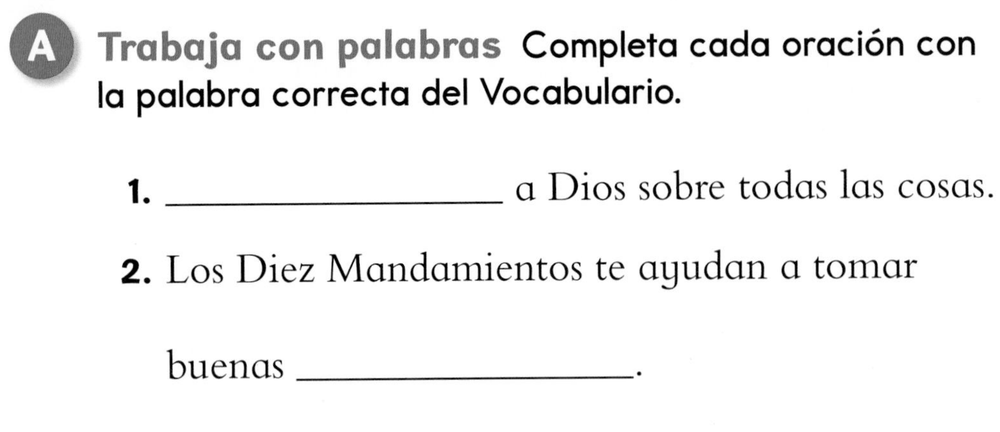

A **Trabaja con palabras** Completa cada oración con la palabra correcta del Vocabulario.

1. ________________ a Dios sobre todas las cosas.
2. Los Diez Mandamientos te ayudan a tomar buenas ________________.
3. El Gran Mandamiento te ayuda a saber cómo ser buen ________________.
4. ________________ lo que tienes con los demás.
5. ________________ a quien te pide perdón.

Vocabulario

ama

prójimo

perdona

comparte

decisiones

B **Confirma lo que aprendiste** Une el Mandamiento de la izquierda con la acción correcta de la derecha.

Columna A	Columna B
6. No matarás.	Di con respeto el nombre de Dios.
7. No tomes en vano el nombre de Yavé.	No te hagas daño a ti ni se lo hagas a los demás.
8. Respeta a tu padre y a tu madre.	Asiste a Misa los domingos.
9. No robes.	Obedece a tus padres.
10. Acuérdate del día Sábado, para santificarlo.	No tomes lo que pertenece a los demás.

Chapter 7 Review

A **Work with Words** Complete each sentence with the correct word from the Word Bank.

Word Bank

love
neighbor
forgive
share
choices

1. ________________ God above all things.
2. The Ten Commandments help you make good ________________.
3. The Great Commandment helps you know how to be a good ________________.
4. ________________ what you have with others.
5. ________________ someone who asks you for forgiveness.

B **Check Understanding** Match the Commandment on the left with the correct action on the right.

Column A	Column B
6. You shall not kill.	Say God's name with care.
7. Do not take the LORD's name in vain.	Do not harm yourself or others.
8. Honor your father and your mother.	Go to Mass on Sunday.
9. You shall not steal.	Obey your parents.
10. Remember to keep holy the LORD's day.	Do not take what belongs to another.

Elige hacer el bien

Oremos

Líder: Señor, enséñanos a tomar buenas decisiones.

"Señor, enséñame el camino de tus preceptos,
que los quiero seguir hasta el final". Salmo 119, 33

Todos: Dios, ayúdanos a seguir tus leyes con todo nuestro corazón. Amén.

La Palabra de Dios

La sirvienta vio a Pedro y dijo: "¡Este hombre es uno de ellos!". "¡No, no lo soy!", replicó Pedro. Un rato después, algunos le dijeron: "¡Es evidente que eres uno de ellos, pues eres galileo!". De nuevo Pedro negó conocer a Jesús. Enseguida un gallo cantó por segunda vez. Entonces Pedro recordó lo que Jesús le había dicho: "Antes de que el gallo cante dos veces, tú me habrás negado tres". Y Pedro se puso a llorar.

Basado en Marcos 14, 69-72

¿Qué piensas?

- ¿Por qué son importantes las reglas o las leyes de Dios?
- ¿Quiénes te ayudan a tomar buenas decisiones?

Choose to Do Good

Let Us Pray

Leader: Lord, teach us how to make good choices.

"LORD, teach me the way of your statutes;
I shall keep them with care." Psalm 119:33

All: God, help us to follow your laws, with all our heart. Amen.

God's Word

The servant girl saw Peter and said, "This man is one of them!" "No, I'm not!" Peter replied. Later, some of the people said to Peter, "You certainly are one of them, you're a Galilean!" Once again Peter denied knowing Jesus. Right away a rooster crowed a second time. Then Peter remembered that Jesus had told him, "Before a rooster crows twice, you will say three times that you don't know me." So Peter started crying.

Based on Mark 14:69–72

What Do You Wonder?

- Why are God's rules or laws important?
- Who helps you make good choices?

Una decisión difícil

¿Cómo le respondió Jesús a Pedro?

Dios nos hizo con **libre albedrío**. Somos libres de elegir cómo actuar. A veces, tomamos malas decisiones que no muestran amor. Pedro, uno de los amigos más íntimos de Jesús, tuvo que enfrentarse a una decisión difícil.

Palabras católicas

libre albedrío poder elegir entre obedecer o desobedecer a Dios. Dios nos creó con libre albedrío porque quiere que tomemos buenas decisiones.

 La Palabra de Dios

Pedro niega a Jesús

La noche anterior a que Jesús muriera en la Cruz, los soldados se lo llevaron. Pedro los siguió hasta un patio. La portera le dijo a Pedro: "¿No eres tú también de los discípulos de ese hombre?". Él le respondió: "No lo soy".

Más tarde, Pedro estaba junto a un fuego para calentarse. Y alguien le dijo: "Seguramente tú también eres uno de sus discípulos, ¿no es cierto?". Pedro dijo: "No lo soy".

Uno de los esclavos dijo: "¿No te vi yo con él en el huerto?". De nuevo Pedro lo negó.

Basado en Juan 18, 17-18. 25-27

Jesús le dijo a Pedro que él lo negaría tres veces.

A Hard Choice

How did Jesus respond to Peter?

God made us with **free will**. We are free to choose how we act. Sometimes we make bad choices that do not show love. Peter, one of Jesus' closest friends, had a hard choice to make.

Catholic Faith Words

free will being able to choose whether to obey God or disobey God. God created us with free will because he wants us to make good choices.

God's Word

Peter Denies Jesus

The night before Jesus died on the Cross, soldiers took Jesus away. Peter followed them to a courtyard. The gatekeeper said to Peter, "You are not one of this man's disciples, are you?" He said, "I am not."

Later, Peter was standing around a fire to keep warm. And someone said to him, "You are not one of his disciples, are you?" Peter said, "I am not."

One of the slaves said, "Didn't I see you in the garden with him?" Again, Peter said no.

Based on John 18:17–18, 25–27

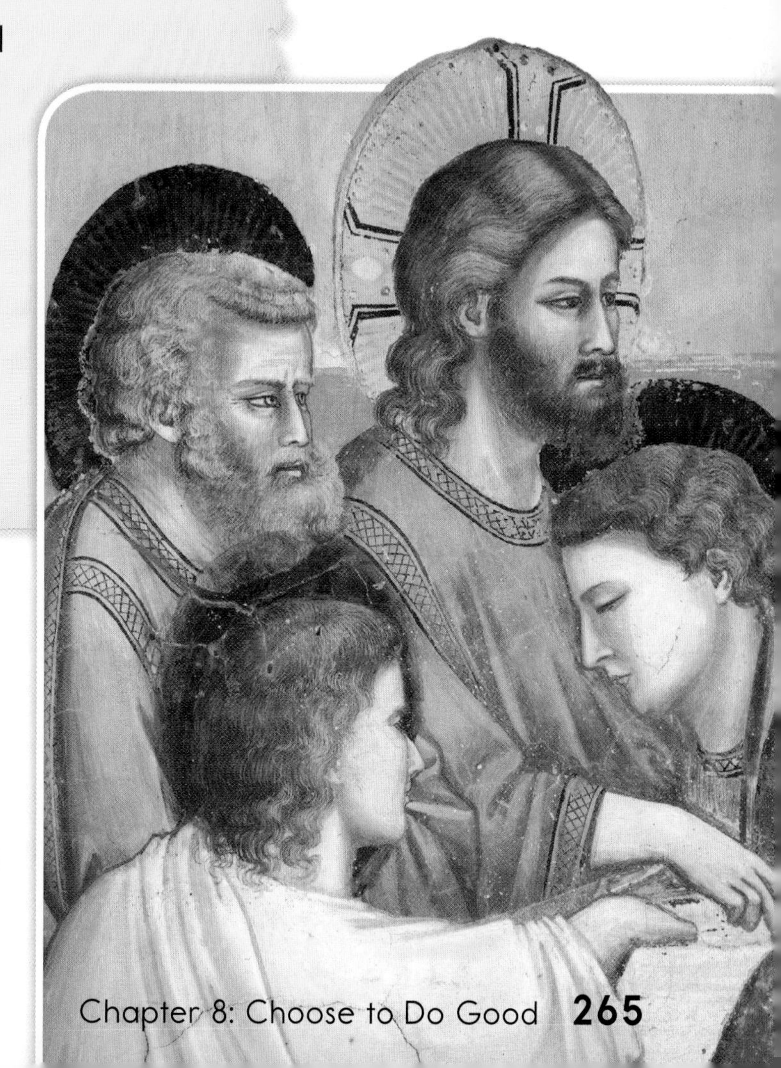

Jesus told Peter that he would deny him three times.

Jesús perdona

Pedro no dijo la verdad acerca de que era un seguidor de Jesús. No mostró su amor por Jesús. Después de volver a la vida de entre los muertos, Jesús le habló a Pedro.

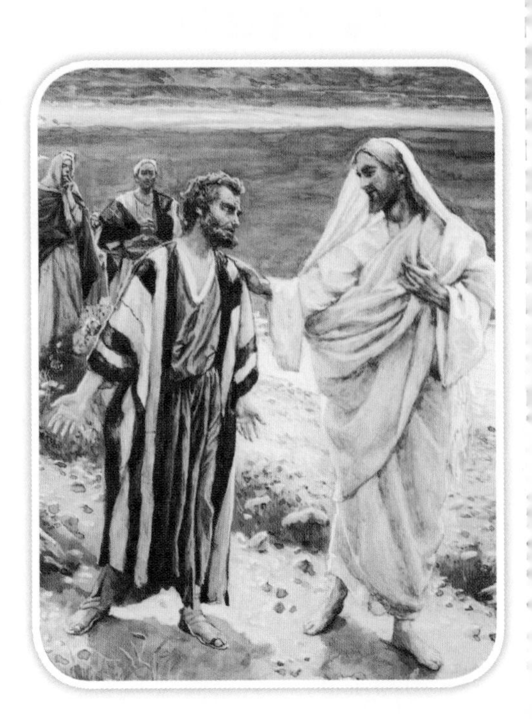

Tres veces Jesús le preguntó a Pedro si lo amaba. Tres veces Pedro dijo que sí. Jesús le creyó y le pidió que cuidara a sus seguidores.

Jesús perdonó a Pedro, porque Pedro se arrepintió de lo que había hecho. Jesús nos dio el Sacramento de la Penitencia para que pudiéramos conocer su perdón. Si le dices a Dios que estás sinceramente arrepentido de lo malo que hayas hecho, Él te perdonará.

Subraya lo que hizo Jesús cuando Pedro dijo que estaba arrepentido.

Una manera en la que recibimos el perdón de Dios es en el Sacramento de la Penitencia.

Comparte tu fe

Piensa ¿Cómo puedes demostrar que estás arrepentido de algo?

___

___

___

Comparte En un grupo pequeño, habla sobre la manera como le respondes a alguien que te dice que está verdaderamente arrepentido.

Jesus Forgives

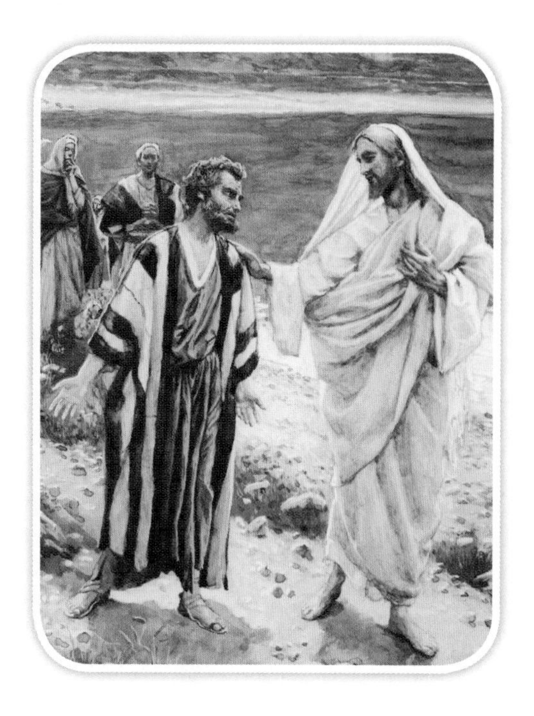

Peter did not tell the truth about being Jesus' follower. He did not show his love for Jesus. After Jesus was raised from the dead, he spoke to Peter.

Three times Jesus asked Peter if he loved him. Three times Peter said yes. Jesus believed Peter and asked him to take care of his followers.

Jesus forgave Peter because Peter was sorry for what he had done. Jesus gave us the the Sacrament of Penance so that we could know his forgiveness. If you tell God that you are truly sorry for the wrong you do, he will forgive you.

Underline what Jesus did when Peter said he was sorry.

One way we receive God's forgiveness is in the Sacrament of Penance.

Share Your Faith

Think How can you show you are sorry for something?

____

____

____

Share In a small group, talk about ways you respond to someone who tells you they are really sorry.

Dios te ayuda a decidir

¿Cómo distingues el bien del mal?

Un pecado es decidir desobedecer a Dios a propósito y hacer algo que sabemos que está mal. Los accidentes y los errores no son pecados.

Un accidente es algo que no hacemos a propósito. No planeamos los accidentes ni esperamos que sucedan. Un error es un malentendido, o una respuesta equivocada, o algo que creemos que es correcto pero que no lo es. Un pecado es tomar la decisión de hacer algo que sabemos que está mal. El pecado daña tu amistad con Dios y con los demás.

1. Encierra en un círculo la fotografía que muestra un error y pon una X sobre la que muestra un pecado.
2. Comenta qué debería hacer Marita después y qué otra cosa podría haber hecho Arnie.

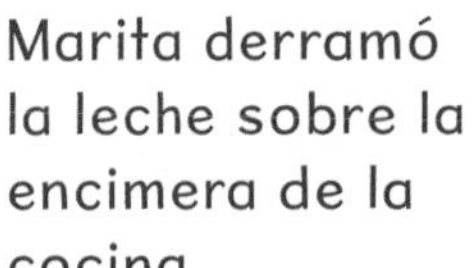

Marita derramó la leche sobre la encimera de la cocina.

Arnie se burló de Rachel por perder al juego de los encantados.

God Helps You Choose

How do you know right from wrong?

A sin is a person's choice to disobey God on purpose and do what he or she knows is wrong. Accidents and mistakes are not sins.

An accident is something we do not do on purpose. We don't plan accidents or expect them to happen. A mistake is a misunderstanding or an incorrect answer or something we think is right but is not. A sin is a choice to do something we know is wrong. Sin hurts your friendship with God and others.

1. Circle the picture that shows a mistake and put an X over the picture that shows a sin.
2. Discuss what Marita should do next and what Arnie could have done differently.

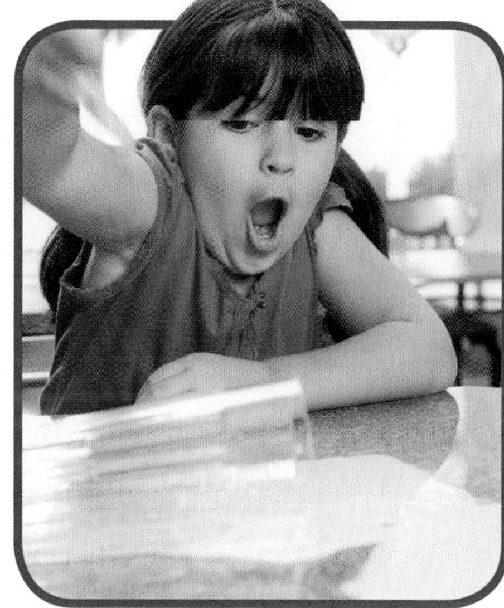

Marita spilled her milk all over the kitchen counter.

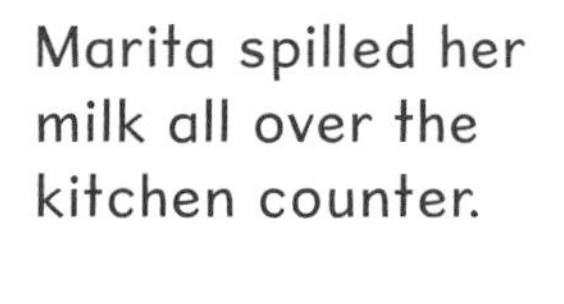

Arnie teased Rachel for losing the game of freeze tag.

Palabras católicas

pecado mortal un pecado grave que rompe la relación de la persona con Dios

pecado venial un pecado que daña la amistad de la persona con Dios pero que no la rompe del todo

conciencia una habilidad que recibimos de Dios y que nos ayuda a decidir entre el bien y el mal

Tipos de pecado

Algunas decisiones llevan a cometer pecados graves, que se llaman pecados mortales. Un **pecado mortal** es un pecado grave que rompe la relación de la persona con Dios. Es una decisión de alejarse completamente del amor de Dios.

Un pecado menos grave se llama **pecado venial**. Los pecados veniales dañan la relación de una persona con Dios, pero no la apartan del todo de la vida y del amor de Dios. Sin embargo, tienen importancia, porque pueden llevar a cometer pecados más graves.

El amor de Dios es siempre más grande que el pecado. Su misericordia es infinita.

Conciencia

Dios te ayuda a elegir lo que es bueno. Te da una **conciencia**. Este don de Dios te ayuda a distinguir entre el bien y el mal. Es importante que conozcamos las leyes de Dios para que nuestra conciencia pueda ayudarnos a tomar buenas decisiones. El Espíritu Santo te guía para que escuches tu conciencia.

Sabes que algo está bien cuando eso sigue la ley de Dios. Sabes que está mal cuando es contrario a uno de los Diez Mandamientos.

Practica tu fe

Identifica ¿Cuáles son unas decisiones que tomas? Elige una y habla de cómo pueden ayudarte los Mandamientos de Dios a saber qué hacer.

Types of Sin

Some choices lead to serious sins called mortal sins. A **mortal sin** is a serious sin that causes a person's relationship with God to be broken. It is a choice to turn completely away from God's love.

A less serious sin is called a **venial sin**. Venial sins hurt a person's relationship with God but do not completely remove him or her from God's life and love. They still matter, though, because they can lead to more serious sins.

God's love is always greater than sin. His mercy never ends.

Conscience

God helps you choose what is good. He gives you a **conscience**. This gift from God helps you know right from wrong. It is important for us to know God's laws so our conscience can help us make good decisions. The Holy Spirit guides you to listen to your conscience.

You know something is right when it follows God's law. You know it is wrong when it goes against one of the Ten Commandments.

Catholic Faith Words

mortal sin a serious sin that causes a person's relationship with God to be broken

venial sin a sin that hurts a person's friendship with God, but does not completely break it

conscience an ability given to us by God that helps us make choices about right and wrong

Connect Your Faith

Identify What are some choices children your age make? Choose one and talk about how God's Commandments can help you know what to do.

Nuestra vida católica

¿Cómo tomas buenas decisiones?

Cuando tengas que tomar una decisión, puedes recordar lo que sabes acerca de ser un seguidor de Jesús. No siempre es fácil saber la diferencia entre el bien y el mal. Puedes usar tu conciencia, la habilidad que recibimos de Dios para elegir lo bueno y evitar aquello que no lo es. Estos son unos pasos para seguir:

Pasos para tomar buenas decisiones

1. Haz un alto en lo que estás haciendo.
2. Observa lo que has aprendido acerca de los Mandamientos.
3. Imagina: ¿Cómo puedo actuar como un seguidor de Jesús en este momento?
4. Detente y escucha lo que está diciéndote tu conciencia, el don de Dios que te ayuda a distinguir entre el bien y el mal.
5. Ora al Espíritu Santo para pedirle que te ayude.

Al lado de cada ilustración, escribe el número del paso que muestra.

ALTO

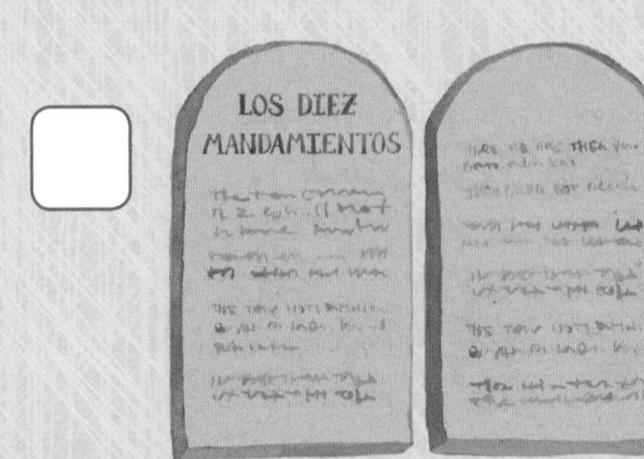

Our Catholic Life

How can you make good choices?

When you have to choose, you can remember what you know about being a follower of Jesus. Knowing the difference between right and wrong is not always easy. You can use your conscience, the ability from God to choose what is good and avoid what is not. Here are some steps to follow:

Steps for Making Good Choices

1. Stop what you are doing.
2. Look to what you have learned about the Commandments.
3. Imagine: How can I act like a follower of Jesus right now?
4. Stop and listen to what your conscience is saying, the gift from God to help you know right from wrong.
5. Pray to the Holy Spirit for help.

Next to each picture, write the number of the step that it shows.

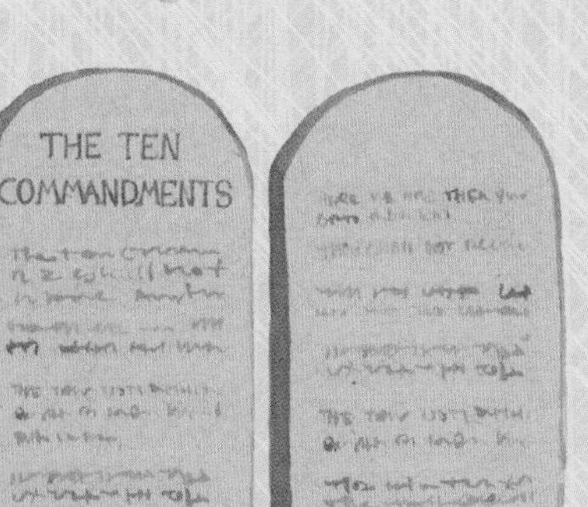

Gente de fe

Santa Teresa del Niño Jesús, 1873–1897

Santa Teresa del Niño Jesús vivió en Francia. Cuando era niña, a veces, hacía cosas malas. Cuando murió su madre, Teresa entristeció mucho y decidió que siempre iba a elegir hacer el bien. Cuando Teresa ingresó en el convento, dijo que no podía hacer cosas grandes e importantes por Dios, pero sí podía hacer cosas pequeñas. Se la conoce como "La Florecita de Jesús".

1 de octubre

Comenta: ¿Qué cosa pequeña puedes hacer hoy por Dios?

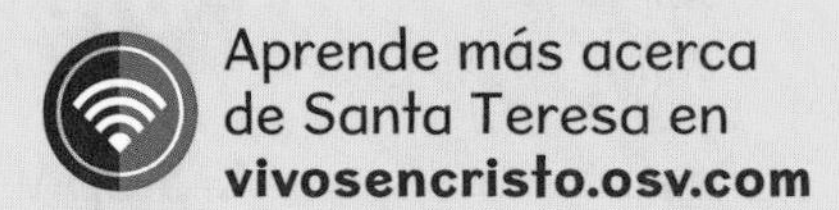

Aprende más acerca de Santa Teresa en **vivosencristo.osv.com**

Vive tu fe

Planea una escena Con un compañero, escribe un relato sobre tomar una decisión. Luego represéntenlo juntos.

1. ¿Qué decisión tiene que tomar la persona?

   ____

2. ¿En qué debe pensar la persona antes de tomar la decisión?

   ____

3. ¿Qué hará la persona?

   ____

4. ¿Por qué es importante pensar antes de tomar la decisión de hacer algo?

   ____

People of Faith

October 1

Saint Thérèse of Lisieux, 1873–1897

Saint Thérèse of Lisieux lived in France. As a little girl, she sometimes did bad things. She would cry if she didn't get her own way. When her mother died, Thérèse was very sad and decided she would always choose to do what was good. When Thérèse joined the Carmelite convent she said she couldn't do big, important things for God. But she could do little things, like her chores. She offered them to God. She is known as the "Little Flower of Jesus."

Discuss: What is one little thing you can do for God today?

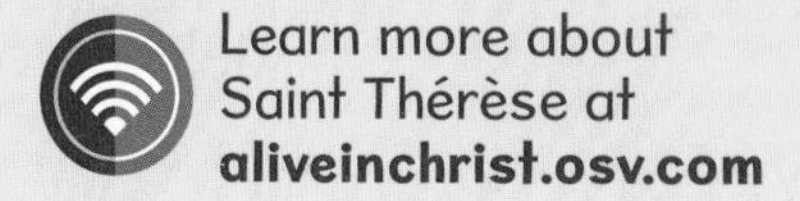
Learn more about Saint Thérèse at **aliveinchrist.osv.com**

Live Your Faith

Plan a Skit With a partner, write a story about making a choice. Then together act it out.

1. What choice does the person have to make?

____

2. What things should the person think about before making the choice?

____

3. What will the person do?

____

4. Why is it important to think before making a choice to do something?

____

Oremos

Oración de petición

Reúnanse y empiecen con la Señal de la Cruz.

Líder: Padre nuestro, gracias por ayudarnos a encontrar el camino a la vida contigo y a la paz con los demás.

Lector 1: Tú nos diste los Diez Mandamientos para guiarnos en nuestras decisiones.

Todos: Muéstranos el camino, oh, Señor.

Lector 2: Jesús nos muestra el camino al amor y a la búsqueda del perdón.

Todos: Muéstranos el camino, oh, Señor.

Lector 1: El Espíritu Santo nos da paz y un corazón que perdona.

Todos: Muéstranos el camino, oh, Señor.

Lector 2: Nuestra familia y nuestros amigos nos ayudan a elegir todo lo bueno.

Todos: Muéstranos el camino, oh, Señor. Amén.

Canten "Guíame, Señor"

Guíame, Señor, en mi caminar.
Tú me has consagrado,
seré profeta de los pueblos.
Envíame, Señor, adonde
quieras Tú,
iré y proclamaré tu Palabra
que da vida.

Prayer of Petition

Gather and begin with the Sign of the Cross.

Leader: Our Father, thank you for helping us find the way to life with you and peace with others.

Reader 1: You gave us the Ten Commandments to guide us in our choices.

All: Show us the way, O Lord.

Reader 2: Jesus shows us the way to love and seek forgiveness.

All: Show us the way, O Lord.

Reader 1: The Holy Spirit brings us peace and a forgiving heart.

All: Show us the way, O Lord.

Reader 2: Our family and friends help us choose all that is good.

All: Show us the way, O Lord. Amen.

Sing "C-H-O-I-C-E-S"

C-H-O-I-C-E-S.

God gives us choices every day.
In every single way (repeat).

FAMILIA + FE

VIVIR Y APRENDER JUNTOS

SUS HIJOS APRENDIERON >>>

Este capítulo habla de elegir el bien, la diferencia entre un pecado, un error o un accidente, y el deseo de Dios de perdonar nuestro pecado.

La Palabra de Dios

Lean **Marcos 14, 69–72** para ver cómo Pedro niega conocer a Jesús después de su arresto.

Lo que creemos

- La conciencia es la habilidad, dada a nosotros por Dios, que nos ayuda a elegir entre el bien y el mal.
- El pecado es una decisión libre de hacer lo que sabemos que es incorrecto.

Para aprender más, vayan al *Catecismo de la Iglesia Católica* 1778, 1783-1784 en **usccb.org**.

Gente de fe

Esta semana, su hijo conoció a Santa Teresa del Niño Jesús, la Florecita. Una vez ella dijo que quería tomar un elevador para ir directo hasta Dios.

LOS NIÑOS DE ESTA EDAD >>>

Cómo comprenden Elegir el Bien Los niños necesitan y quieren tener límites y una guía. Una estructura les permite tener la sensación de seguridad. Pero en una sociedad que está cada vez menos dispuesta a emitir juicios de valor, a veces los niños están confundidos para diferenciar lo correcto de lo incorrecto. Conocer las reglas y comprender cómo funcionan las cosas es muy importante para los niños de esta edad. Los padres, maestros y catequistas son mentores y ejemplos importantes para ellos. No tengan duda en decirle a su hijo cómo se sienten acerca de diversos asuntos y decisiones morales que deban enfrentar. Los niños escuchan a sus padres acerca de estas cosas y con frecuencia internalizan los valores paternales aun cuando no nos demos cuenta.

CONSIDEREMOS ESTO >>>

¿Recuerdan alguna vez que hayan sido perdonados sin merecerlo?

Esa experiencia nos hace sentir humildes y agradecidos a la vez. Tal vez por eso nos identificamos tanto con las personas en la Sagrada Escritura que viven el perdón de Dios. "Cuando Pedro preguntó cuantas veces debe perdonar una persona, Jesús le dijo que no debería existir un límite a la hora de perdonar. Jesús perdonó a Pedro su triple negación, mostró misericordia a la mujer sorprendida en adulterio, perdonó al ladrón en la cruz y dio testimonio continuo de la misericordia de Dios... El sacramento de la Penitencia es un regalo de Dios a nosotros para que cualquier pecado cometido después del Bautismo pueda ser perdonado" (*CCEUA, p. 258*).

HABLEMOS >>>

- Hablen acerca de la diferencia entre un error y un pecado.
- Pidan a su hijo que cuente una relato de la Biblia que hable acerca del perdón. ¿Qué le enseñó el relato?

OREMOS >>>

Querido Dios, ayúdanos a hacer todas las "cosas muy pequeñas" de nuestra vida con amor, como lo hizo Santa Teresa. Amén.

Visiten **vivosencristo.osv.com** para encontrar un glosario multimedia de Palabras católicas, lecturas dominicales, y recursos de Santos y tiempos festivos.

FAMILY+FAITH

LIVING AND LEARNING TOGETHER

YOUR CHILD LEARNED >>>

This chapter explains making good choices, the difference between a sin, a mistake, or an accident, and God's willingness to forgive our sin.

God's Word

Read **Mark 14:69–72** to see how Peter denied knowing Jesus after his arrest.

Catholics Believe

- Conscience is the ability given to us by God that helps us make choices about right and wrong.
- Sin is a free choice to do what you know is wrong.

To learn more, go to the *Catechism of the Catholic Church* #1778, 1783–1784 at **usccb.org**.

People of Faith

This week, your child met Saint Thérèse of Lisieux, the Little Flower. She once said she wanted to take an elevator directly to God.

CHILDREN AT THIS AGE >>>

How They Understand Making Good Choices Children need and want limits and guidance. They get a sense of security from structure. But in a society that is increasingly unwilling to make value judgments, children can sometimes be at a loss to know right from wrong. Knowing the rules and understanding how things work are very important to children this age. Parents, teachers, and catechists serve as important mentors and examples to them. Don't hesitate to tell your child how you feel about various moral issues and choices he or she may face. Children listen to their parents about these things and often internalize a parent's values even when we don't realize it.

CONSIDER THIS >>>

Can you recall a time you received undeserved forgiveness?

That experience leaves us feeling both humbled and grateful. Perhaps that is why we so identify with the people in the Scriptures who experience God's forgiveness. "When Peter asked the number of times a person should forgive, Jesus told him that there should be no limit to forgiving. Jesus forgave Peter his triple denial, showed mercy to the woman taken in adultery, forgave the thief on the cross, and continually witnessed the mercy of God...the Sacrament of Penance is God's gift to us so that any sin committed after Baptism can be forgiven" (*USCCA, p. 243*).

LET'S TALK >>>

- Talk about the difference between a mistake and a sin.
- Ask your child to share a story from the Bible that talks about forgiveness. What did that story teach him?

LET'S PRAY >>>

Dear God, help us to do all the "little things" in our lives with love, like Saint Thérèse did. Amen.

For a multimedia glossary of Catholic Faith Words, Sunday readings, seasonal and Saint resources, and chapter activities go to **aliveinchrist.osv.com**.

Capítulo 8 Repaso

A **Trabaja con palabras** Rellena el círculo que está junto a la respuesta correcta.

1. Tu ____ te ayuda a distinguir entre lo bueno y lo malo.
   ◯ pecado ◯ conciencia

2. ____ es decidir libremente hacer lo que sabes que está mal.
   ◯ Un accidente ◯ Un pecado

3. Un pecado ____ rompe la relación de una persona con Dios.
   ◯ mortal ◯ venial

4. Un pecado ____ daña la amistad de una persona con Dios, pero no la rompe del todo.
   ◯ mortal ◯ venial

5. Debes estar ____ de tus pecados antes de poder pedirle a Dios que te perdone.
   ◯ arrepentido ◯ asustado

B **Confirma lo que aprendiste** Las siguientes oraciones mencionan los pasos para tomar buenas decisiones. Ordena los pasos numerándolos del 1 al 5.

6. ☐ Escucha tu conciencia.
7. ☐ Detente a pensar.
8. ☐ Pregúntate: "¿Qué me diría Jesús que haga?".
9. ☐ Ora al Espíritu Santo para pedirle que te ayude.
10. ☐ Recuerda lo que has aprendido acerca de los Mandamientos.

Chapter 8 Review

A **Work with Words** Fill in the circle beside the correct answer.

1. Your ____ helps you know right from wrong.
   - ◯ sin
   - ◯ conscience

2. ____ is a free choice to do what you know is wrong.
   - ◯ An accident
   - ◯ A sin

3. A ____ sin breaks a person's relationship with God.
   - ◯ mortal
   - ◯ venial

4. A ____ sin hurts a person's friendship with God, but does not completely break it.
   - ◯ mortal
   - ◯ venial

5. You must be ____ for your sins before you can ask God's forgiveness.
   - ◯ sorry
   - ◯ scared

B **Check Understanding** The sentences below name the steps for making good choices. Use the numbers 1–5 to put the steps in order.

6. ☐ Listen to your conscience.
7. ☐ Stop and think.
8. ☐ Ask yourself, "What would Jesus tell me to do?"
9. ☐ Pray to the Holy Spirit for help.
10. ☐ Remember what you have learned about the Commandments.

La misericordia de Dios

Oremos

Líder: Bendito sea nuestro amado Dios de Misericordia.

Tú, Señor, eres un Dios tierno y compasivo,
lento para enojarte, lleno de amor y lealtad.
Basado en el Salmo 86, 15

Todos: Dios de misericordia y de amor, bendícenos y guíanos. Amén.

La Palabra de Dios

"Entonces Pedro se acercó con esta pregunta: 'Señor, ¿cuántas veces tengo que perdonar las ofensas de mi hermano? ¿Hasta siete veces?'. Jesús le contestó: 'No te digo siete, sino setenta y siete veces'". Mateo 18, 21-22

¿Qué piensas?

- ¿Por qué nos dice Jesús que perdonemos?
- ¿Cuál es la relación entre el perdón a los demás y el perdón de Dios a nosotros?

God's Mercy

Let Us Pray

Leader: Blessed be our loving God of Mercy.

You, Lord, are a merciful and gracious God,
slow to anger, most loving and true.
Based on Psalm 86:15

All: God of mercy and love, bless us and guide us. Amen.

God's Word

"Then Peter approaching asked him, 'Lord, if my brother sins against me, how often must I forgive him? As many as seven times?' Jesus answered, 'I say to you, not seven times but seventy-seven times.'"
Matthew 18:21–22

What Do You Wonder?

- Why does Jesus tell us to forgive?
- How is forgiving others connected to God forgiving us?

Jesús enseña el perdón

¿Cuándo nos perdona Dios?

Desde los tiempos de Adán y Eva, todos hemos estado tentados a hacer el mal y a elegir el pecado. Las **virtudes** son buenos hábitos que nos ayudan a decir que no a la **tentación**. Aunque fracasemos y dañemos nuestra amistad con Dios, Él es bondadoso y está colmado de **misericordia**. Dios está siempre dispuesto a perdonarnos cuando nos arrepentimos sinceramente.

Palabras católicas

virtudes buenos hábitos que te hacen más fuerte y te ayudan a hacer lo que es correcto y bueno

tentación querer hacer algo que no debemos, o no hacer algo que debemos hacer

misericordia la bondad y preocupación por aquellos que sufren. Dios tiene misericordia de nosotros aunque seamos pecadores.

La Palabra de Dios

El hijo pródigo

Había una vez un padre que tenía dos hijos. El hijo menor no quería quedarse en la casa. “Dame la mitad de tu dinero”, pidió el hijo.

Con tristeza el padre le dio el dinero al hijo menor. El hijo se fue a una ciudad lejana. Y gastó todo el dinero.

Jesus Teaches Forgiveness

When does God forgive us?

Since the time of Adam and Eve, we've all been tempted to do what was wrong and choose sin. The **virtues** are good habits that can help us say no to **temptation**. Even if we fail, and hurt our friendship with God, he is kind and full of **mercy**. He is always ready to forgive us when we are truly sorry.

Catholic Faith Words

virtues good habits that make you stronger and help you do what is right and good

temptation wanting to do something we should not, or not doing something we should

mercy kindness and concern for those who are suffering. God has mercy on us even though we are sinners.

 God's Word

The Prodigal Son

Once, a father had two sons. The younger son did not want to stay home. "Give me my half of your money," the son said.

The father sadly gave the younger son the money. The son went to a city far away. He wasted all his money.

Como necesitaba más dinero, consiguió trabajo de alimentar cerdos. Su trabajo no le gustaba. Estaba triste, con frío y completamente solo.

Dijo: "Iré a casa a ver a mi padre. Le rogaré que me dé trabajo como sirviente suyo". Y emprendió el camino de vuelta a casa.

Un día, estaba aún lejos, cuando su padre lo vio. El padre corrió a su encuentro. El hijo se echó entre sus brazos y lloró: "Me arrepiento de haber pecado. Ya no merezco ser tu hijo".

El padre abrazó a su hijo. Y organizó una gran fiesta. El hijo mayor dijo: "Eso no es justo. ¡Él te desobedeció!". Pero el padre replico: "Volvió a casa. Debemos darle la bienvenida".

Basado en Lucas 15, 11-32

Dibuja la última parte del relato en el recuadro vacío.

Comparte tu fe

Piensa Nombra a dos personas de tu vida que te ayudan a tomar buenas decisiones.

1. ______________________

2. ______________________

Comparte con un compañero.

The son needed more money, so he got a job feeding pigs. He did not like his job. He was sad and cold and all alone.

He said, "I will go home to my father. I will beg him to give me a job as his servant." The son started to walk home.

One day, the father saw his son far away. The father ran to meet him. The son fell into his arms and cried, "I am sorry I have sinned. I am not good enough to be your son."

The father hugged his son. He threw a big party. The older son said, "That's not fair. He disobeyed you!" But the father said, "He has come home. We must welcome him." **Based on Luke 15:11–32**

Draw the last part of the story in the empty box.

Share Your Faith

Think Name two people in your life that help you make good choices.

1. ______________________

2. ______________________

Share with a partner.

Perdonarse unos a otros

¿Cómo podemos perdonar a los demás?

Lee cada cuento y encierra en un círculo a quienes tienen que pedir perdón. ¿Cómo pueden hacerlo? ¿Qué pueden decir o hacer las otras personas de los cuentos para demostrar que perdonan?

Dios, nuestro Padre, siempre nos perdona si nos arrepentimos sinceramente. Nos da el Sacramento de la Penitencia para que siempre podamos tener su perdón. ¡Y Jesús quiere que nosotros perdonemos a los demás de la misma manera en que el Padre nos perdona!

A veces, no es fácil perdonar a los demás. Uno quiere seguir enojado. Pero, Jesús nos pide que tomemos la decisión de amar a quien nos ofende de la manera en que Dios nos ama.

Los siguientes cuentos tratan sobre niños que tomaron decisiones equivocadas.

Un modelo nuevo

Ethan entró sigilosamente en la habitación de Michael para ver el modelo nuevo de avión que tenía su hermano. Al tomarlo, le rompió un ala. Michael entró y se enojó.

Ethan se disculpó, pero Michael le gritó: —¡Nunca te perdonaré!

—Bien, y yo nunca te volveré a hablar —dijo Ethan saliendo bruscamente de la habitación.

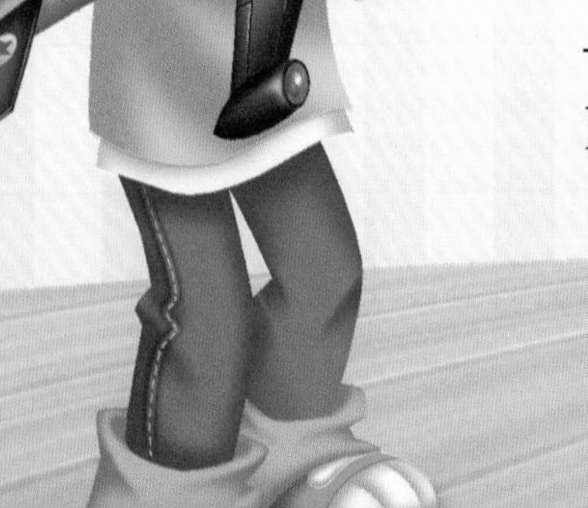

Forgive One Another

How can we forgive others?

Read each story and circle who needs to ask for forgiveness. How can they do that? What can the other people in the story say or do to show they forgive?

God our Father always forgives us if we are truly sorry. He gives us the Sacrament of Penance so we can always have his forgiveness. And Jesus wants us to forgive others in the same way that the Father forgives us!

Sometimes it is not easy to forgive others. You want to stay angry. But, Jesus asks that you make the choice to love the person that hurt you the way that God loves you.

The following stories are about children who made wrong choices.

A New Model

Ethan crept into Michael's room to see his brother's new model airplane. As he picked it up, he broke the wing. Michael walked in and became angry.

Ethan apologized, but Michael screamed, "I will never forgive you!"

"Well, I'll never talk to you again," said Ethan, as he stomped out of the room.

Guardar las cosas

Chloe debía guardar las pelotas después del recreo. Olvidó hacerlo. Al día siguiente, las pelotas ya no estaban. Chloe le dijo a la maestra que había sido el turno de Alex de guardar las pelotas. Alex se vio en un problema por causa de la mentira de Chloe.

Jesús nos pide que perdonemos

Jesús quiere que pidas perdón cuando has hecho algo malo. Y Jesús te pide también que seas una persona que perdona.

Practica tu fe

Vuelve a escribir el cuento Elige uno de los cuentos y cámbiale el final para mostrar buenas decisiones.

____

____

____

____

Putting Things Away

Chloe was supposed to put the balls away after recess. She forgot. The next day the balls were gone. Chloe told the teacher that it had been Alex's turn to put the balls away. Alex got in trouble because of Chloe's lie.

Jesus Asks Us to Forgive

Jesus wants you to ask forgiveness when you have done wrong. And Jesus asks you to be a forgiving person, too.

Connect Your Faith

Rewrite the Story Choose one of the stories and write a different ending to show good choices.

____

____

____

____

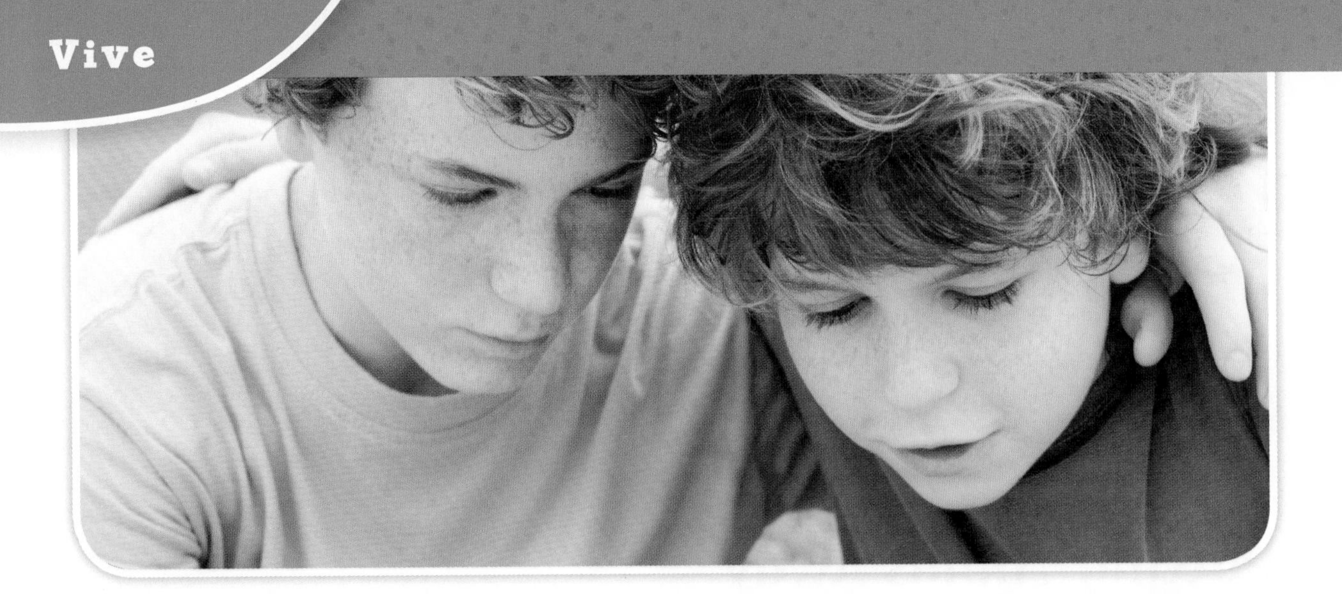

Nuestra vida católica

¿Cómo se perdonan las personas unas a otras?

Cuando alguien ha sido malo o injusto, seguramente te enojas con esa persona. Quizás no quieras hablarle. Pero Jesús te pide que hagas otra cosa muy diferente. Jesús te pide que perdones.

A veces, eres tú quien ofendes a alguien. Si has sido malo o injusto, necesitas pedir perdón.

Escribe una manera más en la que muestras que perdonas y una manera en la que pides perdón.

Mostrar que perdonas

- Prepárate y pon buena voluntad para mejorar las cosas.
- Escucha la disculpa de la otra persona.
- Dile "Te perdono" y demuéstraselo con un abrazo o una sonrisa.
- No tengas rencor ni hagas muecas.

____

Pedir perdón

- Imagina cómo debe de sentirse la otra persona.
- Dile "Lo lamento" con sinceridad.
- Haz todo lo que puedas para reparar el daño que hiciste.
- Ora a Dios para pedir ayuda para tomar mejores decisiones.

____

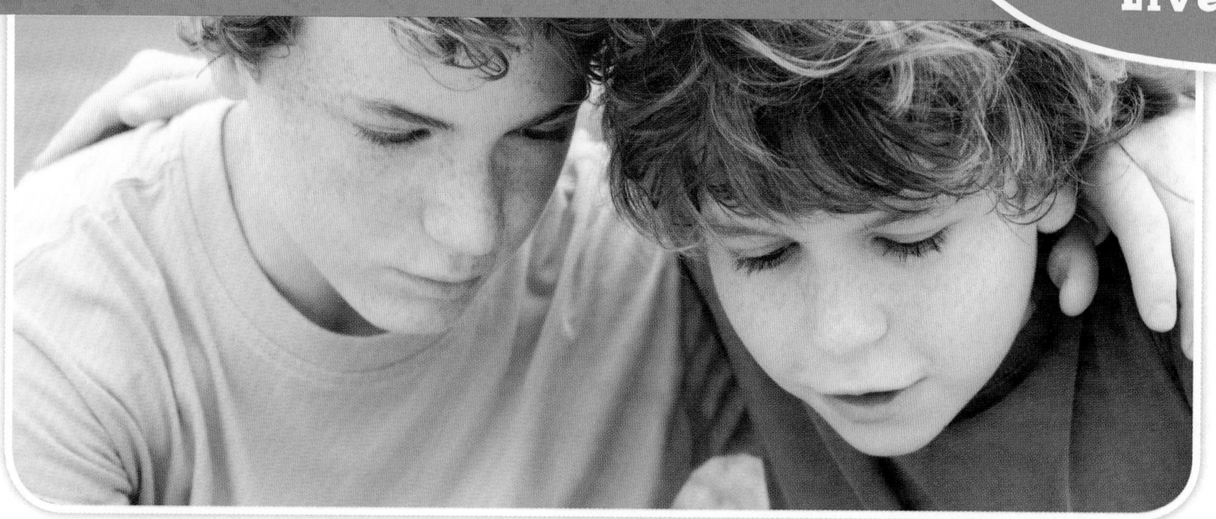

Our Catholic Life

How do people forgive one another?

When someone has been unkind or unfair, you may be angry with that person. You may not want to talk to him or her. But Jesus asks you to do something very different. Jesus asks you to forgive.

Sometimes you are the person who does the hurting. You need to ask forgiveness if you have been unkind or unfair.

Write one more way you can show forgiveness and one way you can ask forgiveness.

Show Forgiveness

- Be ready and willing to make things better.
- Listen to the person's apology.
- Say "I forgive you," and show it with a hug or a smile.
- Don't hold a grudge or pout.

____

Ask Forgiveness

- Imagine how it must feel for the other person.
- Say "I'm sorry," and mean it.
- Do whatever you can to make up for the wrong you did.
- Pray to God for help to make better choices.

____

Gente de fe

Santa Juana Francisca de Chantal, 1572–1641

Santa Juana Francisca de Chantal es una de las pocas Santas que fue esposa y madre. Juana nació en Francia. Como parte de su crianza, sus padres la educaron en la fe. A los veinte años, se casó con Christophe. La pareja compartió su amor y su profunda fe con sus cuatro hijos. Un día, a Christophe lo mataron en un accidente de cacería. Antes de morir, perdonó al hombre que le había disparado. Juana quedó con el corazón destrozado de pena. Tuvo que esforzarse para perdonar al hombre. Oró a Dios para que la ayudara. Finalmente, con la ayuda de Dios, pudo perdonar.

12 de agosto

Comenta: ¿Cómo puedes ser una persona que perdona?

Aprende más acerca de Santa Juana en **vivosencristo.osv.com**

Dibuja una manera en la que alguien te haya mostrado la misericordia de Dios.

Piensa en una manera en la que puedas mostrar misericordia a alguien esta semana.

People of Faith

August 12

Saint Jane Frances de Chantal, 1572–1641

Saint Jane Frances de Chantal is one of the few Saints who was a wife and mother. Jane was born in France. As she grew up, her parents helped her to grow in faith. When she was twenty years old, Jane married Christophe. The couple shared their love and their deep faith with their four children. One day, Christophe was killed in a hunting accident. Before he died, he forgave the man who shot him. Jane was heartbroken with grief. She struggled to forgive the man. She prayed to God to help her. Eventually, with God's help, she was able to forgive.

Discuss: How can you be forgiving?

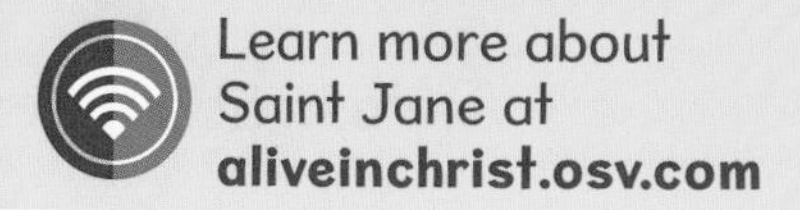

Live Your Faith

Draw one way someone has shown God's mercy to you.

Think of a way you can show mercy to someone this week.

Oremos

Oración por la misericordia

Reúnanse y empiecen con la Señal de la Cruz..

Líder: Por las veces en las que fuimos lentos para perdonar a quienes nos ofendieron,

Todos: Señor, ten piedad.

Líder: Por las veces en las que nuestras palabras y nuestras acciones han ofendido a los demás,

Todos: Cristo, ten piedad.

Líder: Por las veces en las que no hemos dicho la verdad,

Todos: Señor, ten piedad.

Líder: Que Dios nos dé su misericordia y su perdón.

Todos: Amén.

Canten "Hoy, Perdóname"

Hoy, perdóname, hoy por siempre,
sin mirar la mentira,
lo vacío de nuestras vidas,
nuestra falta de amor y caridad.

Letra: Tradicional

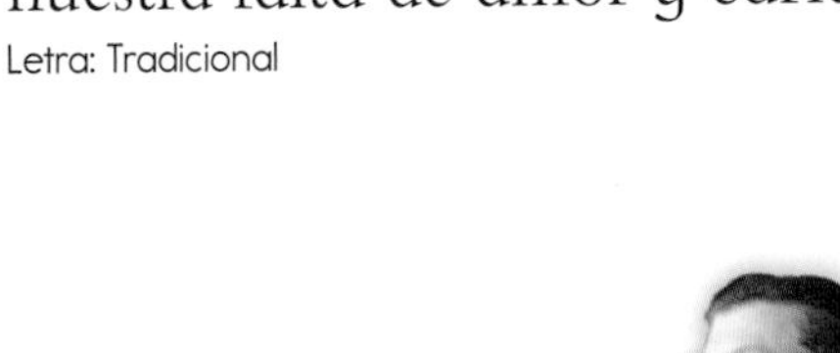

Prayer for Mercy

Gather and begin with the Sign of the Cross.

Leader: For the times when we were slow to forgive those who hurt us,

All: Lord, have mercy.

Leader: For the times when our words and actions have hurt others,

All: Christ, have mercy.

Leader: For the times we have not told the truth,

All: Lord, have mercy.

Leader: May God give us mercy and forgiveness.

All: Amen.

Sing "God of Mercy"

God of mercy, you are with us.
Fill our hearts with your kindness.
God of patience, strong and gentle,
fill our hearts with your kindness.
Lord, have mercy. Lord, have mercy.
Lord, have mercy upon us.

Repeat

FAMILIA + FE

VIVIR Y APRENDER JUNTOS

SUS HIJOS APRENDIERON >>>

Este capítulo explica la misericordia de Dios y la importancia de demostrar nuestro arrepentimiento y pedir perdón a Dios y a los demás.

La Palabra de Dios

Lean **Mateo 18, 21–22** para saber cuántas veces Jesús quiere que perdonemos a alguien.

Lo que creemos

- Dios es bondadoso y misericordioso.
- Dios siempre nos perdona si en verdad estamos arrepentidos.

Para aprender más, vayan al *Catecismo de la Iglesia Católica* 1428, 1439 en **usccb.org**.

Gente de fe

Esta semana, su hijo conoció a Santa Juana Francisca de Chantal, una esposa y madre que le rogó a Dios que la ayudara a perdonar.

LOS NIÑOS DE ESTA EDAD >>>

Cómo comprenden la misericordia de Dios Dios nos ama sin importar lo que sea. La comprensión de esto, para un niño de esta edad, estará influenciada por sus experiencias del amor y el perdón con adultos cercanos a él. Es importante que no exageremos ante los accidentes (que no son lo mismo que las malas decisiones, a menos que estas ocasionen el accidente). También es importante que, cuando un niño elija intencionalmente lo incorrecto, se le ofrezca una manera de reparar el daño causado. Finalmente, tranquilicen a su hijo asegurándole su amor, aunque haya tomado decisiones equivocadas.

CONSIDEREMOS ESTO >>>

¿Qué importancia tiene ser capaz de admitir una equivocación?

Tan difícil como puede ser decirlo con palabras, admitir que estamos equivocados es el primer paso necesario en el camino del perdón y la reconciliación. "La misericordia de Dios hace posible el arrepentimiento del pecador y el perdón del pecado. Una y otra vez, en el Antiguo Testamento, los pecados del pueblo se encuentran con la misericordia de Dios y con la invitación a ser sanados y de regresar a una relación basada en la alianza" (*CCEUA, p. 249*).

HABLEMOS >>>

- Pregunten a su hijo qué nos enseña Jesús acerca del perdón.
- Hablen acerca de alguna vez en que necesitaron el perdón y lo recibieron. Comenten de qué manera esto los afectó.

OREMOS >>>

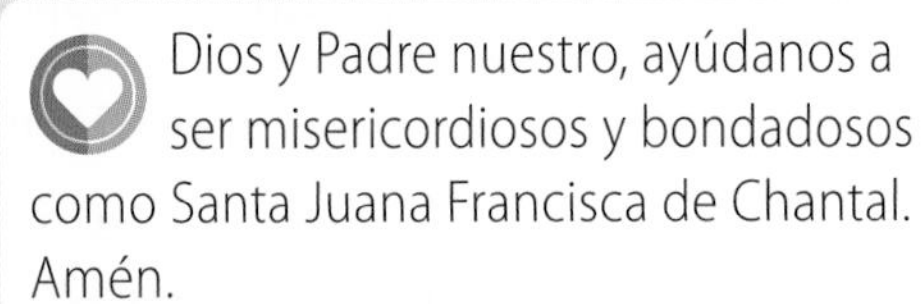

Dios y Padre nuestro, ayúdanos a ser misericordiosos y bondadosos como Santa Juana Francisca de Chantal. Amén.

Visiten **vivosencristo.osv.com** para encontrar un glosario multimedia de Palabras católicas, lecturas dominicales, y recursos de Santos y tiempos festivos.

FAMILY+FAITH

LIVING AND LEARNING TOGETHER

YOUR CHILD LEARNED >>>

This chapter explains God's mercy and how important it is to show we are sorry and ask for the forgiveness of God and others.

God's Word

Read **Matthew 18:21–22** to find out how many times Jesus wants us to forgive someone.

Catholics Believe

- God is merciful and forgiving.
- God will always forgive you if you are truly sorry.

To learn more, go to the *Catechism of the Catholic Church* #1428, 1439 at **usccb.org**.

People of Faith

This week, your child met Saint Jane Frances de Chantal, a wife and mother who prayed to God to help her to forgive.

CHILDREN AT THIS AGE >>>

How They Understand God's Mercy God loves us no matter what. A child's understanding of this will be influenced by his or her experience with love and forgiveness from significant adults. It's important that we not overreact to accidents (which are not the same as bad choices unless a bad choice led to the accident). It's also important that when children this age make a purposeful wrong choice, they be given a way to help repair the damage that was done. Finally, be sure to reassure your child of your love, even when he or she makes wrong choices.

CONSIDER THIS >>>

How important is being able to admit you are wrong?

As difficult as it may be to say those words, admitting that we are wrong is the necessary first step in the journey of forgiveness and reconciliation. "God's mercy makes possible the repentance of the sinner and the forgiveness of sin. Time and again in the Old Testament, the sins of the people are met with God's outreach of mercy and the invitation to be healed and return to a covenant relationship" *(USCCA, p. 235)*.

LET'S TALK >>>

- Ask your child what Jesus teaches us about forgiveness.
- Talk about a time when you needed forgiveness and received it. Share how it impacted you in some way.

LET'S PRAY >>>

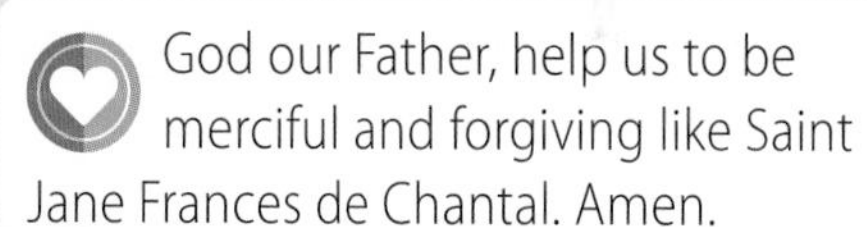

God our Father, help us to be merciful and forgiving like Saint Jane Frances de Chantal. Amen.

For a multimedia glossary of Catholic Faith Words, Sunday readings, seasonal and Saint resources, and chapter activities go to **aliveinchrist.osv.com**.

Capítulo 9 Repaso

A **Trabaja con palabras** Completa cada oración con la palabra correcta del Vocabulario.

Vocabulario
- pecado
- misericordia
- tentación
- arrepentidos
- virtudes

1. Dios nos perdona cuando estamos sinceramente ____________________.
2. Las ________________ son hábitos que nos ayudan a elegir el bien.
3. Todos nos hemos visto tentados a elegir el ______________.
4. Dios es bondadoso y está colmado de ________________.
5. Querer hacer algo que no debemos es una ______________.

B **Confirma lo que aprendiste** Rellena el círculo que está junto a la respuesta correcta.

6. Muestras el perdón cuando escuchas la ____ de una persona.
   - ○ ira ○ disculpa ○ historia
7. Si has sido ____, tienes que pedir perdón.
   - ○ infeliz ○ despreciado ○ grosero
8. Muestras el perdón cuando no tienes ____.
   - ○ rencor ○ fiestas ○ pecados
9. Cuando necesitas que te perdonen, puedes decir: "____".
   - ○ Lo lamento ○ Estoy enojado ○ Estoy ofendido
10. Jesús te pide que ____ a quienes te ofendan.
   - ○ hieras ○ ignores ○ perdones

Chapter 9 Review

A **Work with Words** Complete each sentence with the correct word from the Word Bank.

1. God forgives when we are truly ____________.
2. ______________ are good habits that help us choose good.
3. We've all been tempted to choose ____________.
4. God is kind and full of ______________.
5. Wanting to do something we should not do is a ______________.

Word Bank

- sin
- mercy
- temptation
- sorry
- virtues

B **Check Understanding** Fill in the circle beside the correct answer.

6. You show forgiveness when you listen to a person's ____.
   - ○ anger ○ apology ○ stories
7. You need to ask forgiveness if you have been ____.
   - ○ unhappy ○ unloved ○ unkind
8. You show forgiveness when you don't hold a ____.
   - ○ grudge ○ party ○ sin
9. When you need forgiveness, you can say, "____."
   - ○ I'm sorry ○ I'm angry ○ I'm hurt
10. Jesus asks you to ____ those who hurt you.
    - ○ hurt ○ ignore ○ forgive

UNIDAD 3

Repaso de la Unidad

A **Trabaja con palabras** Busca las palabras del Vocabulario en la sopa de letras. Encierra la palabra en un círculo cuando la encuentres.

Vocabulario

Mandamientos	perdona	mortal	amor	pecado
conciencia	venial	misericordia	accidente	Jesús

1–10.

M	A	N	D	A	M	I	E	N	T	O	S
P	A	C	C	I	D	E	N	T	E	T	M
E	F	S	R	C	J	S	A	J	P	R	O
C	O	N	C	I	E	N	C	I	A	B	R
A	Q	N	Y	D	S	Z	O	S	M	C	T
D	W	G	T	E	Ú	R	R	U	O	O	A
O	F	Y	H	N	S	Z	A	S	R	H	L
M	I	S	E	R	I	C	O	R	D	I	A
C	P	I	E	E	C	V	E	N	I	A	L
E	X	N	Y	P	E	R	D	O	N	A	S

Unit Review

A **Work with Words** Find the words from the Word Bank in the word search. Circle the words as you find them.

Word Bank

Commandments	forgives	mortal	love	sin
conscience	venial	mercy	accident	Jesus

1–10.

C	O	M	M	A	N	D	M	E	N	T	S
O	A	E	E	C	P	R	Z	O	S	T	M
N	F	S	R	C	Z	S	L	J	P	R	O
S	A	B	C	I	O	P	O	E	A	B	R
C	Q	N	Y	D	D	Z	V	S	Q	C	T
I	W	G	T	E	H	R	E	U	M	O	A
E	F	Y	H	N	V	Z	A	S	Y	H	L
N	Z	S	M	T	A	O	B	E	D	C	A
C	P	I	E	F	C	V	E	N	I	A	L
E	X	N	Y	F	O	R	G	I	V	E	S

Repaso de la Unidad

B **Confirma lo que aprendiste** Traza una línea que una cada frase de la Columna A con el final correcto de la Columna B.

Columna A	Columna B
11. Jesús enseña que todas las personas son	de la manera que quieres que te traten a ti.
12. El Gran Mandamiento te dice que trates a los demás	que necesita algo.
13. El Mandamiento Nuevo de Jesús dice: "Ámense unos a otros como	tus prójimos.
14. Puede ser prójimo alguien que ayuda o alguien	la habilidad que Dios te dio de decidir sobre lo que está bien y lo que está mal.
15. Tu conciencia es	yo los he amado".

Traza una línea que una cada frase de la Columna A con el final correcto de la Columna B.

Columna A	Columna B
16. Para tomar una buena decisión, debes	te pide que perdones.
17. Cuando alguien ha sido grosero o injusto, Jesús	que amar a Dios significa amar al prójimo.
18. Para pedir perdón, debes	escuchar tu conciencia.
19. Como ayuda para tomar mejores decisiones, siempre puedes	orar.
20. Jesús contó una parábola para enseñarles a sus seguidores	hacer todo lo que puedas para reparar el daño que hiciste.

B Check Understanding Draw a line from each item in Column A to match the correct ending in Column B.

Column A	Column B
11. Jesus teaches that all people are	the way you want to be treated.
12. The Great Commandment tells you to treat others	is in need.
13. Jesus' New Commandment says, "Love one another as	your neighbors.
14. A neighbor can be someone who helps or	the ability God gave you to make choices about right and wrong.
15. Your conscience is	I have loved you."

Draw a line from each item in Column A to match the correct ending in Column B.

Column A	Column B
16. To make a good choice, you must	asks you to forgive.
17. When someone has been unkind or unfair, Jesus	that loving God means loving our neighbor.
18. To ask forgiveness, you should	listen to your conscience.
19. To help you make better choices, you can always	pray.
20. Jesus told a parable to teach his followers	do all you can to help make up for the wrong you did.

Repaso de la Unidad

C Relaciona **Escribe la palabra o el nombre que mejor responde a la pregunta.**

21. Soy la habilidad que te ha dado Dios para ayudarte a tomar decisiones. ¿Qué soy?

____

22. Soy el extraño bueno que ayudó al hombre herido en una de las parábolas de Jesús. ¿Quién soy?

____

23. Negué tres veces que conocía a Jesús, pero Él me perdonó y me pidió que cuidara a sus seguidores. ¿Quién soy?

____

24. Volví a mi casa y mi padre me perdonó que me hubiera gastado su dinero en una de las parábolas de Jesús. ¿Quién soy?

____

25. Siempre perdonaré a quienes se arrepientan sinceramente. ¿Quién soy?

____

C Make Connections

Write the word or name that best answers the question.

21. I am the ability given to you by God that helps you make choices. What am I?

____

22. I am the kind stranger who helped the injured man in one of Jesus' parables. Who am I?

____

23. I denied knowing Jesus three times but he forgave me and asked me to take care of his followers. Who am I?

____

24. I returned home and my father forgave me for spending his money in one of Jesus' parables. Who am I?

____

25. I will always forgive those who are truly sorry. Who am I?

____

UNIDAD 4

Nuestra Tradición Católica

- Dios comparte su vida con la Iglesia. La gracia es participar en la vida de Dios. (CIC, 1997)
- Los Siete Sacramentos son signos y celebraciones de la vida de Dios. Nos dan la gracia. (CIC, 1131)
- Los Siete Sacramentos nos sirven para celebrar nuestra amistad con Jesús. Nos ayudan a seguirlo. (CIC, 1123)
- El año litúrgico celebra la Encarnación, la vida, la Muerte, la Resurrección y la Ascensión de Jesús. (CIC, 1171)

¿Cómo comparte Jesús su vida con nosotros en los Sacramentos?

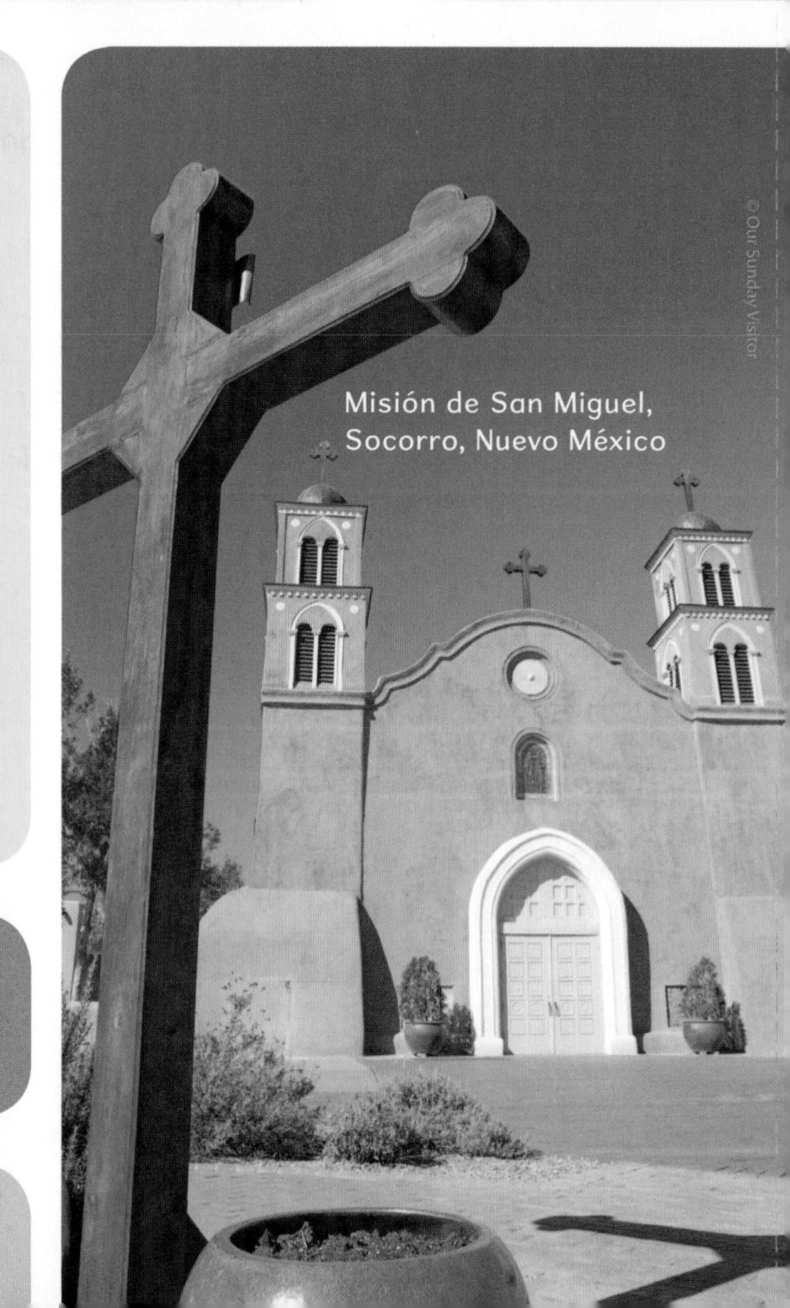
Misión de San Miguel, Socorro, Nuevo México

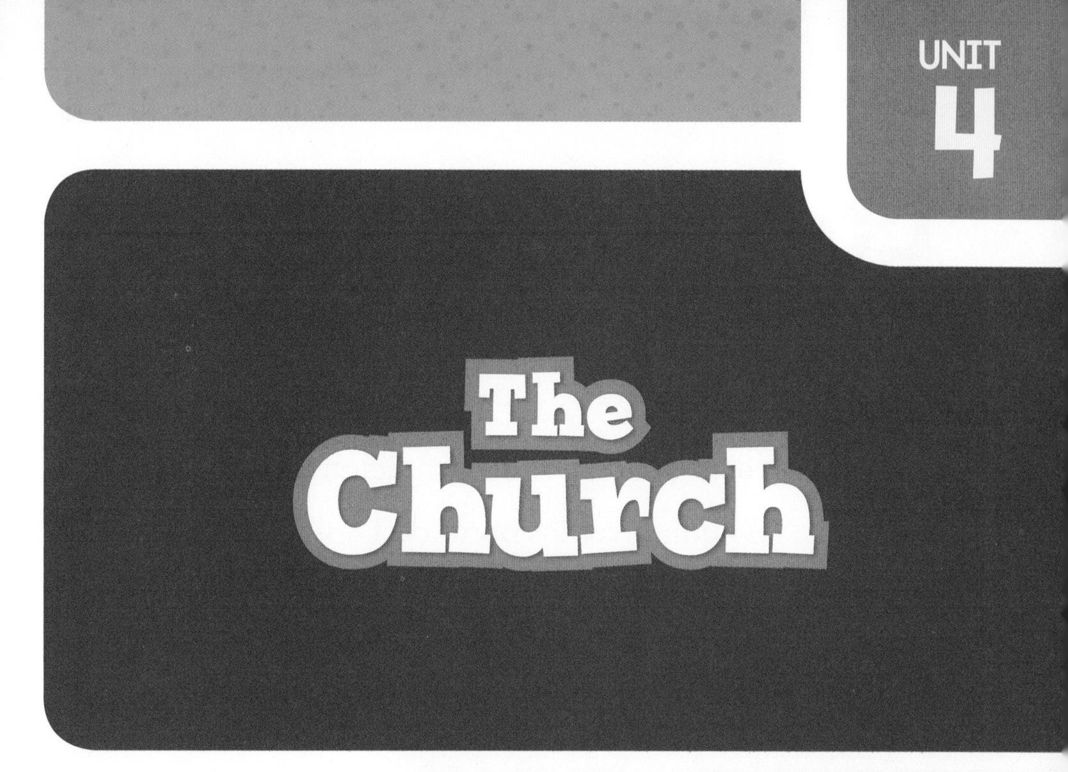

The Church

Our Catholic Tradition

- God shares his life with the Church. Grace is sharing in God's life. (CCC, 1997)
- The Seven Sacraments are signs and celebrations of God's life. They give us grace. (CCC, 1131)
- The Seven Sacraments help us celebrate our friendship with Jesus. They help us to follow him. (CCC, 1123)
- The Church year celebrates the Incarnation, life, Death, Resurrection, and Ascension of Jesus. (CCC, 1171)

How does Jesus share his life with us in the Sacraments?

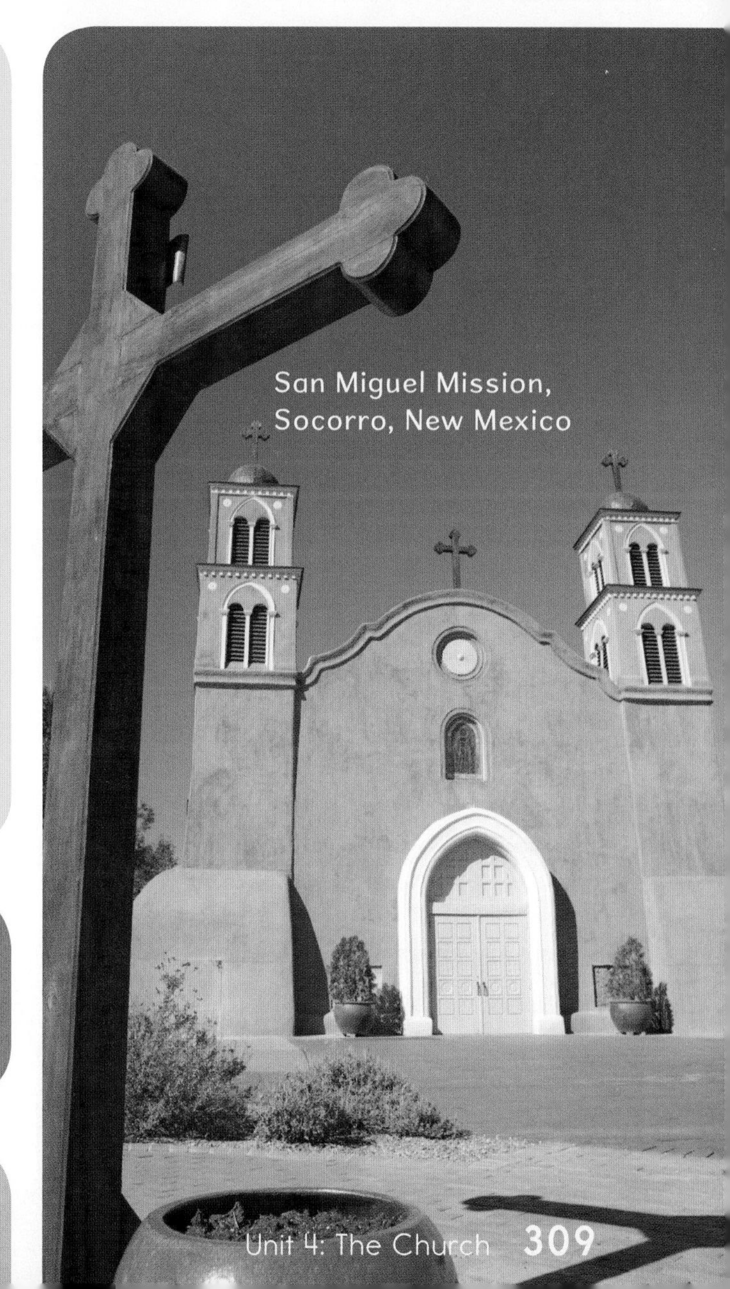

San Miguel Mission, Socorro, New Mexico

Los Sacramentos

Oremos

Líder: Gracias, Dios, por las bendiciones que nos das.

"Vengan a ver las obras de Dios:
sus milagros que a los
hombres espantan". Salmo 66, 5

Todos: Ayúdanos a ver tus dones y a llenarnos el corazón de agradecimiento. Amén.

La Palabra de Dios

Jesús y sus discípulos se acercaban a una ciudad llamada Jericó. Al borde del camino, había un ciego que pedía limosna. Al oír que pasaba mucha gente, empezó a gritar: "¡Jesús, Hijo de David, ten compasión de mí!". Las personas le decían que se callara, pero él gritaba más fuerte. Jesús se detuvo y pidió que le trajeran al mendigo. Jesús le preguntó: "¿Qué quieres que haga por ti?". El ciego dijo: "Señor, haz que vea". Jesús dijo: "Recobra la vista, tu fe te ha salvado". Al instante el ciego recuperó la vista y siguió a Jesús. Y la gente alabó a Dios.

Basado en Lucas 18, 35-43

¿Qué piensas?

- ¿Por qué Jesús curó a los enfermos?
- ¿Por qué celebramos los Siete Sacramentos?

The Sacraments

Let Us Pray

Leader: God, thank you for the blessings you give us.

"Come and see the works of God,
awesome in deeds before the
children of Adam." Psalm 66:5

All: Help us to see your gifts and fill our hearts with thanks. Amen.

God's Word

Jesus and his disciples were approaching a town called Jericho. A blind beggar was sitting by the road. When he heard the crowd, he began to shout, "Jesus, Son of David, have pity on me!" People told him to be quiet, but he shouted louder. Jesus stopped and asked that the beggar be brought to him. "What do you want me to do for you," Jesus asked? The blind man said, "Lord, please let me see." Jesus said, "Have sight; your faith has saved you." Immediately the blind man got back his sight and followed Jesus. And the people praised God.

Based on Luke 18:35–43

What Do You Wonder?

- Why did Jesus heal the sick?
- Why do we celebrate the Seven Sacraments?

Los Apóstoles reunidos en el monte donde Cristo los envía a compartir la Buena Nueva y a bautizar en su nombre.

Signos del amor de Dios

¿Qué son los Sacramentos?

Las acciones de Jesús eran signos del amor que acercaba a las personas a Dios Padre. Jesús recibía a quienes se sentían solos. Alimentaba a los hambrientos. Jesús perdonaba y sanaba a las personas. De esta manera, Jesús compartía la vida de Dios con los demás. Más adelante, el Espíritu Santo dio a los Apóstoles el poder de hacer lo que Jesús había hecho.

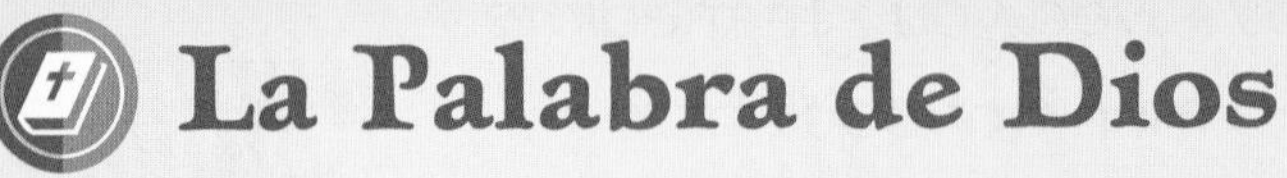

La Palabra de Dios

Jesús envía a sus Apóstoles

Después de su Resurrección, Jesús les pidió a los Apóstoles que continuaran su obra. "Vayan, pues, y hagan que todos los pueblos sean mis discípulos. Bautícenlos en el Nombre del Padre y del Hijo y del Espíritu Santo, y enséñenles todo lo que yo les he encomendado a ustedes". Mateo 28, 19-20

➔ **¿Quiénes te han enseñado acerca de Jesús?**

The Apostles gathering on the mountain where Christ sends them out to share the Good News and baptize in his name.

Signs of God's Love

What are the Sacraments?

Jesus' actions were signs of love that brought people closer to God the Father. Jesus welcomed people who felt alone. He fed people who were hungry. Jesus forgave and healed people. In these ways, Jesus shared God's life with others. Later, the Holy Spirit gave the Apostles the power to do what Jesus had done.

God's Word

The Commissioning of the Apostles

After his Resurrection, Jesus asked his Apostles to continue his work. "Go, therefore, and make disciples of all nations, baptizing them in the name of the Father, and of the Son, and of the holy Spirit, teaching them to observe all that I have commanded you." Matthew 28:19–20

➜ **Who has taught you about Jesus?**

Signos y celebraciones

La Iglesia Católica comparte la vida y el amor de Dios mediante celebraciones especiales llamadas Sacramentos. Los **Siete Sacramentos** son signos y celebraciones especiales que vienen de Jesús y que nos permiten participar de la vida de Dios.

El primer Sacramento que recibe una persona es el **Bautismo.** A través del Bautismo, se recibe el perdón y la nueva vida en Cristo. La persona se convierte en un hijo de Dios y en un miembro del Cuerpo de Cristo, la Iglesia.

En el Bautismo, un sacerdote o un diácono derrama agua sobre la cabeza de quien se bautiza y dice: "Yo te bautizo en el nombre del Padre, y del Hijo, y del Espíritu Santo". Luego se unge a la persona con óleo para marcarla para siempre con el amor de Dios. Después, recibe una vela encendida como señal de que caminará en la luz de Jesús.

Palabras católicas

Siete Sacramentos signos especiales y celebraciones que Jesús dio a su Iglesia. Nos permiten participar de la vida y la obra de Dios.

Bautismo el Sacramento en el que la persona es sumergida en agua o se le derrama agua sobre la cabeza. El Bautismo quita el Pecado Original y todos los pecados personales y convierte a la persona en un hijo de Dios y un miembro de la Iglesia.

Comparte tu fe

Piensa ¿De qué manera pueden las niñas y los niños de tu edad caminar en la luz de Jesús?

____

____

____

Comparte Habla con un compañero.

Signs and Celebrations

The Catholic Church shares God's life and love through special celebrations called Sacraments. The **Seven Sacraments** are special signs and celebrations that come from Jesus and allow us to share in God's life.

Baptism is the first Sacrament a person receives. Through Baptism, a person receives forgiveness and new life in Christ. He or she becomes a child of God and a member of Christ's Body, the Church.

In Baptism, a priest or deacon pours water over the head of the person being baptized and says, "I baptize you in the name of the Father, and of the Son, and of the Holy Spirit." The person is then anointed with oil and marked forever by God's love. Afterward, he or she receives a lit candle as a sign of walking in the light of Jesus.

Catholic Faith Words

Seven Sacraments special signs and celebrations that Jesus gave his Church. They allow us to share in God's life and work.

Baptism the Sacrament in which a person is immersed in water or has water poured on him or her. Baptism takes away Original Sin and all personal sin, and makes a person a child of God and member of the Church.

Think What is one way girls and boys your age can walk in the light of Jesus?

___

___

___

___

Share Take turns talking with a partner.

Los Siete Sacramentos

¿Cómo nos convertimos en miembros de la Iglesia?

En los Siete Sacramentos, recibimos el don de la vida y la ayuda de Dios. Esto se llama **gracia**. Jesús está presente en los Sacramentos. Él nos recibe, nos cura y nos alimenta.

En cada Sacramento, el Espíritu Santo hace cosas que no podemos ver. Pero estamos invitados a colaborar con su obra. Lo hacemos con cosas que podemos ver: nuestras palabras y nuestras acciones en la celebración. Cuando recibes los Sacramentos, crece en ti la vida de Dios. Creces en amor por Él y por los demás.

El Bautismo, la Confirmación y la Eucaristía son los **Sacramentos de la Iniciación**. *Iniciación* significa "comienzo". Estos Sacramentos dan la bienvenida a los miembros nuevos de la Iglesia Católica. Todos están invitados a seguir a Jesús y a unirse a la Iglesia.

Palabras católicas

gracia el don de Dios que nos hace participar de su vida y su ayuda

Sacramentos de la Iniciación los tres Sacramentos que celebran ser miembros de la Iglesia Católica: Bautismo, Confirmación y Eucaristía

1. Encierra en un círculo los Sacramentos que ya has recibido.
2. Dibuja un cuadrado alrededor de aquellos que recibirás pronto.

Bautismo

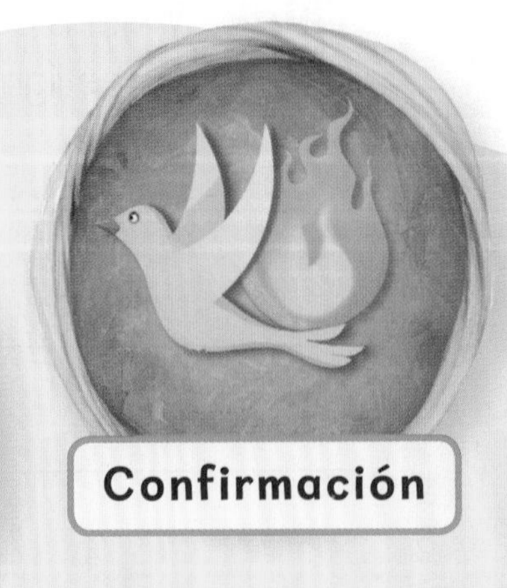

The Seven Sacraments

How do we become Church members?

In the Seven Sacraments, we receive the gift of God's life and help. This is called **grace**. Jesus is present in the Sacraments. He welcomes, heals, and feeds us.

In each Sacrament, the Holy Spirit does things that we can't see. But we are invited to cooperate with his work. We do this by things we can see: our words and actions in the celebration. When you receive the Sacraments, God's life in you grows. You grow in love for him and others.

Baptism, Confirmation, and Eucharist are the **Sacraments of Initiation**. *Initiation* means "beginning." These Sacraments welcome new members into the Catholic Church. Everyone is invited to follow Jesus and join the Church.

Catholic Faith Words

grace God's gift of a share in his life and help

Sacraments of Initiation the three Sacraments that celebrate membership in the Catholic Church: Baptism, Confirmation, and Eucharist

1. Circle the Sacraments you have already received.
2. Draw a square around the ones you will receive soon.

Baptism

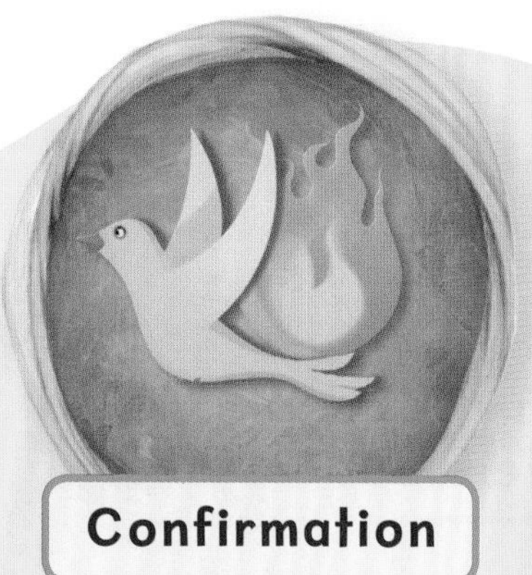

Confirmation

Eucharist

Los Sacramentos de la Iniciación

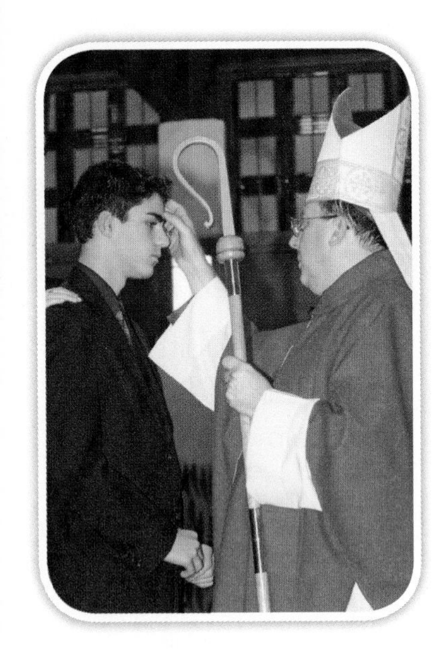

- A través del **Bautismo**, se da a la persona nueva vida en Cristo.
- En la **Confirmación**, se sella a la persona con los dones del Espíritu Santo y se la fortalece para que siga a Jesús.
- En la **Eucaristía**, el Cuerpo y la Sangre de Cristo ayudan a los discípulos a acercarse más a Él y a los demás.

Una persona puede hacerse miembro de la Iglesia Católica a cualquier edad. A veces, se reciben los tres Sacramentos de la Iniciación en la misma celebración. Otras veces, pasan muchos años entre uno y otro.

Practica tu fe

Haz una tarjeta Crea un mensaje de bienvenida para un miembro nuevo de la Iglesia. Cuéntale algo que creas que los católicos recién bautizados tienen que saber acerca de los Sacramentos y de la Iglesia.

The Sacraments of Initiation

- Through **Baptism**, a person is given new life in Christ.
- In **Confirmation**, a person is sealed with the Gifts of the Holy Spirit and strengthened to follow Jesus.
- In the **Eucharist**, the Body and Blood of Christ help disciples grow closer to him and others.

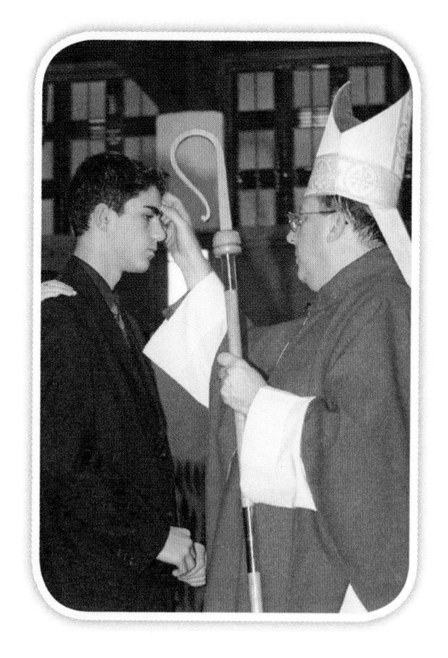

People of any age can become members of the Catholic Church. Sometimes all three Sacraments of Initiation are received in the same celebration. Other times, they are spread over many years.

Connect Your Faith

Make a Card Create a welcome message for a new Church member. Tell him or her something you think new Catholics need to know about the Sacraments and the Church.

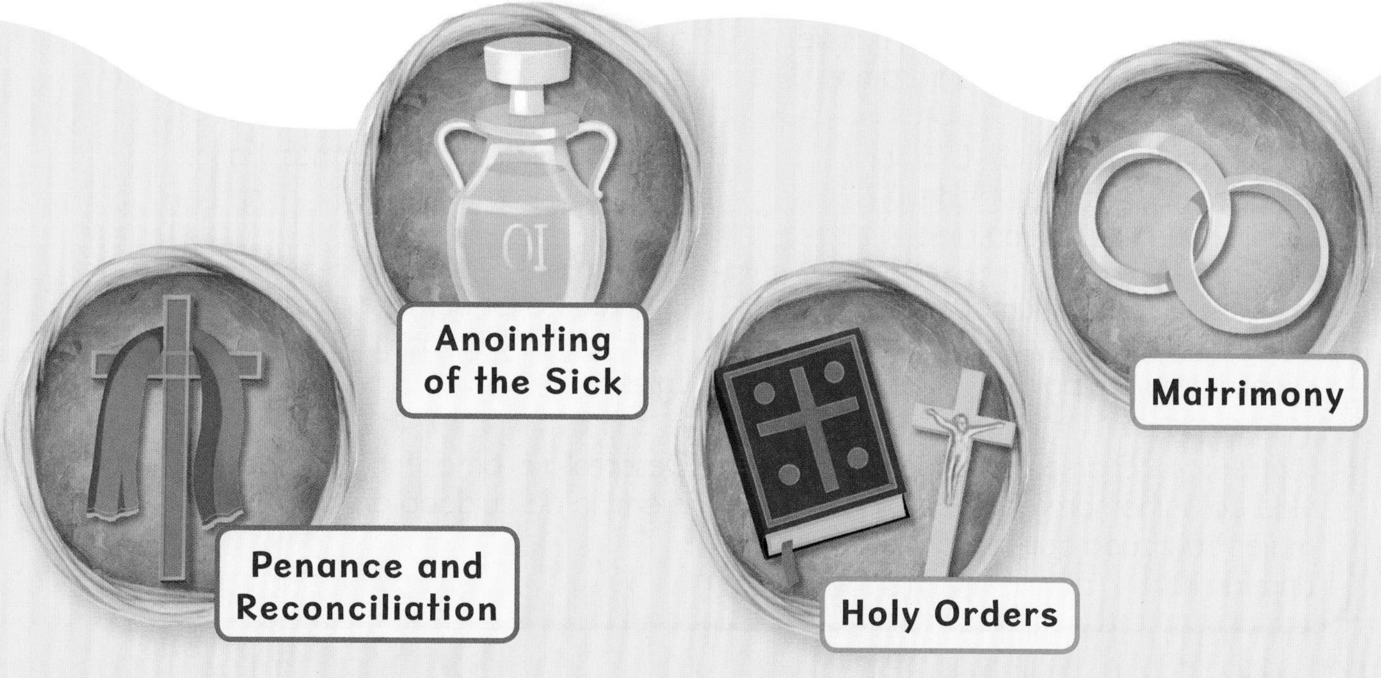

Nuestra vida católica

¿Cómo ayudan los Sacramentos a la Iglesia?

Cada uno de los Sacramentos es un signo y una celebración. En los Sacramentos, recibes gracia. La vida y el amor de Dios te ayudan a que seas más amoroso. También la gracia de los Sacramentos ayuda a toda la comunidad de la Iglesia.

Los Siete Sacramentos

Qué celebra	Cómo ayuda a la Iglesia
Bautismo Convertirse en hijos de Dios y en miembros de la Iglesia	Da la bienvenida a los nuevos miembros de la familia católica
Confirmación Recibir el sello del don del Espíritu Santo	Da a los miembros la fortaleza para seguir el ejemplo de Jesús
Eucaristía El sacrificio de Jesús y los dones de su Cuerpo y su Sangre recibidos en la Sagrada Comunión	Alimenta, cura y une a los miembros del Cuerpo de Cristo
Penitencia y Reconciliación El perdón de Dios cuando nos arrepentimos de nuestros pecados y los confesamos	Hace que las personas regresen a la Iglesia y ayuda a hacer las paces
Unción de los Enfermos El amor sanador de Dios a través de la oración y la unción con óleo	Brinda apoyo a los enfermos y a los ancianos
Orden Sagrado El llamado que recibe un hombre para ser diácono, sacerdote u obispo	Fortalece a los hombres para que sean líderes y sirvan a Dios y a la Iglesia
Matrimonio El amor para toda la vida de un hombre bautizado y una mujer bautizada que se convierten en una familia	Desarrolla el amor familiar y da un ejemplo de cuidado amoroso

Our Catholic Life

How do the Sacraments help the Church?

Each of the Sacraments is a sign and a celebration. In the Sacraments, you receive grace. God's life and love help you be more loving. The grace of the Sacraments helps the whole Church community, too.

The Seven Sacraments

What It Celebrates	How It Helps the Church
Baptism Becoming children of God and members of the Church	Welcomes new members into the Catholic family
Confirmation Being sealed with the Gift of the Holy Spirit	Gives members the strength to follow Jesus' example
Eucharist Jesus' sacrifice and the gift of his Body and Blood received in Holy Communion	Feeds, heals, and unites the members of the Body of Christ
Penance and Reconciliation God's forgiveness when we are sorry for and confess our sins	Brings people back into the Church and helps make peace
Anointing of the Sick God's healing love through prayer and anointing with oil	Gives support to people who are ill or elderly
Holy Orders The call of a man to be a deacon, priest, or bishop	Strengthens men to be leaders and to serve God and the Church
Matrimony The lifelong love of a baptized man and a baptized woman who become a new family	Builds family love and gives an example of loving care

Gente de fe

21 de agosto

San Pío X (Giuseppe Sarto), 1835–1914

Giuseppe Sarto nació en Italia. Se hizo sacerdote y maestro. Amaba a los niños y quería que todos aprendieran acerca de Jesús y de la Iglesia. Cuando lo nombraron Papa, adoptó el nombre de Pío X. Hizo muchas cosas para mostrar la importancia que tiene la Eucaristía. Animaba a los católicos a recibir la Sagrada Comunión todos los días, incluso los niños. Él sabía que los Sacramentos nos ayudan a permanecer cerca de Dios.

Comenta: ¿Cuándo te sientes cerca de Jesús?

Aprende más acerca de Pío X en **vivosencristo.osv.com**

Vive tu fe

Cuenta qué está sucediendo en la ilustración.

Dibuja una manera en la que puedas hacer que alguien se sienta bienvenido y vea el amor de Dios.

People of Faith

Saint Pius X (Giuseppe Sarto), 1835–1914

Giuseppe Sarto was born in Italy. He became a priest and a teacher. He loved children and wanted everyone to learn about Jesus and the Church. When he became Pope, he took the name Pius X. He did many things to show how important the Eucharist is. He encouraged Catholics to receive Holy Communion every day, even children. He knew the Sacraments help us stay close to God.

August 21

Discuss: When do you feel close to Jesus?

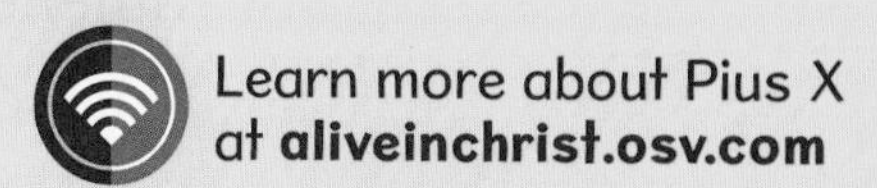

Learn more about Pius X at **aliveinchrist.osv.com**

Live Your Faith

Tell what is happening in the picture.

Draw one way you can make someone feel welcome and see God's love.

Oremos

Recordar el Bautismo

Reúnanse y empiecen con la Señal de la Cruz.

Líder: Recordemos que somos hijos de Dios. Participamos de su vida. Somos discípulos de Jesús.

Lector 1: Jesús envió a los Apóstoles a hacer discípulos a los demás, a bautizarlos y a enseñarles.

Lector 2: Pablo escribió: Los han bautizado. Ya no importa quiénes son ni de dónde vienen. El Bautismo los hace discípulos de Jesús. **Basado en Gálatas 3, 27-28**

Líder: Cuando nos bautizaron, nos marcaron con la Señal de la Cruz. Escuchen lo que nos dijeron.

"[Mis queridos niños], la comunidad cristiana los recibe a ustedes con gran alegría. En nombre de ella yo los marco con la señal de la cruz".

Ritual para el Bautismo de los niños, 41

Niño: Pasa al frente cuando oigas tu nombre. Hunde los dedos de tu mano derecha en el agua y bendícete haciendo la Señal de la Cruz.

Todos: Canten "Somos el Cuerpo de Cristo/We Are the Body of Christ"

Somos el cuerpo de Cristo.
We are the body of Christ.
Hemos oído el llamado;
we've answered "Yes" to the
call of the Lord.

Let Us Pray

Remembering Baptism

Gather and begin with the Sign of the Cross.

Leader: Let us remember that we are God's children. We share in his life. We are disciples of Jesus.

Reader 1: Jesus sent his Apostles out to make disciples of others, to baptize them and teach them.

Reader 2: Paul wrote: You have been baptized. It does not matter who you are or where you come from. Baptism makes you a disciple of Jesus. Based on Galatians 3:27–28

Leader: When we were baptized, we were marked with the Sign of the Cross. Listen to what was said.

"My dear children, the Christian community welcomes you with great joy. In its name I claim you for Christ our Savior by the sign of the cross."
Rite of Baptism, 41

Child: Come forward when your name is called. Dip the fingers of your right hand in the water and bless yourself with the Sign of the Cross.

All: Sing "The Seven Sacraments"

The Sacraments, the Seven Sacraments.
Signs that come from Jesus and
give us grace.

The Sacraments, the Seven
Sacraments. Signs that
God is with us in
a special way.

FAMILIA + FE

VIVIR Y APRENDER JUNTOS

SUS HIJOS APRENDIERON >>>

Este capítulo explica que Jesús comparte su vida con nosotros en los Siete Sacramentos. Él nos recibe, nos alimenta y nos cura.

La Palabra de Dios

Lean **Lucas 18, 35–43** para aprender acerca de un hombre que Jesús curó y de cómo esto cambió la vida de ese hombre.

Lo que creemos

- La gracia es participar de la vida de Dios y de su ayuda.
- Los Sacramentos son signos y celebraciones especiales que vienen de Jesús y nos dan la gracia.

Para aprender más, vayan al *Catecismo de la Iglesia Católica* #1145–1152 en **usccb.org**.

Gente de fe

Esta semana, su hijo conoció a San Pío X. Fue electo Papa en 1903 y a veces se le llama "El Papa de la Eucaristía".

LOS NIÑOS DE ESTA EDAD >>>

Cómo comprenden los Sacramentos Es un misterio para nosotros, adultos y niños por igual, que Dios nos invite a comunicarnos con Él en su obra. Los Siete Sacramentos tienen acciones humanas y acciones divinas: las cosas que la gente dice y hace, y lo que Dios hace a través del Sacramento.

Es posible que su hijo tienda a enfocarse solamente en las acciones humanas, en las cosas que puede ver. Es importante que guiemos a los niños en la manera como estos signos visibles nos ayudan a entender la realidad invisible, lo que Dios está haciendo en el Sacramento.

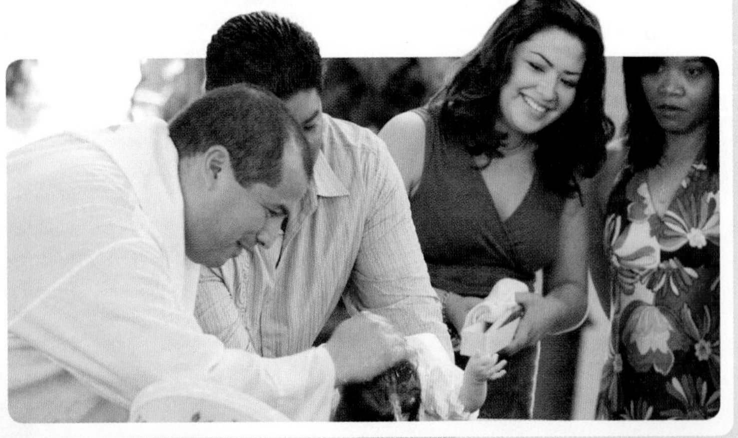

CONSIDEREMOS ESTO >>>

¿Se han sentido un poco agobiados recientemente? ¿Pareciera que las cosas a veces están fuera de control?

Como católicos, "Reconocemos que muchas veces, y de muchas maneras, el amor especial de Dios es tal que Él nos ofrece ayudarnos para vivir de tal manera que nos lleve a compartir su vida… afrontamos una lucha provocada por el entendimiento de nuestra cultura de que todo está bajo nuestro poder humano." Aprender a confiar en "la gracia… el auxilio divino" de Dios nos cambia la vida (*CCEUA, p. 350*).

HABLEMOS >>>

- Pidan a su hijo que mencione el primer Sacramento que recibimos (el Bautismo).
- Comenten acerca del Bautismo de su hijo y por qué fue especial.

OREMOS >>>

San Pío X, ruega a Dios por nosotros para que recibamos con reverencia a Jesús en la Sagrada Comunión. Amén.

Visiten **vivosencristo.osv.com** para encontrar un glosario multimedia de Palabras católicas, lecturas dominicales, y recursos de Santos y tiempos festivos.

FAMILY+FAITH

LIVING AND LEARNING TOGETHER

YOUR CHILD LEARNED >>>

This chapter explains that Jesus shares his life with us in the Seven Sacraments. He welcomes, feeds, and heals us.

God's Word

Read **Luke 18:35–43** to learn about a man Jesus healed and how it changed the man's life.

Catholics Believe

- Grace is a share in God's life and help.
- Sacraments are special signs and celebrations that come from Jesus and give grace.

To learn more, go to the *Catechism of the Catholic Church* #1145–1152 at **usccb.org**.

People of Faith

This week, your child met Saint Pius X. He was elected Pope in 1903 and is sometimes called "The Pope of the Eucharist."

CHILDREN AT THIS AGE >>>

How They Understand the Sacraments It's a mystery to us, adults and children alike, that God invites us to communicate with him in his work. The Seven Sacraments have human actions and divine actions—the things people say and do and what God does through the Sacrament.

Your child might tend to only focus on the human actions—the things he or she can see. It's important that we direct children to the ways in which these visible signs help us understand the invisible reality—what God is doing in the Sacrament.

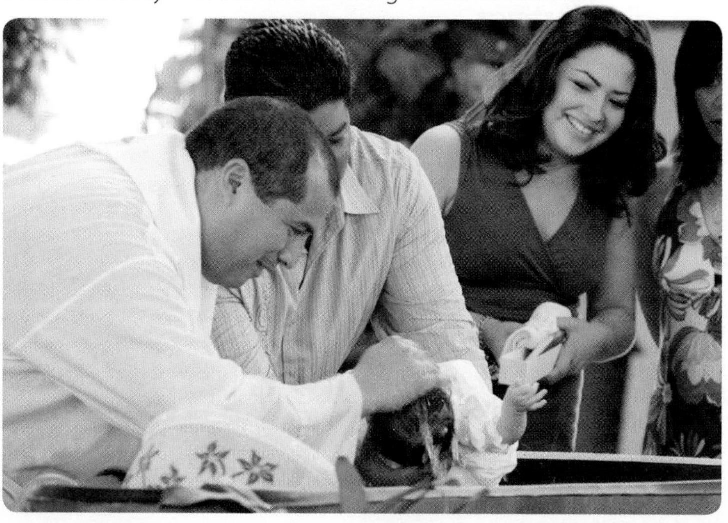

CONSIDER THIS >>>

Have you been a little overwhelmed lately? Do things sometimes seem out of control?

As Catholics, "we recognize that many times in many ways God's special love is such that he offers us help to live in a way that leads to sharing his life... we face a struggle prompted by our culture's understanding that everything is within our human power." Learning to rely on God's grace changes our lives (*USCCA, p. 329*).

LET'S TALK >>>

- Ask your child to name the first Sacrament we receive (Baptism).
- Share about your child's Baptism and how it was special.

LET'S PRAY >>>

Saint Pius X, pray to God for us that we may receive Jesus in Holy Communion with reverence. Amen.

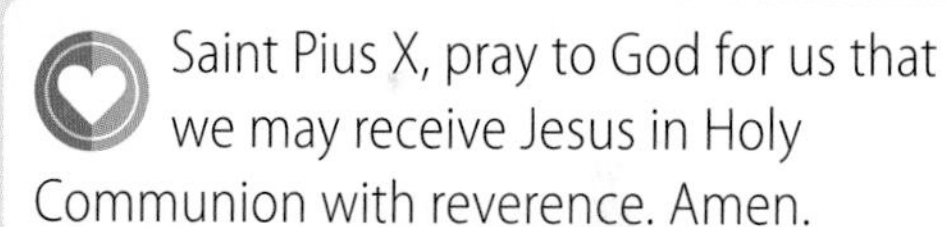

For a multimedia glossary of Catholic Faith Words, Sunday readings, seasonal and Saint resources, and chapter activities go to **aliveinchrist.osv.com**.

Capítulo 10 Repaso

A Trabaja con palabras Completa cada oración con la palabra o las palabras correctas del Vocabulario.

Vocabulario
Sacramentos
Espíritu Santo
Bautismo
amor
gracia
Iniciación

1. El Bautismo y la Eucaristía son Sacramentos de la ______________________.
2. Durante el ______________________ se derrama agua sobre la cabeza de la persona.
3. En la Confirmación, el ______________________ te hace más fuerte.
4. Participar de la vida de Dios se llama ______________________.
5. Cada Sacramento es un signo del ______________ de Dios.
6. Jesús está presente en los ______________________.

B Confirma lo que aprendiste Rellena el círculo que está junto a la respuesta correcta.

7. Los Siete Sacramentos son ____.
   - ◯ signos sagrados
   - ◯ días festivos
8. ____ están invitados a seguir a Jesús y a unirse a la Iglesia.
   - ◯ Todos
   - ◯ Algunos
9. Jesús envió a sus Apóstoles a ____ y a bautizar.
   - ◯ comer
   - ◯ enseñar
10. En el Bautismo, se entrega una ____ para mostrar la luz de Jesús.
    - ◯ vestidura blanca
    - ◯ vela

Chapter 10 Review

A **Work with Words** Complete each sentence with the correct word or words from the Word Bank.

Word Bank

Sacraments

Holy Spirit

Baptism

love

grace

Initiation

1. Baptism and Eucharist are Sacraments of ______________________.

2. During ______________________ water is poured over the person's head.

3. In Confirmation, you are made stronger by the ______________________.

4. Sharing in God's life is called ______________.

5. Each Sacrament is a sign of God's ______________.

6. Jesus is present in the ______________.

B **Check Understanding** Fill in the circle beside the correct answer.

7. The Seven Sacraments are ____.
   - ○ holy signs
   - ○ holy days

8. ____ people are invited to follow Jesus and join the Church.
   - ○ All
   - ○ Some

9. Jesus sent his Apostles out to ____ and baptize.
   - ○ eat
   - ○ teach

10. At Baptism, a ____ is given to show the light of Jesus.
    - ○ white garment
    - ○ candle

Busca el perdón

Oremos

Líder: Dios, te damos gracias por tu amor y tu perdón.

Le has perdonado a tu pueblo sus pecados y todos sus errores. Basado en el Salmo 85, 3

Todos: Te damos gracias, Dios, por tu perdón. Amén.

La Palabra de Dios

Después de volver a la vida de entre los muertos, Jesús fue a ver a los discípulos, que se habían encerrado en una habitación porque tenían miedo. "¡La paz esté con ustedes!", dijo. "... a quienes perdonen sus pecados, serán perdonados..."

Basado en Juan 20, 21. 23

¿Qué piensas?

- ¿Piensas en lo que comunican tus acciones a los demás?
- ¿Por qué para Jesús es tan importante el perdón?

Seek Forgiveness

Let Us Pray

Leader: God, we thank you for
your love and forgiveness.

You have forgiven your people's sins
and all their wrongs. Based on Psalm 85:3

All: Thank you, God, for your forgiveness.
Amen.

God's Word

After Jesus rose from the dead, he went to the disciples who were locked in a room because they were afraid. "Peace be with you," he said. "Whose sins you forgive are forgiven them..." Based on John 20:21, 23

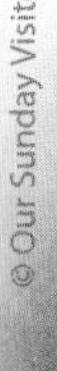

What Do You Wonder?

- Do you think about what your actions say to others?
- Why is forgiveness so important to Jesus?

Reparar las ofensas

¿Cómo puedes demostrar que estás arrepentido?

A veces, tomamos decisiones que sin querer hieren a alguien. Otras veces, herimos a los demás a propósito; elegimos pecar. En este relato, Jesús nos enseña a demostrar que estamos arrepentidos y a buscar el perdón.

Subraya lo que le dijo Jesús a la mujer después de que ella le lavara los pies.

La Palabra de Dios

La mujer que fue perdonada

Un día, Jesús estaba comiendo. Una mujer a la que no habían invitado entró en el salón y se arrodilló a los pies de Jesús. Estaba arrepentida de sus pecados. Sus lágrimas cayeron sobre los pies de Jesús. Luego ella se los secó con su largo cabello y les puso un ungüento de dulce perfume.

Jesús habló por la mujer. "Ella me ha lavado los pies con sus lágrimas y... ha derramado perfume sobre mis pies. Por eso te digo que sus numerosos pecados le quedan perdonados, por el mucho amor que ha manifestado".

Después le dijo Jesús a la mujer: "Tus pecados te quedan perdonados... Tu fe te ha salvado; vete en paz". Basado en Lucas 7, 36-39. 44-50

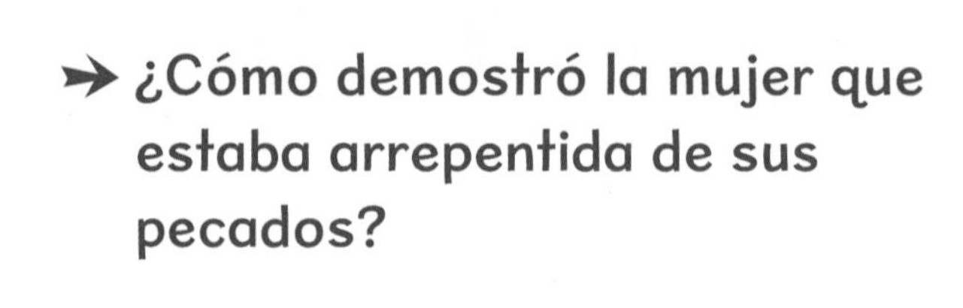

➔ ¿Cómo demostró la mujer que estaba arrepentida de sus pecados?

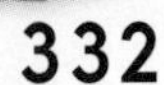

Making Things Right

How can you show you are sorry?

Sometimes we make choices that accidently hurt someone. Other times, we hurt others on purpose; we choose to sin. In this story, Jesus tells us how to show we are sorry and seek forgiveness.

 God's Word

The Woman Who Was Forgiven

One day, Jesus was having dinner. An uninvited woman came into the room and knelt at Jesus' feet. She was sorry for her sins. Her tears fell on Jesus' feet. Then she dried his feet with her long hair and poured sweet-smelling ointment on his feet.

Jesus spoke up for the woman. "She has bathed [my feet] with her tears and. . . anointed my feet with ointment. So I tell you, her many sins have been forgiven; hence, she has shown great love."

Then Jesus said to the woman, "Your sins are forgiven. . . . Your faith has saved you; go in peace." Based on Luke 7:36–39, 44–50

Underline what Jesus said to the woman after she washed his feet.

➔ **How did the woman show she was sorry for her sins?**

Examen de conciencia

Palabras católicas

examen de conciencia una manera devota de pensar cómo hemos seguido los Diez Mandamientos, las Bienaventuranzas y las enseñanzas de la Iglesia

contrición arrepentirse por los pecados cometidos y querer vivir mejor

A veces, puedes decidir desobedecer las leyes de Dios. Esto daña tu amistad con Dios y con los demás.

Puedes pedirle al Espíritu Santo que te ayude a ver dónde has tomado decisiones equivocadas. Puedes pensar en tus ideas, tus palabras y tus acciones. Esta manera devota de mirar tu vida se llama **examen de conciencia**; nos ayuda a saber si lo que hemos hecho es bueno o es malo.

Estas son algunas preguntas que puedes hacerte para examinar tu conciencia:

- ¿Puse a Dios en primer lugar en mi vida?
- ¿Usé el nombre de Dios de manera sagrada?
- ¿Respeté el domingo como un día sagrado?
- ¿Obedecí a mis padres y a mis maestros?

Después de pensar en tus pecados, puedes decirle a Dios que estás arrepentido. Luego dile que te esforzarás por vivir de acuerdo con sus Mandamientos. Esto significa que tienes **contrición** por tus pecados.

Comparte tu fe

Piensa Escribe una pregunta más que puedas usar para examinar tu conciencia.

____

____

Comparte tu respuesta con un compañero.

Examination of Conscience

You may sometimes choose not to obey God's laws. This hurts your friendship with God and others.

You can ask the Holy Spirit to help you see where you have made wrong choices. You can think about your thoughts, words, and actions. This prayerful way of looking at your life is called an **examination of conscience**. It helps us know whether what we've done is right or wrong.

Here are some questions you can think about to help you examine your conscience:

- Did I put God first in my life?
- Did I use God's name in a holy way?
- Did I keep Sunday a holy day?
- Did I obey my parents and teachers?

After you think about your sins, you can tell God that you are sorry. Then tell him you will try harder to live by his Commandments. This means you have **contrition** for your sins.

Catholic Faith Words

examination of conscience a prayerful way of thinking about how we have followed the Ten Commandments, Beatitudes, and Church teachings

contrition being sorry for your sins and wanting to live better

Share Your Faith

Think Write one more question you can use to examine your conscience.

____

____

Share your answer with a partner.

El Sacramento de la Reconciliación

¿Cómo recibimos el perdón de Dios?

Palabras católicas

Sacramento de la Penitencia y de la Reconciliación el Sacramento en el que el perdón de Dios por los pecados es administrado a través de la Iglesia

confesión contarle tus pecados al sacerdote

penitencia una oración o un acto para reparar un pecado

absolución palabras pronunciadas por el sacerdote durante el Sacramento de la Penitencia y de la Reconciliación para otorgar el perdón de los pecados en nombre de Dios

Después de examinar tu conciencia y de arrepentirte de tus pecados, estás preparado para el **Sacramento de la Penitencia y de la Reconciliación** que celebra la Iglesia. Cada vez que recibes este Sacramento, recibes el perdón de Dios y celebras tu amistad con Él y con la comunidad de la Iglesia.

Puedes participar en el Sacramento de la Reconciliación de manera individual o como parte de una celebración parroquial. De cualquiera de las dos maneras, siempre confiesas tus pecados en forma privada a un sacerdote, quien otorga el perdón en nombre de Dios. El sacerdote te ayudará si olvidas algún paso.

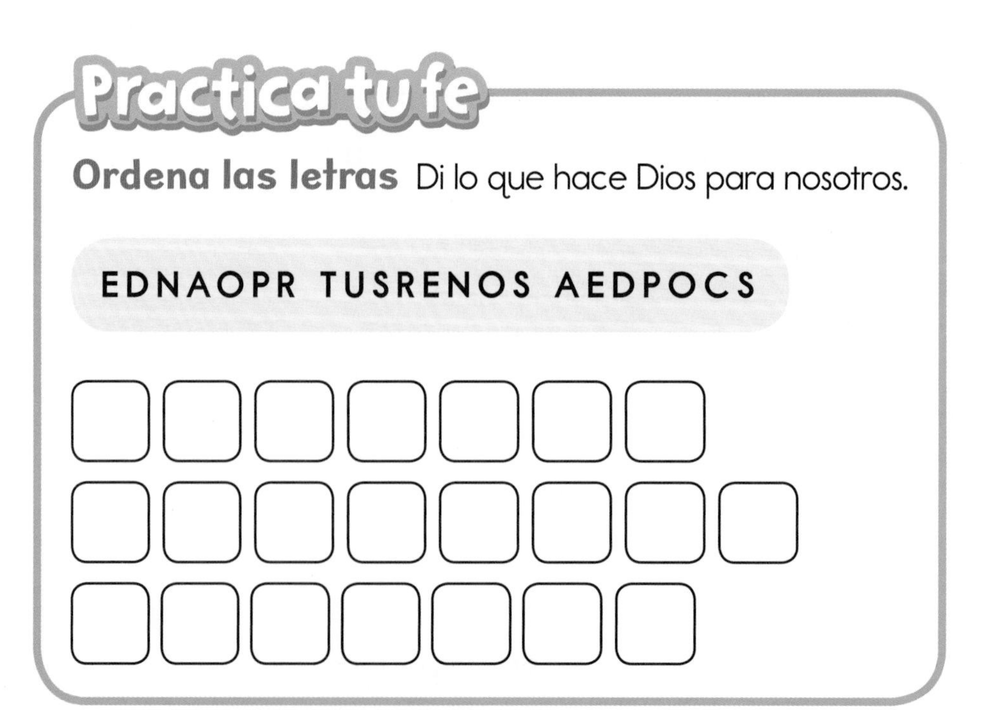

The Sacrament of Reconciliation

How do we receive God's forgiveness?

After examining your conscience and being sorry for your sins, you are ready to celebrate the Church's **Sacrament of Penance and Reconciliation**. Each time you receive this Sacrament, you receive God's forgiveness and celebrate your friendship with him and the Church community.

You can participate in the Sacrament of Reconciliation individually or as part of a parish celebration. Either way, you always confess your sins privately to a priest, who grants forgiveness in God's name. The priest will help you if you forget a step.

Catholic Faith Words

Sacrament of Penance and Reconciliation the Sacrament in which God's forgiveness for sin is given through the Church

confession telling your sins to the priest

penance a prayer or an act to make up for sin

absolution words spoken by the priest during the Sacrament of Penance and Reconciliation to grant forgiveness of sins in God's name

Connect Your Faith

Unscramble the Words Tell what God does for us.

OGVRFISE ROU SSNI

☐☐☐☐☐☐☐☐
☐☐☐
☐☐☐☐

Los pasos del Sacramento

1 Ritos de bienvenida
El sacerdote te saluda con la Señal de la Cruz.

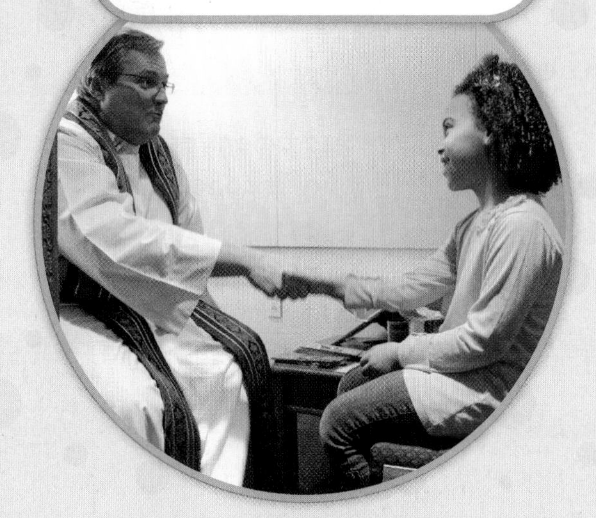

2 Lectura de la Sagrada Escritura
A veces, el sacerdote lee, o tú lees en silencio, un pasaje bíblico sobre el perdón.

3 Confesión y Penitencia
Luego le cuentas tus pecados al sacerdote. Esto se llama **confesión**. El sacerdote jamás puede contarle tus pecados a nadie. Habla contigo acerca de cómo puedes mejorar. Te da una **penitencia**.

4 Contrición Rezas la Oración del Penitente. (Busca esta oración en la página 646).

5 Absolución El sacerdote te da la **absolución**, o el perdón de tus pecados, en el nombre del Padre, del Hijo y del Espíritu Santo. (Busca el texto de esta oración en la página 640).

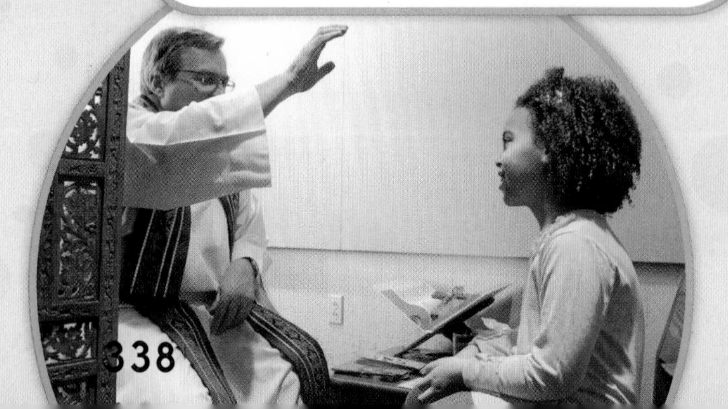

6 Despedida El sacerdote dice: "Dale gracias al Señor, porque Él es bueno". Tú dices: "Es eterna su misericordia". Te vas a hacer mejor las cosas y a reparar lo que hiciste mal.

Steps in the Sacrament

1 Welcome Rites The priest greets you with the Sign of the Cross.

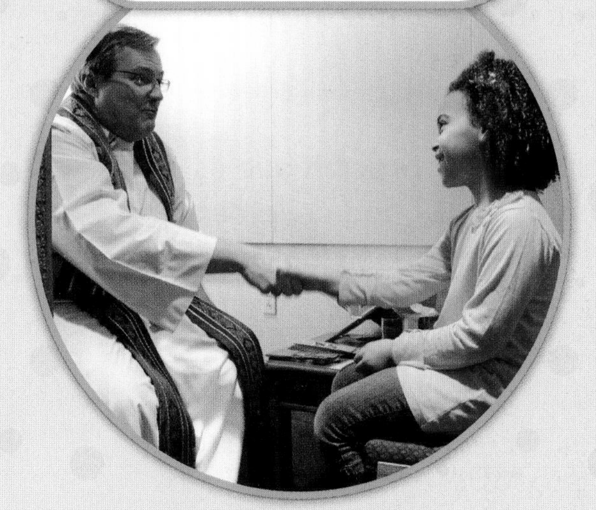

2 Scripture Reading Sometimes the priest reads, or you quietly read, a Bible passage about forgiveness.

3 Confession and Penance Next you tell your sins to the priest. This is called **confession**. He can never tell anyone your sins. He talks with you about ways you can do better. He gives you a **penance**.

4 Contrition You pray an Act of Contrition. (See page 647 for this prayer.)

5 Absolution The priest gives **absolution**, or forgiveness of your sins, in the name of the Father, the Son, and the Holy Spirit. (See page 641 for the words of this prayer.)

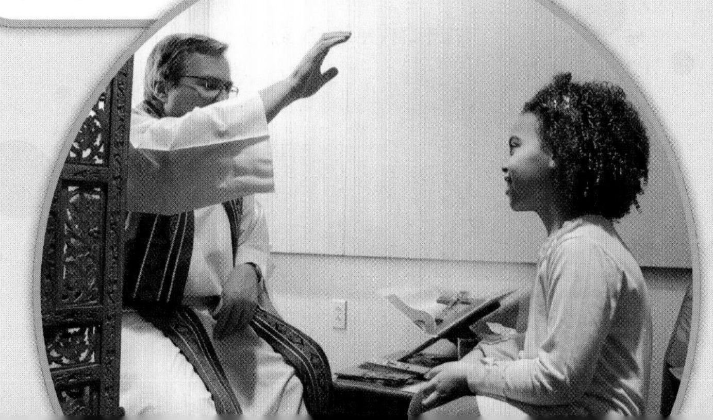

6 Closing The priest prays, "Give thanks to the Lord, for he is good." You say, "His mercy endures forever." You go out to do better and to make up for what you have done wrong.

Nuestra vida católica

¿Cómo le dices a Dios que estás arrepentido de los pecados?

La Oración del Penitente le dice a Dios que estás arrepentido de lo que hiciste y que necesitas que Él te ayude a ser mejor en el futuro.

Oración del Penitente

Une las palabras de la oración que están a la izquierda con su significado de la derecha.

Palabras de la oración	Su significado
Dios mío, me arrepiento de todo corazón	A veces, hice cosas malas a propósito. A veces, no hice las cosas buenas.
de todo lo malo que he hecho y de todo lo bueno que he dejado de hacer,	Dios, sé que he obrado mal y estoy muy arrepentido.
porque pecando te he ofendido a ti, que eres el sumo bien y digno de ser amado sobre todas las cosas.	Dios, me has pedido que te ame con todo mi corazón, toda mi alma, toda mi mente y todas mis fuerzas, y yo no lo he hecho.
Propongo firmemente, con tu gracia, cumplir la penitencia,	Jesús murió en la Cruz para salvarnos del poder del pecado.
no volver a pecar y evitar las ocasiones de pecado.	Creo en lo que Jesús nos enseñó acerca de ti; perdóname.
Perdóname, Señor, por los méritos de la pasión	Me esforzaré más por tomar mejores decisiones y me apartaré de las cosas que me alejen de ti.
de nuestro salvador Jesucristo.	Dios, te prometo rezar las oraciones y hacer lo que el sacerdote me indique. Necesito tu ayuda.

Our Catholic Life

How do you tell God you are sorry for sin?

The Act of Contrition is a prayer that tells God you are sorry for what you've done and that you need him to help you do better in the future.

Act of Contrition

Match the words of the prayer on the left with what they mean on the right.

Words of the Prayer	What They Mean
My God, I am sorry for my sins with all my heart.	Sometimes I have done wrong things on purpose. Sometimes I haven't done good things that I should have done.
In choosing to do wrong and failing to do good.	God I know I have done wrong, and I am very sorry.
I have sinned against you, whom I should love above all things.	God, you have asked me to love you with my whole heart, soul, mind, and strength, and I haven't done that.
I firmly intend, with your help, to do penance,	Jesus died on the Cross to save us from the power of sin.
to sin no more, and to avoid whatever leads me to sin.	I believe what Jesus taught us about you, his loving Father. Please forgive me.
Our Savior Jesus Christ suffered and died for us.	From now on, I will try harder to make better choices and will stay away from things that lead me from you.
In his name, my God, have mercy.	God, I promise to do the actions and say the prayers that the priest gives me. I need your help.

Gente de fe

San Benito José Labré, 1748–1783

San Benito José Labré quería ser sacerdote, pero tenía una enfermedad mental que le impidió ir a un seminario. En vez de eso, se hizo mendigo. Desde muy joven, San Benito José confesaba todo lo malo que hacía. Le pedía a Dios que lo perdonara. Luego le prometía que se esforzaría por no volver a hacer nada malo. A veces, las personas se asustaban de San Benito José porque se vestía con harapos y vivía a la intemperie. Después de que murió, se dieron cuenta de que había sido un hombre muy santo.

16 de abril

Comenta: ¿Cómo puedes esforzarte más para seguir las leyes de Dios?

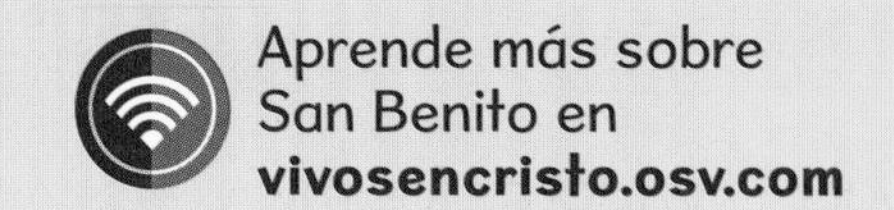

Aprende más sobre San Benito en **vivosencristo.osv.com**

Vive tu fe

Cuenta qué está sucediendo en la ilustración.

Dibuja una manera en la que puedas demostrar que estás arrepentido.

People of Faith

Saint Benedict-Joseph Labré, 1748–1783

Saint Benedict-Joseph Labré wanted to be a priest, but he had a mental disease and couldn't go to a seminary. Instead, he became a beggar. From the time he was very young, Saint Benedict-Joseph confessed all of the wrong things he did. He would ask God to forgive him. Then he would promise God he would try very hard not to do anything wrong again. Sometimes people were afraid of Saint Benedict-Joseph because he wore rags and lived outside. After he died, people realized that he was a very holy man.

April 16

Discuss: How can you try harder to follow God's laws?

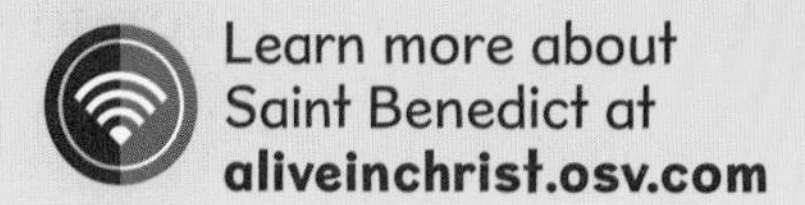

Learn more about Saint Benedict at **aliveinchrist.osv.com**

Live Your Faith

Tell what is happening in the picture.

Draw one way that you can show you're sorry.

Oremos

Oración por el perdón

Reúnanse y empiecen con la Señal de la Cruz.

Líder: Cuando no ponemos a Dios en primer lugar en nuestra vida,

Todos: Señor, ten piedad.

Líder: Cuando decidimos desobedecer a nuestros padres o a nuestros maestros,

Todos: Cristo, ten piedad.

Líder: Cuando decimos o hacemos algo para herir a los demás a propósito,

Todos: Señor, ten piedad.

Líder: Cuando tomamos algo que no es nuestro,

Todos: Cristo, ten piedad.

Líder: Cuando no decimos la verdad,

Todos: Señor, ten piedad.

Líder: Amado Señor, perdónanos. Llévanos de regreso hacia ti.

Todos: Amén.

Compartan una señal de la paz.

Canten "Toma Mi Pecado"

Toma mi pecado hoy,
mis flaquezas, lo que soy.
Límpiame, Señor,
y dame tu perdón.

Prayer for Forgiveness

Gather and begin with the Sign of the Cross.

Leader: When we don't put God first in our lives,

All: Lord, have mercy.

Leader: When we choose not to obey our parents or teachers,

All: Christ, have mercy.

Leader: When we say or do something to hurt others on purpose,

All: Lord, have mercy.

Leader: When we take something that is not ours,

All: Christ, have mercy.

Leader: When we do not tell the truth,

All: Lord, have mercy.

Leader: Loving Lord, forgive us. Bring us back to you.

All: Amen.

Share a sign of peace.

Sing "Through My Fault"

Through my fault, I choose
what's wrong. Through my fault,
your will's not done.
So, Lord, have mercy be with me.
Christ, have mercy forgive me.

FAMILIA + FE

VIVIR Y APRENDER JUNTOS

SUS HIJOS APRENDIERON >>>

Este capítulo explica cómo celebramos el Sacramento de la Penitencia y de la Reconciliación y cómo el perdón cura a las personas y nuestra relación con Dios y con la Iglesia.

La Palabra de Dios

Lean **Lucas 7, 36–39. 44–50** para aprender más sobre cómo Jesús nos invita a ver cómo practicamos el perdón.

Lo que creemos

- En el Sacramento de la Penitencia y de la Reconciliación, recibimos el perdón de Dios.
- Este Sacramento también celebra nuestra amistad con Dios y con la Iglesia.

Para aprender más, vayan al *Catecismo de la Iglesia Católica* 1422–1424 en **usccb.org**.

Gente de fe

Esta semana, su hijo conoció a San Benito José Labré, un mendigo sin hogar que fue un hombre muy santo.

LOS NIÑOS DE ESTA EDAD >>>

Cómo comprenden el Sacramento de la Reconciliación A esta edad, los niños pueden sentirse nerviosos de confesarle sus pecados a un sacerdote. Es posible que les preocupe lo que el sacerdote pensará de ellos. Díganle que es probable que el sacerdote haya escuchado todos los pecados posibles y que él no puede contarle a nadie acerca de su confesión. El sacerdote es un signo visible de Cristo y de la Iglesia, y la confesión con un sacerdote nos da la oportunidad de vivir el perdón de Dios en una manera visible. También es útil que los niños vean que sus padres reciben este Sacramento.

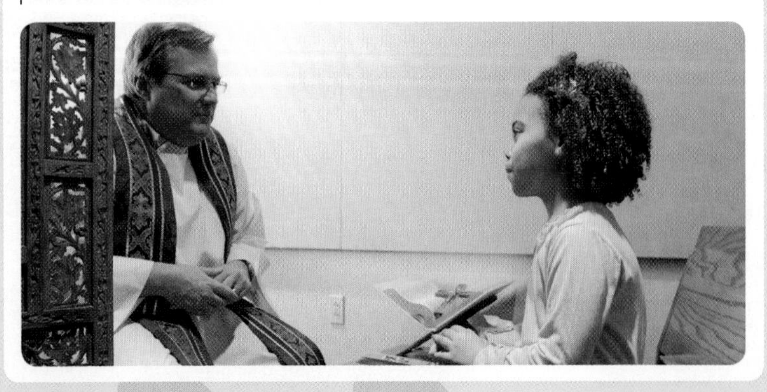

CONSIDEREMOS ESTO >>>

¿Qué nos hace creer que alguien está realmente arrepentido?

¡Qué fácil es reconocer el "dolor imperfecto" cuando ustedes deben hacer que su hijo le pida perdón a un hermano! En nuestra vida adulta se requiere de una gran confianza para creer que alguien que nos hirió está realmente arrepentido. "La contrición que surge del amor a Dios sobre todas las cosas se llama 'contrición perfecta'. Este dolor perdona los pecados veniales e incluso los pecados mortales siempre y cuando estemos decididos a confesarlos tan pronto como sea posible. Cuando otros motivos, como la fealdad del pecado o el temor a la condenación eterna, nos llevan a la confesión, esta contrición se llama 'contrición imperfecta', la cual es suficiente para el perdón en la celebración del sacramento" (*CCEUA, p. 252*).

HABLEMOS >>>

- Pidan a su hijo que describa lo que sucede en el Sacramento de la Penitencia y de la Reconciliación (confesión, penitencia, contrición y absolución).
- Hablen acerca de cómo su familia pide y recibe el perdón.

OREMOS >>>

Querido Dios, te pedimos perdón por todo lo malo que hemos hecho y, con tu ayuda, prometemos mejorar en el futuro. San Benito José Labré, ruega por nosotros. Amén.

Visiten **vivosencristo.osv.com** para encontrar más recursos y actividades.

FAMILY+FAITH

LIVING AND LEARNING TOGETHER

YOUR CHILD LEARNED >>>

This chapter explains how we celebrate the Sacrament of Penance and Reconciliation and how forgiveness heals people and relationships with God and the Church.

God's Word

Read **Luke 7:36–39, 44–50** to learn more about how Jesus invites us to look at how we forgive.

Catholics Believe

- In the Sacrament of Penance and Reconciliation, you receive God's forgiveness.
- This Sacrament also celebrates your friendship with God and the Church.

To learn more, go to the *Catechism of the Catholic Church* #1422–1424 at **usccb.org**.

People of Faith

This week, your child met Saint Benedict-Joseph Labré, a homeless beggar who was a very holy man.

CHILDREN AT THIS AGE >>>

How They Understand the Sacrament of Reconciliation
Children at this age might feel nervous about confessing their sins to a priest. They might worry about what the priest will think of them. Tell them that the priest has likely heard every sin confessed and cannot talk to anyone about their confession. The priest is a visible sign of both Christ and the Church, and confession to a priest gives us a chance to experience God's forgiveness in a way that we can see. It's also helpful for children to see a parent receive this Sacrament.

CONSIDER THIS >>>

What makes you believe that someone is truly sorry?

How easy it is to tell "imperfect sorrow" when you have to direct your child to tell his sister he is sorry! In our adult lives it takes great trust to believe that who hurt you is truly sorry. "Contrition that arises from the love of God above all else is called 'perfect contrition.' This loving sorrow remits [forgives] venial sins and even mortal sins so long as we resolve to confess them as soon as possible. When other motives, such as the ugliness of sin or fear of damnation, bring us to confession, this is called 'imperfect contrition,' which is sufficient for forgiveness in the Sacrament" (*USCCA, pp. 237–238*).

LET'S TALK >>>

- Ask your child to describe what happens in the Sacrament of Penance and Reconciliation (confession, penance, contrition, and absolution).
- Talk about ways your family asks for and gives forgiveness.

LET'S PRAY >>>

Dear God, we are sorry for all that we have done wrong, and with your help, we promise to do better in the future. Saint Benedict-Joseph Labré, pray for us. Amen.

Visit **aliveinchrist.osv.com** for additional resources and activities.

Capítulo 11 Repaso

A **Trabaja con palabras** Completa cada oración con la palabra correcta del Vocabulario.

Vocabulario

penitencia

perdón

absolución

Reconciliación

1. La ____________________ son las palabras pronunciadas por el sacerdote durante el Sacramento de la Penitencia para otorgar el perdón de los pecados en nombre de Dios.

2. En el Sacramento de la ____________________, se da el perdón de los pecados a través de la Iglesia.

3. Una ____________________ es una oración o un acto para reparar un pecado.

4. El Sacramento de la Penitencia celebra el ____________________ de Dios.

B **Confirma lo que aprendiste** Ordena los pasos del Sacramento de la Reconciliación numerándolos del 1 al 6.

5. Paso ☐ El sacerdote me perdona los pecados en el nombre del Padre, del Hijo y del Espíritu Santo.

6. Paso ☐ Leo o escucho un relato acerca del perdón.

7. Paso ☐ El sacerdote me saluda con la Señal de la Cruz.

8. Paso ☐ Trato de hacer mejor las cosas y de reparar mis pecados.

9. Paso ☐ Rezo la Oración del Penitente.

10. Paso ☐ Me confieso con el sacerdote y recibo una penitencia.

Chapter 11 Review

A Work with Words Complete each sentence with the correct word from the Word Bank.

Word Bank

- penance
- forgiveness
- absolution
- Reconciliation

1. ____________________ are the words spoken by the priest during the Sacrament of Penance to grant forgiveness of sins in God's name.

2. In the Sacrament of ____________________, forgiveness for sin is given through the Church.

3. A ____________________ is a prayer or an act to make up for sin.

4. The Sacrament of Penance celebrates God's ____________________.

B Check Understanding Put the steps of the Sacrament of Reconciliation in order using numbers 1 through 6.

5. Step ☐ The priest forgives my sins in the name of the Father, the Son, and the Holy Spirit.

6. Step ☐ I read or listen to a story of forgiveness.

7. Step ☐ The priest greets me with the Sign of the Cross.

8. Step ☐ I try to do better and make up for my sins.

9. Step ☐ I pray an Act of Contrition.

10. Step ☐ I confess to the priest and receive a penance.

El año litúrgico

Oremos

Líder: Padre generoso, te damos gracias a diario por todo lo que nos das.

"Que mi alma alabe al Señor y proclame todas sus maravillas...
En ti me alegraré y me regocijaré, y cantaré en tu Nombre, oh Altísimo". Salmo 9, 2-3

Todos: Te alabamos, Dios Todopoderoso, por los siglos de los siglos. Amén.

La Palabra de Dios

"Los padres de Jesús iban todos los años a Jerusalén para la fiesta de la Pascua. Cuando Jesús cumplió los doce años, subió también con ellos a la fiesta, pues así había de ser".
Lucas 2, 41-42

¿Qué piensas?

- ¿Por qué celebramos las mismas cosas todos los años?
- ¿Cuál es la celebración más importante del año litúrgico?

The Church Year

Let Us Pray

Leader: Giving Father, we thank you every day for all that you give us.

"I will praise you, LORD, with all my heart;
I will declare all your wondrous deeds.
I will delight and rejoice in you;
I will sing hymns to your name, Most High." Psalm 9:2–3

All: We praise you, Almighty God, forever and ever. Amen.

God's Word

"Each year his parents went to Jerusalem for the feast of Passover, and when he was twelve years old, they went up according to festival custom." Luke 2:41–42

What Do You Wonder?

- Why do we celebrate the same things every year?
- What's the most important celebration in the Church year?

Celebrar los tiempos

¿Qué tiempos se celebran en el año litúrgico?

Durante el año, la **liturgia**, u oración pública, de la Iglesia celebra los acontecimientos de la vida de Jesús. En su **culto**, la Iglesia alaba a Dios y celebra la luz de Jesús durante todo el año litúrgico.

Palabras católicas

liturgia la oración pública de la Iglesia. Incluye los Sacramentos y formas de oración diaria.

culto adorar y alabar a Dios, especialmente en la liturgia y en oración

Adviento

Durante las cuatro semanas de Adviento, la Iglesia se prepara para celebrar el nacimiento de Jesús. Le dices a Dios que quieres amarlo mejor a Él y amar mejor a los demás. Así como las estaciones del año tienen colores diferentes, también los tienen los tiempos de la Iglesia. El color del Adviento es el violeta. Es un signo de que el corazón se prepara y cambia.

Los niños celebran la fiesta de la Epifanía vistiéndose como María, José y los reyes magos.

Celebrate the Seasons

What seasons are celebrated in the Church year?

During the Church year the **liturgy**, or public prayer, celebrates the events in the life of Jesus. In her **worship**, the Church praises God and celebrates the light of Jesus throughout the Church year.

Advent

During the four weeks of Advent, the Church gets ready to celebrate Jesus' birth. You tell God that you want to get better at loving him and others. Just as the seasons of the year have different colors, so do the Church's seasons. The color for Advent is violet. It is a sign of getting ready and change of heart.

Catholic Faith Words

liturgy the public prayer of the Church. It includes the Sacraments and forms of daily prayer.

worship to adore and praise God, especially in the liturgy and in prayer

Children celebrate the feast of Epiphany by dressing up as Mary, Joseph, and the three wise men.

Navidad

Las tres semanas del tiempo de Navidad celebran la presencia de Jesús en el mundo. El Hijo de Dios vino para que todas las personas pudieran conocer el amor de su Padre. Las celebraciones de Navidad ayudan a que la gente ame más a Jesús y a los demás. Los colores del tiempo de Navidad son el blanco o el dorado. Son un signo de gran alegría.

Subraya lo que celebra la Iglesia durante la Navidad.

La azucena es un signo de alegría, esperanza y vida. Nos recuerda cómo crecemos en Cristo.

Tiempo Ordinario

El Tiempo Ordinario ocurre dos veces durante el año litúrgico. La primera vez viene después del tiempo de Navidad. La segunda es después del tiempo de Pascua. Durante estas épocas, aprendes más acerca de Jesús y creces como seguidor suyo. El color del tiempo es el verde porque es el color del crecimiento.

Comparte tu fe

Piensa ¿En qué tiempo se encuentra la Iglesia ahora? Escribe una manera en la que celebrarás.

____

____

____

Comparte Habla de tu respuesta con un compañero.

Christmas

The three weeks of the Christmas season celebrate Jesus' presence in the world. The Son of God came so all people could know his Father's love. The Christmas celebrations help people love Jesus and other people more. White or gold are the colors for the Christmas season. They are a sign of great joy.

Underline what the Church celebrates during Christmas.

Ordinary Time

Ordinary Time comes twice during the Church year. The first time comes after the Christmas season. The second is after the Easter season. During these times, you learn more about Jesus and grow as his follower. Green is the season's color because it is the color of growth.

The lily is a sign of joy, hope, and life. It reminds us of how we grow in Christ.

Share Your Faith

Think What season is the Church in now? Write one way you will celebrate this season.

____

____

____

Share Talk about your answer with a partner.

Voluntarios muestran su amor a Dios y al prójimo ayudando a los demás durante la Cuaresma.

Celebrar a Jesús

¿Cuál es la fiesta más importante del año?

Cuaresma

El tiempo de Cuaresma es una preparación para la importante fiesta de la Pascua. Durante cuarenta días y seis domingos, el color de la Iglesia es el violeta. Igual que en el Adviento, te piden que hagas cambios que te ayuden a acercarte más a Jesús. Es un momento especial para mostrarle a Dios que estás arrepentido y completamente centrado en Él. Deberás orar más seguido y ayudar a los demás.

Los Tres Días

Los tres días anteriores a la Pascua son los días más sagrados del año litúrgico. El Jueves Santo, la Iglesia celebra el don de la Eucaristía que nos dio Jesús en la Última Cena. Es una ocasión feliz, un momento de alegría, así que el color es el blanco.

Palabras católicas

Resurrección el acto por el cual Dios Padre, a través del poder del Espíritu Santo, hace que Jesús regrese de la Muerte a una nueva vida

Volunteers show their love for God and neighbors by helping others during Lent.

Celebrating Jesus

What is the greatest feast of the year?

Lent

The Season of Lent is a preparation for the important feast of Easter. For forty days and six Sundays, the Church's color is violet. As during Advent, you are asked to make changes that will help you grow closer to Jesus. It's a special time to show God you are sorry and fully focused on him. You are to pray more often and help others.

The Three Days

The three days before Easter are the holiest days of the Church year. On Holy Thursday, the Church celebrates Jesus' gift of the Eucharist at the Last Supper. It is a happy occasion, a time of joy, so the color is white.

Catholic Faith Words

Resurrection the event of Jesus being raised from Death to new life by God the Father through the power of the Holy Spirit

El Viernes Santo, la Iglesia da gracias a Jesús como Salvador. El color es el rojo, porque Jesús murió por todas las personas. La noche del Sábado Santo empieza la celebración de la Pascua. Para esta fiesta de júbilo, el color es el blanco.

Pascua

Todos los domingos, la Iglesia celebra la **Resurrección**, cuando Jesús regresó a la vida de entre los muertos. Pero cada año la Iglesia celebra también la Resurrección de Jesús durante cincuenta días desde la Pascua hasta Pentecostés. La Pascua es la fiesta más importante del año litúrgico. El color de este tiempo es el blanco.

Los diez últimos días de este tiempo celebran la promesa que hizo Jesús de enviar al Espíritu Santo. Pentecostés es la celebración de la venida del Espíritu Santo a los Apóstoles, a María y a los demás discípulos. Para esta fiesta, se usa el color rojo como señal del poder del Espíritu Santo.

➔ **¿Por qué te parece que la Pascua es la fiesta más importante del año litúrgico?**

Practica tu fe

Decora la cruz y colorea la palabra que está arriba de ella.

On Good Friday, the Church gives thanks to Jesus as Savior. The color is red because Jesus died for all people. Holy Saturday evening begins the Easter celebration. For this joyous feast, the color is white.

Easter

Every Sunday, the Church celebrates the **Resurrection**, when Jesus was raised from the dead. But each year, the Church also celebrates the Resurrection of Jesus for fifty days from Easter to Pentecost. Easter is the greatest feast of the Church year. The color during this season is white.

The last ten days of this season celebrate Jesus' promise to send the Holy Spirit. Pentecost is the celebration of the Holy Spirit coming to the Apostles, Mary, and other disciples. For this feast, the color red is used as a sign of the power of the Holy Spirit.

➜ **Why do you think Easter is the greatest feast of the Church year?**

Connect Your Faith

Decorate the cross and color in the word above it.

Nuestra vida católica

¿Cómo sabes qué tiempo litúrgico es?

También tu familia parroquial usa colores para celebrar los tiempos y las fiestas de la Iglesia. Estos son algunos lugares en los que puedes ver los colores litúrgicos en tu parroquia.

Completa los espacios en blanco para describir las palabras de la izquierda.

Vestiduras	Las **t**__**n**__**c**__**s** especiales que usan el sacerdote y el diácono para la **M**____**a**
Colgaduras del altar	El mantel que se coloca encima del altar es siempre **bl**__**n**__**o**, pero a veces también se cuelga otro paño del color litúrgico alrededor del __**l**__**a**__.
Estandartes	Como las **b**__**nd**__**r**__**s**, estos coloridos **t**__**p**__**c**__**s** se pueden llevar en procesión.
Flores y plantas	Las flores y las plantas que **d**__**c**__**r**____ la iglesia te ayudan a saber qué __**ie**__**p**__ es.

Our Catholic Life

How do you know what Church season it is?

Your parish family uses colors to celebrate the Church's seasons and feasts, too. Here are some places you may see colors of the season used in your parish church.

Fill in the blanks to describe the words on the left.

	Vestments	The special **r**☐**b**☐**s** worn by the priest and the deacon for **M**☐☐**s**
	Altar Hangings	The cloth on top of the altar is always **w**☐**i**☐**e**, but sometimes another drape in the color of the season also hangs on the ☐**l**☐**a**☐.
	Banners	Like **f**☐**a**☐**s**, these colorful **h**☐**n**☐**i**☐**gs** can be carried in procession.
	Flowers and Plants	Flowers and plants that **d**☐**c**☐**r**☐☐**e** the church can help you tell what ☐**ea**☐**o**☐ it is.

Gente de fe

28 de julio

Papa San Víctor, m. 199

El Papa San Víctor fue el primer Papa de África. En aquella época, las personas no podían ponerse de acuerdo sobre cuándo celebrar la Pascua. Necesitaban saber cuál era el día de la Pascua para planear los tiempos del año litúrgico. El Papa Víctor y los obispos decidieron que debía celebrarse en domingo. Él sabía también que era importante que las personas pudieran entender la Misa, que se decía solamente en latín. Declaró que la Misa debía decirse en el idioma de la gente, así, hoy en día, la Misa se dice en muchos idiomas, incluido el latín.

Comenta: ¿Qué idiomas has oído en la Misa?

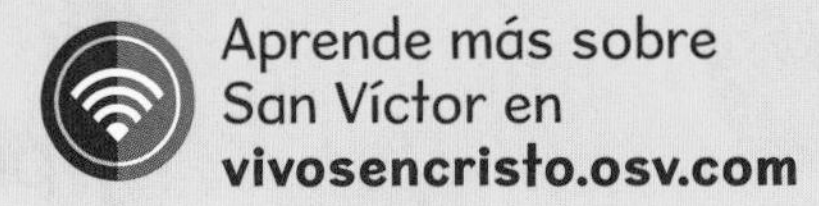

¿Cómo celebras?

Elige un tiempo litúrgico y dibuja con el color de ese tiempo la forma en que tu familia lo celebra.

People of Faith

July 28

Pope Saint Victor, d. 199

Pope Saint Victor was the first Pope from Africa. When he was Pope, people couldn't agree when to celebrate Easter. They needed to know the day of Easter to plan the seasons of the Church year. Pope Victor and the bishops decided that it must be celebrated on Sunday. He also knew it was important for people to be able to understand the Mass, which was only said in Latin. He declared that the Mass should be said in the language of the people, and today the Mass is said in many languages, including Latin.

Discuss: What languages have you heard at Mass?

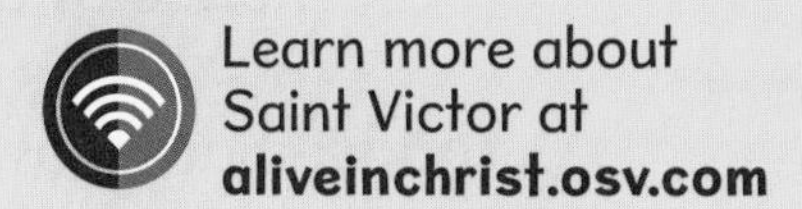
Learn more about Saint Victor at **aliveinchrist.osv.com**

Live Your Faith

How Do You Celebrate?
Choose a Church season and draw how your family celebrates it using the color of the season.

Oremos

Bendigamos al Dios de los tiempos

Reúnanse y empiecen con la Señal de la Cruz.

Líder: Dios, Padre nuestro, te damos gracias por toda la belleza del mundo y por la felicidad que nos das.

Lector 1: Te alabamos por tu luz del día y por tu palabra que nos ilumina la mente.

Lector 2: Te alabamos por nuestra Tierra y por todos los pueblos que hay en ella.

Todos: Sabemos que eres bueno. Tú nos amas y haces grandes cosas por nosotros.

Canten "Canto de Toda Criatura"

Cantan todos tus santos
con amor y bondad,
cantan todos alegres,
te vienen a adorar.
Cantan todos los montes
y las sierras, Señor,
cantan los pajaritos
de tu gran amor.

Bless the God of Seasons

Gather and begin with the Sign of the Cross.

Leader: God our Father, we thank you for all that is beautiful in the world and for the happiness you give us.

Reader 1: We praise you for your daylight and your word which gives light to our minds.

Reader 2: We praise you for our Earth and all the people on it.

All: We know that you are good.
You love us and do great things for us.

Sing "A Circle of Colors"

It's a circle of colors painting the Church year
with reminders of the love God has for you.
The white and golds of Christmas
and Easter. Pretty purples at
Advent and Lent.
Red at Pentecost and to honor
the Holy Spirit.
Ordinary Time's alive with greens.
Each color chosen for
a special reason.
A circle of colors through
the seasons.

Text and music by Chet A. Chambers.

FAMILIA + FE

VIVIR Y APRENDER JUNTOS

SUS HIJOS APRENDIERON >>>

Este capítulo explora cómo los tiempos de la Iglesia celebran la vida, la Muerte, la Resurrección y la Ascensión de Jesús.

La Palabra de Dios

Lean **Lucas 2, 41–42** para ver cómo las personas escuchaban lo que Jesús decía.

Lo que creemos

- El año litúrgico celebra la vida, la Muerte, la Resurrección y la Ascensión de Jesús.
- La Resurrección es el misterio de la vuelta a la vida de Jesús de entre los muertos.

Para aprender más, vayan al *Catecismo de la Iglesia Católica* 1188–1195 en **usccb.org**.

Gente de fe

Esta semana, su hijo conoció a San Víctor. San Víctor fue uno de los primeros Papas y determinó que la Pascua debía celebrarse siempre en domingo.

CONSIDEREMOS ESTO >>>

¿Tienen tradiciones familiares en su hogar que celebren los tiempos litúrgicos de la Iglesia?

Todas las tradiciones les dan a niños y adultos por igual una profunda sensación de continuidad y arraigo. Las tradiciones que comunican la presencia de Dios en nuestra vida nos acercan aún más a Dios y a nuestra Iglesia. "En el año litúrgico, la Iglesia celebra la totalidad del misterio de Cristo, desde la Encarnación hasta Pentecostés y la ansiosa espera de la segunda venida de Cristo... La presencia de Cristo Resucitado y de su obra salvífica impregna todo el año litúrgico: al Adviento, la Navidad, la Cuaresma, la Pascua y el Tiempo Ordinario" (*CCEUA, p. 185*).

LOS NIÑOS DE ESTA EDAD >>>

Cómo comprenden el año litúrgico Los niños de esta edad tienen mayor conciencia de los tiempos y los días especiales del año. Ellos comprenden en qué día del año será su cumpleaños, o celebrarán la Navidad o la Pascua. Es posible que se les hayan escapado los sutiles indicadores de los cambios en el año litúrgico, como los cambios de color en las vestiduras y la decoración de la iglesia, pero pueden comenzar a identificarlos con ayuda. Muestren a su hijo las veces en que algo haya cambiado en la iglesia para indicar un cambio en el tiempo litúrgico. Vean si su hijo les puede decir qué es diferente.

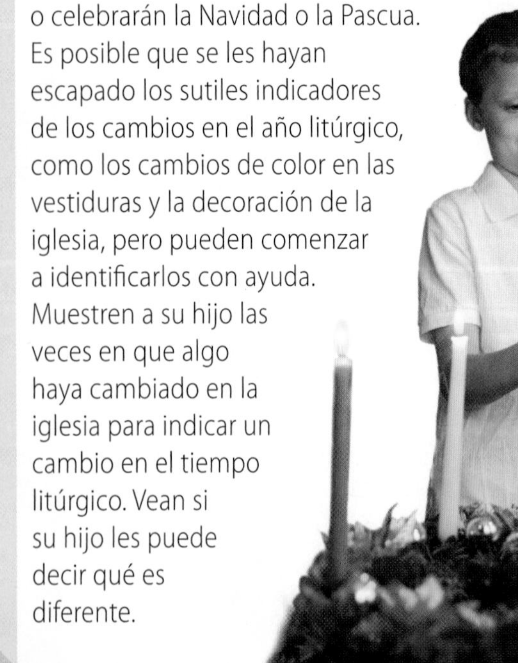

HABLEMOS >>>

- Pidan a su hijo que mencione un tiempo litúrgico y qué celebramos en esa ocasión.
- Compartan un recuerdo especial de la infancia acerca de un tiempo o día festivo, y comenten maneras en que su familia puede celebrar el tiempo actual.

OREMOS >>>

San Víctor, ayúdanos a recordar siempre la importancia de la Pascua. Amén.

Visiten **vivosencristo.osv.com** para encontrar un glosario multimedia de Palabras católicas, lecturas dominicales, y recursos de Santos y tiempos festivos.

FAMILY+FAITH

LIVING AND LEARNING TOGETHER

YOUR CHILD LEARNED >>>

This chapter explores how the seasons of the Church year celebrate the life, Death, Resurrection, and Ascension of Jesus.

God's Word

Read **Luke 2:41–42** to see how people listened to what Jesus said.

Catholics Believe

- The Church year celebrates the life, Death, Resurrection, and Ascension of Jesus.
- The Resurrection is the mystery of Jesus being raised from the dead.

To learn more, go to the *Catechism of the Catholic Church* #1188–1195 at **usccb.org**.

People of Faith

This week, your child met Saint Victor. An early Pope, Victor determined that Easter must always be celebrated on a Sunday.

CHILDREN AT THIS AGE >>>

How They Understand the Church Year Children at this age have grown in their awareness of special seasons and times of year. They understand at what time of year they will have a birthday or celebrate Christmas or Easter. They might have missed some of the more subtle indicators of changes in the Church year, like changes in color of vestments and church decor, but can begin to identify them with some help. Point out to your child the times when something has changed in the church to mark a change in the Church year. See if your child can tell you what is different.

CONSIDER THIS >>>

Do you have family traditions in your home that celebrate the Church seasons?

All traditions give children and adults alike a deep sense of continuity and rootedness. Traditions that communicate God's presence in our lives draw us ever closer to God and our Church. "In the Liturgical Year, the Church celebrates the whole mystery of Christ from the Incarnation until the day of Pentecost and the expectation of Christ's second coming… The presence of the Risen Lord and his saving work permeates the entire Liturgical Year: Advent, the Christmas season, Lent, the Easter season, and Ordinary Time" (*USCCA p. 173*).

LET'S TALK >>>

- Ask your child to name one Church season and what we celebrate during that time.
- Share a special childhood memory about a season or feast day, and discuss some ways your family can celebrate the current season.

LET'S PRAY >>>

Saint Victor, help us to always remember the importance of Easter. Amen.

For a multimedia glossary of Catholic Faith Words, Sunday readings, seasonal and Saint resources, and chapter activities go to **aliveinchrist.osv.com**.

Capítulo 12 Repaso

A **Trabaja con palabras** **Escribe junto a la descripción de cada tiempo la letra usada para ese tiempo en el Vocabulario.**

Vocabulario

a. Adviento

b. Navidad

c. Cuaresma

d. Tiempo Ordinario

e. Pascua

1. ☐ Tres semanas de alegría que celebran el nacimiento de Jesús y su presencia en el mundo

2. ☐ El tiempo que ocurre dos veces durante el año

3. ☐ Cuatro semanas de preparación para celebrar el nacimiento de Jesús y su presencia con nosotros

4. ☐ El tiempo que celebra la Resurrección de Jesús

5. ☐ Cuarenta días de oración y de ayuda a los demás como una manera de prepararse para la Pascua

B **Confirma lo que aprendiste** **Escribe V si la oración es VERDADERA. Escribe F si la oración es FALSA.**

6. ☐ Los carteles son túnicas especiales que usa el sacerdote.

7. ☐ El mantel que se coloca encima del altar es blanco.

8. ☐ Las flores y las plantas que decoran la iglesia te ayudan a saber qué tiempo es.

9. ☐ Los tiempos de la Iglesia tienen colores diferentes.

10. ☐ Todos los años la Iglesia celebra Pentecostés sesenta días después de Navidad.

Chapter 12 Review

A **Work with Words** Write the letter of the correct season from the Word Bank next to the description of the season.

Vocabulario

a. Advent
b. Christmas
c. Lent
d. Ordinary Time
e. Easter

1. ☐ Three weeks of joy that celebrate Jesus' birth and presence in the world
2. ☐ The season that comes twice during the year
3. ☐ Four weeks of getting ready to celebrate Jesus' birth and presence with us
4. ☐ The season that celebrates Jesus' Resurrection
5. ☐ Forty days of praying and helping others as a way to prepare for Easter

B **Check Understanding** Write T if the sentence is TRUE. Write F if the sentence is FALSE.

6. ☐ Banners are special robes worn by the priest.
7. ☐ The cloth on top of the altar is white.
8. ☐ Flowers and plants that decorate the church can help you tell what season it is.
9. ☐ The Church's seasons have different colors.
10. ☐ Each year the Church celebrates Pentecost sixty days after Christmas.

Repaso de la Unidad

A **Trabaja con palabras** Completa cada oración con la palabra correcta del Vocabulario.

Vocabulario

- Sacramentos
- gracia
- liturgia
- absolución
- contrición

1. La ________________ es la oración pública de la Iglesia.
2. Los ________________________ son signos y celebraciones especiales de Jesús que nos dan vida.
3. La ___________________________ es estar arrepentido por los pecados y querer mejorar.
4. La ________________ es participar de la vida y la obra de Dios.
5. La ______________________ son las palabras pronunciadas por el sacerdote durante el Sacramento de la Penitencia para otorgar el perdón de los pecados en nombre de Dios.

B **Comprueba lo que aprendiste** Dibuja una línea que una la oración de la Columna A con la respuesta correcta de la Columna B.

Columna A	Columna B
6. Resurrección significa	el perdón de Dios
7. El Pentecostés celebra	el nacimiento de Jesús
8. El primer Sacramento que recibimos es	que Jesús volvió a la vida de entre los muertos
9. El Sacramento de la Reconciliación da	la venida del Espíritu Santo
10. La Navidad celebra	el Bautismo

Unit Review

A Work with Words

Complete each sentence with the correct word from the Word Bank.

Word Bank

- Sacraments
- grace
- liturgy
- absolution
- contrition

1. The ________________ is the public prayer of the Church.
2. ________________ are special signs and celebrations from Jesus that give us life.
3. ________________ is being sorry for sin and wanting to live better.
4. ________________ is sharing in the life and work of God.
5. ________________ are the words spoken by the priest during the Sacrament of Penance to grant forgiveness of sins in God's name.

B Check Understanding

Draw a line from the sentences in Column A to the correct answers in Column B.

Column A	Column B
6. The word Resurrection means	God's forgiveness
7. Pentecost celebrates	Jesus' birth
8. The first Sacrament we receive is	Jesus rose from the dead
9. The Sacrament of Reconciliation gives	the coming of the Holy Spirit
10. Christmas celebrates	Baptism

Repaso de la Unidad

Escribe la letra V si la oración es VERDADERA. Escribe la letra F si la oración es FALSA.

11. ☐ En los Sacramentos, recibes la gracia.

12. ☐ La gracia es una participación en la propia vida y ayuda de Dios.

13. ☐ La Confirmación es el primer Sacramento que recibes.

14. ☐ Puedes recibir el Sacramento de la Penitencia y de la Reconciliación solamente una vez.

15. ☐ Un sacerdote no puede hablar con nadie acerca de tu confesión.

C Relaciona **Ordena las letras de la palabra que completa cada oración.**

16. El Bautismo, la Confirmación y la Eucaristía son los Sacramentos de la **IONICACNII**.

____

17. Pensar en tus ideas, tus palabras y tus acciones se llama examen de **AINOCECINC**.

____

18. La **ICAENTIEPN** es una oración o un acto para reparar un pecado.

____

19. La Cuaresma es una preparación para la importante fiesta de la **ACUPSA**.

____

Write the letter T if the sentence is TRUE. Write the letter F if the sentence is FALSE.

11. ☐ In the Sacraments, you receive grace.

12. ☐ Grace is a share in God's own life and help.

13. ☐ Confirmation is the first Sacrament you receive.

14. ☐ You can only receive the Sacrament of Penance and Reconciliation once.

15. ☐ A priest cannot talk to anyone about your confession.

C **Make Connections** **Unscramble the words to complete each sentence.**

16. Baptism, Confirmation, and Eucharist are the Sacraments of **IONITATNII**.

____

17. Thinking about your thoughts, words, and actions is called an examination of **SENOCECINC**.

____

18. **CAENPEN** is a prayer or an act to make up for sin.

____

19. Lent is a preparation for the important feast of **RASETE**.

____

Repaso de la Unidad

20. Durante el **OPEMIT DRONIOAIR**, aprendes más acerca de Jesús.

____

Describe cada una de las cosas que se usan en la iglesia durante el año litúrgico.

21. Colores: ______________________________

____

____

22. Vestiduras: ______________________________

____

____

23. Colgaduras del altar: ______________________________

____

____

24. Estandartes: ______________________________

____

____

25. Flores y plantas: ______________________________

____

____

20. During **DRNYOAIR ITME**, you learn more about Jesus.

____

Describe each of the things used in church during the Church year.

21. Colors: ______________________________

____

____

22. Vestments: ______________________________

____

____

23. Altar hangings: ______________________________

____

____

24. Banners: ______________________________

____

____

25. Flowers and plants: ______________________________

____

____

UNIDAD 5

Moralidad

Nuestra Tradición Católica

- Jesús nos dijo que todos somos bienvenidos en el Reino de Dios; el mundo de amor, paz y justicia que está en el Cielo y que se sigue construyendo en la Tierra. (CIC, 543, 2819)
- Jesús nos enseñó a orar al Padre con el Padre Nuestro. (CIC, 2773)
- Compartimos la vida y la obra de Jesús. Compartimos la Buena Nueva con el mundo. (CIC, 897, 940)
- Oramos de muchas maneras, por muchas razones, en cualquier momento. (CIC, 2743)

¿Qué queremos decir cuando oramos “venga a nosotros tu reino, hágase tu voluntad en la tierra como en el cielo”?

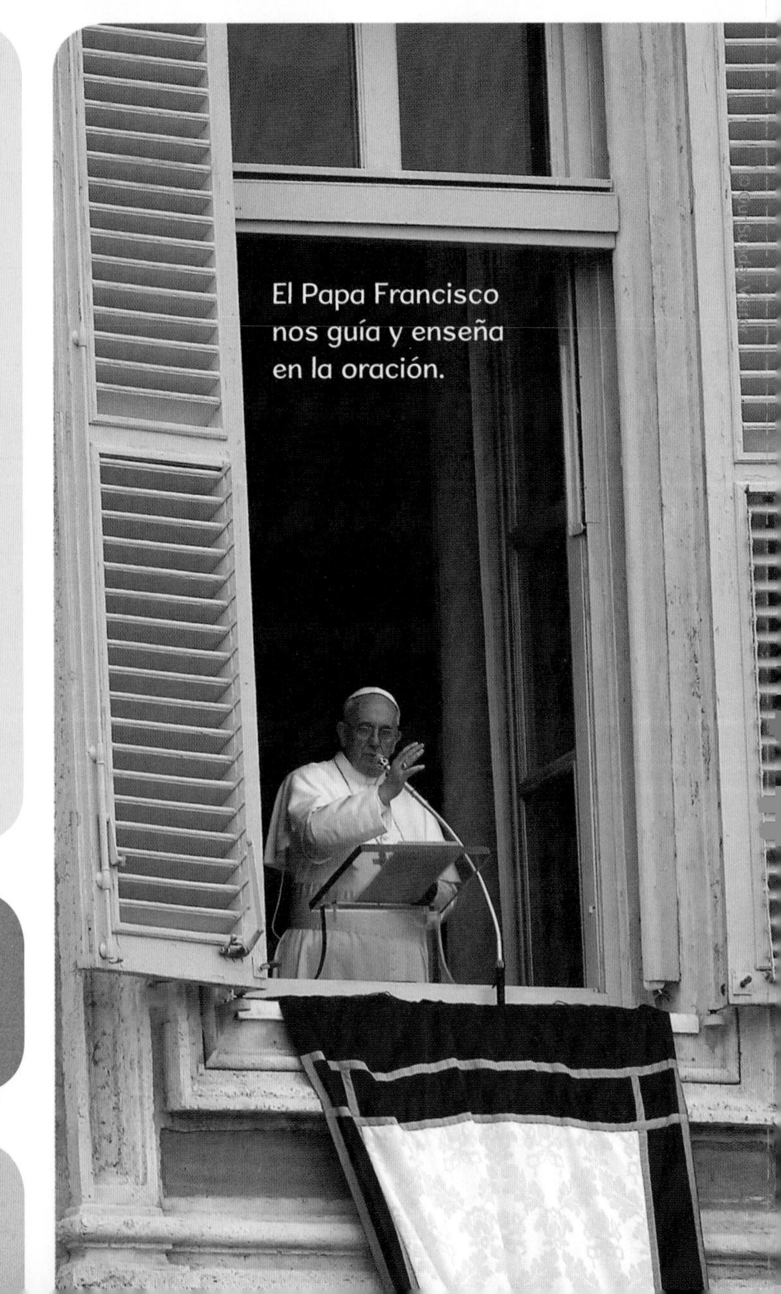
El Papa Francisco nos guía y enseña en la oración.

Morality

Our Catholic Tradition

- Jesus told us that all are welcome in the Kingdom of God—the world of love, peace, and justice that is in Heaven and is still being built on Earth. (CCC, 543, 2819)
- Jesus taught us to pray to the Father in the Lord's Prayer. (CCC, 2773)
- We share in Jesus' life and work. We share the Good News with the world. (CCC, 897, 940)
- We can pray in many ways, for many reasons, at any time. (CCC, 2743)

What do we mean when we pray, "thy kingdom come, thy will be done on earth as it is in heaven"?

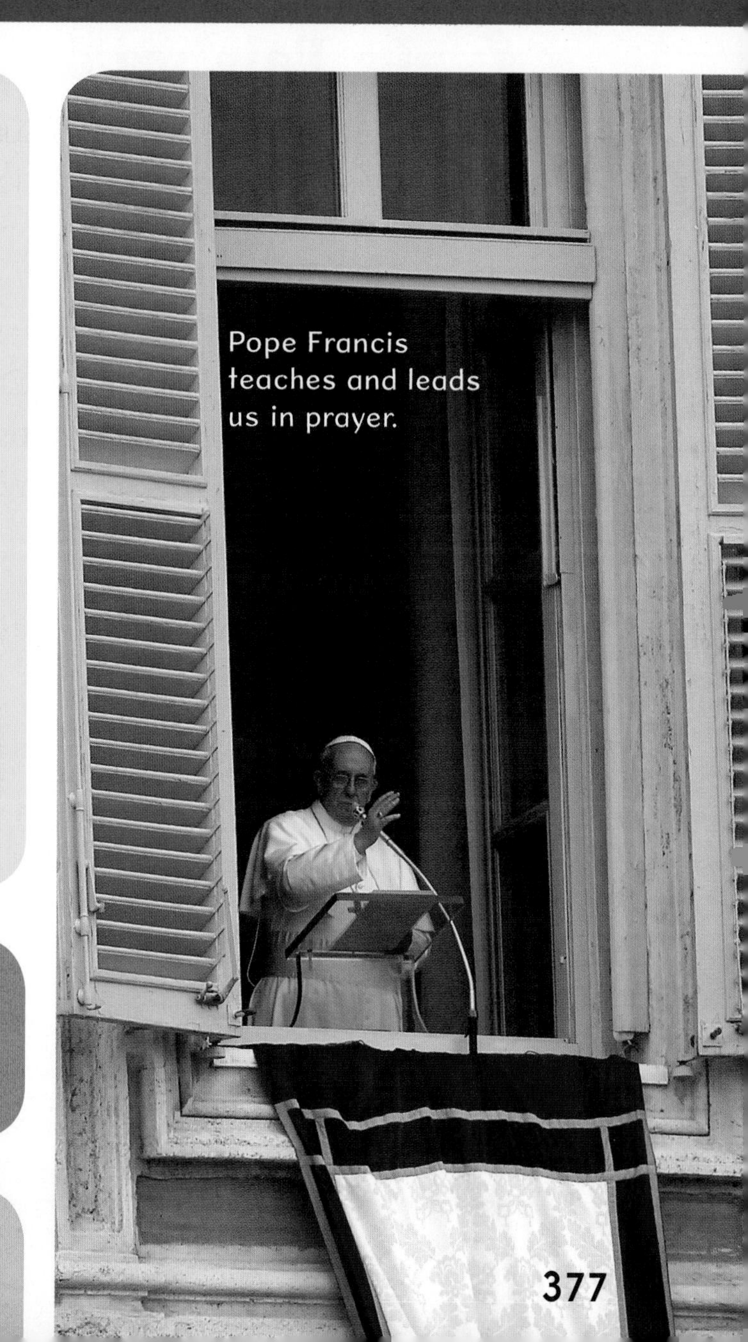

Pope Francis teaches and leads us in prayer.

Bienvenidos al Reino

Oremos

Líder: Señor, te alabamos por tu amor.

"Por el favor tan grande que me has hecho: pues libraste mi vida del abismo". Salmo 86, 13

Todos: Señor, te alabamos por tu amor. Amén.

La Palabra de Dios

Algunas personas le llevaban a Jesús sus hijos para que los bendijera. Pero cuando los discípulos de Jesús los vieron haciendo esto, les pidieron que no lo molestaran. Así que Jesús pidió que se los trajeran y dijo: "Dejen que los niños vengan a mí y no se lo impidan, porque el Reino de Dios pertenece a los que son como ellos. En verdad les digo que el que no reciba el Reino de Dios como un niño no entrará en él". Basado en Lucas 18, 15-17

¿Qué piensas?

- ¿En qué te pareces a Jesús?
- ¿Dónde compartes el amor de Jesús?

Welcome in the Kingdom

Let Us Pray

Leader: Lord, we praise you for your love.
"Your mercy to me is great." Psalm 86:13

All: Lord, we praise you for your love. Amen.

God's Word

Some people brought their children for Jesus to bless. But when Jesus' disciples saw them doing this, they told the people to stop bothering Jesus. So Jesus called the children over to him, and said, "Let the children come to me and do not prevent them; for the kingdom of God belongs to such as these.... whoever does not accept the kingdom of God like a child will not enter it." Based on Luke 18:15–17

What Do You Wonder?

- How are you like Jesus?
- Where do you share Jesus' love?

Jesús te da la bienvenida

¿Cómo demostró Zaqueo su fe en Dios?

Nos sentimos felices cuando alguien nos invita a formar parte de un grupo. Que nos incluyan en un equipo o en un club nos hace sentir bienvenidos. Con las cosas que dijo e hizo, Jesús nos mostró que Dios nos da la bienvenida a todos.

Palabras católicas

fe creer en Dios y en todo lo que Él nos ayuda a entender acerca de sí mismo. La fe nos lleva a obedecer a Dios.

paz cuando las cosas están calmadas y las personas se llevan bien entre sí

La Palabra de Dios

Zaqueo, el cobrador de impuestos

La noticia corría por todos lados: Jesús estaba llegando a la ciudad de Jericó.

Zaqueo, como sabes, era demasiado bajo para ver, entonces se subió a un árbol para verlo.

"Zaqueo, baja en seguida. Cenemos en tu casa hoy".

Welcomed by Jesus

How did Zacchaeus show his faith in God?

We feel happy when someone invites us to join a group. Being included on a team or in a club makes us feel welcome. By the things he said and did, Jesus showed us that God welcomes everyone.

 God's Word

Zacchaeus the Tax Collector

The news went uphill and down
That Jesus was coming to Jericho town.

Zacchaeus, you know, was too short to see,
So he scurried right up a sycamore tree.

"Zacchaeus, come down, come down, I say.
Let's have dinner at your house today."

Catholic Faith Words

faith believing in God and all that he helps us understand about himself. Faith leads us to obey God.

peace when things are calm and people get along with one another

Jesús y Zaqueo caminaron entre la multitud que los criticaba y decía en voz alta:
"Es rico y pecador. Nos quita el dinero. Por eso es rico".

Zaqueo proclamó con tono alto y claro: "Daré la mitad de mis bienes a los pobres".

Entonces Jesús dijo: "El amor de Dios es infinito. Mi amigo Zaqueo también es amigo de Dios.

Dejen de fruncir el ceño. Llénense de gozo. El amor y la bondad de Dios están realmente aquí.

Dios nos llama a todos, a los pequeños y a los grandes. Así que reunámonos. ¡Vengan a celebrar!"

Basado en Lucas 19, 1-10

1. **Subraya lo que decían los que murmuraban y se quejaban.**
2. **Encierra en un círculo lo que dijo Jesús.**

Final sorpresivo

Jesús vio que Zaqueo tenía **fe**. La fe es un don de Dios, pero es también algo que elegimos. Zaqueo quería seguir a Jesús. Así que Jesús sorprendió a todos. Le dio la bienvenida a Zaqueo para compartir el amor de Dios. Jesús quiso que estuviera en **paz**.

Comparte tu fe

Piensa Escribe el nombre de alguna persona que te ayuda a sentirte bienvenido.

____

Comparte tu respuesta con un compañero.

Jesus and Zacchaeus walked by the crowd
who grumbled and mumbled and said out loud:
"He is a sinner and he is a snitch.
He took our money. That's why he is rich."

Zacchaeus proclaimed in a loud, clear tone,
"To the poor I will give half of all that I own."

Then Jesus said, "God's love has no end.
My friend, Zacchaeus, is also God's friend.

Put away your frowns. Be full of cheer.
God's love and kindness are truly here.

God calls everyone, the small and the great.
So, come gather around. Come celebrate!"

Based on Luke 19:1–10

1. **Underline what the mumblers and grumblers said.**
2. **Circle what Jesus said.**

The Surprise Ending

Jesus saw that Zacchaeus had **faith**. Faith is a gift from God, but it's also something we choose. Zacchaeus wanted to follow Jesus. So Jesus surprised everyone. He welcomed Zacchaeus to share in God's love. Jesus wanted him to be at **peace**.

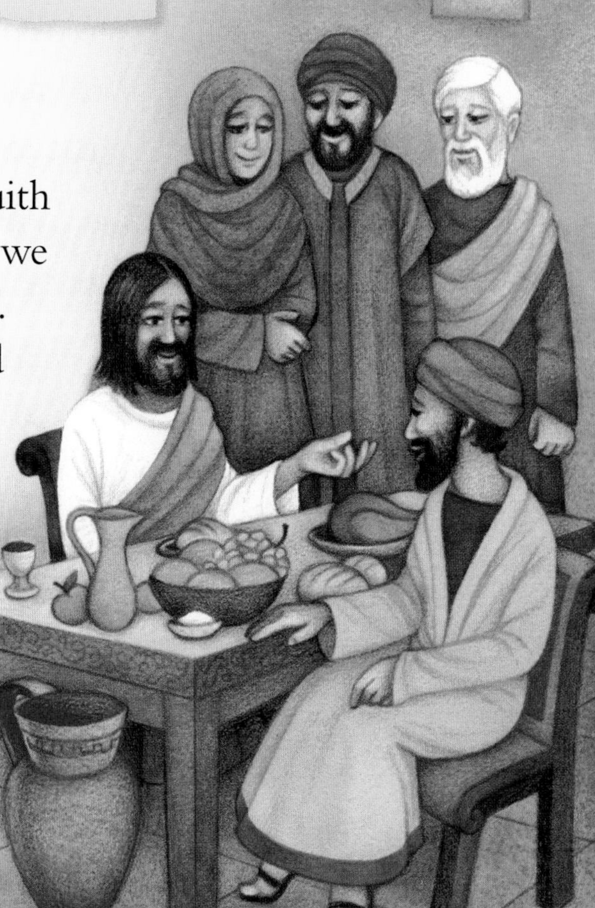

Share Your Faith

Think Write the name of someone who helps you feel welcome.

___

Share your answer with a partner.

Están todos invitados

¿A quién invita Jesús al Reino de Dios?

Palabras católicas

El **Reino de Dios** es el mundo de amor, paz y justicia que está en el Cielo y se sigue construyendo en la Tierra.

A Jesús no le importó la edad o la altura de una persona. Jesús les dio la bienvenida a todos. Jesús nos enseña que las personas de cualquier edad y condición son bienvenidas en el Reino de Dios.

La Palabra de Dios

La bendición de los niños

Las personas frecuentemente le llevaban sus hijos a Jesús. Los discípulos decían: "No molesten a Jesús. ¡Está muy ocupado!". Pero Jesús dijo: "Dejen que los niños vengan a mí... porque el Reino de Dios pertenece a los que son como ellos".

Jesús les dio la bienvenida a los niños y los bendijo. Luego siguió su camino. Basado en Mateo 19, 13-15

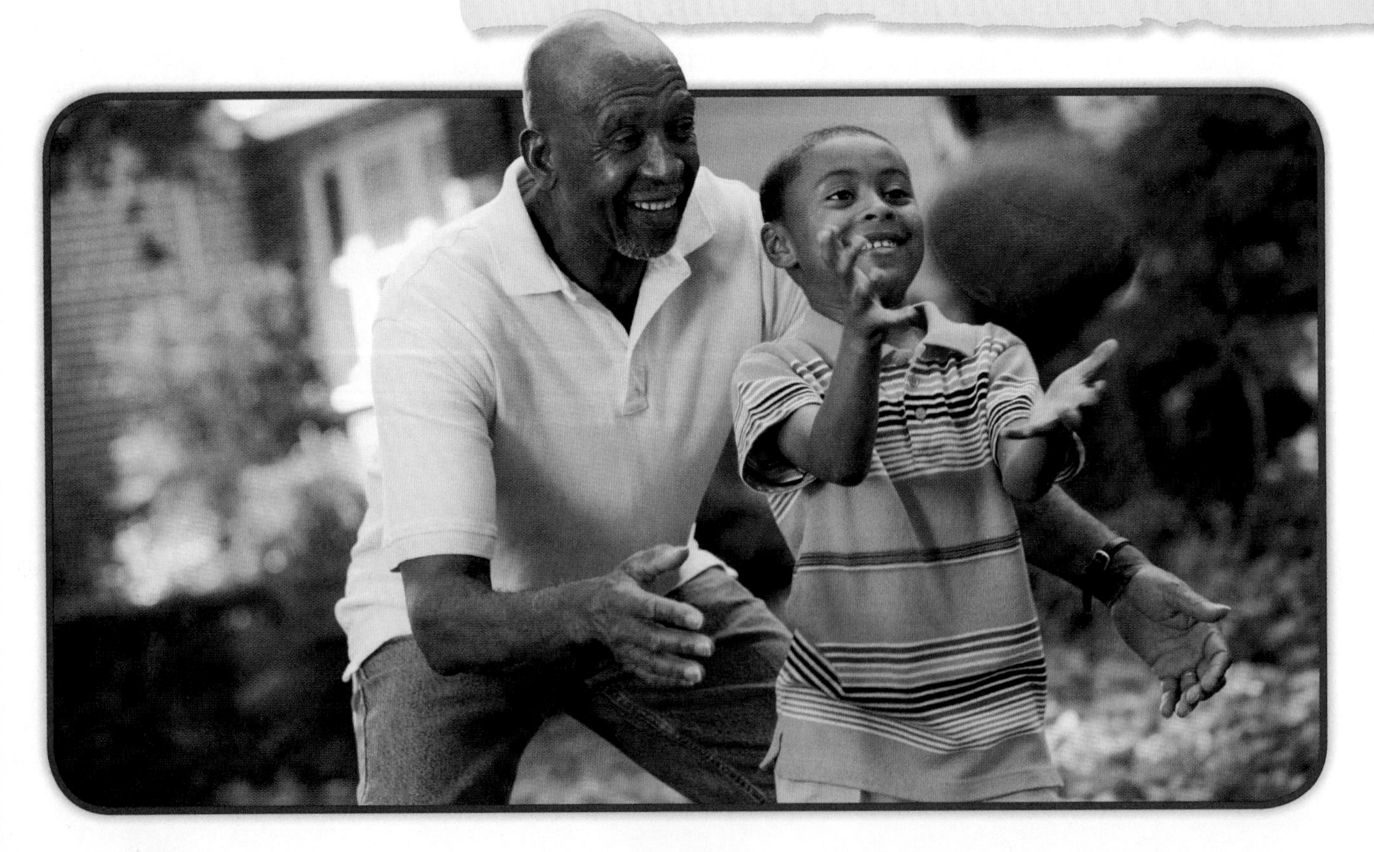

All Are Invited

Who does Jesus invite to God's Kingdom?

It did not matter to Jesus how old a person was or how tall. Jesus welcomed everyone. Jesus teaches us that people of all ages and backgrounds are welcome in God's Kingdom.

Catholic Faith Words

Kingdom of God the world of love, peace, and justice that is in Heaven and is still being built on Earth

 **God's Word**

Blessing of the Children

People often brought their children to Jesus. The disciples said, "Don't bother Jesus. He is too busy!" But Jesus said, "Let the children come to me . . . for the Kingdom of heaven belongs to such as these."

Jesus welcomed the children and blessed them. Then he went on his way. Based on Matthew 19:13–15

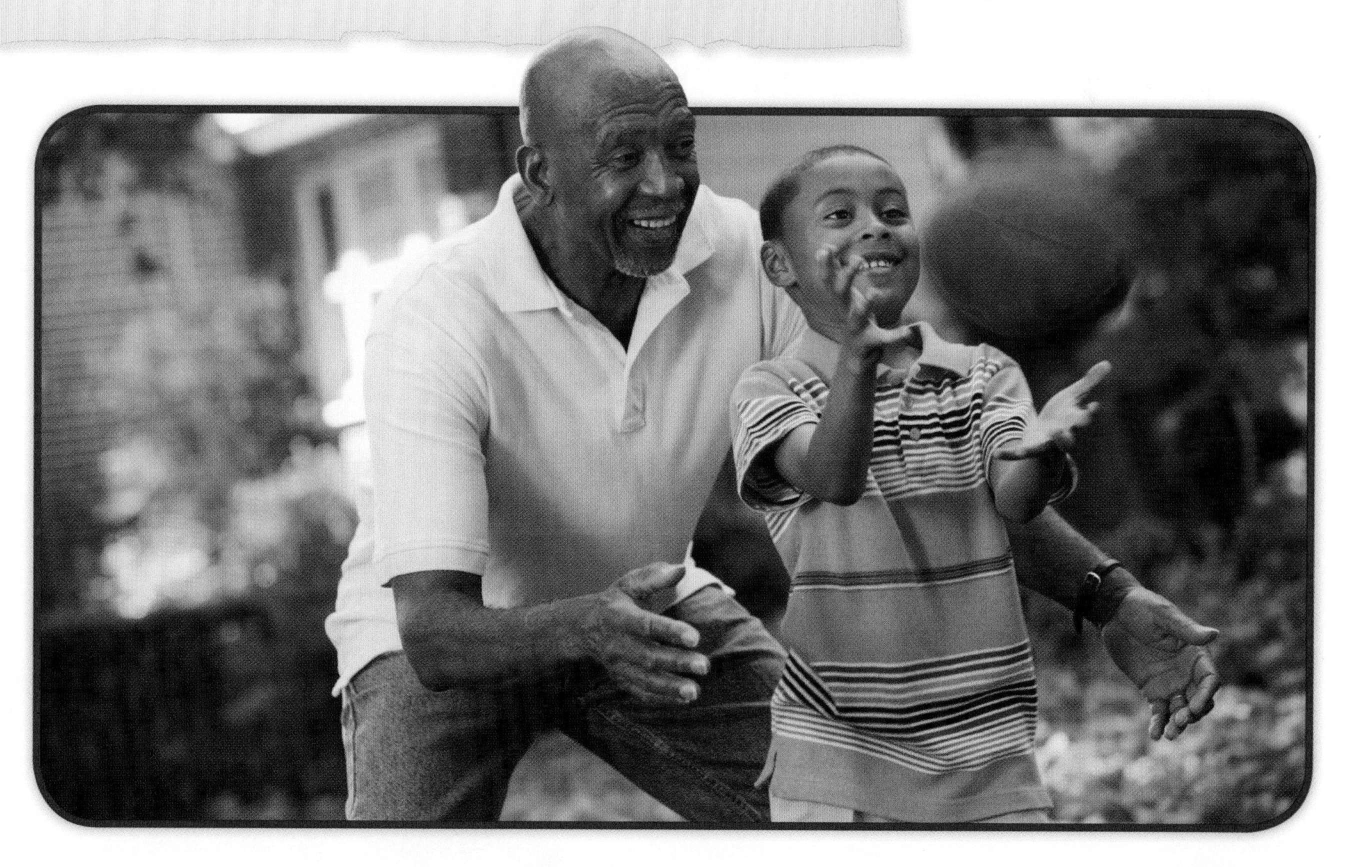

En el Reino de Dios

Otro modo de nombrar el Reino de los Cielos es el **Reino de Dios**. Jesús invita a todos a entrar en el Reino, vivir según el amor de Dios y buscar su paz. Jesús sabía cómo hacer sentir bienvenidas a las personas. Muchas personas lo buscaban para que las ayudara y las sanara. Algunas eran como Zaqueo. Pensaban que no les importaban a Jesús. Jesús enseñó que todas las personas son bienvenidas al Reino de Dios.

Igual que Jesús, la Iglesia Católica da la bienvenida a todas las personas. En algunas parroquias católicas hay personas que dan la bienvenida a cada miembro de la Iglesia antes de que empiece la Misa. Quienes dan la bienvenida pueden ser hombres, mujeres o niños. A veces se los conoce como "ministros de hospitalidad".

Subraya lo que hacen los ministros de hospitalidad.

→ **¿Cómo te hacen sentir bienvenido otras personas?**

Practica tu fe

Completa ¿A quién da la bienvenida Dios? Completa los espacios en blanco para terminar el enunciado.

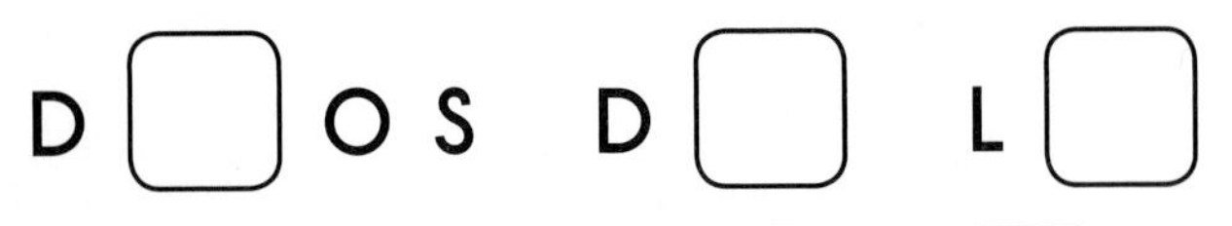

In God's Kingdom

Another name for the Kingdom of Heaven is the **Kingdom of God**. Jesus invites everyone to enter the Kingdom, to live by God's love and seek his peace. Jesus knew how to make people feel welcome. Many people came to him for help and healing. Some people were like Zacchaeus. They thought Jesus wouldn't care about them. Jesus taught that all people are welcome in God's Kingdom.

Like Jesus, the Catholic Church welcomes all people. In some Catholic parishes there are people who welcome each Church member before Mass begins. These "welcomers" can be men, women, or children. Sometimes these people are called "greeters."

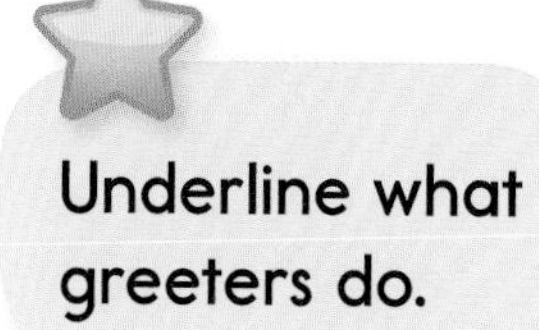

➔ **How do others make you feel welcome?**

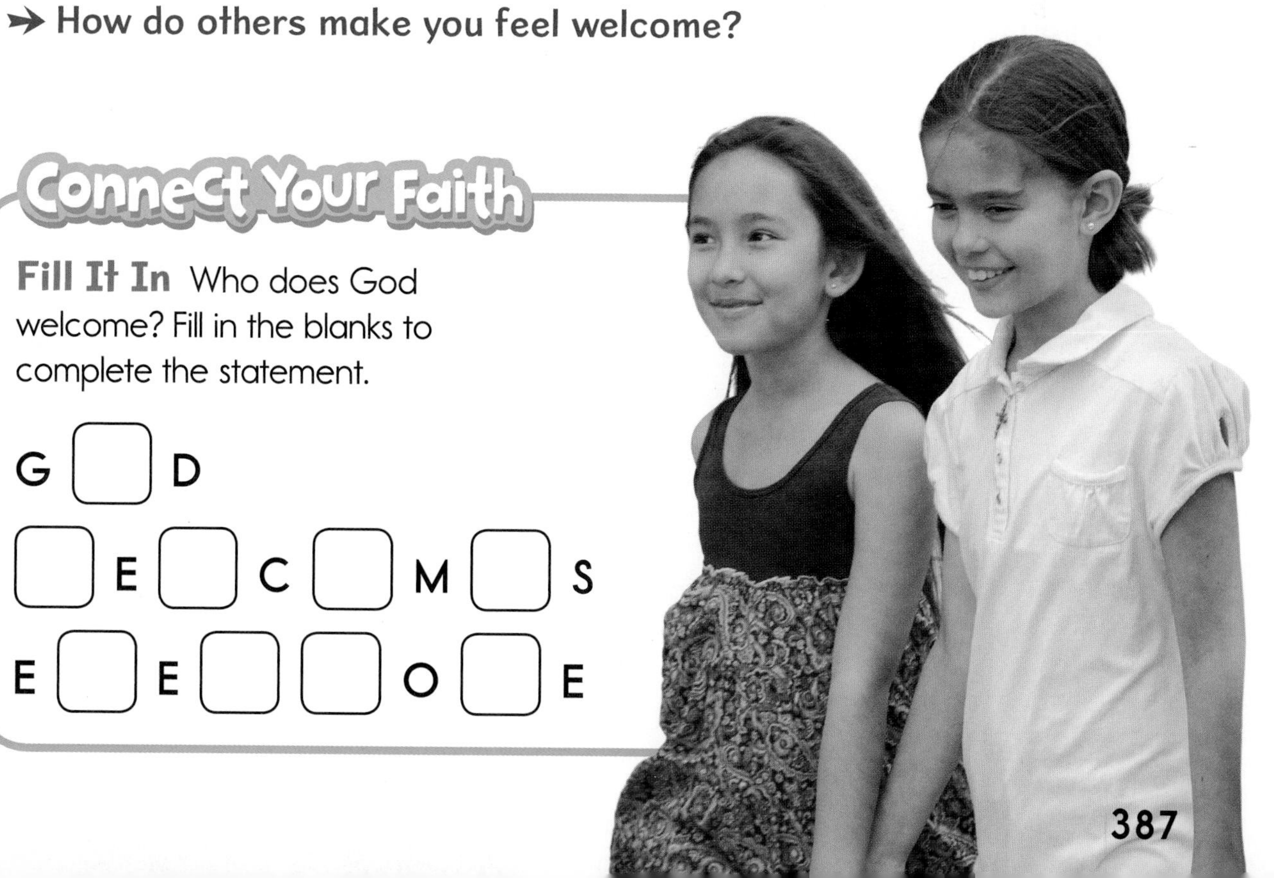

Fill It In Who does God welcome? Fill in the blanks to complete the statement.

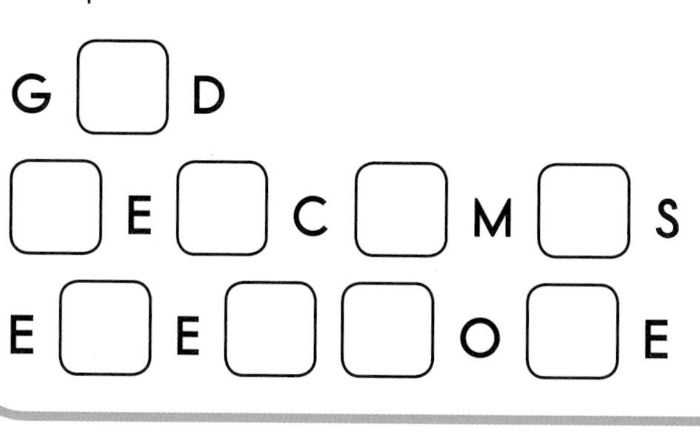

Nuestra vida católica

¿Cómo es el Reino de Dios?

Jesús les habló a las personas sobre el Reino de Dios. Algunas personas creían que Jesús hablaba de un rey que vivía en un castillo. Pero Jesús hablaba de una clase distinta de Reino.

El Reino de Dios está lleno de alegría. Todos ponen a Dios en primer lugar y trabajan con él para asegurarse de que todas las personas tengan lo que necesitan. Con su bondad y cuidado, Jesús demostró que todos son bienvenidos.

El Reino de Dios será perfecto al final de los tiempos cuando Jesús vuelva en gloria, pero tú ya has recibido tu invitación. Cuando te bautizaron, te dieron la bienvenida al Reino de Dios.

¿Cómo ayudan a construir el Reino de Dios las personas de las imágenes?

Our Catholic Life

What is God's Kingdom like?

Jesus told people about the Kingdom of God. Some people thought Jesus meant a king who lived in a castle. But Jesus was talking about a different kind of Kingdom.

God's Kingdom is filled with joy. Everyone puts God first and works with him to make sure every person has what he or she needs. By his kindness and care, Jesus showed that everyone is welcome.

God's Kingdom will be complete at the end of time when Jesus returns in glory, but you have already received an invitation. When you were baptized, you were welcomed into God's Kingdom.

How are the people in the pictures helping to build God's Kingdom?

Gente de fe

Santa Brígida de Kildare, c. 451–525

Santa Brígida fue una hermana religiosa que dedicó su vida a Dios. Donde quiera que iba, hablaba del amor de Dios. Caminó y viajó a caballo y en carromato por toda Irlanda. Navegó por el mar de Irlanda. Se la conoció por su bondad y misericordia. Una vez dijo que le gustaría convertir un lago entero en algo bueno para beber y que todos lo compartieran. Deseaba que todos se sintieran amados por Dios.

1 de febrero

Comenta: ¿Cómo compartes la bondad y misericordia de Dios con tus amigos y tu familia?

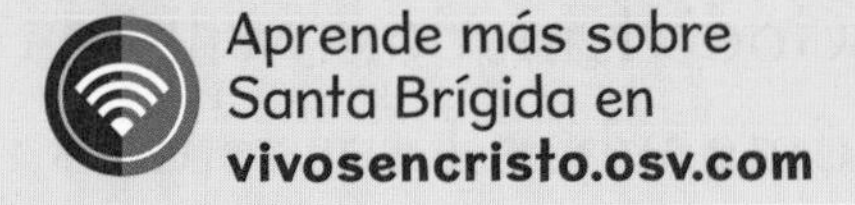

Aprende más sobre Santa Brígida en **vivosencristo.osv.com**

Vive tu fe

Escribe una invitación Completa los espacios en blanco de la invitación. Luego decórala con diseños coloridos.

¡Estás invitado!

Jesús invita a

____

al Reino de

______________________________.

Únete a nosotros este domingo en

______________________________.

People of Faith

Saint Brigid of Kildare, c. 451–525

Saint Brigid was a religious sister who dedicated her life to God. Everywhere Brigid went, she spoke of God's love. She walked and traveled by horse and cart all around Ireland. She sailed in a boat on the Irish Sea. She was known for her kindness and mercy to everyone. She once said that she would like to turn a whole lake into something good to drink and have everyone share it. She wanted everyone to feel loved by God.

February 1

Discuss: How can you share God's kindness and mercy with your friends and family?

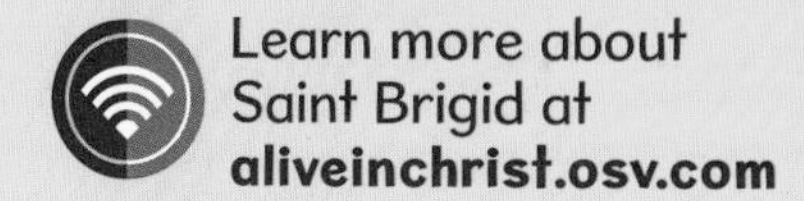

Live Your Faith

Write an Invitation Fill in the blanks to complete the invitation. Then decorate the invitation with colorful designs.

You Are Invited!

Jesus invites

____

to the Kingdom of

______________________.

Join us this Sunday at

______________________________.

Oremos

Oración de bienvenida

Reúnanse y empiecen con la Señal de la Cruz.

Líder: Dios Padre, nos reunimos en el nombre de Jesús.

Lector 1: Cuando damos la bienvenida a un amigo,

Todos: el amor de Jesús se muestra a través de nosotros.

Lector 2: Cuando acogemos a un niño que es dejado de lado,

Todos: el amor de Jesús se muestra a través de nosotros.

Lector 3: Cuando nos tomamos más tiempo para ayudar,

Todos: el amor de Jesús se muestra a través de nosotros. Amén.

Todos: Canten "Dios Es Amor"

Dios es amor, aleluya; viva el amor.
¡Aleluya!
Cantemos muy alegres esta canción,
canción de amor.

Prayer of Welcome

Gather and begin with the Sign of the Cross.

Leader: God our Father, we gather together in Jesus' name.

Reader 1: When we welcome a friend,

All: Jesus' love shows through us.

Reader 2: When we welcome a child who is left out,

All: Jesus' love shows through us.

Reader 3: When we take extra time to help,

All: Jesus' love shows through us.

Amen.

All: Sing "Loving Others"

Share the Good News of the Lord and sing.
Shout it out and make the church bells ring!
Show the people on Earth today.
Jesus' love is a better way!

You gotta be good to your neighbor
Good to your friends
Good to your family.
You gotta love one another
Like a sister or a brother
'cause Jesus loves you and me!

FAMILIA + FE

VIVIR Y APRENDER JUNTOS

SUS HIJOS APRENDIERON >>>

Este capítulo explica la enseñanza de Jesús sobre el Reino y su deseo de que la Iglesia reciba a todas las personas y las cuide en su nombre.

La Palabra de Dios

Lean **Lucas 18, 15–17** para aprender qué dice Jesús de los niños en el Reino de Dios.

Lo que creemos

- El Reino de Dios es un mundo de amor, paz y justicia que está en el Cielo y todavía se sigue construyendo en la Tierra.
- Todos son bienvenidos en el Reino de Dios y la Iglesia Católica.

Para aprender más, vayan al *Catecismo de la Iglesia Católica* 543, 544 en **usccb.org**.

Gente de fe

Esta semana, su hijo conoció a Santa Brígida de Kildare. Conocida por su generosidad y misericordia, es una de las patronas de Irlanda.

LOS NIÑOS DE ESTA EDAD >>>

Cómo comprenden cuidar a los demás Nuestra sociedad secular a veces habla del "bien de la humanidad", lo que puede significar sacrificar a unos pocos por el bien de muchos, o violar un principio de menos importancia por el bien de uno más importante. Hoy día los niños están expuestos con frecuencia a este concepto. Sin embargo, nuestra fe católica defiende la importancia del bien común, el bien de todos, con atención particular a los pobres, los marginados y los desfavorecidos. Su hijo necesitará de su guía para comprender por completo este concepto y lo que significa en su vida diaria. Un buen punto de partida es la familia, donde cada uno debe preocuparse por el bien de todos.

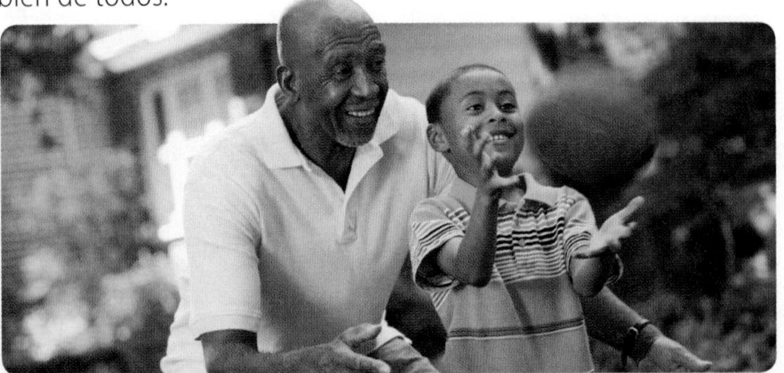

CONSIDEREMOS ESTO >>>

¿Cómo reciben en su familia a quienes visitan su hogar?

La hospitalidad es un valor de suma importancia en la vida de una familia. Cuando recibimos a los demás, les mostramos amor al incluirlos y aceptarlos en nuestra familia. De esta manera, la familia es un ejemplo de la Iglesia. "La Iglesia existe por la voluntad de Dios Padre y su designio de unir a todas las gentes bajo el señorío de su Hijo. Como Cabeza de la Iglesia, Jesucristo continúa llenándola con su vida y gracia de salvación, derramando en ella el Espíritu Santo con los dones de la unidad, la paz y el amor" (*CCEUA, p. 125*).

HABLEMOS >>>

- Pregunten a su hijo qué aprendió acerca del Reino de Dios (un mundo de amor, paz y justicia en el Cielo que todavía está construyéndose en la Tierra).
- Juntos, mencionen maneras de promover la paz, la justicia y el amor en familia.

OREMOS >>>

Santa Brígida, ruega por nosotros para que recibamos y seamos generosos con todas las personas que conocemos. Amén.

Visiten **vivosencristo.osv.com** para encontrar un glosario multimedia de Palabras católicas, lecturas dominicales, y recursos de Santos y tiempos festivos.

FAMILY + FAITH

LIVING AND LEARNING TOGETHER

YOUR CHILD LEARNED >>>

This chapter explains Jesus' teaching on the Kingdom and his desire for the Church to welcome and care for all people in his name.

God's Word

Read **Luke 18:15–17** to learn what Jesus says about children in God's Kingdom.

Catholics Believe

- The Kingdom of God is the world of love, peace, and justice that is in Heaven and is still being built on Earth.
- Everyone is welcome in God's Kingdom and in the Catholic Church.

To learn more, go to the *Catechism of the Catholic Church* #543, 544 at **usccb.org**.

People of Faith

This week, your child met Saint Brigid of Kildare. One of the patrons of Ireland, she is known for her kindness and mercy.

CHILDREN AT THIS AGE >>>

How They Understand Caring for Others Our secular society sometimes speaks of the "greater good"—which can mean sacrificing the few for the sake of the many, or violating a smaller principle for the sake of a larger one. Children today are often exposed to this concept. However, our Catholic faith upholds the importance of the common good, the good of everyone, with particular attention to the poor, marginalized, and disadvantaged. Your child will need guidance from you to fully understand this concept and what it means for his or her daily life. A good place to start is in the family, where everyone should be concerned about the good of all.

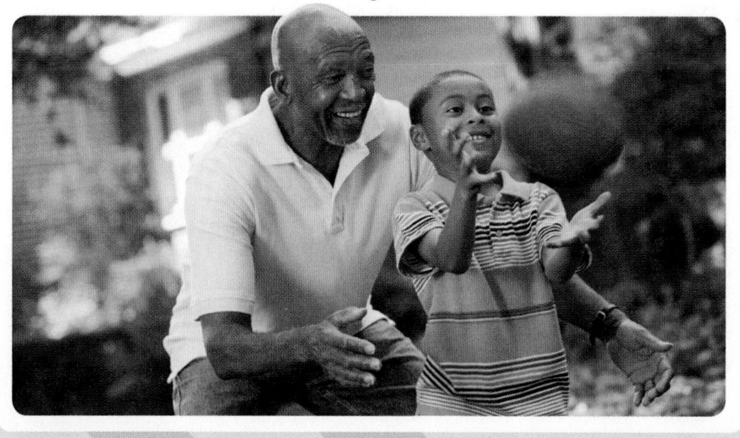

CONSIDER THIS >>>

How does your family welcome others into your home?

Hospitality is such an important value in the life of a family. When we welcome others into our families, we show love by including and accepting them. In this way the family is an example of the Church. "Church exists by the will of God the Father and his plan to gather all people under the Lordship of his Son. As Head of the Church, Jesus Christ continues to fill her with his life and saving grace, pouring into her the Holy Spirit with his gifts of unity, peace, and love" (*USCCA, p. 115*).

LET'S TALK >>>

- Ask your child what he or she learned about the Kingdom of God (the world of love, peace, and justice in Heaven and still being built on Earth).
- Together, name some ways to promote peace, fairness, and love in your family.

LET'S PRAY >>>

Saint Brigid, pray for us that we may be welcoming and kind to everyone we know. Amen.

For a multimedia glossary of Catholic Faith Words, Sunday readings, seasonal and Saint resources, and chapter activities go to **aliveinchrist.osv.com**.

Capítulo 13 Repaso

A **Trabaja con palabras** Completa el espacio en blanco con la palabra o frase correcta del Vocabulario.

Vocabulario

- da la bienvenida
- Reino de Dios
- Fe
- niños
- Zaqueo

1. ______________ se hizo amigo de Jesús.
2. Jesús ______________ a todos.
3. Jesús bendijo a los ______________.
4. Todos estamos invitados al ______________.
5. ______________ es creer en Dios y en todo lo que Él nos ayuda a entender acerca de sí mismo.

B **Confirma lo que aprendiste** Rellena el círculo que está junto a la respuesta correcta.

6. El Reino de Dios no es vivir en ____.
   - ○ alegría
   - ○ castillos
   - ○ amor
7. Jesús nos mostró que todos somos bienvenidos al ____.
   - ○ otro país
   - ○ club
   - ○ Reino de Dios
8. Tu ____ te da la bienvenida al Reino de Dios.
   - ○ cumpleaños
   - ○ Bautismo
   - ○ escuela
9. El Reino de Dios será ____ al final de los tiempos.
   - ○ cerrado
   - ○ completo
   - ○ olvidado
10. En la Misa los ____ de hospitalidad dan la bienvenida a las personas que llegan.
    - ○ ministros
    - ○ lectores
    - ○ cantores

Chapter 13 Review

A **Work with Words** Fill in the blank with the correct word or words from the Word Bank.

Word Bank
welcomes
Kingdom of God
Faith
children
Zacchaeus

1. ______________________ became Jesus' friend.

2. Jesus ______________________ everyone.

3. Jesus blessed the ______________________.

4. Everyone is invited into the ______________________.

5. ______________________ is believing in God and all that he helps us understand about himself.

B **Check Understanding** Fill in the circle beside the correct answer.

6. The Kingdom of God is not about ____.
   - ◯ joy
   - ◯ castles
   - ◯ love

7. Jesus showed that everyone is welcome in ____.
   - ◯ other countries
   - ◯ every club
   - ◯ God's Kingdom

8. Your ____ welcomes you into God's Kingdom.
   - ◯ birthday
   - ◯ Baptism
   - ◯ school

9. God's Kingdom will be ____ at the end of time.
   - ◯ closed
   - ◯ complete
   - ◯ forgotten

10. At Mass ____ welcome people as they arrive.
    - ◯ greeters
    - ◯ readers
    - ◯ singers

Comparte la Buena Nueva

Oremos

Líder: Dios, permítenos cantar tus canciones.

"¡Aclame al Señor la tierra entera, sirvan al Señor con alegría, lleguen a él, con cánticos de gozo!". Salmo 100, 1-2

Todos: Dios, llénanos con alegría y alabanza. Amén.

La Palabra de Dios

Jesús dijo a sus discípulos: "Vayan por todo el mundo y anuncien la Buena Nueva a toda la creación. El que crea y se bautice se salvará..." Marcos 16, 15-16

¿Qué piensas?

- ¿Por qué Jesús te pide que compartas la Buena Nueva con los demás?
- ¿Cómo compartes la Buena Nueva de Jesús con tu familia?

Share the Good News

Let Us Pray

Leader: God, let us sing your songs.

"A psalm of thanksgiving.
Shout joyfully to the LORD, all you lands." Psalm 100:1–2

All: God, fill us with your joy and praise. Amen.

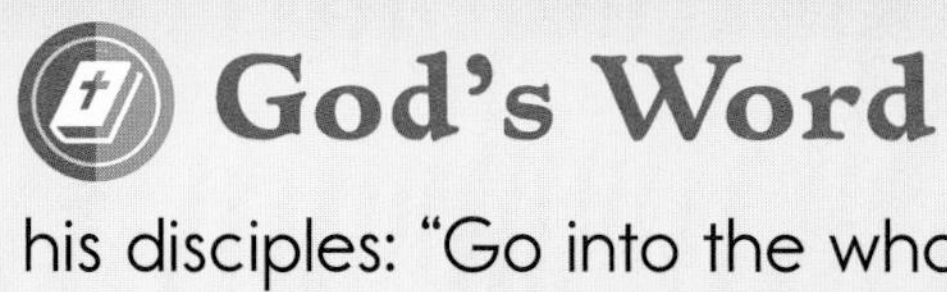

God's Word

Jesus told his disciples: "Go into the whole world and proclaim the gospel to every creature. Whoever believes and is baptized will be saved ..." Mark 16:15–16

What Do You Wonder?

- Why does Jesus ask you to share the Good News with others?
- How do you share Jesus' Good News with your family?

Alguien especial

¿Cuándo tuviste buenas nuevas para compartir?

A Gaby le gusta compartir historias e imágenes de su tía y su tío. La tía Jill y el tío Todd pasan mucho tiempo ayudando a otras personas. Los fines de semana, ayudan a construir casas para familias que necesitan un lugar para vivir. El año pasado, pasaron sus vacaciones de verano en otro país, brindando asistencia médica a personas que la necesitaban. Gaby quiere que todos sepan de su tía y su tío y de las cosas especiales que hacen por los demás.

→ **¿Cómo crees que comparte Gaby las noticias acerca de su tía y su tío?**

Palabras católicas

Evangelio palabra que significa "Buena Nueva". El mensaje del Evangelio es la Buena Nueva del Reino de Dios y su amor salvador.

Vivir como seguidores de Dios

Así como Gaby quiere que todos sepan acerca de su tía y de su tío, Jesús quiso que todos supieran acerca de Dios Padre.

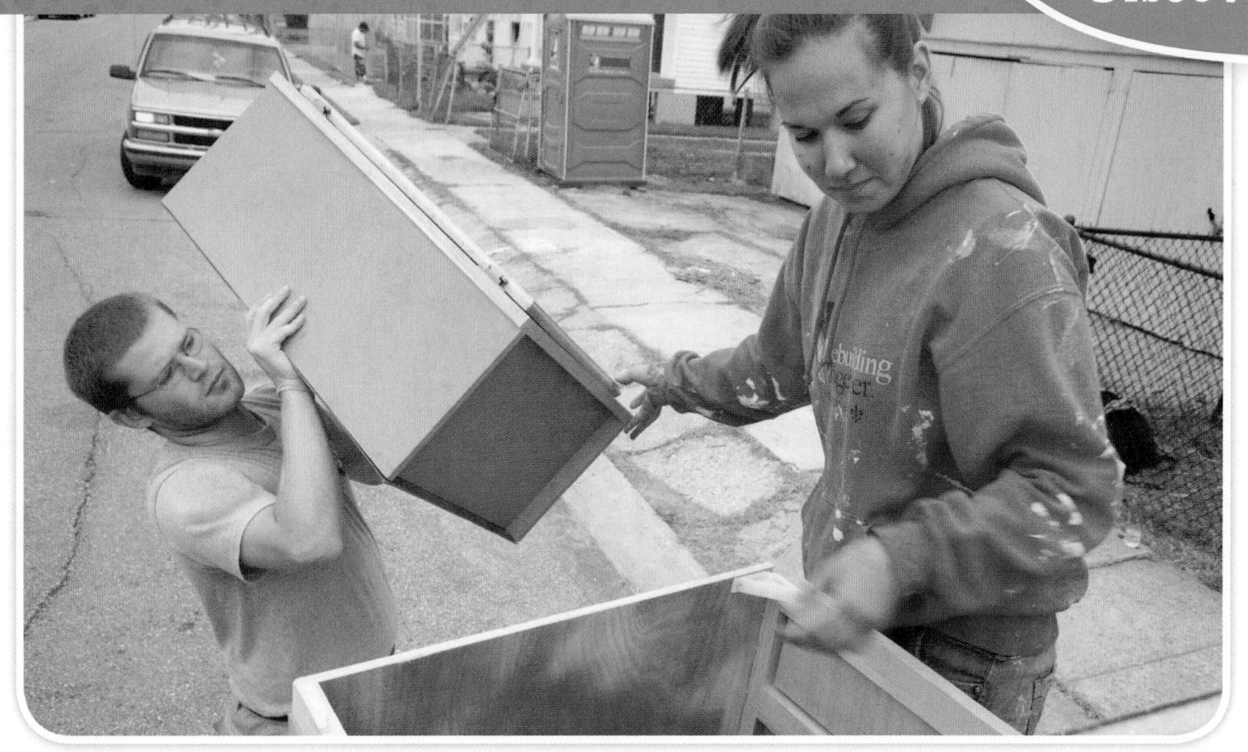

Someone Special

When did you have good news to share?

Gaby likes to share stories and pictures of her aunt and uncle. Aunt Jill and Uncle Todd spend a lot of time helping other people. On the weekends they help build houses for families who need a place to live. Last year, they spent their summer vacation in another country providing medical assistance to people who needed it. Gaby wants everyone to know about her aunt and uncle and the special things they do for others.

➔ **How do you think Gaby shares the news about her aunt and uncle?**

Live as Followers

Just like Gaby wants everyone to know about her aunt and uncle, Jesus wanted everyone to know about God his Father.

Catholic Faith Words

Gospel a word that means "Good News." The Gospel message is the Good News of God's Kingdom and his saving love.

Jesús sabía que la obra de difusión del **Evangelio** sería difícil. Sus seguidores necesitarían su ayuda. Él les hizo una promesa. Si se quedaban cerca de él, ellos harían muchas cosas buenas.

➔ **Nombra una manera en la que puedes estar cerca de Jesús.**

La Palabra de Dios

La vid y las ramas

Jesús dijo a sus discípulos: "... permanezcan en mí como yo permanezco en ustedes. Una rama no puede producir fruto por sí misma si no permanece unida a la vid; tampoco ustedes pueden producir fruto si no permanecen en mí".

Jesús dijo: "Yo soy la vid y ustedes las ramas. El que permanece en mí y yo en él, ése da mucho fruto..." Juan 15, 4-5

____

____

____

Escribe en las hojas tu nombre y el nombre de las personas que sabes que son seguidores de Jesús.

Comparte tu fe

Piensa ¿Qué Buena Nueva sobre Jesús quieres compartir con los demás?

Comparte Habla acerca de estas cosas con un compañero.

Jesus knew that the work of spreading the **Gospel** would be hard. His followers would need his help. He made a promise. If they stayed close to him, they would do many good things.

➔ **Name one way you can stay close to Jesus.**

God's Word

The Vine and the Branches

Jesus told his disciples "Remain in me, as I remain in you. Just as a branch cannot bear fruit on its own unless it remains on the vine, so neither can you unless you remain in me."

Jesus said, "I am the vine, you are the branches. Whoever remains in me and I in him will bear much fruit ..." John 15:4–5

On the leaves, write your name and the names of people you know who are followers of Jesus.

Share Your Faith

Think What Good News about Jesus do you want share with others?

Share Talk about these things with a partner.

Llevamos el mensaje de Jesús a los demás

¿Cómo podemos compartir el mensaje de amor de Jesús?

El Espíritu Santo guió a los seguidores de Jesús a lugares que jamás habían visto. El Espíritu Santo los fortaleció para **proclamar** el Evangelio. Compartieron con los demás todo lo que Jesús les había enseñado.

Palabras católicas

proclamar hablar acerca de Jesús con palabras y acciones

Personas que sirven a Jesús y comparten su amor

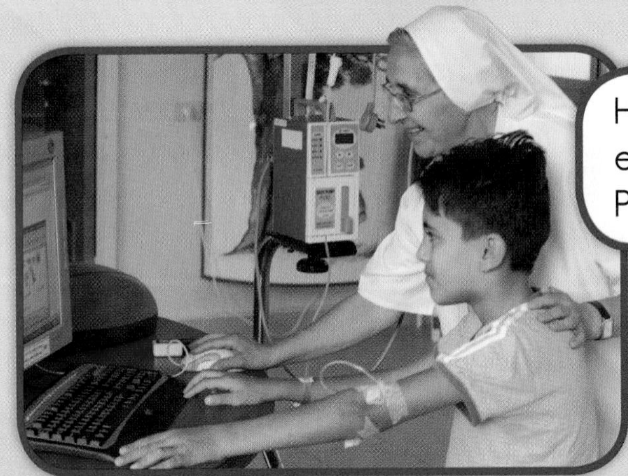

Hermanas y hermanos religiosos enseñan a los niños más acerca de Dios Padre, Dios Hijo y Dios Espíritu Santo.

Los catequistas ayudan a los niños a aprender canciones para cantarle a Dios.

Los padres y los abuelos muestran a sus hijos cómo amar a Dios.

Taking Jesus' Message to Others

How can we share Jesus' message of love?

The Holy Spirit guided Jesus' followers to places that they had never seen. The Spirit strengthened them to **proclaim** the Gospel. They shared everything that Jesus had taught them with others.

Catholic Faith Words

proclaim to tell about Jesus in words and actions

People Who Serve Jesus and Share His Love

Religious sisters and brothers teach children more about God the Father, God the Son, and God the Holy Spirit.

Catechists help children learn songs to sing to God.

Parents and grandparents show their children how to love God.

Los seguidores de Jesús hoy

Palabras católicas

parroquia la comunidad local de católicos que se reúne en un lugar en particular

Los seguidores de Jesús todavía llevan su mensaje por el mundo de diferentes maneras. Hay muchas personas en tu **parroquia**, o lugar donde tu comunidad local de católicos se reúne, que comparten el mensaje de Jesús. Cuando compartimos la Buena Nueva, trabajamos junto a Dios en la construcción de su Reino.

Los diáconos sirven en la parroquia de muchas maneras, incluso bautizando a las personas.

Los sacerdotes son pastores que lideran la parroquia, celebran la Misa y bendicen a las personas.

Practica tu fe

Proclama el Evangelio Nombra dos personas de tu parroquia que proclamen el Evangelio.

1. ______________________________

2. ______________________________

Jesus' Followers Today

Jesus' followers still bring his message to the world in different ways. There are many people in your **parish**, the place where your local community of Catholics meets, that share Jesus' message. When we share the Good News, we work together with God as he builds his Kingdom.

Catholic Faith Words

parish the local community of Catholics that meets at a particular place

Priests are pastors who lead the parish, celebrate Mass, and bless people.

Deacons serve in the parish in many ways, including baptizing people.

Connect Your Faith

Proclaim the Gospel Name two people in your parish who proclaim the Gospel.

1. ______________________________

2. ______________________________

Nuestra vida católica

¿Cómo puedes compartir la Buena Nueva?

Jesús pidió a todos sus seguidores que compartieran la Buena Nueva. Les dijo que usaran los dones que Dios les había dado para ayudarse a hacerlo. Dios también te ha dado dones. Tienes los dones de tiempo, talento y tesoro para ayudarte a compartir la Buena Nueva.

Escribe una manera en la que puedes compartir tu tiempo, tu talento y tu tesoro.

Comparte tus dones

Tiempo: Todos los minutos de tu día, que puedes elegir usar de manera generosa o egoísta.

Puedes: Hacer tareas adicionales en casa o hacer mandados para un vecino.

____

Talento: Todas las cosas que te gusta hacer y las que haces bien, que puedes usar de manera generosa o egoísta.

Puedes: Enseñar a alguien a jugar tu juego preferido o leer un relato a un niño más pequeño.

____

Tesoro: Todo lo que tienes, que puedes usar de manera generosa o egoísta.

Puedes: Prestarle un juguete a un amigo o juntar ropa y juguetes para personas que no tienen.

____

Our Catholic Life

How can you share the Good News?

Jesus asked all of his followers to share the Good News. He told them to use the gifts God gave them to help them do this. God has given you gifts, too. You have the gifts of time, talent, and treasure to help you share the Good News.

Write in one way you can share your time, talent, and treasure.

Share Your Gifts

Time: All the minutes of your day, which you can choose to use generously or selfishly.

You can: Do extra chores at home or run errands for a neighbor.

____

Talent: All the things you like to do and things you do well, which you can use generously or selfishly.

You can: Teach someone to play your favorite game or read a story to a younger child.

____

Treasure: All the things you have, which you could use generously or selfishly.

You can: Let a friend borrow a toy or collect extra clothes and toys for people who have less.

____

Gente de fe

Beata Madre Teresa de Calcuta, 1910–1997

La Beata Madre Teresa de Calcuta nació en Albania. Sus padres la llamaron Agnes. Cuando creció, se hizo monja. Su nuevo nombre fue Madre Teresa. Trabajó en Calcuta, India, lejos de su hogar. Cuidó a los pobres y a los moribundos. Creó un nuevo grupo de hermanas llamado Misioneras de la Caridad. Cuando las personas preguntaban: "¿Qué podemos hacer para ayudar a los pobres?", la Madre Teresa les decía que usaran sus dones de tiempo, talento y tesoro para construir el Reino de Dios. Dijo: "Hagan algo bello para Dios".

5 de septiembre

Comenta: ¿Cómo puedes hacer algo bello para Dios?

Aprende más sobre la Beata Madre Teresa en **vivosencristo.osv.com**

Vive tu fe

Comparte la Buena Nueva Responde con un compañero las preguntas sobre este relato.

1. ¿Cómo usó el samaritano sus dones?
2. ¿Qué dones usarías para llevarle la Buena Nueva a alguien que la necesitara?

People of Faith

Blessed Mother Teresa of Calcutta, 1910–1997

Blessed Mother Teresa of Calcutta was born in Albania. She was named Agnes by her parents. When she grew up, she became a nun. Her new name was Mother Teresa. She worked in Calcutta, India, far from her home. She cared for the poor and dying. She began a new group of sisters called the Missionaries of Charity. When people asked, "What can we do to help the people who are poor?", Mother Teresa told them to use their gifts of time, talent, and treasure to build God's Kingdom. She said, "Do something beautiful for God."

September 5

Discuss: How can you do something beautiful for God?

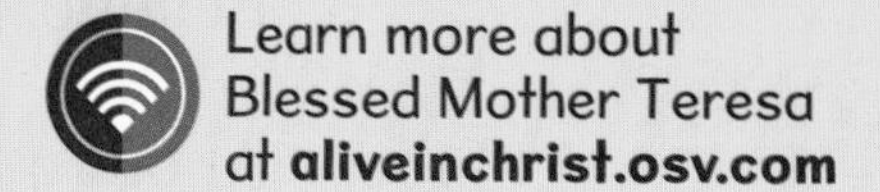

Live Your Faith

Share the Good News With a partner, answer the questions about this story.

1. How did the Samaritan use his gifts?
2. What gifts could you use to bring the Good News to someone in need?

Oremos

Oración de Acción de Gracias

Reúnanse y empiecen con la Señal de la Cruz.

Líder: Te alabamos y te damos gracias,
Señor, por todas las personas
que comparten tu Buena Nueva.
Bendito sea el nombre del Señor.

Todos: Ahora y siempre.

Líder: Te alabamos y te damos gracias,
Señor, por las personas
que ayudan en nuestra parroquia.
Bendito sea el nombre del Señor.

Todos: Ahora y siempre. Amén.

Líder: Te alabamos y te damos gracias,
Señor, por darnos dones y talentos
para servir a los demás.
Bendito sea el nombre del Señor.

Todos: Ahora y siempre. Amén.

Canten "Gracias, Señor"

Gracias, Señor.
Gracias por tu amor inseparable.
Gracias, Señor.
Porque tu amor siempre perdura.
Gracias, Señor.

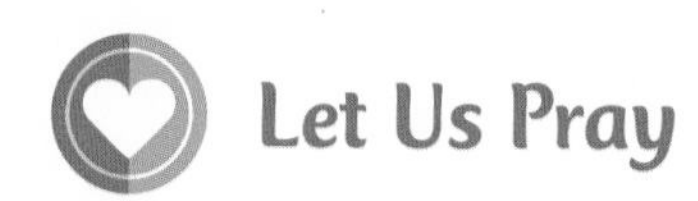

Prayer of Thanksgiving

Gather and begin with the Sign of the Cross.

Leader: We praise and thank you,
O Lord, for the many people
who share your Good News.
Blessed be the name of the Lord.

All: Now and forever.

Leader: We praise and thank you,
O Lord, for the people
who help in our parish.
Blessed be the name of the Lord.

All: Now and forever. Amen.

Leader: We praise and thank you,
O Lord, for giving gifts and talents
to us to serve others.
Blessed be the name of the Lord.

All: Now and forever. Amen.

Sing "Gifts"

We thank you, God,
for giving talents to us.
Now we use those gifts to serve others and you.
Singing and teaching, helping each other.
Caring for needs of our sisters and brothers.
We thank you, God,
as we give our talents back to you!

FAMILIA + FE

VIVIR Y APRENDER JUNTOS

SUS HIJOS APRENDIERON >>>

Este capítulo enseña que todos, como discípulos, estamos llamados a compartir la Buena Nueva de Jesús y que los sacerdotes, diáconos, hermanas y hermanos religiosos sirven a la Iglesia de muchas maneras.

La Palabra de Dios

Lean **Marcos 16, 15–16** para aprender sobre quién se salva a través de Jesucristo.

Lo que creemos

- Los discípulos de Jesús participan de su vida y de su obra.
- El Espíritu Santo nos ayuda a proclamar el Evangelio en nuestras palabras y obras.

Para aprender más, vayan al *Catecismo de la Iglesia Católica* 900, 904, 905 en **usccb.org**.

Gente de fe

Esta semana, su hijo conoció a la Beata Madre Teresa de Calcuta. Su trabajo con los necesitados nos recuerda que hay muchas maneras de servir a Dios.

LOS NIÑOS DE ESTA EDAD >>>

Cómo comprenden compartir la Buena Nueva Los niños de esta edad pueden pensar que compartir la Buena Nueva de Jesús es solo hablar de Dios. Si bien hablar a los demás de nuestra fe es una parte importante de compartir el Evangelio, el testimonio de nuestra vida es la declaración más poderosa que podemos dar de nuestra creencia en Cristo. Los estudiantes pueden comprender esto con la guía de sus padres y de otros maestros, a medida que se les indican las muchas decisiones que tomamos cada día, casi siempre en presencia de otras personas. Aunque no prediquemos con palabras, nuestras acciones pueden decir mucho acerca de quiénes somos y en qué creemos.

CONSIDEREMOS ESTO >>>

¿Creen que una acción dice más que mil palabras?

Los investigadores nos dicen que las personas confían más en el lenguaje corporal que en el lenguaje verbal. Jesús nos ofreció la imagen perfecta de Dios, pues sus palabras y sus acciones nunca se contradicen entre sí. "Estamos llamados, a imitación del Señor Jesús, a ser gente que nos ofrecemos a nosotros mismos libremente en servicio a los demás. Estas obras de servicio pueden indicar el Reino de Dios, de amor, justicia, misericordia y salvación a todas las personas, culturas, gobiernos y otras estructuras sociales. También estamos llamados a una vida de servicio a la Iglesia misma" (*CCEUA, p. 128*).

HABLEMOS >>>

- Comenten los talentos de cada miembro de su familia y de cómo pueden ser usados para servir a Dios y compartir su amor con los demás.
- Nombren algunas personas de su parroquia que difunden el mensaje de Jesús.

OREMOS >>>

Querido Jesús, ayúdanos a usar nuestros dones para hacer algo hermoso para Dios, como lo hizo la Madre Teresa. Amén.

Visiten **vivosencristo.osv.com** para encontrar un glosario multimedia de Palabras católicas, lecturas dominicales, y recursos de Santos y tiempos festivos.

FAMILY+FAITH

LIVING AND LEARNING TOGETHER

YOUR CHILD LEARNED >>>

This chapter teaches that we are all called as disciples to share the Good News of Jesus and that priests, deacons, and religious sisters and brothers serve the Church in many ways.

God's Word

Read **Mark 16:15–16** to find out who is saved through Jesus Christ.

Catholics Believe

- Jesus' disciples share in his life and in his work.
- The Holy Spirit helps us proclaim the Gospel in our words and actions.

To learn more, go to the *Catechism of the Catholic Church* #746–747, 900, 904, 905 at **usccb.org**.

People of Faith

This week, your child met Blessed Mother Teresa of Calcutta. Her work with others in need reminds us that there are many ways to serve God.

CHILDREN AT THIS AGE >>>

How They Understand Sharing the Good News Children at this age may think of sharing the Good News of Jesus only as talking about God. While telling others about our faith is an important part of sharing the Gospel, the witness of our lives is the most powerful testimony we can give to our belief in Christ. Children can begin to understand this through the guidance of parents and other teachers as they point out the many choices we make each day, often witnessed by other people. Even when we cannot preach with our words, our actions can say a lot about who we are and what we believe.

CONSIDER THIS >>>

Do you believe that your actions speak louder than your words?

Research tells us that people trust body language more than verbal language. Jesus offered us the perfect image of God, as his words and actions never contradict each other. "We are called in imitation of the Lord Jesus, to be people who offer ourselves willingly in service to others. Actions of such service can point to Christ's Kingdom of love, justice, mercy, and salvation to all persons, cultures, governments, and other structures of society. We are also called to a life of service to the Church herself" (*USCCA, p. 118*).

LET'S TALK >>>

- Talk about the talents of each member of your family and how they can be used to serve God and share his love with others.
- Name some people in your parish who spread Jesus' message to others.

LET'S PRAY >>>

Dear Jesus, help us use our gifts to do something beautiful for God, as Blessed Mother Teresa did. Amen.

For a multimedia glossary of Catholic Faith Words, Sunday readings, seasonal and Saint resources, and chapter activities go to **aliveinchrist.osv.com**.

Capítulo 14 Repaso

A **Trabaja con palabras** Completa el espacio en blanco con la palabra correcta del Vocabulario que complete correctamente cada enunciado.

Vocabulario

vid

talento

proclamar

bautizar

discípulos

1. Jesús pidió hacer ____________________ en todas las naciones.
2. Se envió al Espíritu Santo para ayudar a los discípulos de Jesús a ____________________ el Evangelio.
3. Jesús pidió a sus seguidores ____________________ a las personas de todos los lugares.
4. Jesús es la ____________________, y nosotros somos las ramas.
5. Los dones de tiempo, ____________________ y tesoro te ayudan a compartir la Buena Nueva.

B **Confirma lo que aprendiste** Escribe V si el enunciado es VERDADERO. Escribe F si el enunciado es FALSO.

6. ☐ Jesús pidió a sus discípulos proclamar el Evangelio.
7. ☐ Jesús pidió a sus seguidores mantener en secreto la Buena Nueva.
8. ☐ Dios nos dio dones para ayudarnos a difundir la Buena Nueva.
9. ☐ Trabajamos junto con Dios para construir su Reino.
10. ☐ El Espíritu Santo fortaleció a los seguidores de Jesús para proclamar el periódico.

Chapter 14 Review

A **Work with Words** Fill in the blank with the correct word from the Word Bank to complete each sentence.

Word Bank
- vine
- talent
- proclaim
- baptize
- disciples

1. Jesus said to make ______________ of all nations.

2. The Holy Spirit was sent to help Jesus' disciples ______________ the Gospel.

3. Jesus told his followers to ______________ all people everywhere.

4. Jesus is the ______________, and we are the branches.

5. The gifts of time, ______________, and treasure help you share the Good News.

B **Check Understanding** Write the letter T if the sentence is TRUE. Write the letter F if the sentence is FALSE.

6. ☐ Jesus told his disciples to proclaim the Gospel.

7. ☐ Jesus asked his followers to keep the Good News a secret.

8. ☐ God gives us gifts to help us spread the Good News.

9. ☐ We work together with God to build his Kingdom.

10. ☐ The Holy Spirit strengthened Jesus' followers to proclaim the newspaper.

Formas de orar

Oremos

Líder: Señor, escucha nuestra oración.

"Regocija el alma de tu siervo,
pues a ti, Señor, elevo mi alma". Salmo 86, 4

Todos: Señor, escucha nuestra oración. Amén.

La Palabra de Dios

Cuando Jesús había terminado de orar, uno de sus discípulos le dijo: "Señor, enséñanos a orar como Juan enseñó a sus discípulos".

Así que Jesús les dijo: "Cuando oren, digan: 'Padre, santificado sea tu Nombre, venga tu Reino. Danos cada día el pan que nos corresponde. Perdónanos nuestros pecados, porque también nosotros perdonamos a todo el que nos debe. Y no nos dejes caer en la tentación'". Basado en Lucas 11, 1-4

¿Qué piensas?

- ¿Por qué Jesús nos enseña a orar?
- ¿Puedes orar por ti mismo?

Ways to Pray

Let Us Pray

Leader: Lord, hear us when we pray.

"Gladden the soul of your servant;
to you, Lord, I lift up my soul." Psalm 86:4

All: Lord, hear us when we pray. Amen.

God's Word

When Jesus had finished praying, one of his disciples said to him, "Lord, teach us how to pray just as John taught his disciples."

So Jesus told them, "When you pray, say: 'Father, hallowed be your name, your kingdom come. Give us each day our daily bread and forgive us our sins as we forgive everyone who has done wrong to us. And keep us from being tempted.'" Based on Luke 11:1–4

What Do You Wonder?

- Why does Jesus teach us to pray?
- Can you pray by yourself?

Hablamos con Dios

¿Qué nos enseña Jesús sobre la oración?

Cuando oras, hablas a Dios y lo escuchas. La Biblia dice que Jesús oraba muy a menudo. Él quería que sus seguidores también oraran a menudo.

Palabras católicas

Padre Nuestro la oración que Jesús enseñó a sus discípulos para rezarle a Dios Padre

La Palabra de Dios

Cómo orar

Jesús dijo: "Cuando oren, vayan a su pieza, cierren la puerta y oren a solas".

Jesús también les dijo: "No imiten a los paganos con sus letanías interminables: ellos creen que un bombardeo de palabras hará que se los oiga... Antes de que ustedes pidan, su Padre ya sabe lo que necesitan. Ustedes, pues, recen así: Padre nuestro, que estás en el Cielo, santificado sea tu Nombre". Basado en Mateo 6, 5-9

Subraya lo que dice Jesús acerca de cómo debemos orar.

El Padre Nuestro

El nombre de la oración que Jesús enseñó a sus seguidores es **Padre Nuestro**. También se la llama "Oración del Señor" Cuando decimos el Padre Nuestro, estamos hablando directamente a Dios Padre.

Jesús nos enseñó a orar en todo momento.

Talking with God

What does Jesus teach us about prayer?

When you pray, you talk to and listen to God. The Bible says that Jesus prayed often. He wanted his followers to pray often, too.

Catholic Faith Words

Lord's Prayer the prayer that Jesus taught his disciples to pray to God the Father

God's Word

How to Pray

Jesus said, "When you pray, go to your inner room, close the door, and pray to your Father in secret."

Jesus also told them, "Do not babble like the others, who think that they will be heard because of their many words . . . Your Father knows what you need before you ask him. This is how you are to pray: Our Father in Heaven, hallowed be your name." Based on Matthew 6:5–9

Underline what Jesus says about how we are to pray.

Jesus showed us to pray at all times.

The Lord's Prayer

The name of the prayer that Jesus taught his followers is the **Lord's Prayer**. It is also called the "Our Father." When we say the Lord's Prayer, we are talking directly to God our Father.

El Padre Nuestro

Palabras de la oración	Significado
Padre nuestro, que estás en el cielo, santificado sea tu Nombre;	Alabamos a Dios Padre. Decimos su nombre con amor y respeto.
venga a nosotros tu reino;	Oramos para que todas las personas conozcan la justicia y la paz de Dios.
hágase tu voluntad en la tierra como en el cielo.	Haremos lo que Dios desea, no lo que nosotros queremos.
Danos hoy nuestro pan de cada día;	Le pedimos a Dios que nos dé lo que necesitamos, especialmente en la Eucaristía.
perdona nuestras ofensas, como también nosotros perdonamos a los que nos ofenden;	Le pedimos a Dios que sea misericordioso con nosotros, así como nosotros somos con los demás.
no nos dejes caer en la tentación, y líbranos del mal.	Le pedimos a Dios que nos proteja de todo daño y nos aparte del pecado.
Amén.	¡Que así sea!

Comparte tu fe

Piensa ¿Cuándo rezas el Padre Nuestro?

____

____

Comparte Habla de las veces en que se reza el Padre Nuestro.

The Lord's Prayer

Words of the Prayer	What They Mean
Our Father, who art in heaven, hallowed be thy name;	We praise God the Father. We say his name with love and respect.
thy kingdom come,	We pray that all people will know God's justice and peace.
thy will be done on earth as it is in heaven.	We will do what God wants, not what we want.
Give us this day our daily bread;	We ask God to give us what we need, most especially in the Eucharist.
and forgive us our trespasses as we forgive those who trespass against us;	We ask God to be as forgiving of us as we are of others.
and lead us not into temptation, but deliver us from evil.	We ask God to protect us from harm and keep us from sin.
Amen.	May it be so!

Share Your Faith

Think When do you pray the Lord's Prayer?

___

___

Share Talk about the times the Lord's Prayer is prayed.

Tipos de oración

¿Cuál es tu forma preferida de orar?

La oración es una manera de profundizar tu amistad con Dios. Puedes orar de muchas maneras. Puedes decir muchas cosas cuando le oras a Dios. A veces puedes nada más quedarte en paz y disfrutar de estar con Dios. A continuación se enumeran diferentes tipos de oración.

Palabras católicas

bendición una oración que bendice a Dios, quien es la fuente de todo lo bueno

petición pedir a Dios lo que se necesita

intercesión pedir a Dios que ayude a los demás

acción de gracias dar gracias a Dios por todo lo que nos ha dado

alabanza honrar a Dios y agradecerle porque Él es Dios

Colorea la imagen. Luego comparte algo por lo que ores antes de acostarte.

Types of Prayer

What is your favorite way to pray?

Prayer is a way to deepen your friendship with God. You can pray in many ways. You can say many things when you pray to God. Sometimes you can just be quiet and enjoy being with God. Listed below are different types of prayers.

Catholic Faith Words

blessing a prayer that blesses God, who is the source of everything that is good

petition asking God for what we need

intercession asking God to help others

thanksgiving giving thanks to God for all he has given us

praise giving God honor and thanks because he is God

Color the picture. Then share one thing you pray for before you go to bed.

Cómo orar

Para orar puedes usar tus propias palabras. También puedes usar oraciones que han escrito la Iglesia y algunos santos. Algunas de estas oraciones son el Ave María, el Gloria y las oraciones antes de las comidas. Puedes orar cuando estás feliz, triste, solo o con otras personas.

También puedes orar cuando ves imágenes u objetos que te recuerden que Dios está contigo. A los objetos como el crucifijo, el rosario o el agua bendita se los llama **sacramentales**. Las palabras de bendición y las acciones como la Señal de la Cruz también son sacramentales.

➔ **¿Qué sacramentales ves en la iglesia?**

➔ **¿Qué sacramentales tienes en casa?**

Palabras católicas

sacramentales bendiciones, objetos y acciones que te recuerdan a Dios y que se vuelven sagrados a través de las oraciones de la Iglesia

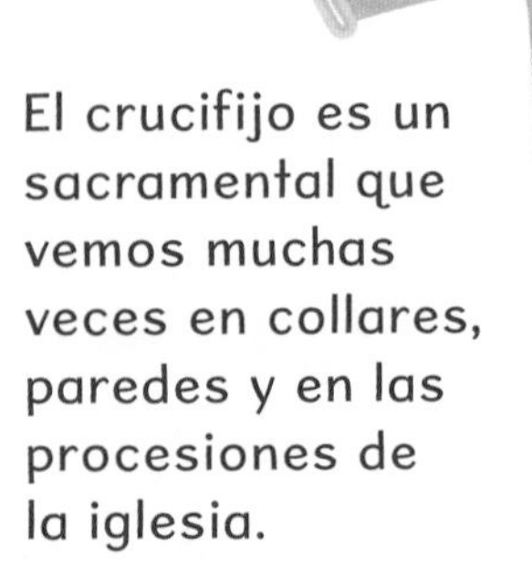

El crucifijo es un sacramental que vemos muchas veces en collares, paredes y en las procesiones de la iglesia.

Practica tu fe

Memoriza las palabras del Gloria.

Gloria al Padre,
al Hijo
y al Espíritu Santo.
Como era en un principio,
ahora y siempre,
por los siglos de los siglos. Amén.

How to Pray

You can use your words to pray. You can also use prayers that the Church and some of the Saints have written. These prayers include the Hail Mary, the Glory Be, and prayers before meals. You can pray when you are happy, sad, alone, or with others.

You can also pray when you see pictures or objects that remind you that God is with you. Objects such as a crucifix, a rosary, or holy water are called **sacramentals**. Words of blessing and actions, such as the Sign of the Cross, are also sacramentals.

➔ **What sacramentals do you see in church?**

➔ **What sacramentals do you have in your home?**

Catholic Faith Words

sacramentals blessings, objects, and actions that remind you of God and are made sacred through the prayers of the Church

Connect Your Faith

Learn by Heart Memorize the words of the Glory Be.

Glory be to the Father,
and to the Son,
and to the Holy Spirit.
As it was in the beginning,
is now, and ever shall be,
world without end. Amen.

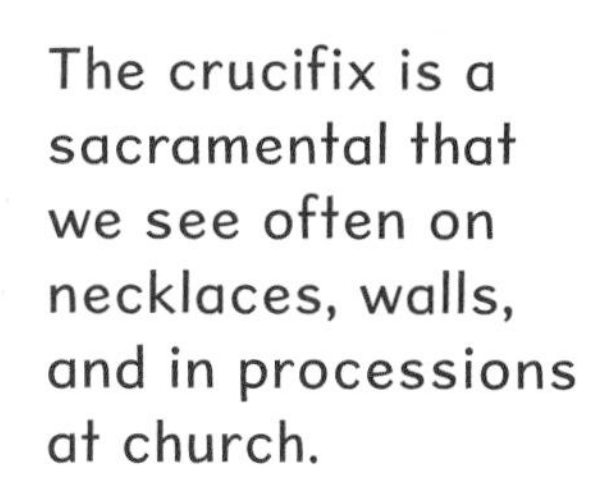

The crucifix is a sacramental that we see often on necklaces, walls, and in processions at church.

Nuestra vida católica

¿Cómo puedes hablarle a Dios?

A veces hablas a Dios usando las palabras de las oraciones que has memorizado, como el Padre Nuestro. A veces oras con las palabras de la Biblia, como los salmos. Pero también puedes usar tus propias palabras cuando oras junto a tu familia o solo.

➔ **¿Qué oraciones puedes decir?**

Completa los espacios en blanco para identificar el tipo de oración.

Tipo de oración	Palabras que podemos decir
Oración de b _ n _ i _ i _ n	Te amo, Señor, tu bondad llena el mundo.
Oración de p _ t _ c _ ó _	Tengo un problema y necesito tu ayuda. Señor, por favor, ayúdame. Necesito saber que estás conmigo.
Oración de _ n t _ r _ e _ i ó _	Señor, por favor, ayuda a mi tío Miguel a encontrar trabajo.
Oración de a _ r _ d _ c _ m _ e _ t _	Gracias, Señor, por mi familia y mis amigos, que comparten tu amor conmigo.
Oración de a _ a _ a _ z _	Señor, el mundo que creaste es increíble.

Our Catholic Life

How can you talk to God?

Sometimes you talk to God using the words of prayers you have memorized, like the Lord's Prayer. Sometimes you pray in the words of the Bible, like the psalm verses. But you can use your own words, too, when you pray together with your family and by yourself.

➔ **What are some prayers you can pray?**

Fill in the blanks to identify the prayer type.

Prayer Type	Words We Can Say
A prayer of _ l _ s _ i _ g	I love you God, your goodness fills the world.
A prayer of p _ t _ _ i _ _	I have a problem and I need your help. God, please help me. I need to know you are with me.
A prayer of _ n t _ r _ e _ _ i o _	God, please help Uncle Mike find a new job.
A prayer of _ h _ n _ _ g _ v _ _ _	Thank you, God, for my family and friends, who share your love with me.
A prayer of _ r _ _ s _	God, the world you made is so amazing!

Gente de fe

San Alfonso [María] de Ligorio, 1696–1787

San Alfonso [María] de Ligorio fue un abogado muy bueno. Dios quiso que se hiciera sacerdote, y así lo hizo. Como sacerdote fue incluso mejor de lo que fue como abogado. A San Alfonso le encantaba orar. Escribió muchas oraciones diferentes. Escribió oraciones de alabanza, acción de gracias y petición. Le encantaba especialmente pedir a la Bienaventurada Madre que orara por él. También fue pintor, poeta y músico. ¡Incluso escribió una canción para cantar en Navidad!

1 de agosto

Comenta: ¿Qué tipo de oración te gusta orar?

Aprende más sobre San Alfonso [María] de Ligorio en **vivosencristo.osv.com**

Vive tu fe

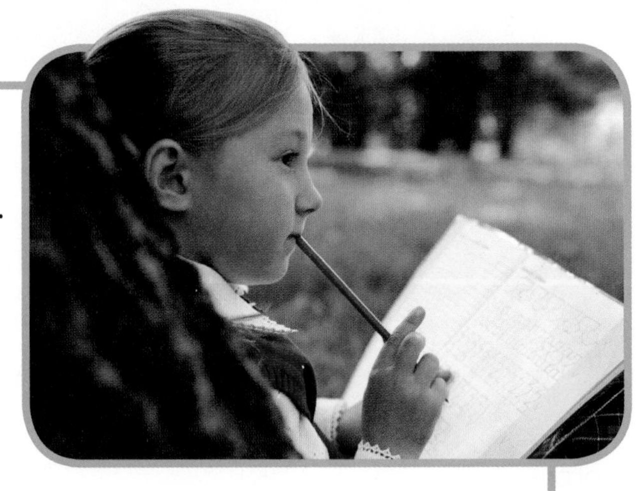

Escribe una oración Escribe una breve oración de acción de gracias a Dios. Cuéntale de qué te sientes agradecido y por qué.

____

____

____

____

____

____

____

People of Faith

Saint Alphonsus Liguori, 1696–1787

Saint Alphonsus Liguori was a very good lawyer. God wanted him to become a priest, so he did. He was an even better priest than he was a lawyer. Saint Alphonsus loved to pray. He wrote many different prayers. He wrote prayers of praise, thanksgiving, and petition. He especially loved to ask the Blessed Mother to pray for him. He was also a painter, poet, and musician. He even wrote a song to sing at Christmas!

August 1

Discuss: What type of prayer do you like to pray?

Learn more about Saint Alphonsus Liguori at **aliveinchrist.osv.com**

Live Your Faith

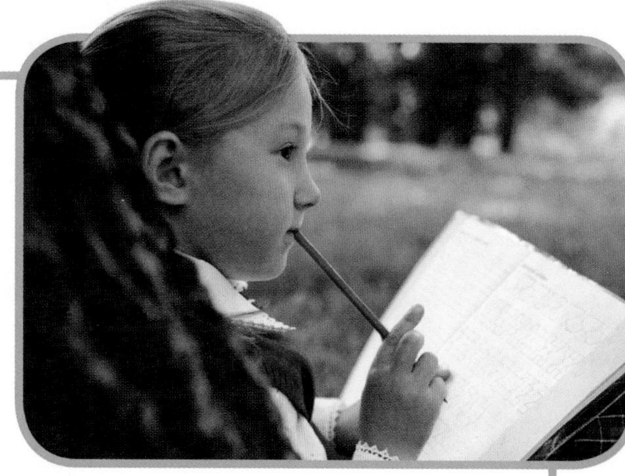

Write a Prayer Write a short prayer of thanksgiving to God. Tell what you are thankful for and why.

____

____

____

____

____

____

____

Oremos

El Padre Nuestro

Reúnanse y empiecen con la Señal de la Cruz.

Líder: Oremos juntos la oración que Jesús nos enseñó.

Todos: Padre nuestro, que estás en el Cielo,
santificado sea tu Nombre;
venga a nosotros tu reino;
hágase tu voluntad
en la tierra
como en el cielo.

Danos hoy nuestro pan de cada día;
perdona nuestras ofensas,
como también nosotros perdonamos
a los que nos ofenden;
no nos dejes caer en la tentación,
y líbranos del mal. Amén.

Canten "Abre Mis Ojos"

Abre mis ojos,
que quiero ver como tú.
Abre mis ojos,
ayúdame a ver.

Abre mis oídos,
que quiero oír como tú.
Abre mis oídos,
ayúdame a oír.

Let Us Pray

The Lord's Prayer

Gather and begin with the Sign of the Cross.

Leader: Let us pray together the prayer that Jesus taught us.

All: Our Father, who art in heaven,
hallowed be thy name;
thy kingdom come,
thy will be done
on earth
as it is in heaven.

Give us this day our daily bread,
and forgive us our trespasses,
as we forgive those who trespass
against us;
and lead us not into temptation,
but deliver us from evil. Amen.

Sing "Open My Eyes"

Open my eyes, Lord.
Help me to see your face.
Open my eyes, Lord.
Help me to see.

Open my ears, Lord.
Help me to hear your voice.
Open my ears, Lord.
Help me to hear.

FAMILIA + FE

VIVIR Y APRENDER JUNTOS

SUS HIJOS APRENDIERON >>>

Este capítulo explora la importancia de la oración, las muchas maneras de orar y cómo usar los sacramentales: objetos, acciones y palabras sagradas.

La Palabra de Dios

Lean **Lucas 11, 1–4** para aprender qué nos enseñó Jesús sobre la oración y las palabras que Él usó para orar.

Lo que creemos

- Orar es estar con Dios en la mente y el corazón. Oramos de muchas maneras, por muchas razones.
- Jesús enseñó a sus seguidores la Oración del Señor.

Para aprender más, vayan al *Catecismo de la Iglesia Católica* 2692–2696 en **usccb.org**.

Gente de fe

Esta semana, su hijo conoció a San Alfonso María de Ligorio. Le encantaba rezarle a la Bienaventurada Madre.

LOS NIÑOS DE ESTA EDAD >>>

Cómo comprenden la oración Puede que los niños vean la oración como "oraciones": recitar palabras de memoria para hablar con Dios. Estas oraciones pueden ser importantes porque nos permiten orar juntos con una sola voz, pero la oración es una conversación con Dios en nuestro corazón, en nuestra mente y con palabras. Si no lo han hecho todavía, los niños ya tienen edad para comenzar a hablar con Dios con sus propias palabras. Su hijo puede hacer esto con ciertas indicaciones y una estructura. Un espacio sagrado en el hogar también puede servir como un lugar para escuchar a Dios en reflexión silenciosa.

CONSIDEREMOS ESTO >>>

¿Recuerdan haber visto imágenes y objetos sagrados en el hogar donde se criaron?

Las imágenes nos transforman. Se trate de una gran obra de arte o una foto de un niño sufriendo que veamos en las noticias, las imágenes pueden cambiar nuestra mente y nuestro corazón. Los fieles pueden conocer la gracia que fluye de Cristo mediante el uso de sacramentales (bendiciones, objetos y acciones que le recuerdan a Dios y que son sagradas a través de las oraciones de la Iglesia). "Nosotros usamos estos signos y símbolos para que nos ayuden a sentir la presencia invisible de Dios" (*CCEUA, p. 184*).

HABLEMOS >>>

- Inviten a su hijo a compartir algo que Jesús nos enseña sobre la oración.
- Mencionen maneras en que su familia ora unida y por qué.

OREMOS >>>

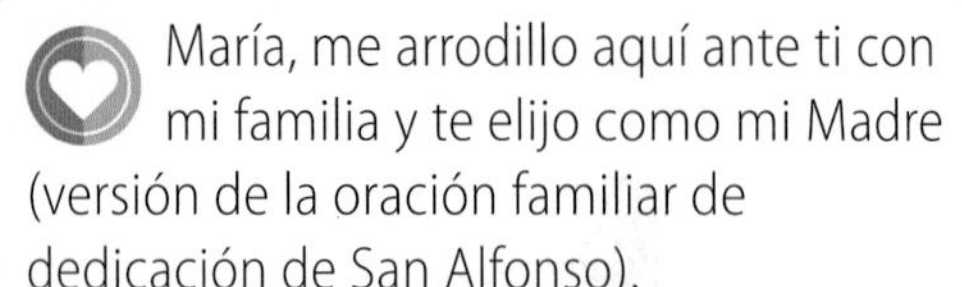

María, me arrodillo aquí ante ti con mi familia y te elijo como mi Madre (versión de la oración familiar de dedicación de San Alfonso).

Visiten **vivosencristo.osv.com** para encontrar un glosario multimedia de Palabras católicas, lecturas dominicales, y recursos de Santos y tiempos festivos.

FAMILY + FAITH

LIVING AND LEARNING TOGETHER

YOUR CHILD LEARNED >>>

This chapter explores the importance of prayer, the many ways we pray, and how we use sacramentals—sacred objects, actions, and words.

God's Word

Read **Luke 11:1–4** to learn what Jesus taught us about prayer and the words he used to pray.

Catholics Believe

- Prayer is being with God in your mind and heart. We pray in many ways, for many reasons.
- Jesus taught his followers the Lord's Prayer.

To learn more, go to the *Catechism of the Catholic Church* #2692–2696 at **usccb.org**.

People of Faith

This week, your child met Saint Alphonsus Liguori. He loved to pray to the Blessed Mother.

CHILDREN AT THIS AGE >>>

How They Understand Prayer Children may view prayer as "prayers:" memorized, recited words we say to God. These prayers can be important because they allow us to pray together with one voice, but prayer is a conversation with God, in our hearts, minds, and with words. If they haven't already, children at this age are old enough now to begin speaking to God in their own words. Your child can do this with some prompting and structure. A sacred space in the home can also provide a place for listening to God in quiet reflection.

CONSIDER THIS >>>

Do you remember seeing sacred pictures and objects in the home where you were raised?

We are transformed by images. Whether it is a piece of great art or a picture of a suffering child we see on the news, images can change our minds and hearts. Faith-filled people can come to know the grace that flows from Christ through the use of sacramentals (blessings, objects, and actions that remind you of God and are made sacred through the prayers of the Church). "We use these signs and symbols to help us experience God's invisible presence" (*USCCA, p. 171*).

LET'S TALK >>>

- Invite your child to share one thing Jesus teaches us about prayer.
- Talk about some ways your family prays together and why.

LET'S PRAY >>>

Mary, I kneel here before you with my family and choose you for my Mother (Saint Alphonsus' family prayer of dedication).

For a multimedia glossary of Catholic Faith Words, Sunday readings, seasonal and Saint resources, and chapter activities go to **aliveinchrist.osv.com**.

Capítulo 15 Repaso

A Trabaja con palabras Ordena las palabras y halla cinco buenas razones para orar.

1. EDENBRIC a Dios Padre ______________
2. LABRAA al Señor por su grandeza ______________
3. DARGEEACR a Jesús por su don de vida ______________
4. DERPI al Espíritu Santo lo que necesitas ______________
5. AORR por alguien ______________

B Confirma lo que aprendiste Traza una línea que una las oraciones de la Columna A con la mejor descripción de esa oración de la Columna B.

Columna A	Columna B
6. Padre amoroso, ¡eres el mejor!	oración de acción de gracias
7. Te bendigo y te amo, Señor.	oración de bendición
8. Jesús, ayúdame hoy en la escuela.	oración de intercesión
9. Señor, por favor, ayuda a que mi abuelita mejore.	oración de alabanza
10. Gracias, Señor, por todos mis amigos.	oración de petición

Chapter 15 Review

A **Work with Words** Unscramble the words to find five good reasons to pray.

1. To **LEBSS** God the Father __________
2. To **ESIARP** the Lord for his greatness __________
3. To **KNATH** Jesus for his gift of life __________
4. To **KAS** the Holy Spirit for what you need __________
5. To **RPAY** for someone else __________

B **Check Understanding** Draw a line from the prayers in Column A to the best description of that prayer in Column B.

Column A	Column B
6. Loving Father, you are the best!	prayer of thanksgiving
7. I bless you and love you, God.	prayer of blessing
8. Jesus, help me today in school.	prayer of intercession
9. Please, Lord, help Grandma get well.	prayer of praise
10. Thank you, God, for all my friends.	prayer of petition

Repaso de la Unidad

A **Trabaja con palabras** Completa cada oración con la palabra correcta del Vocabulario.

Vocabulario

- Proclamar
- enseñanzas
- Fe
- Reino de Dios
- Padre

1. ________________ a Jesús es hablar de él en palabra y acción.
2. Jesús nos enseñó el ________________ Nuestro.
3. __________ es creer en Dios y en todo lo que Él nos ayuda a entender acerca de sí mismo.
4. El ________________________ está en el Cielo y todavía se sigue construyendo en la Tierra.
5. Los discípulos de Jesús creían en él y en sus __________________.

B **Confirma lo que aprendiste** Encierra la respuesta correcta.

6. ¿A quién pidió Jesús que bajara del árbol?

   Pedro **Juan** **Zaqueo**

7. ¿A quién invita Jesús al Reino de Dios?

   a todos **a los Santos** **solo a los niños**

8. ¿Quién guía siempre las acciones de la Iglesia?

   los Santos **el Espíritu Santo** **los discípulos**

9. ¿Qué nombre les damos al rosario y al agua bendita?

   Sacramentos **oraciones** **sacramentales**

10. ¿Cuándo está Jesús con nosotros?

    siempre **cuando soñamos** **cuando pecamos**

Unit Review

A Work with Words Complete each sentence with the correct word from the Word Bank.

Word Bank

- proclaim
- teachings
- Faith
- Kingdom of God
- Lord's

1. To ______________ Jesus is to tell about him in word and action.
2. Jesus taught us the ______________ Prayer.
3. ______________ is believing in God and that he helps us understand about himself.
4. The ______________________ is in Heaven and is still being built on Earth.
5. Jesus' disciples believed in him and in his ______________.

B Check Understanding Circle the correct answer.

6. Who did Jesus call down from the tree?

   Peter **John** **Zacchaeus**

7. Who does Jesus invite to the Kingdom of God?

   everyone **Saints** **only children**

8. Who is always guiding the Church's actions?

   Saints **Holy Spirit** **disciples**

9. What name do we give to rosaries and holy water?

   Sacraments **prayers** **sacramentals**

10. When will Jesus be with us?

    always **when we dream** **when we sin**

Repaso de la Unidad

Escribe V si el enunciado es VERDADERO. Escribe F si el enunciado es FALSO.

11. ☐ Paz es cuando las cosas no están en calma y las personas no se llevan bien.

12. ☐ La intercesión es una oración en la que pedimos a Dios que ayude a los demás.

13. ☐ Una petición es una oración por la que honramos a Dios porque él es el Señor.

14. ☐ Jesús pidió a todos sus seguidores que compartieran la Buena Nueva.

15. ☐ Algunas veces puedes usar las oraciones memorizadas para orar.

C **Relaciona** **Encierra en un círculo la palabra o las palabras que digan algo sobre el Reino de Dios.**

16–20.

injusticia	orar	robar
ignorar a alguien	mentir	ser deshonesto
pecar	amor	bondad
compartir tus dones	ser egoísta	dar la bienvenida

Write the letter T if the sentence is TRUE. Write the letter F if the sentence is FALSE.

11. ☐ Peace is when things are not calm and people do not get along.

12. ☐ Intercession is a prayer in which we ask God to help others.

13. ☐ A petition is a prayer in which we give God honor because he is God.

14. ☐ Jesus asked all of his followers to share the Good News.

15. ☐ Sometimes you can use memorized prayers to pray.

C Make Connections Circle the word or words below that tell something about God's Kingdom.

16–20.

injustice	praying	stealing
ignoring someone	lying	being unfair
sin	love	kindness
sharing your gifts	being selfish	welcome

Repaso de la Unidad

Completa las oraciones que están a continuación.

21. Jesús vio que Zaqueo tenía

____.

22. Dios te dio tiempo, talento y tesoro para ayudarte a compartir la

____.

23. La oración es una manera de profundizar tu amistad con

____.

24. Jesús enseñó que todas las personas son bienvenidas en el

____.

25. Cuando agradeces a Dios en una oración, se llama una oración de

____.

Complete each sentence below.

21. Jesus saw that Zaccheaus had

____.

22. God gave you time, talent, and treasure to help you share the

____.

23. Prayer is a way to deepen your friendship with

____.

24. Jesus taught that all people are welcomed in God's

____.

25. When you thank God in a prayer, it is called a prayer of

____.

UNIDAD 6

Sacramentos

Nuestra Tradición Católica

- La Misa es otro nombre para la celebración de la Eucaristía. (CIC, 1332)
- La Misa tiene dos partes: la Liturgia de la Palabra y la Liturgia Eucarística. (CIC, 1346)
- En la Misa, escuchamos la Palabra de Dios tomada de la Biblia y oramos por la Iglesia y las necesidades del mundo. (CIC, 1349)
- Recordamos el sacrificio de Jesús y damos gracias por esto. (CIC, 1350)
- Recibimos el Cuerpo y la Sangre de Cristo en la Sagrada Comunión. (CIC, 1355)

¿Por qué decimos que la Misa es una comida sagrada y un sacrificio?

UNIT 6

Sacraments

Our Catholic Tradition

- The Mass is another name for the celebration of the Eucharist. (CCC, 1332)
- The Mass has two parts: the Liturgy of the Word and the Liturgy of the Eucharist. (CCC, 1346)
- At every Mass, we hear God's Word from the Bible and pray for the Church and the needs of the world. (CCC, 1349)
- We remember Jesus' sacrifice and give thanks for it. (CCC, 1350)
- We receive Christ's Body and Blood in Holy Communion. (CCC, 1355)

How is the Mass both a holy meal and a sacrifice?

Reunidos para celebrar

Oremos

Líder: Dios, nos reunimos para celebrar contigo.

"Es bueno dar gracias al Señor...
proclamar tu amor por la mañana y tu
fidelidad durante la noche...". Salmo 92, 2-3

Todos: Gracias, Dios, por estar con nosotros
y llenarnos con tu gracia. Amén.

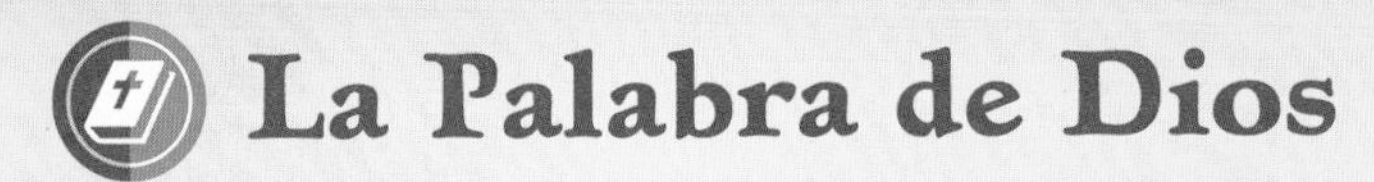

La Palabra de Dios

Y mientras estaba en la mesa con ellos, tomó el pan, pronunció la bendición, lo partió y se lo dio. En ese momento se les abrieron los ojos y lo reconocieron, pero él desapareció. Entonces se dijeron el uno al otro: "¿No sentíamos arder nuestro corazón cuando nos hablaba en el camino y nos explicaba las Escrituras?". Lucas 24,30-32

¿Qué piensas?

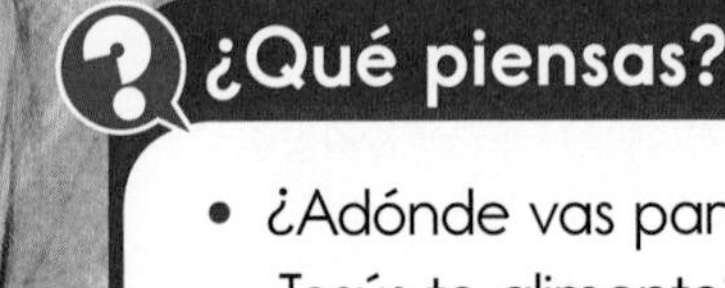

- ¿Adónde vas para que Jesús te alimente?
- ¿Cómo te alimenta Jesús?

Gather to Worship

Let Us Pray

Leader: God, we gather to worship with you.

"It is good to give thanks to the LORD …
To proclaim your love at daybreak,
your faithfulness in the night …" Psalm 92:2–3

All: Thank you, God, for being with us
and filling us with your grace. Amen.

God's Word

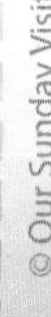

And it happened that, while he was with them at table, he took bread, said the blessing, broke it, and gave it to them. With that their eyes were opened and they recognized him, but he vanished from their sight. Then they said to each other, "Were not our hearts burning [within us] while he spoke to us on the way and opened the scriptures to us?" Luke 24:30–32

What Do You Wonder?

- Where do you go to be fed by Jesus?
- How does Jesus feed you?

Celebrar la Eucaristía

¿Quién se reúne en la Misa?

¿Cuánto esperas para tu cumpleaños o la Navidad? Nos reunimos con aquellos que amamos para celebrar y compartir los sucesos importantes.

Las celebraciones también son una parte importante de la vida de la Iglesia. La **Eucaristía** es el Sacramento en el que Jesús se da a sí mismo, y el pan y el vino se convierten en su Cuerpo y su Sangre. Desde el principio, los seguidores de Jesús se han reunido para adorarlo.

La Palabra de Dios

La comunidad se reúne

Después de la llegada del Espíritu Santo, los seguidores de Jesús se reunían con frecuencia para aprender de los apóstoles y compartir el pan y las oraciones. Algunos de ellos vendían lo que tenían y repartían el dinero para ayudar a otros. También compartían sus pertenencias con los más necesitados. Los seguidores de Jesús estaban muy entusiasmados y todos los días se unían más miembros a su comunidad. Basado en Hechos 2,42-47

Subraya las cosas que hicieron los primeros seguidores de Jesús y que también se hacen en tu comunidad parroquial.

Celebrating the Eucharist

Who gathers for the Mass?

How much do you look forward to your birthday or Christmas? We gather with people we love to celebrate and share these important events.

Celebrations are an important part of Church life, too. The **Eucharist** is the Sacrament in which Jesus shares himself with us and the bread and wine become his Body and Blood. Since the beginning, followers of Jesus have come together to worship.

Underline the things that Jesus' first followers did that your parish community does, too.

God's Word

The Community Gathers

After the Holy Spirit came, Jesus' followers met often to learn from the Apostles, to break bread together, and to pray. Some of the members sold what they had and gave the money to help the others. Still others shared their belongings with those who were in need. These followers of Jesus were very happy, and new members joined every day.

Based on Acts 2:42–47

Nos reunimos

La **Misa** es otro nombre para la celebración de la Eucaristía. Todos los domingos, las personas se saludan mientras caminan a su iglesia. Cuando entramos en la iglesia, mojamos la mano con agua bendita y hacemos la Señal de la Cruz. Este acto nos recuerda nuestro Bautismo.

Todos los que están reunidos forman la **asamblea**. Participamos en la Misa al rezar, cantar y realizar acciones para adorar a Dios.

Cuando empieza la Misa, la asamblea se pone de pie. Todos cantamos un canto de entrada. Los monaguillos entran en procesión llevando una cruz. Los lectores, el diácono y el sacerdote los siguen. Ellos también cantan.

Palabras católicas

Eucaristía el Sacramento en el que Jesús se da a sí mismo, y el pan y el vino se convierten en su Cuerpo y su Sangre

Misa la reunión de católicos para adorar a Dios. Incluye la Liturgia de la Palabra y la Liturgia Eucarística.

asamblea las personas reunidas para celebrar el culto

Comparte tu fe

Piensa Escribe una manera en que te preparas para participar en la Misa.

____

____

Comparte Habla de lo que sucede en tu casa o en la parroquia antes de que empiece la Misa.

We Gather

Mass is another name for the celebration of the Eucharist. Every Sunday, people wave and greet each other as they walk toward their church. As we enter the church, we dip our hands in holy water and make the Sign of the Cross. This action reminds us of our Baptism.

All those gathered together make up the **assembly**. We take part in the Mass by praying, singing, and using actions to worship God.

As the Mass begins, the assembly stands. We all sing a gathering song. The altar servers enter carrying a cross in a procession. The readers, deacon, and priest follow. They are singing, too.

Catholic Faith Words

Eucharist the Sacrament in which Jesus shares himself, and the bread and wine become his Body and Blood

Mass the gathering of Catholics to worship God. It includes the Liturgy of the Word and the Liturgy of the Eucharist.

assembly the people gathered together for worship

Think Write one way you can get ready to take part in the Mass.

____

____

Share Talk about what happens in your home or parish before Mass begins.

Los ritos iniciales

¿Qué sucede cuando comienza la Misa?

Después de la procesión, el sacerdote guía a la asamblea para hacer la Señal de la Cruz. Él saluda a todos, diciendo: "El Señor esté con ustedes". La asamblea responde: "Y con tu espíritu". Estas palabras nos recuerdan que Jesús está presente en el sacerdote y en las personas reunidas.

Subraya las respuestas que dices en la Misa.

A continuación, los miembros de la asamblea recuerdan el perdón de Dios. El sacerdote nos pide que pensemos en los momentos en que podemos haber herido a alguien. Pedimos la misericordia de Dios y que Él nos perdone por cualquier error que hayamos cometido durante la semana. Decimos:

Sacerdote: Señor, ten piedad.
Todos: Señor, ten piedad.
Sacerdote: Cristo, ten piedad.
Todos: Cristo, ten piedad.
Sacerdote: Señor, ten piedad.
Todos: Señor, ten piedad.

The Introductory Rites

What happens as Mass begins?

After the procession ends, the priest leads the assembly in making the Sign of the Cross. He greets everyone, saying, "The Lord be with you." The assembly answers, "And with your spirit." These words remind us that Jesus is present in the priest and in the people gathered together.

Underline the responses that you say at Mass.

Next, the members of the assembly recall God's forgiveness. The priest asks us to think of times we may have hurt others. We ask for God's mercy and for him to forgive us for any wrong we have done during the week. We say together:

Priest: Lord, have mercy.
All: Lord, have mercy.
Priest: Christ, have mercy.
All: Christ, have mercy.
Priest: Lord, have mercy.
All: Lord, have mercy.

Palabras de alabanza

Con el perdón de Dios en tu corazón, estás mejor preparado para orar y participar en la Misa. El *Gloria* se canta o se reza durante la Misa muchas veces en el año. El *Gloria* es un himno muy antiguo que la Iglesia proclama para alabar y honrar a la Santísima Trinidad. El himno empieza con estas palabras.

Todos: Gloria a Dios en el cielo, y en la tierra paz a los hombres que ama el Señor.

Después de este canto, el sacerdote invita a las personas a orar. El sacerdote y la asamblea se quedan en silencio unos minutos. Luego el sacerdote reza la oración inicial, y las personas responden "Amén". Los ritos iniciales han terminado. Ahora, todos reunidos, están listos para la primera parte principal de la Misa.

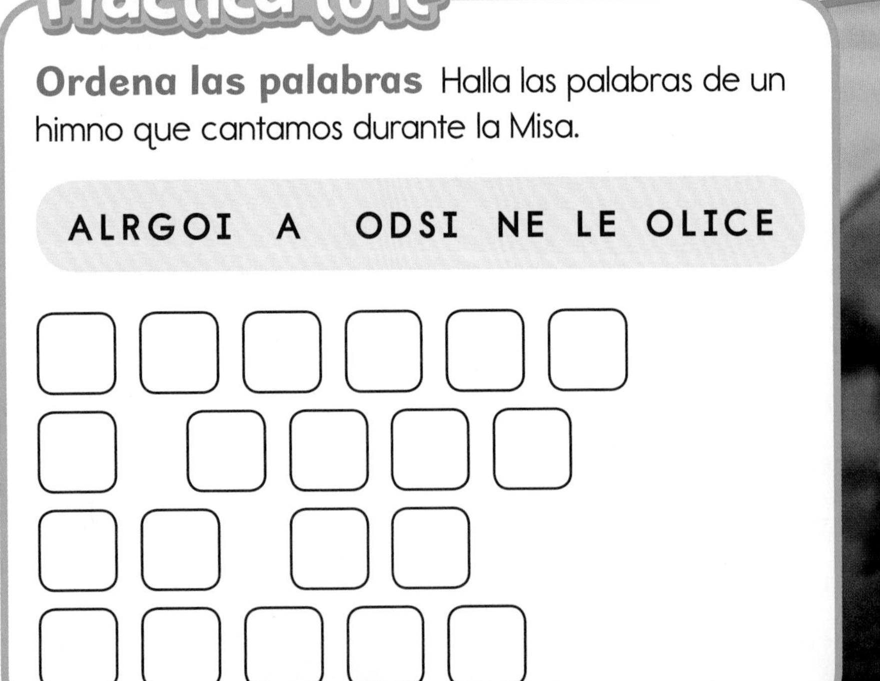

Practica tu fe

Ordena las palabras Halla las palabras de un himno que cantamos durante la Misa.

ALRGOI A ODSI NE LE OLICE

Words of Praise

With God's forgiveness in your heart, you are better able to pray and take part in the Mass. Many times during the year, the *Gloria* is sung or prayed during Mass. The *Gloria* is a very old hymn that the Church prays to give praise and honor the Holy Trinity. The hymn begins with these words.

All: Glory to God in the highest, and on earth peace to people of good will.

After this song, the priest invites the people to pray. The priest and assembly are silent for a few moments. The priest then prays the opening prayer, and the people respond "Amen." The Introductory Rites have ended. All gathered are now ready for the first main part of the Mass.

Connect Your Faith

Unscramble the Words Find the words to a hymn that we sing during Mass.

LRGOY TO ODG IN HTE SEGHITH

Nuestra vida católica

¿Cómo puedes participar en la celebración de la Misa?

El sacerdote nos guía en la celebración de la Misa. Pero él no es la única persona que celebra. Toda la asamblea se reúne para alabar y dar gracias a Dios.

Tú eres parte de la asamblea. No vas a la Misa a observar, sino a participar en la celebración. Participar en la Misa te ayudará a acercarte más a Jesús en la Eucaristía.

Formas de participar en la Misa

- Conoce las partes de la Misa.
- Aprende las oraciones y las respuestas.
- Llega puntual y listo para participar.
- Saluda y sé amable con las demás personas de la asamblea.
- Únete al canto.
- Sigue las acciones del sacerdote, el diácono y los demás ministros.
- Escucha todas las lecturas y la homilía.
- Demuestra respeto en la manera en que te pones de pie, te sientas y te arrodillas.

Our Catholic Life

How can you take part in the celebration of the Mass?

The priest leads us in the celebration of the Mass. But he is not the only person celebrating. The whole assembly gathers to praise and give thanks to God.

You are part of the assembly. You don't go to Mass to watch but to take part in the celebration. Taking part in the Mass will help you grow closer to Jesus in the Eucharist.

Ways to Join in the Mass

- Get to know the parts of the Mass.
- Learn the prayers and responses.
- Arrive on time and ready to participate.
- Greet and be friendly to the other people in the assembly.
- Join in the singing.
- Follow the actions of the priest, deacon, and other ministers.
- Listen to all of the readings and the homily.
- Show respect in the way you stand, sit, and kneel.

Gente de fe

15 de agosto

San Tarcisio, siglo III o IV a. de C.

San Tarcisio vivió en Roma. Él amó muchísimo a Jesús. Un día, llevó en secreto la Eucaristía a los cristianos que estaban presos por su fe en Jesús. Algunas personas que no eran cristianas descubrieron lo que él hacía. Quisieron robarle la Eucaristía. Lo apedrearon y lo mataron. Cuando buscaron entre sus ropas, vieron que la Eucaristía había desaparecido. San Tarcisio nos recuerda respetar siempre la Eucaristía porque es Jesús.

Comenta: ¿Cómo demuestras respeto por Jesús en la Eucaristía?

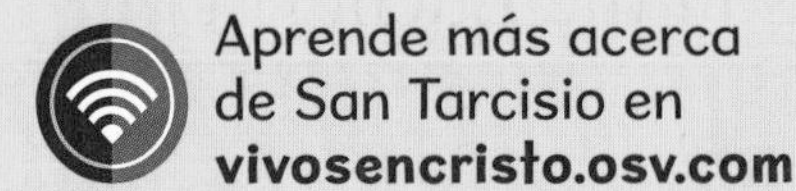

Dibújate celebrando

Dibújate participando en la Misa con tu familia y con otros miembros de la asamblea.

People of Faith

Saint Tarcisius, third or fourth century A.D.

Saint Tarcisius lived in Rome. He loved Jesus very much. One day, he secretly carried the Eucharist to Christians who were jailed because of their faith in Jesus. Some people who were not Christians discovered what he did. They wanted to take the Eucharist from him. They threw stones at him and killed him. When they looked at his robes they saw that the Eucharist had disappeared! Saint Tarcisius reminds us to always respect the Eucharist because it is Jesus.

August 15

Discuss: How can you show respect for Jesus in the Eucharist?

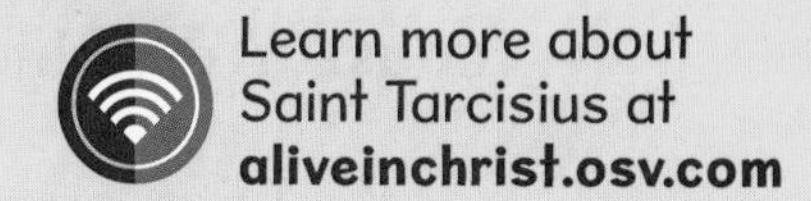

Live Your Faith

Picture Yourself Celebrating
Draw yourself taking part in the Mass with your family and with other members of the assembly.

Oremos

Oración de alabanza

Reúnanse y comiencen con la Señal de la Cruz.

Todos: En el nombre del Padre,

Grupo 1: el creador de las estrellas y los planetas, los océanos y las montañas,

Grupo 2: que creó todos los seres vivientes,

Grupo 3: que nos dio la vida y nos mantiene vivos hoy y todos los días.

Todos: Y del Hijo,

Grupo 1: Dios, que se hizo hombre,

Grupo 2: que nos enseñó y celebró con nosotros,

Grupo 3: que murió y resucitó para salvarnos.

Todos: Y del Espíritu Santo,

Grupo 1: que nos guía, nos fortalece y nos ayuda,

Grupo 2: que permanece en nuestro corazón,

Grupo 3: que estará con nosotros hasta el fin.

Todos: Amén.

Canten "Gloria"

Gloria a Dios en el cielo,
y en la tierra paz
a los hombres que ama el Señor,
a los hombres que ama el Señor.

Letra del *Misal Romano*

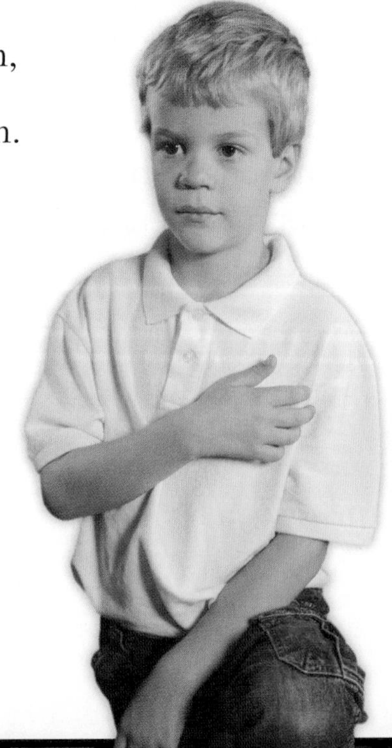

Let Us Pray

Prayer of Praise

Gather and begin with the Sign of the Cross.

All: In the name of the Father,

Group 1: the maker of stars and planets, oceans and mountains,

Group 2: who created all living things,

Group 3: who brought us to life and keeps us alive today and all our days.

All: And of the Son,

Group 1: God who became man,

Group 2: who taught us and celebrated with us,

Group 3: who died and rose to save us.

All: And of the Holy Spirit,

Group 1: who guides, strengthens, and helps us,

Group 2: who remains in our hearts,

Group 3: who will be with us to the end.

All: Amen.

Sing "We Glorify You"

God the Father, we praise you.
God the Father, we bless you.
God the Father, we adore you.
God the Father, we glorify you.
Jesus Christ, we praise you…
Holy Spirit, we praise you…

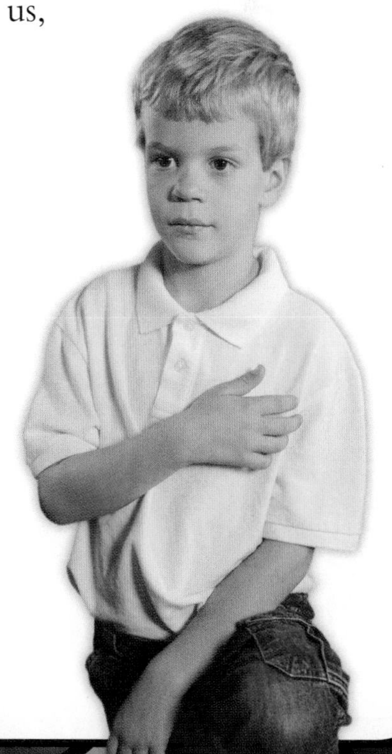

FAMILIA + FE

VIVIR Y APRENDER JUNTOS

SUS HIJOS APRENDIERON >>>

Este capítulo habla de cómo la Iglesia se reúne en la Misa para alabar a Dios y de cómo nuestra comunidad participa en la celebración.

La Palabra de Dios

Lean **Lucas 24, 30–32** para aprender más sobre nuestro anhelo de Jesús en la Eucaristía.

Lo que creemos

- La Misa es otro nombre para la celebración de la Eucaristía.
- La asamblea usa canciones, oraciones y acciones para adorar a Dios.

Para aprender más, vayan al *Catecismo de la Iglesia Católica* 1141–1142 en **usccb.org**.

Gente de fe

Esta semana, su hijo conoció a San Tarcisio de Roma, quien arriesgó su vida y después murió mientras llevaba la Eucaristía a prisioneros cristianos.

LOS NIÑOS DE ESTA EDAD >>>

Cómo comprenden la Misa Puede que los estudiantes de esta edad vean la Misa principalmente como una actividad de adultos, pero ellos se preparan para unirse a la parroquia en la celebración eucarística del día de su Primera Comunión. Es importante que realmente puedan participar en la celebración, familiarizándose con la liturgia y su significado. Ellos están listos para comprender con más detalle las partes de la Misa, su significado y cómo participar plenamente. Un misal adecuado para los niños puede ayudarlos a familiarizarse mejor con la Misa y a seguir las oraciones, respuestas y lecturas.

CONSIDEREMOS ESTO >>>

¿Qué importancia tiene para ustedes reunirse con sus seres queridos para celebrar los momentos importantes?

Existe una razón para que el día previo al Día de Acción de Gracias y la Navidad sean las épocas con el mayor movimiento de viajeros. Sentarse en la mesa con los seres queridos alimenta nuestra alma. En la Misa, nos reunimos en celebración para dar gracias y alabanzas por el amor de nuestro Dios. "La comunidad cristiana, unida por el Espíritu Santo, se reúne para dar culto en respuesta a la llamada de Dios. Jesús, nuestro Sumo Sacerdote, es el principal agente de nuestra celebración" (*CCEUA, p. 230*).

HABLEMOS >>>

- Pidan a su hijo que explique qué sucede al comienzo de la Misa.
- Comenten maneras en que su familia participa en la Misa y puede servir en la celebración.

OREMOS >>>

San Tarcisio, ruega por nosotros para que ayudemos a los demás a ver la presencia de Jesús en la Eucaristía. Amén.

Visiten **vivosencristo.osv.com** para encontrar un glosario multimedia de Palabras católicas, lecturas dominicales, y recursos de Santos y tiempos festivos.

FAMILY + FAITH

LIVING AND LEARNING TOGETHER

YOUR CHILD LEARNED >>>

This chapter is about gathering as the Church at Mass to praise God and how our community takes part in the celebration.

God's Word

Read **Luke 24:30–32** to learn more about longing for Jesus in the Eucharist.

Catholics Believe

- Mass is another name for the celebration of the Eucharist.
- The assembly uses songs, prayers, and actions to worship God.

To learn more, go to the *Catechism of the Catholic Church* #1141–1142 at **usccb.org**.

People of Faith

This week, your child met Saint Tarcisius of Rome, who risked his life and was eventually killed while trying to bring the Eucharist to imprisoned Christians.

CHILDREN AT THIS AGE >>>

How They Understand the Mass Children at this age may see the Mass as primarily an adult activity, but they are preparing to join together with the parish in the Eucharistic celebration on the day of their First Communion. It's important that they are able to really share in the celebration by being familiar with the liturgy and its meaning. They are ready to understand in more detail the parts of the Mass, their meanings, and how to participate fully. A child-friendly missal can assist children in becoming more familiar with the Mass and following along with the prayers, responses, and readings.

CONSIDER THIS >>>

How important is it for you to gather with those you love to celebrate important moments?

There is a reason that the day before Thanksgiving and Christmas are peak travel times. Sitting at the table with those we love feeds our soul. At Mass, we gather in celebration to give thanks and praise for the love of our God. "The Christian community, united by the Holy Spirit, gathers for worship in response to God's call. Jesus, our High Priest, is the principal agent of our celebration" (*USCCA, p. 218*).

LET'S TALK >>>

- Ask your child to explain what happens at the beginning of Mass.
- Talk about ways your family participates in the Mass and can serve in the celebration.

LET'S PRAY >>>

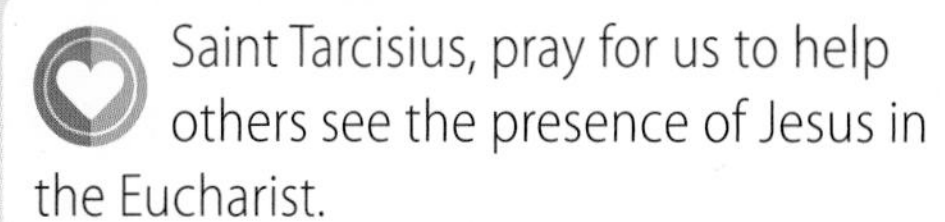

Saint Tarcisius, pray for us to help others see the presence of Jesus in the Eucharist.

For a multimedia glossary of Catholic Faith Words, Sunday readings, seasonal and Saint resources, and chapter activities go to **aliveinchrist.osv.com**.

Capítulo 16 Repaso

A Trabaja con palabras Encierra en un círculo la respuesta correcta.

1. La ____ es la gran celebración de la Iglesia.

   Eucaristía | asamblea | procesión

2. En la Misa, toda la ____ se reúne para alabar a Dios.

   clase | asamblea | vecindad

3. ____ es un himno muy antiguo que la Iglesia reza para alabar y honrar a la Santísima Trinidad.

   El Amén | La oración inicial | El *Gloria*

4. En el comienzo de la Misa, la asamblea canta ____.

   el canto de entrada | la Señal de la Cruz | el Padre Nuestro

5. Participar en la Misa nos ayuda a acercarnos más a ____.

   Jesús | el sacerdote | el diácono

B Confirma lo que aprendiste Usa los números del 1 al 5 para ordenar las acciones de la Misa.

6. ☐ Los monaguillos, los lectores, el diácono y el sacerdote entran a la iglesia en procesión.
7. ☐ El sacerdote nos guía en la Señal de la Cruz.
8. ☐ El sacerdote dice: "El Señor esté con ustedes".
9. ☐ La asamblea se reúne.
10. ☐ El sacerdote y la asamblea dicen: "Señor, ten piedad".

Chapter 16 Review

A **Work with Words** Circle the correct answer.

1. The ____ is the great celebration of the Church.

   Eucharist | assembly | procession

2. At Mass, the whole ____ gathers to praise God.

   class | assembly | neighborhood

3. The ____ is a very old hymn that the Church prays to give praise and honor to the Holy Trinity.

   Amen | opening prayer | *Gloria*

4. As Mass begins the assembly sings the ____.

   gathering song | Sign of the Cross | Lord's Prayer

5. Taking part in the Mass helps us grow closer to ____.

   Jesus | the priest | the deacon

B **Check Understanding** Use the numbers 1 to 5 to put the actions in the order they happen at Mass.

6. ☐ The altar servers, readers, deacon, and priest process into the church.

7. ☐ The priest leads us in the Sign of the Cross.

8. ☐ The priest says, "The Lord be with you."

9. ☐ The assembly gathers.

10. ☐ The priest and assembly say, "Lord, have mercy."

CAPÍTULO 17

Escucha la Palabra de Dios

Oremos

Líder: Señor, tu palabra nos da esperanza.

"Espero, Señor, mi alma espera,
confío en tu palabra". Salmo 130, 5

Todos: Dios, abre mis oídos para que pueda escuchar mejor tu Palabra. Amén.

La Palabra de Dios

Jesús dijo: "¿A qué puedo comparar el Reino de Dios? ¿Con qué ejemplo podría ilustrarlo? Es semejante a la levadura que tomó una mujer y la metió en tres medidas de harina hasta que fermentó toda la masa". Basado en Lucas 13,18-21

¿Qué piensas?

- ¿En qué se diferencian los relatos de la Biblia de otros relatos?
- ¿Puede la Palabra de Dios en la Biblia cambiar mi corazón?

Listen to God's Word

Let Us Pray

Leader: Lord, your Word gives us hope.

"I wait for the LORD,
my soul waits
and I hope for his word." Psalm 130:5

All: God, open my ears so I can better hear your Word. Amen.

God's Word

Jesus said, "What is God's Kingdom like? What can I compare it with? It is like what happens when a woman mixes a tiny little bit of yeast into a batch of flour. The yeast makes the whole batch of dough rise."
Based on Luke 13:18–21

What Do You Wonder?

- How are the stories in the Bible different from other stories?
- Can the Word of God in the Bible really change my heart?

La proclamación de la Palabra de Dios

¿Qué escuchas en la Misa?

Palabras católicas

Liturgia de la Palabra la primera parte principal de la Misa en la que escuchamos la proclamación de la Palabra de Dios

Jesús aprendió los relatos del pueblo judío. Él estudió la Sagrada Escritura y conversó sobre la ley de Dios con sabios maestros. Jesús era también un maestro maravilloso que contó muchas parábolas.

Las parábolas son relatos de la vida diaria que Jesús contaba para enseñar cómo amar y seguir a Dios. Jesús quería que todos supieran que el Reino crecería con la oración y al compartir la obra de Dios de amor, paz y justicia. Esta es una parábola que contó Jesús.

La Palabra de Dios

El grano de mostaza

"Aquí tienen una figura del Reino de los Cielos: el grano de mostaza que un hombre tomó y sembró en su campo. Es la más pequeña de las semillas, pero cuando crece, se hace más grande que las plantas de huerto. Es como un árbol, 'de modo que las aves vienen a posarse en sus ramas'". Mateo 13, 31-32

Colorea la imagen del árbol de mostaza.

God's Word Proclaimed

What do you hear at Mass?

Jesus learned the stories of the Jewish people. He studied Scripture and talked about God's law with wise teachers. Jesus was a wonderful teacher, too.

He told many parables. Parables are stories about everyday life that Jesus told to help his followers learn how to love and follow God. Jesus wanted everyone to know that the Kingdom would grow with prayer and sharing in God's work of love, peace, and justice. Here is one parable Jesus told.

Catholic Faith Words

Liturgy of the Word the first main part of the Mass during which we hear God's Word proclaimed

God's Word

The Mustard Seed

"The kingdom of heaven is like a mustard seed that a person took and sowed in a field. It is the smallest of all the seeds, yet when full-grown it is the largest of plants. It becomes a large bush, and the 'birds of the sky come and dwell in its branches.'" Matthew 13:31–32

Color in the picture of the mustard tree.

Comienzan las lecturas de la Sagrada Escritura

La primera parte principal de la Misa es la **Liturgia de la Palabra**. La asamblea escucha la Palabra de Dios de la Biblia.

1. Encierra en un círculo la parte de la Biblia donde se encuentra la primera lectura.
2. Subraya la parte de la Biblia donde se encuentra la segunda lectura.

- El lector se adelanta para proclamar la primera lectura. Generalmente, está tomada del Antiguo Testamento.
- Después el cantor guía a todos para cantar un salmo. Los salmos son oraciones que están en el Antiguo Testamento.
- Luego el mismo lector u otro se pone de pie y lee la segunda lectura de una de las cartas del Nuevo Testamento.
- Al final de cada lectura, el lector dice: "Palabra de Dios". La asamblea responde: "Te alabamos, Señor"y todos piensan en silencio acerca de lo que han oído.

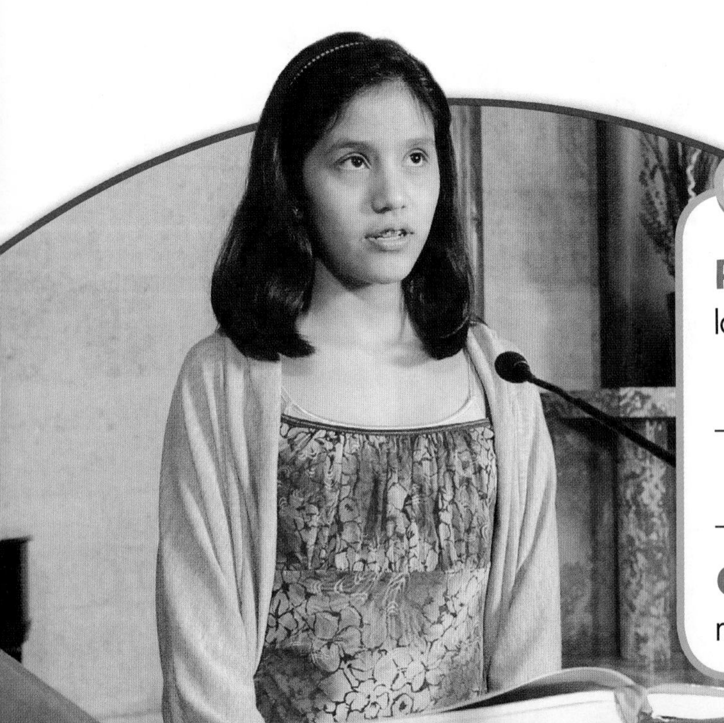

Comparte tu fe

Piensa Completa la oración: "Aprendo la Palabra de Dios cuando..."

____

____

Comparte Habla acerca de diferentes maneras de aprender la Palabra de Dios.

The Scripture Readings Begin

The first main part of the Mass is the **Liturgy of the Word**. The assembly listens to God's Word from the Bible.

- The reader steps forward to proclaim the first reading. It is usually from the Old Testament.
- Next, a singer, called a cantor, leads everyone in singing a psalm. Remember, psalms are prayers found in the Old Testament.
- Then, either another reader or the same reader stands and reads the second reading from one of the letters in the New Testament.
- At the end of each reading, the reader says, "The word of the Lord." The assembly answers, "Thanks be to God.", and everyone quietly thinks about what they have heard.

1. Circle the part of the Bible where the first reading comes from.
2. Underline the part of the Bible where the second reading comes from.

Share Your Faith

Think Complete the sentence: "I learn about God's Word by..."

____

____

Share Talk about different ways you learn about God's Word.

Un diácono hace cruces en su frente, sus labios y su pecho antes de leer el Evangelio.

La Buena Nueva de Jesús

¿Qué sucede después de la Primera y la Segunda Lectura?

En este momento, todos se ponen de pie y cantan "¡Aleluya!". Es el momento de oír la Buena Nueva de Jesucristo.

"El Señor esté con ustedes", dice el sacerdote o el diácono. La asamblea responde de inmediato: "Y con tu espíritu".

El sacerdote o el diácono anuncia que se leerá el Evangelio. Los Evangelios contienen relatos acerca de Jesús, las palabras de Jesús y los relatos que Jesús contaba. El sacerdote o el diácono lee la Buena Nueva de Jesús tomada de uno de los Evangelios.

Después el sacerdote o el diácono dice: "Palabra del Señor". Todos dicen: "Gloria a ti, Señor Jesús".

Luego el sacerdote o el diácono hace su **homilía**, un comentario breve acerca de las lecturas que ayuda a explicar lo que significa seguir a Jesús.

Palabras católicas

homilía un comentario corto acerca de las lecturas de la Misa

A deacon crosses his forehead, lips, and chest before reading the Gospel.

Jesus' Good News

What happens after the First and Second Readings?

Now, everyone stands and sings "Alleluia!" It is time to hear the Good News of Jesus Christ.

"The Lord be with you," says the priest or deacon. The assembly immediately replies, "And with your spirit."

The priest or deacon announces what Gospel is going to be read. The Gospels contain stories about Jesus, the words of Jesus, and stories that Jesus told. The priest or deacon reads the Good News of Jesus from one of the Gospels.

At the end of the Gospel, the priest or deacon says, "The Gospel of the Lord." Everyone says, "Praise to you, Lord Jesus Christ."

After the Gospel reading, the priest or deacon gives a **homily**, a short talk about the readings that helps explain what it means to follow Jesus.

Catholic Faith Words

homily a short talk about the readings at Mass

Hablan las personas

Palabras católicas

credo una declaración de la fe de la Iglesia

Oración de los Fieles oración de la Misa por las necesidades de la Iglesia y el mundo

Ahora la asamblea se pone de pie para rezar el **credo**. Decimos con orgullo que creemos en Dios Padre, Dios Hijo y Dios Espíritu Santo. Decimos que creemos en la Iglesia y sus enseñanzas.

Después la asamblea se pone de pie y todos juntos rezan la **Oración de los Fieles**.

Mientras el líder dice cada oración, respondemos "Te rogamos, Señor".

- Oramos por los líderes de la Iglesia y de nuestro país.
- Oramos por los enfermos y los difuntos.
- Oramos por los necesitados del mundo de esta época.

Practica tu fe

Escribe oraciones Piensa en cosas que suceden en tu familia o en tu vecindad. Completa los espacios en blanco de estas oraciones.

Por ____________________,
roguemos al Señor.

Por ____________________,
roguemos al Señor.

The People Speak

The assembly then stands to pray the **creed**. We say proudly that we believe in God the Father, God the Son, and God the Holy Spirit. We say that we believe in the Church and her teachings.

Next, the assembly stands together and prays the **Prayer of the Faithful**.

As a leader says each prayer, we respond with our answer, such as "Lord, hear our prayer."

- We pray for the leaders of the Church and of our country.
- We pray for those who are sick and those who have died.
- We pray for people all around the world who have needs at this time.

Catholic Faith Words

creed a statement of the Church's beliefs

Prayer of the Faithful prayer at Mass for the needs of the Church and the world

Connect Your Faith

Write Prayers Think of things that are happening in your family or in your neighborhood. Fill in the blanks in these prayers.

For ____________________, we pray to the Lord.

For ____________________, we pray to the Lord.

Nuestra vida católica

¿Cómo usó Jesús los relatos para enseñar?

Jesús era un gran narrador. Él usaba muchos detalles y personajes que eran familiares para sus oyentes. Por lo general, sus parábolas tenían finales sorpresivos para hacer que las personas pensaran. Los relatos de Jesús enseñaban a las personas sobre el amor de Dios Padre y las maneras de amar a Dios y a los demás. Este año has leído algunas parábolas.

Parábolas que has escuchado

Une el relato que está a la izquierda con la descripción que está a la derecha.

El buen samaritano •

• Dios siempre nos perdonará y nos dará la bienvenida cuando demostremos que nos arrepentimos de nuestros pecados.

La oveja perdida •

• Todas las personas son nuestro prójimo. Mostramos amor por Dios cuando cuidamos de nuestro prójimo necesitado.

El hijo pródigo •

• El amor de Dios por cada persona no tiene fin. Dios nos busca cuando perdemos nuestro camino.

Our Catholic Life

How did Jesus use stories to teach?

Jesus was a great storyteller. He used lots of details and characters that were familiar to his listeners. Often his parables had surprise endings to make people think. Jesus' stories taught people about God the Father's love and ways to love God and others. This year you have read some of these parables.

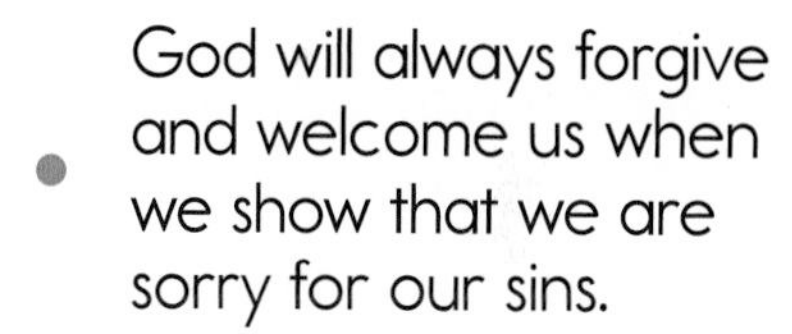

Match the story on the left to the description on the right.

Parables You've Heard

The Good Samaritan •

• God will always forgive and welcome us when we show that we are sorry for our sins.

The Lost Sheep •

• Every person is our neighbor. We show love for God when we care for our neighbors in need.

The Prodigal Son •

• God's love for each person never ends. God goes out and searches for us when we lose our way.

Gente de fe

San Pablo, siglo I

A San Pablo no siempre le gustaron los cristianos. Él ayudó a encarcelarlos. Luego, un día, Pablo escuchó una voz que le decía: "¿Por qué me persigues?". Era Jesús. Pablo se dio cuenta de que había actuado mal. En ese mismo momento, Pablo dejó de lastimar a los cristianos. En lugar de eso, fue por todas partes hablando a las personas acerca de Jesús. Él inició muchas iglesias. Viajó y escribió cartas para enseñar acerca de Dios. Aconsejó a las personas sobre la manera de amar a Jesús. Actualmente leemos sus cartas en la Misa. Se llaman "Epístolas".

29 de junio

Comenta: Si estuvieras escribiendo una carta acerca de Jesús, ¿qué escribirías?

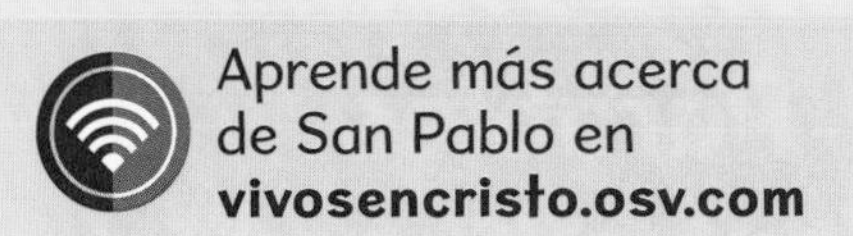
Aprende más acerca de San Pablo en **vivosencristo.osv.com**

Haz una representación Elige una de las parábolas de Jesús para representar con un grupo pequeño. Usa estos pasos como ayuda para planificar tu obra.

1. Elige una de las parábolas de Jesús que hayas escuchado.
2. Haz una lista de las personas y los animales del relato.
3. Decide quién representará cada parte.

Coméntalo Habla con tu grupo acerca de las distintas maneras en que las personas pueden seguir el mensaje de este relato.

People of Faith

June 29

Saint Paul, first century

Saint Paul did not always like Christians. He helped put them in jail. Then one day, Paul heard a voice from above say, "Why do you persecute me?" It was Jesus. Paul realized that he had done wrong. That very minute, Paul stopped hurting Christians. Instead, he went everywhere telling people about Jesus. He started many churches. He traveled and wrote letters to teach about God. He gave people advice on how to love Jesus. Now we read his letters at Mass. They are called "Epistles."

Discuss: If you were writing a letter about Jesus, what would you write?

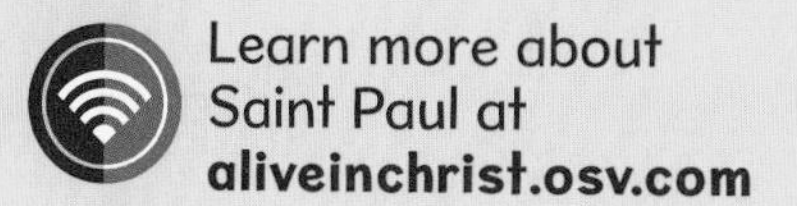

Live Your Faith

Act It Out With a small group, choose one of Jesus' parables to act out. Use these steps to help you plan your play.

1. Choose one of Jesus' parables you have heard.
2. Make a list of the people and the animals in the story.
3. Decide who will play each part.

Talk It Over With your group, talk about ways people today can follow the message of this story.

Oremos

Celebración de la Palabra

Reúnanse y comiencen con la Señal de la Cruz.

Líder: Dios misericordioso, abre nuestros corazones y nuestra mente para oír tu Palabra.

Lector 1: Lectura de la Primera Carta de Juan.

Lean 1 Juan 5, 13-14.

Palabra de Dios.

Todos: Te alabamos, Señor.

Canten juntos el estribillo.

Lector 2: Lectura del santo Evangelio según San Mateo.

Lean Mateo 7, 7-8.

Palabra del Señor.

Todos: Gloria a ti, Señor Jesús.

Digan juntos el Credo de los Apóstoles de la página 608.

Creo en Dios, Padre todopoderoso,
Creador del cielo y de la tierra.
Creo en Jesucristo, su único Hijo, nuestro Señor…

Canten "Aleluya, el Señor Resucitó"

Celebration of the Word

Gather and begin with the Sign of the Cross.

Leader: Gracious God, open our hearts and minds to hear your Word.

Reader 1: A reading from the First Letter of John.

Read 1 John 5:13–14.

The Word of the Lord.

All: Thanks be to God.

Sing together the refrain.

Reader 2: A reading from the holy Gospel according to Matthew.

Read Matthew 7:7–8.

The Gospel of the Lord.

All: Praise to you, Lord Jesus Christ.

Say together the Apostles' Creed on page 609.

I believe in God,
the Father almighty,
Creator of heaven and earth,
and in Jesus Christ, his only Son,
our Lord...

Sing "Gospel Acclamation/Alleluia"

FAMILIA + FE

VIVIR Y APRENDER JUNTOS

SUS HIJOS APRENDIERON >>>

Este capítulo se enfoca en la Liturgia de la Palabra, la primera de las partes principales de la Misa, en la que escuchamos la Palabra de Dios en la Biblia.

La Palabra de Dios

Lean **Lucas 13, 18–21** para aprender qué dijo Jesús acerca del Reino de Dios.

Lo que creemos

- En la Liturgia de la Palabra, se lee la Palabra viva de Dios.
- Profesamos nuestra fe en Dios y oramos por las necesidades de la Iglesia y el mundo.

Para aprender más, vayan al *Catecismo de la Iglesia Católica* 1154, 1349 en **usccb.org**.

Gente de fe

En este capítulo, su hijo conoció al gran Apóstol San Pablo. Él escribió muchas cartas que son parte del Nuevo Testamento.

LOS NIÑOS DE ESTA EDAD >>>

Cómo comprenden la Liturgia de la Palabra Los estudiantes de esta edad todavía no han captado la conexión que existe entre las lecturas del Leccionario en la Misa. Prestar atención a la relación entre los pasajes dominicales del Antiguo Testamento, los Salmos, el Nuevo Testamento y el Evangelio ayudará a su hijo a tener una comprensión general de la Sagrada Escritura y lo animará a participar más activamente en la Misa. También será útil comentar las lecturas antes de la Misa.

CONSIDEREMOS ESTO >>>

¿Anhelan escuchar la voz de Dios?

Anhelar la presencia de Dios es parte de nuestra experiencia humana. Nuestro deseo de Dios está inscrito en nuestros corazones porque el hombre ha sido creado por Dios y para Dios. "Cada persona humana busca conocer la verdad y experimentar el bien. El bien moral nos atrae… más somos atraídos a la realidad de Dios, quien es el Bien Supremo. Estas son las semillas de la eternidad que llevamos dentro de nosotros y que solo tienen su origen en Dios" (*CCEUA, p. 6*).

HABLEMOS >>>

- Pidan a su hijo que describa qué sucede en la Liturgia de la Palabra, la primera de las partes principales de la Misa (lecturas, homilía, Credo, Oración de los Fieles).
- Comenten las veces que han leído la Biblia en familia, o cuando eran niños o adultos.

OREMOS >>>

San Pablo, ayúdanos a comprender la Biblia y a escuchar atentamente a las lecturas de la Misa. Amén.

Visiten **vivosencristo.osv.com** para encontrar un glosario multimedia de Palabras católicas, lecturas dominicales, y recursos de Santos y tiempos festivos.

FAMILY+FAITH

LIVING AND LEARNING TOGETHER

YOUR CHILD LEARNED >>>

This chapter focuses on the Liturgy of the Word, the first main part of Mass in which we hear God's Word in the Bible.

God's Word

Read **Luke 13:18–21** to find out what Jesus said about the Kingdom of God.

Catholics Believe

- In the Liturgy of the Word, God's living Word is read.
- We profess what we believe about God and pray for the needs of the Church and the world.

To learn more, go to the *Catechism of the Catholic Church* #1154, 1349 at **usccb.org**.

People of Faith

In this chapter, your child met the great Apostle, Saint Paul. He wrote many letters that are part of the New Testament.

CHILDREN AT THIS AGE >>>

How They Understand the Liturgy of the Word Children at this age might not have yet picked up the connection between the Lectionary readings in Mass. Paying attention to the relationship between each Sunday's passages from the Old Testament, Psalms, New Testament, and Gospel will help your child's overall understanding of the Scriptures and will encourage more active participation in the Mass. Some discussion about the readings prior to Mass can help to facilitate this. The readings for each Sunday can be found on the U.S. Bishops' site at **usccb.org/nab**.

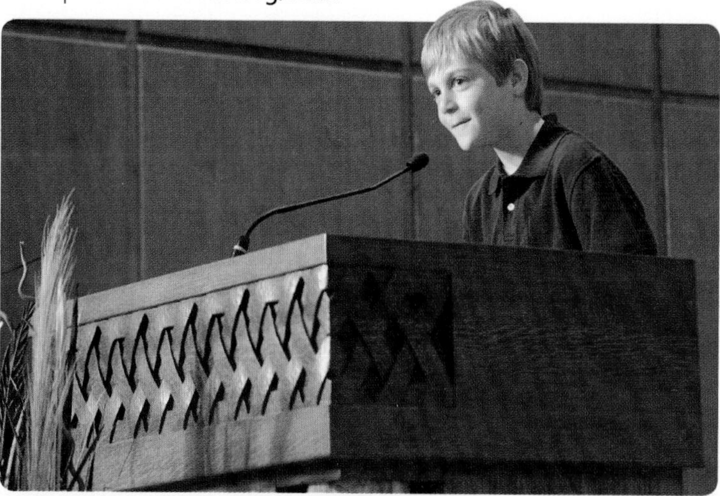

CONSIDER THIS >>>

Do you long to hear God's voice?

Longing for God's presence is part of our human experience. Our desire for God is written in our hearts because man is created by God and for God. "Every human person seeks to know the truth and to experience goodness. Moral goodness appeals to us. . . . The more we become aware of these truths, the more we are drawn to the reality of God who is the Supreme Good. These are the seeds of eternity within us that have their origins only in God" (*USCCA, p. 4*).

LET'S TALK >>>

- Ask your child to describe what happens in the Liturgy of the Word, the first main part of the Mass (readings, homily, creed, Prayer of the Faithful).
- Talk about times you have read the Bible as a family or when you were a child or adult.

LET'S PRAY >>>

Saint Paul, help us understand the Bible and listen carefully to the readings at Mass. Amen.

For a multimedia glossary of Catholic Faith Words, Sunday readings, seasonal and Saint resources, and chapter activities go to **aliveinchrist.osv.com**.

Capítulo 17 Repaso

A **Trabaja con palabras** Traza una línea que una la descripción de la Columna A con la palabra correcta de la Columna B.

Columna A	Columna B
1. Relatos cortos que contaba Jesús acerca de la vida cotidiana	enseñar
2. La primera parte principal de la Misa	parábolas
3. Jesús usaba parábolas para hacer esto.	homilía
4. Un comentario breve del sacerdote o del diácono sobre las lecturas de la Misa	Liturgia de la Palabra
5. Una declaración de las creencias de la Iglesia	credo

B **Confirma lo que aprendiste** Encierra la respuesta correcta.

6. Jesús era un gran ____.

   narrador   granjero   seguidor

7. Los relatos de Jesús contenían lecciones ____ de Dios.

   de la familia   de los amigos   del amor

8. Decimos la Oración de ____ juntos en la Misa.

   contrición   de los Fieles   las personas

9. Las parábolas de Jesús te enseñan cómo debes ____.

   ir a Misa   leer   seguir a Dios

10. ____ es como un grano de mostaza.

    El Reino de Dios   La tierra   La Biblia

Chapter 17 Review

A Work with Words Match the description in Column A to the correct word or words in Column B.

Column A	Column B
1. Short stories about everyday life that Jesus told	teach
2. The first main part of the Mass	parables
3. Jesus used parables to do this	homily
4. A short talk by the priest or deacon about the readings at Mass	Liturgy of the Word
5. A statement of the Church's beliefs	creed

B Check Understanding Circle the correct answer.

6. Jesus was a great ____.

storyteller | farmer | follower

7. Jesus' stories had lessons about God's ____.

family | friends | love

8. We say the Prayer of ____ together at Mass.

contrition | the Faithful | the people

9. Jesus' parables teach you how to ____.

go to Mass | read | follow God

10. The ____ is like a mustard seed.

Kingdom of God | land | Bible

Recordamos el sacrificio de Jesús

Oremos

Líder: Dios, te ofrecemos nuestra alabanza y agradecimiento.

"Te ofreceré el sacrificio de acción de gracias e invocaré el nombre del Señor". Salmo 116, 17

Todos: Dios, te ofrecemos nuestra alabanza y agradecimiento. Amén.

La Palabra de Dios

Jesús dijo a sus seguidores: "Nadie puede servir a dos patrones". Les dijo que Dios debe ser lo primero en sus vidas, no el dinero ni las posesiones o las cosas que quieran tener. Basado en Mateo 6, 24

¿Qué piensas?

- Si sigues a Jesús, ¿se te pedirá sacrificar?
- ¿Qué quiere decir que Dios es lo primero en tu vida?

Remembering Jesus' Sacrifice

Let Us Pray

Leader: God, we offer you our praise and thanks.

"I will offer a sacrifice of praise
and call on the name of the LORD."
Psalm 116:17

All: God, we offer you our praise and thanks. Amen.

God's Word

Jesus said to his followers, "You cannot serve two masters." He told them that God must be first in their lives, not money, not things that they own, or things that they want to get. Based on Matthew 6:24

What Do You Wonder?

- If you follow Jesus, will you be asked to sacrifice?
- What does it mean to say that God is first in your life?

Hacemos sacrificios

¿Qué sacrificio hizo Jesús por nosotros?

Renunciar a algo y hacer un **sacrificio** puede ser muy difícil. El sacrificio necesita amor y valentía. Un joven rico lo descubrió cuando le preguntó a Jesús sobre la vida eterna con Dios.

Palabras católicas

sacrificio renunciar a algo por amor a otra persona o por el bien común (bien de todos). Jesús sacrificó su vida por todas las personas.

Última Cena la comida que Jesús compartió con sus discípulos la noche antes de morir. En la Última Cena, Jesús se dio a sí mismo en la Eucaristía.

La Palabra de Dios

El joven rico

Jesús le dijo: "Si quieres ser perfecto, vende todo lo que posees y reparte el dinero entre los pobres, para que tengas un tesoro en el Cielo. Después ven y sígueme."

Cuando el joven oyó esta respuesta, se marchó triste, porque era un gran terrateniente.

Mateo 19, 21-22

El joven rico no pudo hacer el sacrificio porque amaba sus cosas más que a Dios.

Dibuja algo a lo que renunciarías para hacer un sacrificio.

Making Sacrifices

What sacrifice did Jesus make for us?

Giving up something and making a **sacrifice** can be very difficult. Sacrifice takes love and courage. A rich young man found this out when he asked Jesus about life with God forever.

God's Word

The Rich Young Man

Jesus said to him, "If you wish to be perfect, go, sell what you have and give to [the] poor, and you will have treasure in heaven. Then come, follow me."

When the young man heard this . . . he went away sad, for he had many possessions. Matthew 19:21–22

The rich young man could not make the sacrifice because he loved his things more than he loved God.

Catholic Faith Words

sacrifice giving up something out of love for someone else or for the common good (good of everyone). Jesus sacrificed his life for all people.

Last Supper the meal Jesus shared with his disciples on the night before he died. At the Last Supper, Jesus gave himself in the Eucharist.

Draw one thing you would give up to make a sacrifice.

El don más grande

Las personas a veces hacen sacrificios, pero Jesús eligió hacer el sacrificio más grande de todos. El sacrificio de Jesús es que libremente dio su vida en la Cruz para salvar a todas las personas del poder del pecado y de la muerte eterna. Él hizo este sacrificio para que pudieras tener nueva vida eterna con Dios.

Dios Padre recompensó a Jesús por su amorosa elección. A través del poder amoroso de Dios, Jesús venció la muerte y resucitó a una vida nueva.

La misa es una celebración en memoria de la Muerte de Jesús, su Resurrección y Ascensión. El sacrificio más grande de Jesús se celebra en cada Misa cuando seguimos su mandamiento de hacer lo que hizo cuando compartió una cena final con sus discípulos en la **Última Cena**.

Comparte tu fe

Piensa Escribe acerca de alguna ocasión en que renunciaste a algo por otra persona o cuando otra persona renunció a algo por ti.

____

____

____

Comparte tu respuesta con un compañero.

The Greatest Gift

People sometimes make sacrifices, but Jesus chose to make the greatest sacrifice of all. Jesus' sacrifice is that he freely gave up his life on a Cross to save all people from the power of sin and everlasting death. He made this sacrifice so that you would have new life with God forever.

God the Father rewarded Jesus for his loving choice. Through God's loving power, Jesus overcame death and was raised to new life.

The Mass is a memorial celebration of Jesus' Death, Resurrection, and Ascension. Jesus' great sacrifice is celebrated at every Mass when we follow his command to do what he did when he shared a final meal with his disciples at the **Last Supper**.

Share Your Faith

Think Write about a time when you gave up something for someone else or when someone else gave up something for you.

____

____

____

Share your answer with a partner.

Los miembros de la asamblea llevan al altar las ofrendas del pan y el vino durante la Liturgia Eucarística.

Liturgia Eucarística

¿En qué se convierten las ofrendas del pan y el vino durante la Misa?

La segunda parte principal de la Misa se llama **Liturgia Eucarística**. Los que están reunidos recuerdan, de manera especial, la Muerte, Resurrección y Ascensión de Jesús.

La Liturgia Eucarística comienza cuando los miembros de la asamblea llevan al altar las ofrendas del pan y el vino. Las personas hacen estas ofrendas a Dios como señal de su amor. El sacerdote prepara las ofrendas. Le pide a Dios que las bendiga. Estas se convertirán en el Cuerpo y la Sangre de Jesucristo.

Ahora comienza otra parte importante de la celebración. El sacerdote guía a la asamblea en la oración.

Sacerdote: "El Señor esté con ustedes".
Todos: "Y con tu espíritu".
Sacerdote: "Levantemos el corazón".
Todos: "Lo tenemos levantado hacia al Señor".
Sacerdote: "Demos gracias al Señor, nuestro Dios".
Todos: "Es justo y necesario".

Palabras católicas

Liturgia Eucarística la segunda parte principal de la Misa que incluye la Sagrada Comunión

Subraya las ofrendas que se llevan al altar durante la Liturgia Eucarística.

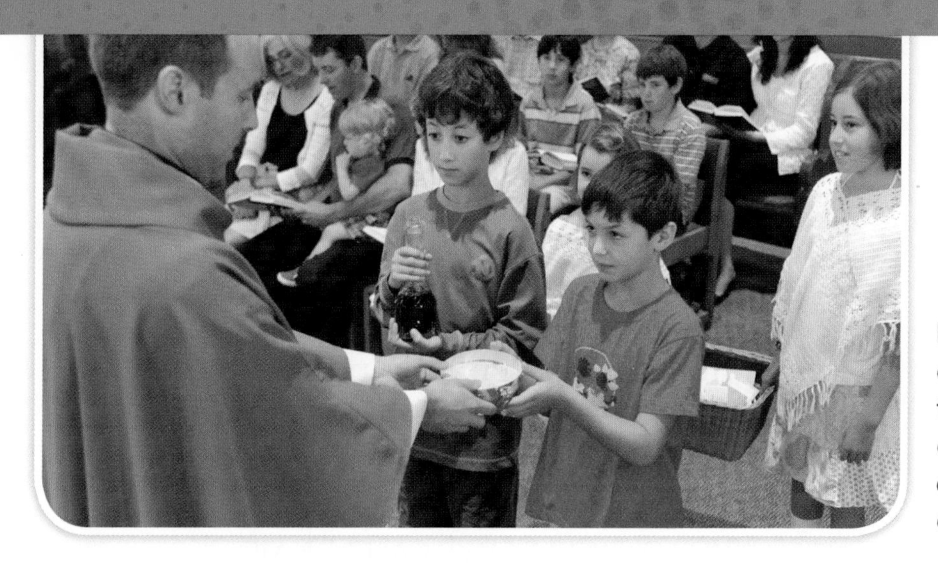

Members of the assembly bring forward the gifts of bread and wine during the Liturgy of the Eucharist.

Liturgy of the Eucharist

What will the gifts of bread and wine become during the Mass?

The second main part of the Mass is called the **Liturgy of the Eucharist**. Those gathered remember in a special way Jesus' Death, Resurrection, and Ascension.

The Liturgy of the Eucharist begins when members of the assembly bring forward the gifts of bread and wine. The people offer these gifts to God as a sign of their love. The priest prepares the gifts. He asks God to bless them. They will become the Body and Blood of Jesus Christ.

Now, another important part of the celebration begins. The priest leads the assembly in prayer.

Priest: "The Lord be with you."
All: "And with your spirit."
Priest: "Lift up your hearts."
All: "We lift them up to the Lord."
Priest: "Let us give thanks to the Lord our God."
All: "It is right and just."

Catholic Faith Words

Liturgy of the Eucharist the second main part of the Mass that includes Holy Communion

Underline the gifts brought forward during the Liturgy of the Eucharist.

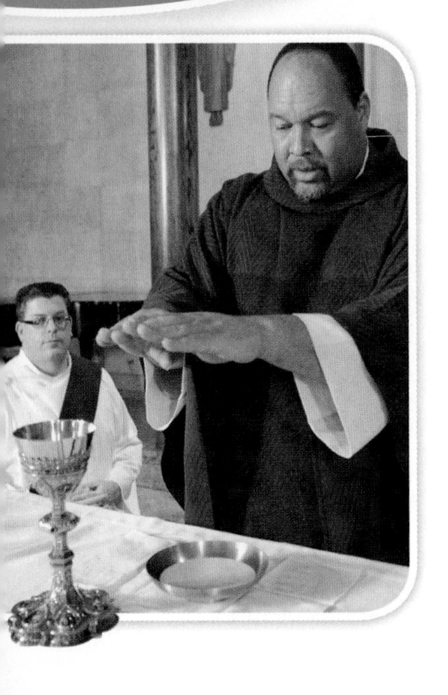

La Plegaria Eucarística

El sacerdote empieza ahora la Plegaria Eucarística. Da alabanza y gracias a Dios. Le pide al Padre que envíe al Espíritu Santo. El sacerdote repite lo que Jesús dijo en la Última Cena:

Sacerdote: PORQUE ESTE ES MI CUERPO, QUE SERÁ ENTREGADO POR USTEDES...

PORQUE ESTE ES EL CÁLIZ DE MI SANGRE... QUE SERÁ DERRAMADA POR USTEDES Y POR TODOS LOS HOMBRES PARA EL PERDÓN DE LOS PECADOS. HAGAN ESTO EN MEMORIA MÍA.

Este acto se llama **consagración**. El pan y el vino son ahora el Cuerpo y la Sangre de Cristo. La asamblea reza el Misterio de la Fe:

Todos: Anunciamos tu muerte, proclamamos tu resurrección. ¡Ven, Señor Jesús!

La asamblea recuerda todo lo que Jesús hizo y ofrece al Padre la ofrenda de su Hijo. La oración termina cantando o diciendo todos juntos el "Gran Amén".

Palabras católicas

consagración a través del poder del Espíritu Santo y las palabras y acciones del sacerdote, las ofrendas del pan y el vino se convierten en el Cuerpo y la Sangre de Jesús

Practica tu fe

Halla la palabra Colorea todas las X del mismo color y las O con un color diferente y halla la palabra que dices al final de la Plegaria Eucarística.

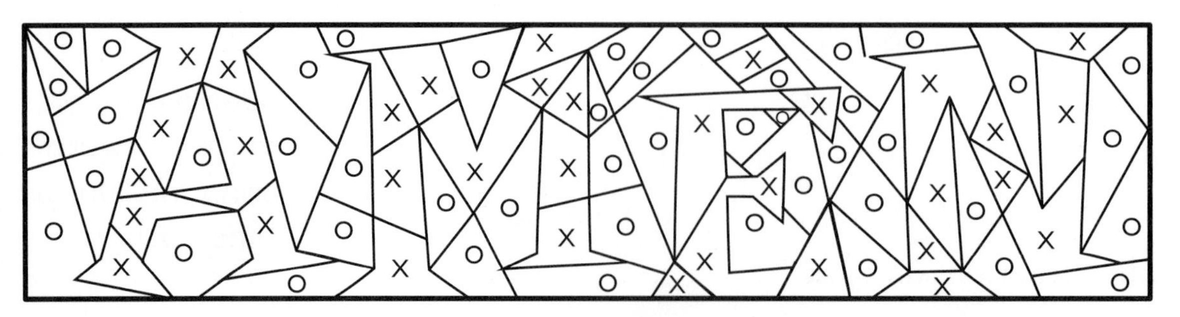

The Eucharistic Prayer

The priest now begins the Eucharistic Prayer. He gives praise and thanks to God. He asks the Father to send the Holy Spirit. The priest repeats what Jesus said at the Last Supper:

Priest: FOR THIS IS MY BODY, WHICH WILL BE GIVEN UP FOR YOU . . .

FOR THIS IS THE CHALICE OF MY BLOOD, . . . WHICH WILL BE POURED OUT FOR YOU AND FOR MANY FOR THE FORGIVENESS OF SINS. DO THIS IN MEMORY OF ME.

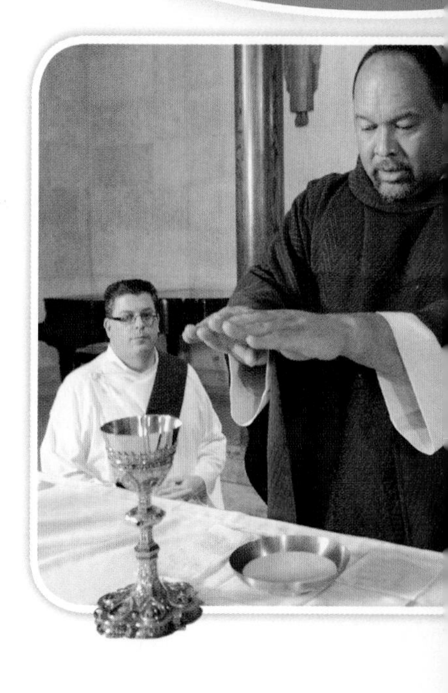

This is called the **consecration**. The bread and wine are now the Body and Blood of Christ. The assembly prays the Mystery of Faith:

All: We proclaim your Death, O Lord, and profess your Resurrection until you come again.

The assembly recalls all that Jesus did and offers the Father the gift of his Son. The prayer ends with everyone saying or singing the "Great Amen."

Catholic Faith Words

consecration through the power of the Holy Spirit and the words and actions of the priest, the gifts of bread and wine become the Body and Blood of Jesus

Connect Your Faith

Find the Word Color each X with one color and each O with a different color to find the word you say at the end of the Eucharistic Prayer.

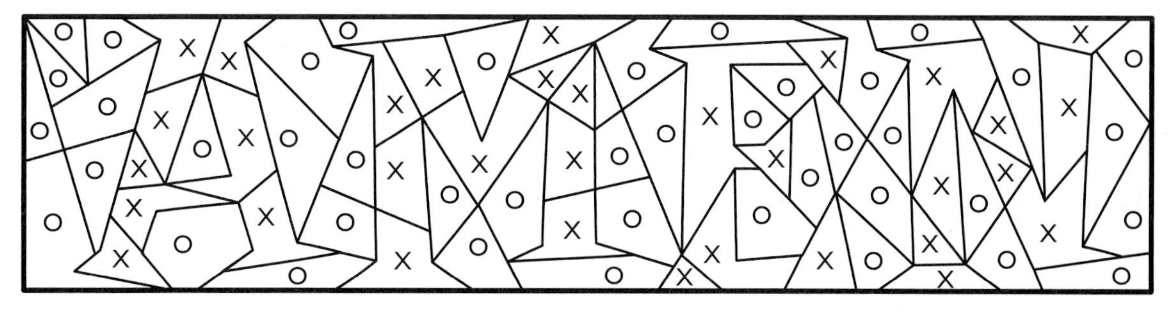

Nuestra vida católica

¿Cómo recuerdas en la Misa el sacrificio de Jesús?

En la Misa, el sacerdote reza la Plegaria Eucarística. Después de que consagra el pan y el vino, invita a todos a decir en voz alta lo que creemos acerca del sacrificio de Jesús. Dice a la asamblea las palabras *el misterio de la fe*. Respondemos al sacerdote rezando o cantando un Misterio de la Fe.

El Misterio de la Fe no es un acertijo ni una adivinanza. Es el amor de Dios por nosotros, que es más grande de lo que podremos jamás comprender por completo. Así que simplemente decimos lo que creemos y damos gracias a Dios en nuestro corazón.

Haz una marca al lado de lo que cantas durante la Misa.

El Misterio de la Fe

☐ 1. Anunciamos tu Muerte, proclamamos tu Resurrección. ¡Ven, Señor Jesús!

☐ 2. Cada vez que comemos de este pan y bebemos de este cáliz, anunciamos tu Muerte, Señor, hasta que vuelvas.

☐ 3. Por tu Cruz y Resurrección nos has salvado, Señor.

Our Catholic Life

How do you remember Jesus' sacrifice at Mass?

At Mass, the priest prays the Eucharistic Prayer. After he consecrates the bread and wine he invites everyone to say aloud what we believe about Jesus' sacrifice. He says to the assembly the words *the mystery of faith.* We answer the priest by praying or singing a Mystery of Faith.

The Mystery of Faith is not a puzzle or a riddle. It is God's love for us, which is greater than we can ever understand completely. So, we simply say what we believe and thank God in our hearts.

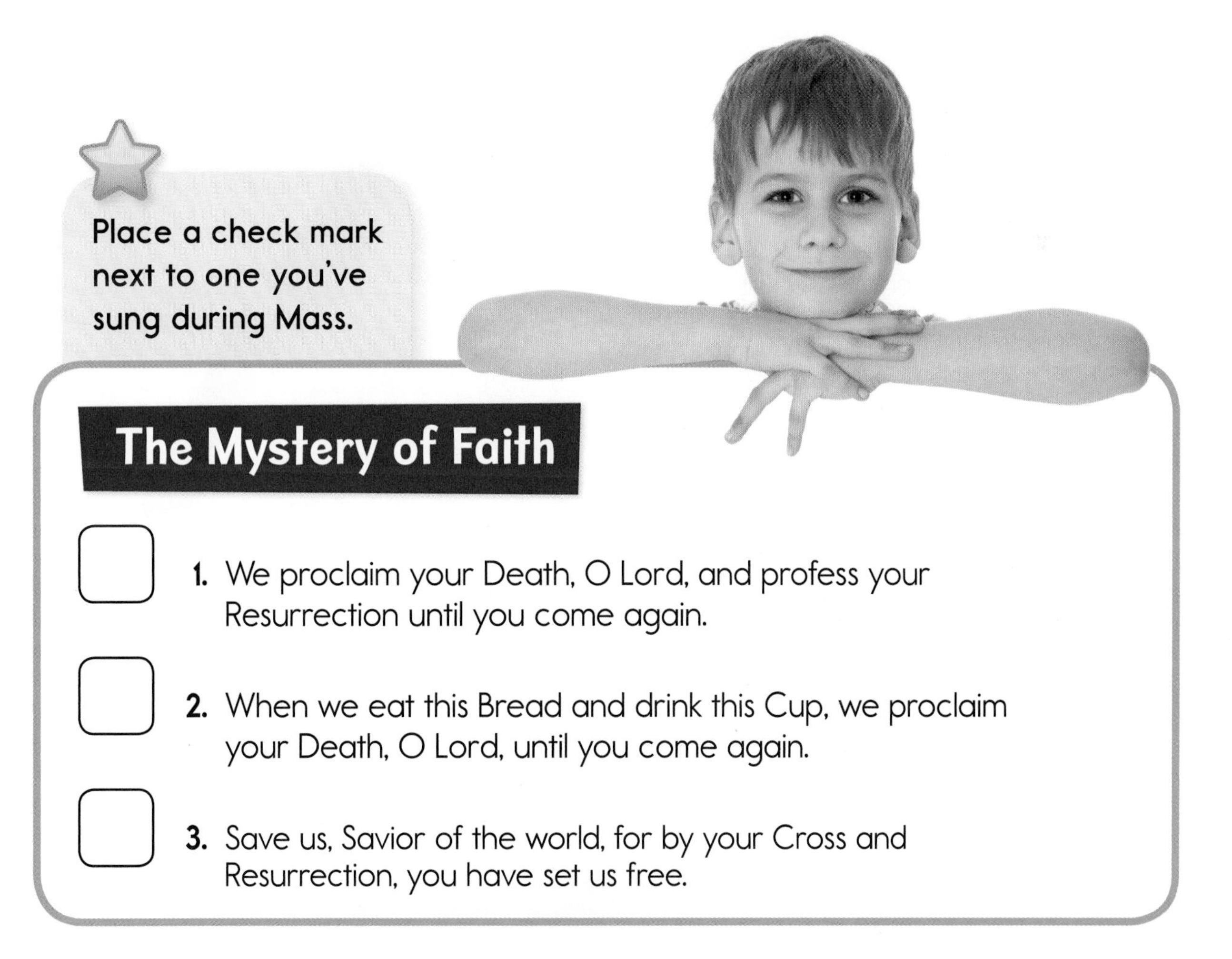

Place a check mark next to one you've sung during Mass.

The Mystery of Faith

☐ 1. We proclaim your Death, O Lord, and profess your Resurrection until you come again.

☐ 2. When we eat this Bread and drink this Cup, we proclaim your Death, O Lord, until you come again.

☐ 3. Save us, Savior of the world, for by your Cross and Resurrection, you have set us free.

Gente de fe

Beata Imelda Lambertini, 1322–1333

13 de mayo

La Beata Imelda Lambertini vivió en una época en la que los niños no podían recibir la Santa Comunión hasta que tuvieran doce años. Ella era muy joven para recibir la Comunión, pero oraba en la Misa y hacía una “comunión espiritual”. Jesús entraba en su corazón, pero ella quería recibir el Cuerpo de Cristo en la Eucaristía. Un día, estaba orando en la Misa y apareció sobre su cabeza una hermosa luz con una hostia. La Beata Imelda Lambertini es la Santa Patrona de los niños que reciben la Primera Comunión.

Comenta: ¿Qué mensaje acerca de Jesús puedes compartir?

Aprende más acerca de la Beata Imelda en **vivosencristo.osv.com**

Vive tu fe

Diseña una ventana Elige uno de los tres Misterios de la Fe y dibuja tu propio vitral con símbolos e imágenes que recuerden a las personas de este enunciado de fe.

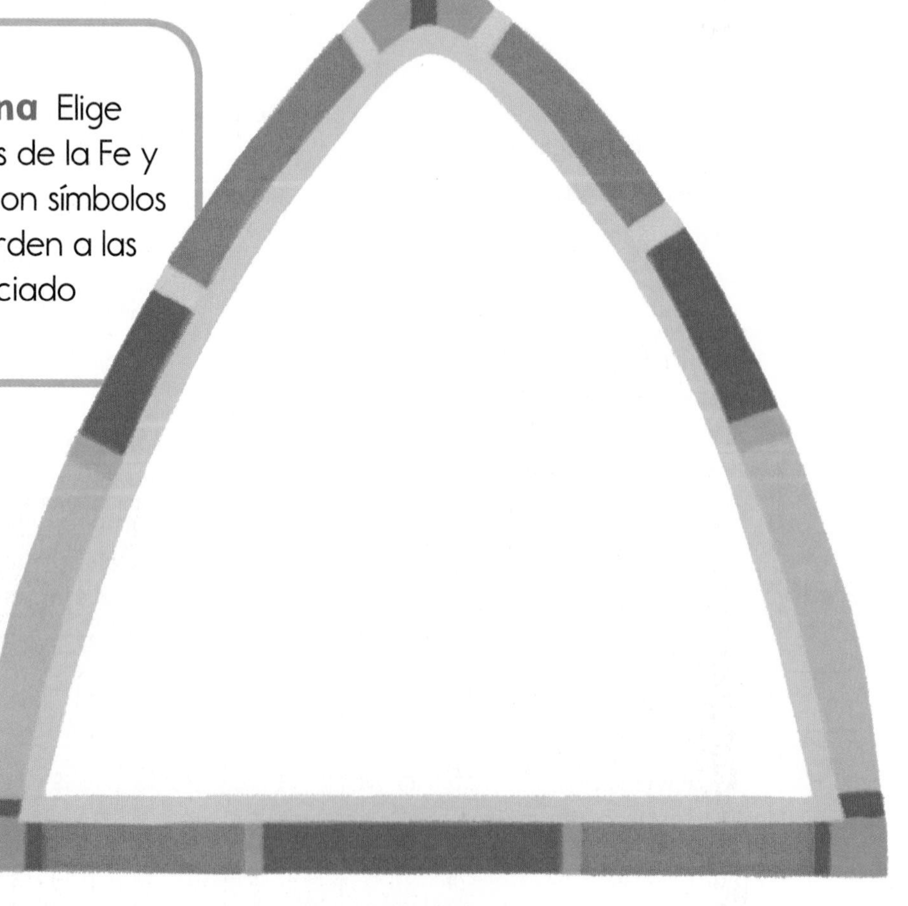

People of Faith

May 13

Blessed Imelda Lambertini, 1322–1333

Blessed Imelda Lambertini lived at a time when children couldn't receive Holy Communion until they were twelve. She was too young to receive Communion but she would pray at Mass and make a "spiritual communion." Jesus would come into her heart, but she still wanted to receive the Body of Christ in the Eucharist. One day, she was praying at Mass and a beautiful light with a host in it appeared over her head. Blessed Imelda is the patron Saint of children receiving their First Communion.

Discuss: What is one message about Jesus you can share with someone?

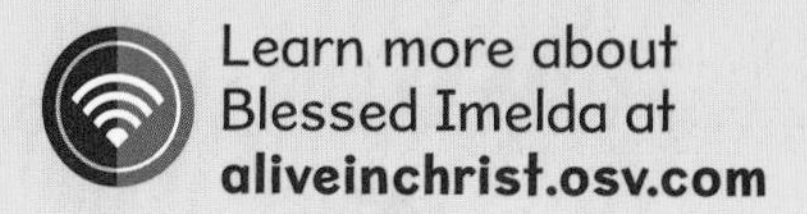

Live Your Faith

Design A Window Choose one of the three Mysteries of Faith and design your own stained glass window using symbols and pictures that remind people of this statement of faith.

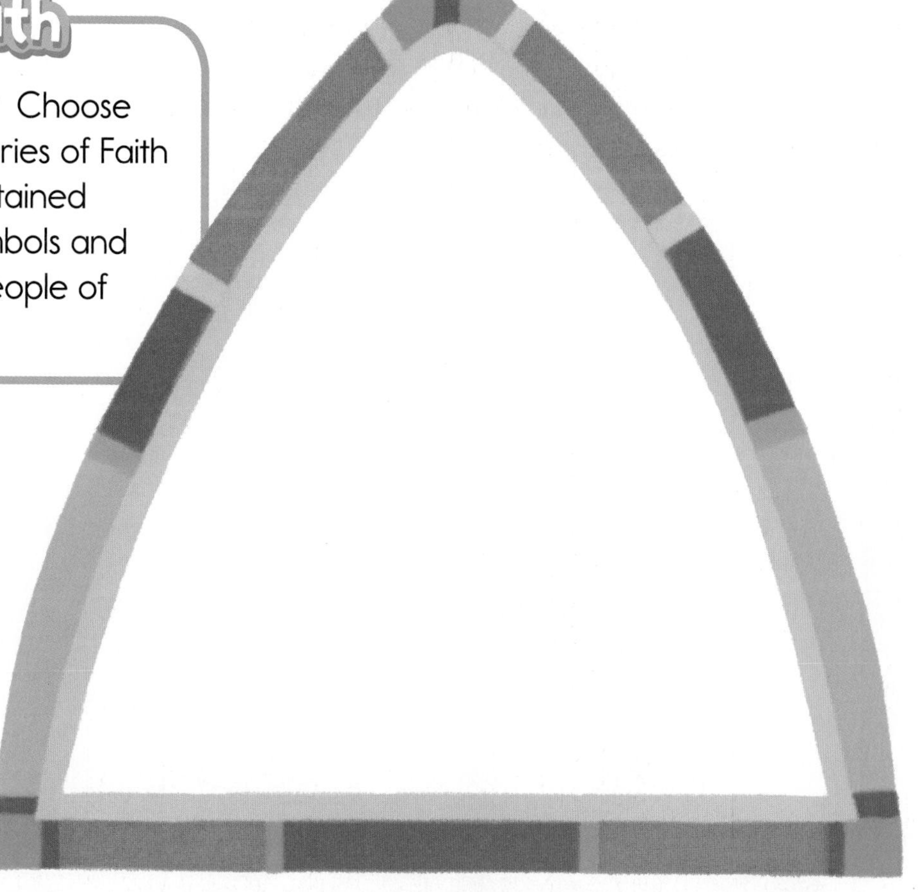

 Oremos

Oración de conmemoración

Reúnanse y comiencen con la Señal de la Cruz.

Líder: Dios Padre nuestro, tu Hijo Jesús dio la vida por nosotros. Quédate con nosotros mientras oramos.

Lector: Lectura de la Primera Carta de Pablo a los Corintios.

Lean 1 Corintios 11, 23-26.

Palabra de Dios.

Todos: Te alabamos, Señor.

 Canten "We Venerate Your Cross/Tu Cruz Adoramos"

We venerate your cross,
tu Cruz adoramos, Señor;
we praise your resurrection,
alabamos tu resurrección.

Letra basada en el *Misal Romano*

Let Us Pray

Prayer of Remembrance

Gather and begin with the Sign of the Cross.

Leader: God our Father, your Son Jesus gave his life for us. Be with us as we pray.

Reader: A reading from the First Letter of Paul to the Corinthians.

Read 1 Corinthians 11:23–26.

The Word of the Lord.

All: Thanks be to God.

Sing "We Proclaim Your Death, O Lord"

We proclaim your Death, O Lord.
Jesus died for us.
We profess your Resurrection.
Jesus lives with us.
Until you come again,
we wait in joyful hope!

FAMILIA + FE

VIVIR Y APRENDER JUNTOS

SUS HIJOS APRENDIERON >>>

Este capítulo comenta cómo celebramos en la Misa el sacrificio de Jesús y el don de sí mismo durante la Eucaristía.

La Palabra de Dios

Lean **Mateo 6, 24** para ver lo que Jesús dice del sacrificio y de servir a Dios.

Lo que creemos

- La Eucaristía es un memorial del sacrificio que hizo Jesús.
- La Liturgia Eucarística es la segunda parte principal de la Misa.

Para aprender más, vayan al *Catecismo de la Iglesia Católica* 1356–1358 en **usccb.org**.

Gente de fe

Esta semana, su hijo conoció a la Beata Imelda Lambertini, Santa Patrona de los niños que reciben la Primera Comunión.

LOS NIÑOS DE ESTA EDAD >>>

Cómo comprenden la Liturgia Eucarística Muchos niños de esta edad han escuchado las palabras de la Liturgia Eucarística sin darse cuenta o comprender plenamente lo que significan. Para ellos es difícil comprender cómo y por qué Jesús se entregó a sí mismo como un sacrificio por toda la humanidad. El rito de esta parte de la Misa ayudará a su hijo a continuar con su reflexión y a aumentar su comprensión del sacrificio de Cristo y su significado para cada uno de nosotros.

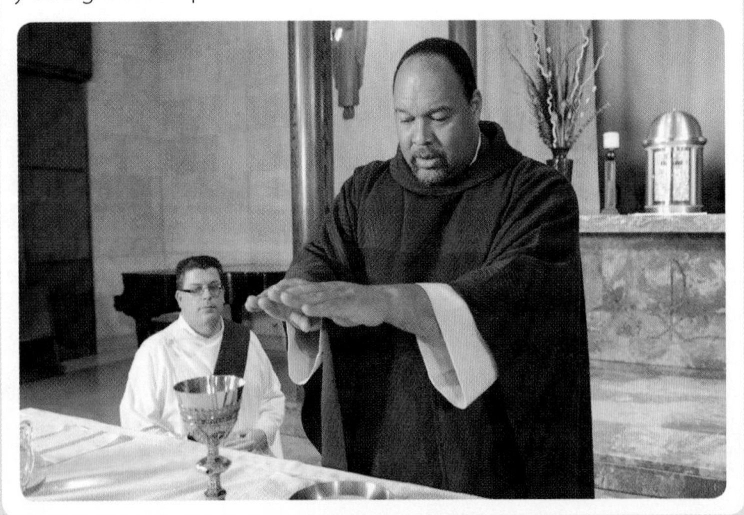

CONSIDEREMOS ESTO >>>

¿Qué han sacrificado por sus hijos como un regalo de amor?

Convertirse en padres marca el inicio de un camino de sacrificio; este sacrificio es para toda la vida y viene del amor. Este amor nos da un vistazo del amor y el sacrificio de Jesús. "En una cultura egocéntrica, donde se enseña a la gente a ir más allá de sí misma cuando pueden recibir algo a cambio, los sacrificios que cada uno de nosotros hacemos, siguiendo el ejemplo de Jesús, quien sacrificó libremente su vida por su amor a todos, indican la realidad y el poder del amor de Dios por nosotros" (*CCEUA, p. 234*).

HABLEMOS >>>

- Pidan a su hijo que explique qué es un sacrificio y cómo Jesús se sacrificó por nosotros.
- Hablen con su hijo sobre cuándo hará su Primera Comunión.

OREMOS >>>

Beata Imelda Lambertini, ruega a Dios por nosotros para que recibamos la Sagrada Comunión con reverencia. Amén.

Visiten **vivosencristo.osv.com** para encontrar un glosario multimedia de Palabras católicas, lecturas dominicales, y recursos de Santos y tiempos festivos.

FAMILY+FAITH

LIVING AND LEARNING TOGETHER

YOUR CHILD LEARNED >>>

This chapter discusses how we celebrate Jesus' sacrifice and gift of himself in the Eucharist at Mass.

God's Word

Read **Matthew 6:24** to see what Jesus says about sacrifice and serving God.

Catholics Believe

- The Eucharist is a memorial of the sacrifice Jesus made.
- The Liturgy of the Eucharist is the second main part of the Mass.

To learn more, go to the *Catechism of the Catholic Church* #1356–1358 at **usccb.org**.

People of Faith

This week, your child met Blessed Imelda Lambertini, the patron Saint of children receiving First Communion.

CHILDREN AT THIS AGE >>>

How They Understand the Liturgy of the Eucharist Many children have heard the words of the Liturgy of the Eucharist without fully realizing or understanding what they mean. It is hard for children this age to understand how and why Jesus gave himself as a sacrifice for all of humanity. The ritual form of this portion of the Mass will help your child to continue to reflect upon and grow in his or her understanding of Christ's sacrifice and its meaning for each of us.

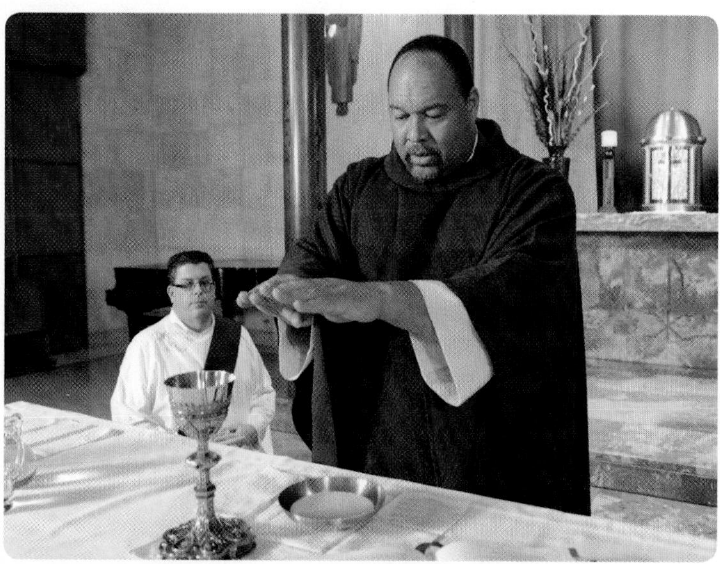

CONSIDER THIS >>>

What have you sacrificed for your children as a gift of love?

Becoming a parent sets one on a lifelong journey of sacrifice—sacrifices that come from love. This love gives us a glimpse of the love and sacrifice of Jesus. "In a self-centered culture where people are taught to extend themselves only for something in return, the sacrifices each of us make, following the example of Jesus, who freely sacrificed his life in love for all, point to the reality and power of God's love for us" (*USCCA, p. 221*).

LET'S TALK >>>

- Have your child explain what a sacrifice is and how Jesus sacrificed for us.
- Talk with your child about when he or she will have First Communion.

LET'S PRAY >>>

Blessed Imelda Lambertini, pray to God for us that we may receive Holy Communion with reverence. Amen.

For a multimedia glossary of Catholic Faith Words, Sunday readings, seasonal and Saint resources, and chapter activities go to **aliveinchrist.osv.com**.

Capítulo 18 Repaso

A **Trabaja con palabras** Escribe la letra de la palabra o las palabras del Vocabulario para completar correctamente cada oración.

Vocabulario

a. memoria
b. sacrificio
c. Amén
d. Misa
e. pan y el vino

1. El gran ☐ de Jesús fue su Muerte en la Cruz.
2. El ☐ se convierten en el Cuerpo y la Sangre de Jesús.
3. Jesús dijo: "Hagan esto en ☐ mía".
4. Al final de la Plegaria Eucarística, las personas dicen: ☐.
5. La ☐ es una celebración en memoria de la Muerte, Resurrección y Ascensión de Jesús.

B **Confirma lo que aprendiste** Traza una línea para unir la oración de la Columna A con la respuesta correcta de la Columna B.

Columna A	Columna B
6. En la Misa, el sacerdote reza la	Plegaria Eucarística.
7. Recordamos lo que Jesús dijo en	el amor de Dios por nosotros.
8. La segunda parte principal de la Misa es la	la Última Cena.
9. El Misterio de la Fe es	Liturgia Eucarística.
10. La Plegaria Eucarística termina con el	gran Amén.

Chapter 18 Review

A Work with Words Write the letter of the correct word or words from the Word Bank to complete each sentence.

Word Bank

a. memory
b. sacrifice
c. Amen
d. Mass
e. bread and wine

1. Jesus' great ☐ was his Death on the Cross.
2. The ☐ become the Body and Blood of Jesus.
3. Jesus said, "Do this in ☐ of me."
4. At the end of the Eucharistic Prayer, the people say, ☐.
5. The ☐ is a memorial of Jesus' Death, Resurrection, and Ascension.

B Check Understanding Draw a line to complete the sentences in Column A with the correct words in Column B.

Column A	Column B
6. At Mass, the priest prays the	Eucharistic Prayer.
7. We remember what Jesus said at	God's love for us.
8. The second main part of the Mass is the	the Last Supper.
9. The Mystery of Faith is	Liturgy of the Eucharist.
10. The Eucharistic Prayer ends with the	Great Amen.

UNIDAD 6

Repaso de la Unidad

A **Trabaja con palabras** Completa cada oración con la palabra correcta del Vocabulario.

Vocabulario
- Eucaristía
- Palabra
- asamblea
- Misa
- credo

1. ________________ es otro nombre para la celebración del Sacramento de la Eucaristía.
2. En la Liturgia de la ________________, se leen los relatos de la Biblia.
3. La Liturgia de la ________________ es la segunda parte principal de la Misa.
4. Las personas reunidas en la Misa forman la ________________.
5. El ________________ es una declaración de la fe de la Iglesia.

B **Confirma lo que aprendiste** Traza una línea que una la descripción de la Columna A con la palabra correcta de la Columna B.

Columna A	Columna B
6. Se dice al final de la Oración Eucarística.	Sacrificio de Jesús
7. El pan y el vino se convierten en esto.	Homilía
8. Un comentario breve del sacerdote o del diácono acerca de las lecturas de la Sagrada Escritura	"Gran Amén"
9. El sacerdote o el diácono lo lee.	El Cuerpo y la Sangre de Cristo
10. La Misa celebra esto.	El Evangelio

Unit Review

A Work with Words

Complete each sentence with the correct word from the Word Bank.

Word Bank

- Eucharist
- Word
- assembly
- Mass
- creed

1. ________________ is another name for the celebration of the Sacrament of the Eucharist.

2. In the Liturgy of the ________________, stories from the Bible are read.

3. The Liturgy of the ________________ is the second main part of the Mass.

4. The people gathered together at Mass make up the ________________.

5. A ________________ is a statement of the Church's beliefs.

Check Understanding

Draw a line from the description in Column A to the correct word or words in Column B.

Column A	Column B
6. This is said at the end of the Eucharistic Prayer.	Jesus' Sacrifice
7. The bread and wine become this.	Homily
8. A short talk by the priest or deacon about Scripture readings.	"Great Amen"
9. The priest or deacon reads this.	Christ's Body and Blood
10. The Mass celebrates this.	The Gospel

Repaso de la Unidad

Escribe V si el enunciado es VERDADERO. Escribe F si es FALSO.

11. ☐ El sacerdote guía a la asamblea en la celebración de la Misa.

12. ☐ En la Misa, no participas en la celebración.

13. ☐ Los relatos de Jesús se llaman parábolas.

14. ☐ Las parábolas de Jesús nos enseñan acerca del amor de Dios.

15. ☐ La Misa es una celebración memorial del nacimiento, la vida y la muerte de Pedro.

C **Relaciona** **Encierra en un círculo la respuesta correcta.**

16. Cuando comienza la Misa, la asamblea ____.

se sienta **se arrodilla** **se pone de pie y canta**

17. ____ es renunciar a algo por amor.

Un sacrificio **Una celebración** **Un intercambio**

18. En la ____ Jesús comparte una comida con sus discípulos.

Resurrección **Última Cena** **Ascensión**

19. Los relatos de Jesús siempre tienen lecciones acerca de ____.

la historia **los animales** **el amor de Dios**

20. La Misa celebra la Muerte y ____de Jesús.

la familia **la Resurrección** **el Padre**

Write T if the sentence is TRUE. Write F if the sentence is FALSE.

11. ☐ The priest leads the assembly in celebrating the Mass.

12. ☐ At Mass you do not take part in the celebration.

13. ☐ Jesus' stories are called parables.

14. ☐ Jesus' parables teach us about God's love.

15. ☐ The Mass is a memorial celebration of Peter's birth, life, and death.

C Make Connections Circle the correct answer.

16. As Mass begins, the assembly ____.

sits   kneels   stands and sings

17. A ____ is giving up something out of love.

sacrifice   celebration   trade

18. At the ____ Jesus shared a meal with his disciples.

Resurrection   Last Supper   Ascension

19. Jesus' stories always had lessons about ____.

history   animals   God's love

20. The Mass celebrates Jesus' Death and ____.

family   Resurrection   Father

Repaso de la Unidad

Escribe acerca de las partes de la Misa que se describen a continuación y a qué parte de una comida familiar te recuerda cada una.

21. Tus primos vienen a la cena del domingo.

____

____

22. Tu familia les da la bienvenida a todos cuando están juntos.

____

____

23. Los miembros de la familia cuentan relatos durante la comida.

____

____

24. Los miembros de la familia llevan comida y bebida para compartir.

____

____

____

25. Tu familia comparte una comida con alimentos y bebidas.

____

____

____

Write about parts of the Mass that remind you of each of the parts of a family meal described below.

21. Your cousins come for Sunday dinner.

____

____

22. Your family welcomes everyone once they are together.

____

____

23. Family members tell stories during the meal.

____

____

24. Family members bring food and drink to share.

____

____

____

25. Your family shares a meal of food and drink.

____

____

____

UNIDAD
7

El Reino de Dios

Nuestra Tradición Católica

- La Eucaristía nos une a Jesús y a los demás. Compartimos la misma misión de amar como lo hizo Jesús. (CIC, 1396)
- Jesús, el Cordero, está real y verdaderamente presente en la Sagrada Comunión. Llamamos a esto la Presencia Real. (CIC, 1380)
- La Eucaristía es un signo de cómo será el Cielo: felicidad con Dios para siempre. Difundimos las nuevas del Reino a todos. (CIC, 562, 1419)

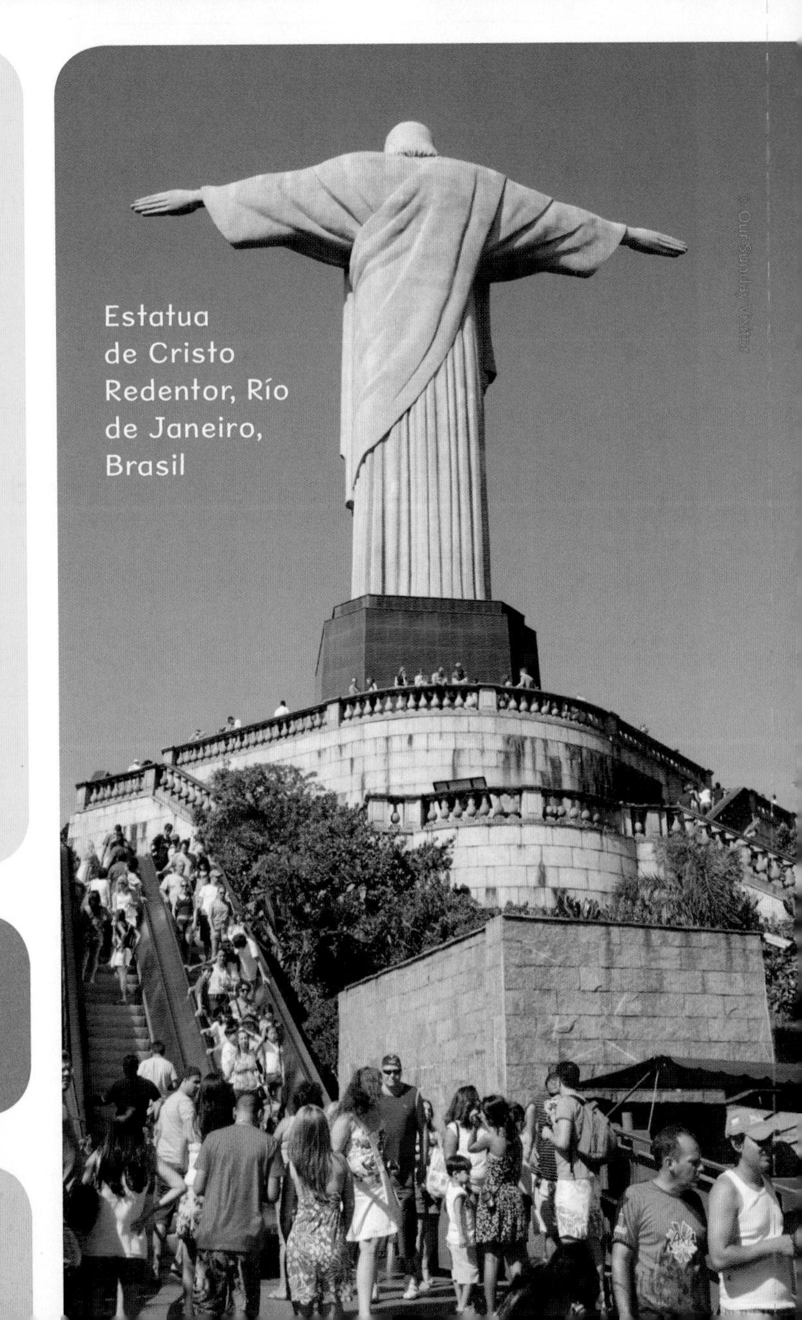

Estatua de Cristo Redentor, Río de Janeiro, Brasil

¿Cómo nos ayuda en nuestro viaje al Cielo recibir la Sagrada Comunión?

Kingdom of God

Our Catholic Tradition

- The Eucharist unites us with Jesus and with one another. We share the same mission to love the way Jesus did. (CCC, 1396)
- Jesus, the Lamb, is really and truly present in Holy Communion. We call this Real Presence. (CCC, 1380)
- The Eucharist is a sign of what Heaven will be like—happiness forever with God. We spread the news of the Kingdom to everyone. (CCC, 562, 1419)

How does receiving Holy Communion help us on our journey to Heaven?

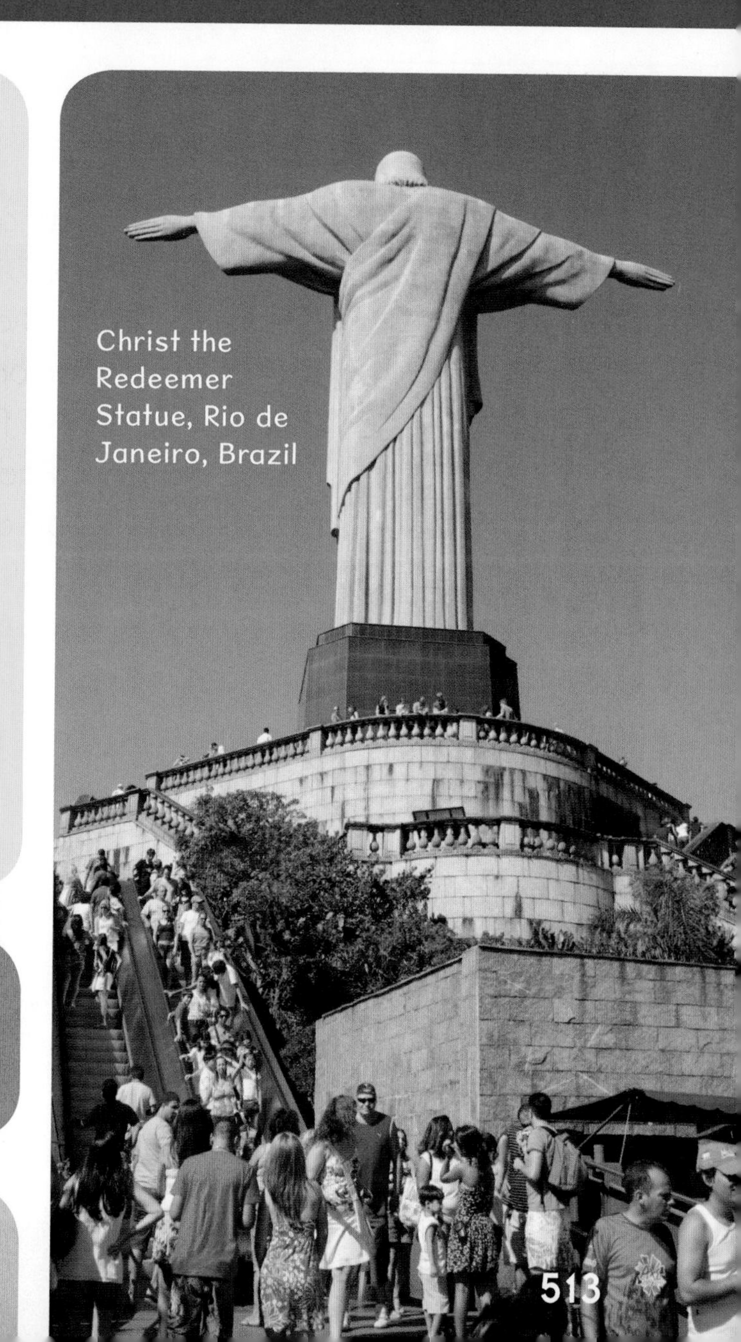

Christ the Redeemer Statue, Rio de Janeiro, Brazil

La Cena del Cordero

Oremos

Líder: Te alabamos, Dios, porque eres bueno y santo.

"Ha entregado la tierra su cosecha, Dios, nuestro Dios, nos dio su bendición". Salmo 67, 7

Todos: Oh, Dios, te agradecemos por compartir tu cosecha con nosotros en la Sagrada Comunión. Amén.

La Palabra de Dios

Una vez, las personas deseaban una señal de Jesús para poder ver y creer mejor en él. Dijeron: "Nuestros antepasados comieron el maná en el desierto, según dice la Escritura: '*Se les dio a comer pan del cielo.*'" Jesús les dijo: "En verdad les digo: No fue Moisés quien les dio el pan del cielo. Es mi Padre el que les da el verdadero pan del cielo. El pan que Dios da es aquel *que baja del cielo* y que da vida al mundo." Jesús les dijo: "Yo soy el pan de vida. El que viene a mí nunca tendrá hambre y el que cree en mí nunca tendrá sed." Basado en Juan 6, 30-35

¿Qué piensas?

- ¿Cómo nos alimenta Jesús hoy?
- ¿Cómo nos cuida el Padre?

Supper of the Lamb

Let Us Pray

Leader: We praise you God, for you are good and holy.

"The earth has yielded its harvest;
God, our God, blesses us." Psalm 67:7

All: O God, we thank you for sharing your harvest with us in Holy Communion. Amen.

God's Word

Once, the people wanted a sign from Jesus so that they could better see and believe in him. They said, "Our ancestors ate manna in the desert, as it is written: 'He gave them bread from heaven to eat.'" Jesus said to them, "Amen, amen, I say to you, it was not Moses who gave the bread from heaven; my Father gives you the true bread from heaven. For the bread of God is that which comes down from heaven and gives life to the world. I say to you, I am the bread of life; whoever comes to me will never hunger, and whoever believes in me will never thirst."

Based on John 6:30–35

What Do You Wonder?

- How does Jesus feed us today?
- How does the Father take care of us?

Jesús nos alimenta

¿Cómo nos mantiene Jesús?

Jesús sabía lo importante que era el alimento para la vida. Los Evangelios tienen muchas historias de Jesús compartiendo comidas con sus amigos.

Palabras católicas

Sagrada Comunión recibir el Cuerpo y la Sangre de Jesús en la celebración de la Eucaristía

La Palabra de Dios

Jesús alimenta a cinco mil personas

Un día, Jesús estaba hablándole a una multitud de cinco mil personas. Al declinar el día, los Apóstoles le dijeron a Jesús que enviara a la multitud a aldeas cercanas para buscar comida.

Jesús les dijo a los Apóstoles que alimentaran ellos mismos a la gente. "¿Cómo podemos hacer eso?", preguntaron. "Sólo tenemos cinco panes y dos pescados."

Jesus Feeds Us

How does Jesus provide for us?

Jesus knew how important food was for life. The Gospels have many stories of Jesus sharing meals with his friends.

Catholic Faith Words

Holy Communion receiving Jesus' Body and Blood in the celebration of the Eucharist

God's Word

The Feeding of Five Thousand

One day, Jesus was speaking to a crowd of five thousand people. Late in the day, the Apostles told Jesus to send the crowds away to nearby villages to find food.

Jesus told the Apostles to feed the people themselves. "How can we do that?" they asked. "We have only five loaves of bread and two fish."

Jesús les dijo que hicieran sentar a la gente. Tomó el pan y el pescado, elevó la vista hacia el Cielo, y bendijo los alimentos. Los partió y les dio los trozos a sus seguidores para que los repartieran entre la gente.

Todos tuvieron suficiente para comer. Los restos llenaron doce canastos. Basado en Lucas 9, 10-17

El Padre Nuestro

Cuando Jesús alimentó a la gente, sintieron su amor y su cuidado. Jesús nos sigue cuidando. En la Misa, nos da su Cuerpo y su Sangre. La Misa es la Cena del Cordero. Jesús es el Cordero de Dios por su sacrificio por nosotros. Nos invita a su cena donde nos alimenta en la Eucaristía.

Mientras nos preparamos para recibir la **Sagrada Comunión**, nos ponemos de pie para decir el Padre Nuestro. Alabamos al Padre y le pedimos que reine en nuestros corazones y nuestras vidas. Mostramos nuestra confianza en Él para todo lo que necesitamos ahora y para estar con Él para siempre.

Colorea los canastos de panes y pescados de abajo.

Comparte tu fe

Piensa ¿Con qué alimentó Jesús a la multitud en la historia? ¿Cómo nos alimenta Jesús en la Misa?

Comparte Divídanse en dos grupos y hablen sobre esto.

Jesus told them to have the people sit down. He took the bread and fish, looked up to Heaven, and blessed the food. He broke it into pieces and gave the pieces to his followers to pass out among the people.

Everyone had enough to eat. The leftovers filled twelve straw baskets. Based on Luke 9:10–17

The Lord's Prayer

When Jesus fed the people, they felt his love and care. Jesus continues to care for us. In the Mass, he gives us his Body and Blood. The Mass is the Supper of the Lamb. Jesus is the Lamb of God because of his sacrifice for us. He invites us to his supper where he feeds us in the Eucharist.

Color the baskets of loaves and fish below.

As we prepare to receive **Holy Communion**, we stand to say the Lord's Prayer. We praise the Father and ask that he reign in our hearts and lives. We show our trust in him for all we need now and to be with him forever.

Share Your Faith

Think What did Jesus feed the crowd in the story? How does Jesus feed us in the Mass?

Share Break into two groups and talk about it.

Sagrada Comunión

¿Qué sucede después del Padre Nuestro?

Después de orarle a nuestro Padre, nos ofrecemos la paz de Cristo mutuamente. Esta señal de la paz es un recordatorio de que compartimos con los demás la paz, el amor y la buena voluntad que provienen de Cristo y nos unen.

Después, el sacerdote parte la Hostia, que es el Cuerpo de Cristo, antes de comerla y compartirla. Esto es lo que Jesús hizo en la Última Cena. Esta acción le recuerda nuevamente a la asamblea que Jesús murió y volvió a la vida de entre los muertos para todas las personas. Si están libres de pecados graves, son bienvenidos a la mesa del Señor. Jesús está real y verdaderamente presente en la Sagrada Comunión. Llamamos a esto la **Presencia Real**. Cuando reciben la Sagrada Comunión, se vuelven uno con Jesús y con toda su Iglesia.

Palabras católicas

Presencia Real la enseñanza de que Jesús está real y verdaderamente con nosotros en la Eucaristía. Recibimos a Jesús en su plenitud.

Subraya quién está real y verdaderamente presente en la Sagrada Comunión.

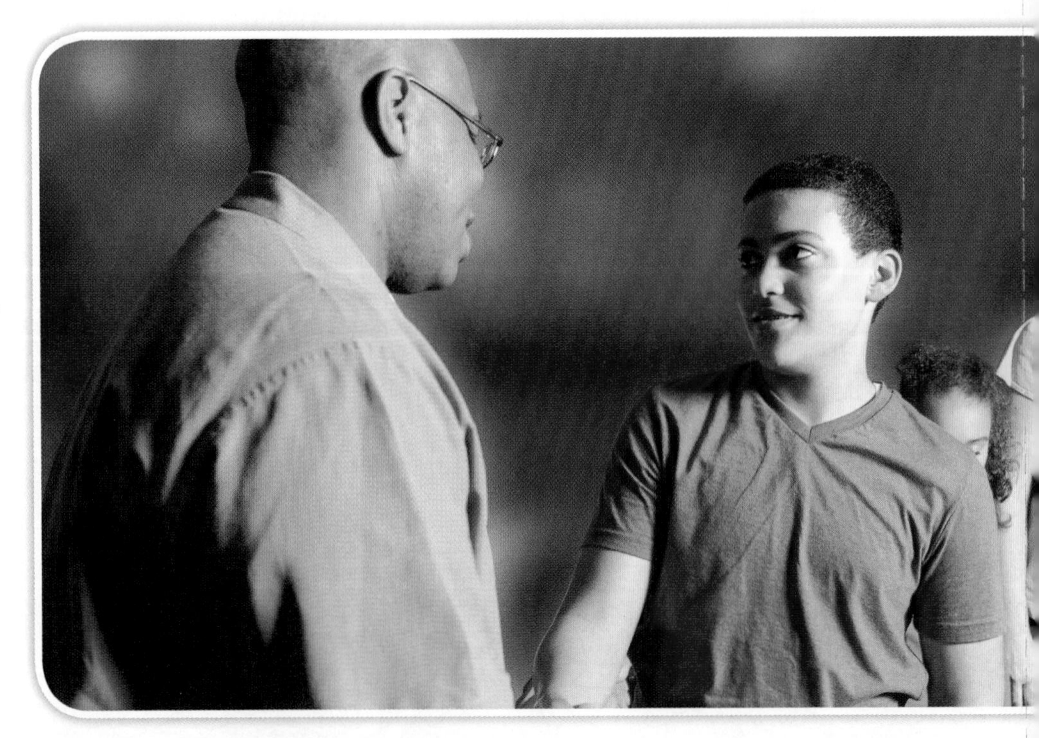

Ofrecemos la señal de la paz durante la Misa estrechándonos la mano o abrazándonos.

Holy Communion

What happens after the Lord's Prayer?

After praying to our Father, we offer the peace of Christ to one another. This sign of peace is a reminder that we share with others the peace, love, and goodwill that comes from Christ and unites us.

After the sign of peace, the priest breaks the Host that is the Body of Christ before he eats and shares it. This is what Jesus did at the Last Supper. The priest's action again reminds the assembly that Jesus died and was raised from the dead for all people. If you are free from serious sin, you are welcome at the Lord's table. Jesus is really and truly present in Holy Communion. We call this **Real Presence**. When you receive Holy Communion, you become one with Jesus and all his Church.

Catholic Faith Words

Real Presence the teaching that Jesus is really and truly with us in the Eucharist. We receive Jesus in his fullness.

Underline who is really and truly present in Holy Communion.

We offer the sign of peace during Mass by shaking hands or hugging one another.

Recibir la Comunión

Palabras católicas

reverencia el cuidado y respeto que muestras a Dios y a las personas y objetos santos

Santísimo Sacramento un nombre de la Sagrada Eucaristía, en especial el Cuerpo de Cristo

Sagrario el lugar especial en la iglesia donde se guarda el Santísimo Sacramento después de la Misa para aquellos que están enfermos o para la Adoración Eucarística

El Cuerpo y la Sangre de Jesús son un gran regalo. Cuando los recibes, muestras **reverencia**, o cuidado y respeto. Caminas hacia el altar con devoción. Mientras la persona frente a ti recibe la Eucaristía, te inclinas levemente. Cuando llega tu turno, el sacerdote, diácono o un ministro extraordinario de la Sagrada Comunión dice, "El Cuerpo de Cristo", y tú dices "Amén". Recibes el Cuerpo de Cristo en tu mano o sobre tu lengua. También puedes recibir la Sangre de Cristo del cáliz.

Después, regresas a tu lugar y cantas con todos. Luego oras en silencio.

El Santísimo Sacramento

Después de la Misa, todas las Hostias reservadas, o sobrantes, se guardan en un gabinete o recipiente llamado **Sagrario**. Jesús permanece presente en las Hostias reservadas, que también se llaman el **Santísimo Sacramento**.

Practica tu fe

Muestra reverencia Escribe una buena acción que puedes hacer para mostrar reverencia durante la Misa.

____

____

____

Receiving Communion

The Body and Blood of Jesus is a great gift. When you receive it, you show **reverence**, or care and respect. You walk to the altar prayerfully. As the person in front of you receives the Eucharist, you bow slightly. When it is your turn, the priest, deacon, or an extraordinary minister of Holy Communion says, "The Body of Christ," and you say, "Amen." You receive the Body of Christ in your hand or on your tongue. You may also receive the Blood of Christ from the chalice.

Afterwards, you go back to your place and sing with everyone. Then you pray in silence.

The Blessed Sacrament

Any Hosts reserved, or left over, after Mass are stored in a beautiful cabinet or container called the **Tabernacle**. Jesus remains present in the reserved Hosts, which are also called the **Blessed Sacrament**.

Catholic Faith Words

reverence the care and respect you show to God and holy persons and things

Blessed Sacrament a name for the Holy Eucharist, especially the Body of Christ

Tabernacle the special place in the church where the Blessed Sacrament is reserved after Mass for those who are ill or for Eucharistic Adoration

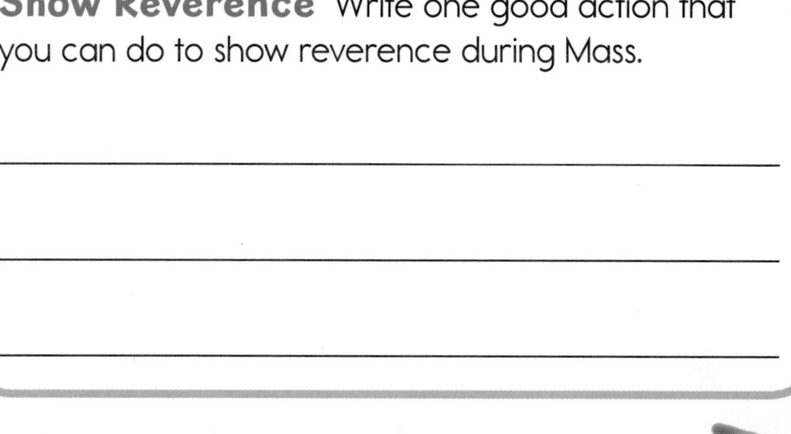

Connect Your Faith

Show Reverence Write one good action that you can do to show reverence during Mass.

____

____

____

Nuestra vida católica

¿Cómo honramos a Jesús en la Eucaristía fuera de la Misa?

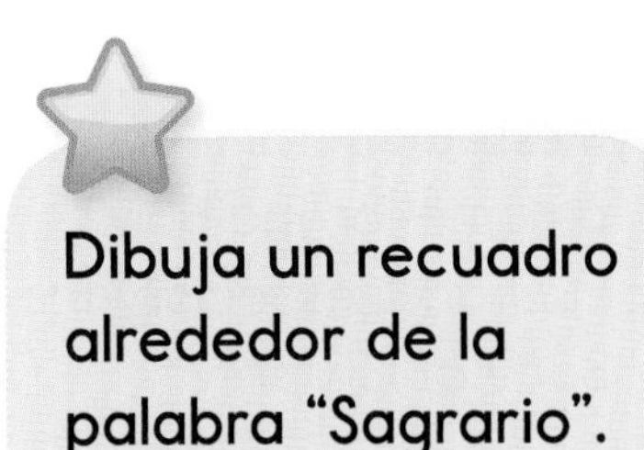

Dibuja un recuadro alrededor de la palabra "Sagrario". ¿Qué se guarda en el Sagrario?

Algunas personas no pueden unirse a la comunidad en la Misa. Puede que estén enfermos en sus hogares o en el hospital. Algunas personas mayores están muy débiles para viajar. Todas estas personas aún son una parte de la asamblea. Aún están unidos a la comunidad en la oración. Después de la Misa, el sacerdote, un diácono o un ministro extraordinario de la Sagrada Comunión puede visitarlos y llevarles la Sagrada Comunión y orar con ellos.

Todas las demás Hostias reservadas después de la Misa se colocan en el Sagrario. Una lámpara o una vela está siempre encendida cerca del Sagrario para recordarles a las personas que Jesús está presente.

Después de la Misa, las personas pueden orar ante el Santísimo Sacramento que se guarda en el Sagrario.

Our Catholic Life

How do we honor Jesus in the Eucharist outside of Mass?

Some people cannot join the community at Mass. They may be sick at home or in the hospital. Some elderly people are too weak to travel. All these people are still a part of the assembly. They are still joined to the community in prayer. After Mass, they may be visited by the priest, a deacon, or an extraordinary minister of Holy Communion who brings Holy Communion to them and prays with them.

Any other Hosts reserved after Mass are placed in the Tabernacle. A lamp or candle always burns near the Tabernacle to remind people that Jesus is present.

Draw a box around the word "Tabernacle." What is kept inside the Tabernacle?

Outside of Mass, people can spend time in prayer before the Blessed Sacrament kept in the Tabernacle.

Gente de fe

Venerable Pierre Toussaint, 1766–1853

El Venerable Pierre Toussaint fue un esclavo nacido en Haití. Su propietario le enseñó a leer y escribir. Cuando su propietario y su familia se mudaron a la ciudad de Nueva York, llevaron a Pierre con ellos. Pierre se convirtió en barbero y ayudó a mantener a la familia de su propietario después de que el hombre murió. Él y su esposa criaron a su sobrina y a menudo Pierre la llevaba a caminar por la ciudad. Era conocido por su generosidad y su ayuda a los pobres. Asistía a misa diariamente y tenía un gran amor por Jesús en la Sagrada Comunión.

Comenta: ¿Cómo puedes mostrar respeto por Jesús en la Eucaristía?

Aprende más sobre el Venerable Pierre Toussaint en **vivosencristo.osv.com**

Haz una tarjeta de oraciones Decora el frente de la tarjeta de oraciones y escribe una oración para miembros de la parroquia que no puedan estar presentes en la Misa.

____

____

____

____

____

____

People of Faith

Venerable Pierre Toussaint, 1766–1853

Venerable Pierre Toussaint was a slave born in Haiti. His owner taught him to read and write. When his owner's family moved to New York City, they brought Pierre with them. Pierre became a barber and helped support his owner's family after the man died. He and his wife raised his niece and Pierre often took her for walks in the city. He was well known for his generosity and aid to the poor. He attended daily Mass and had a great love for Jesus in Holy Communion.

Discuss: How can you show respect for Jesus in the Eucharist?

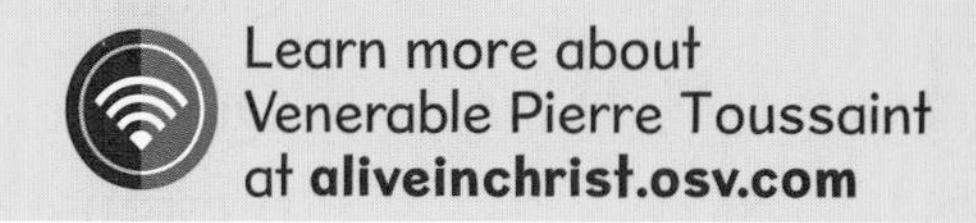

Live Your Faith

Make a Prayer Card Decorate the front of the prayer card and write a prayer for parish members who cannot be present at Mass.

____

____

____

____

____

____

Oremos

Oración de petición

Reúnanse y empiecen con la Señal de la Cruz.

Líder: Oremos con las palabras de San Padre Pío para pedirle a Cristo que siempre esté con nosotros.

Lector 1: Quédate conmigo, Señor, porque es necesario tenerte presente para que yo no te pueda olvidar. Tú sabes que tan fácilmente te abandono.

Quédate conmigo, Señor, porque soy débil y necesito de tu fortaleza para que no caiga tan frecuentemente.

Quédate conmigo, Señor, porque tú eres mi vida…

Lector 2: Quédate conmigo, Señor, porque tú eres mi luz y sin ti estoy en la oscuridad.

Quédate conmigo, Señor, para mostrarme Tu voluntad.

Quédate conmigo, Señor, para que yo pueda escuchar tu voz y seguirte.

Todos: Quédate conmigo, Señor, porque yo deseo amarte mucho y siempre estar en tu compañía… Amén.

San Padre Pío, Oración para después de la Comunión

Canten "El Señor Nos Invita"

El Señor nos invita
junto a su mesa.
Como hermanos venimos
para la cena.
Como hermanos venimos
para la cena.
Haya paz y alegría que hoy
es su fiesta.

Sagrario

Let Us Pray

Prayer of Petition

Gather and begin with the Sign of the Cross.

Leader: Let's pray the words of Saint Padre Pio, to ask Christ to be with us always.

Reader 1: Stay with me, Lord, for it is necessary to have you present so that I do not forget you. You know how easily I abandon you.

Stay with me, Lord, because I am weak and I need your strength, that I may not fall so often.

Stay with me, Lord, for you are my life...

Reader 2: Stay with me, Lord, for you are my light and without you I am in darkness.

Stay with me, Lord, to show me your will.

Stay with me, Lord, so that I hear your voice and follow you.

All: Stay with me, Lord, for I desire to love you very much and always be in your company...Amen.

Saint Padre Pio, Prayer After Communion

Sing "The Supper of the Lamb"

The Supper of the Lamb
The Body of our Lord
The Blood of Christ outpoured
The Supper of the Lamb
The gift of life anew
A gift of love for you
For you are called to the
Supper of the Lamb.

Tabernacle

FAMILIA + FE

VIVIR Y APRENDER JUNTOS

SUS HIJOS APRENDIERON >>>

Este capítulo explica cómo estamos unidos a Jesús y a los demás cuando recibimos con reverencia la Sagrada Comunión.

La Palabra de Dios

Lean **Mateo 14, 15–21** para aprender sobre la multiplicación de los panes y peces.

Lo que creemos

- A través de la Eucaristía, los seguidores de Jesús se unen a Él y a los demás.
- El don de la Sagrada Comunión se recibe con reverencia.

Para aprender más, vayan al *Catecismo de la Iglesia Católica* 256, 319, 454 en **usccb.org**.

Gente de fe

Esta semana, su hijo conoció al Venerable Pierre Toussaint, un esclavo que fue muy conocido por su amor a la Eucaristía y por cuidar de los pobres.

LOS NIÑOS DE ESTA EDAD >>>

Cómo comprenden la Presencia Real de Jesucristo en la Eucaristía La transustanciación, la transformación del pan y el vino en el Cuerpo y la Sangre de Jesús durante la Misa, parece ser un concepto muy difícil de impartir a los niños. Sin embargo, muchos relatos y películas infantiles tienen ejemplos de objetos o personas que toman la forma de otra cosa. Por lo tanto, son capaces de comprender que la Eucaristía sigue teniendo el aspecto y el sabor del pan y el vino pero se han convertido en el mismo Jesús.

CONSIDEREMOS ESTO >>>

¿Alguna vez se han preguntado por qué llamamos "Comunión" al Cuerpo y la Sangre de Cristo?

La Comunión es otro nombre para la Eucaristía porque la palabra describe el efecto de la Eucaristía. Cuando recibimos el don del Cuerpo y la Sangre de Jesús, estamos en comunión con Él. Por lo tanto, es en Cristo que nos hacemos uno con los demás. "Damos testimonio, con fe, que Dios como Trinidad quiere relacionarse con nosotros y estar involucrado en nuestro mundo. . .el amor dentro de la Santísima Trinidad hace posible una intimidad divina con nosotros. El amor preserva el misterio y, sin embargo, salva lo que podría haber sido un abismo entre nosotros y Dios. La unidad y la comunión con Dios en la Iglesia también nos llaman a ser fuentes de unidad entre todas las gentes" (*CCEUA, 131*).

HABLEMOS >>>

- Pidan a su hijo que les muestre la manera de recibir la Sagrada Comunión. Pregúntenle qué hace (se inclina, extiende las manos en forma de cuenco, etc.) y qué dice (Amén).
- Comenten por qué su familia se quedaría después de Misa para decir una oración frente al Tabernáculo.

OREMOS >>>

Venerable Pierre, ruega por nosotros para que ayudemos a los demás a ver la presencia de Jesús en la Eucaristía. Amén.

Visiten **vivosencristo.osv.com** para encontrar más recursos y actividades.

FAMILY+FAITH

LIVING AND LEARNING TOGETHER

YOUR CHILD LEARNED >>>

This chapter explains how we are united with Jesus and with one another when we reverently receive Holy Communion.

God's Word

Read **Matthew 14:15–21** to learn about the multiplication of the loaves and fishes.

Catholics Believe

- Through the Eucharist, Jesus' followers are united with him and one another.
- The gift of Holy Communion is received with reverence.

To learn more, go to the *Catechism of the Catholic Church* #256, 319, 454 at **usccb.org**.

People of Faith

This week, your child met Venerable Pierre Toussaint, a former slave who was well known for his love of the Eucharist and care for the poor.

CHILDREN AT THIS AGE >>>

How They Understand the Real Presence of Jesus Christ in the Eucharist Transubstantiation, the transformation of the bread and wine during Mass to the Body and Blood of Jesus Christ, seems like a very difficult concept to impart to children. However, many children's stories and movies have examples of things or people that have taken the form of something else (shape shifters, etc.). Therefore, they are capable of understanding that the Eucharist still looks and tastes like bread and wine but is Jesus himself.

CONSIDER THIS >>>

Have you ever wondered why we call Jesus' Body and Blood, "Communion"?

Communion is another name for Eucharist because the word describes an effect of Eucharist. When we receive the gift of Jesus' Body and Blood, we enter into communion with him. In Christ we are then made one with each other. "We testify in faith that God as Trinity wants to relate to us and to be engaged in our world…love within the Trinity makes possible a divine closeness to us. Love preserves the mystery and yet overcomes what might have been a gulf between us and God. Unity and communion with God in the Church also calls us to become a source of unity for all people" (*USCCA, p. 119*).

LET'S TALK >>>

- Have your child show you the way to receive Holy Communion. Ask him what he does (bows, holds out cupped hands, etc.) and what he says (Amen).
- Talk about why your family would stay after Mass to say a prayer in front of the Tabernacle.

LET'S PRAY >>>

Venerable Pierre, pray for us that we may help others see the presence of Jesus in the Eucharist. Amen.

Visit **aliveinchrist.osv.com** for additional resources and activities.

Capítulo 19 Repaso

A **Trabaja con palabras** Usa la palabra o palabras del Vocabulario para completar las oraciones.

Vocabulario

- reverencia
- Sagrario
- Sagrada Comunión
- Santísimo Sacramento
- Presencia

1. ____________________ Real es que Jesús está real y verdaderamente con nosotros en la Eucaristía.
2. La ____________________ es recibir el Cuerpo y la Sangre de Cristo.
3. Todas las Hostias que se reservan después de la Misa se colocan en el ____________________.
4. ____________________ es el cuidado y respeto que muestras a Dios y a las personas y objetos santos.
5. El ____________________ es el nombre que damos al Cuerpo de Cristo guardado en el Sagrario.

B **Confirma lo que aprendiste** Usa los números del 1 al 5 para ordenar los enunciados como suceden en la Misa.

6. ☐ El sacerdote parte el pan.
7. ☐ Todos se ponen de pie para orar el Padre Nuestro.
8. ☐ Después de la Comunión las personas continúan cantando y oran en silencio.
9. ☐ Las personas ofrecen la señal de la paz.
10. ☐ Las personas reciben la Sagrada Comunión.

Chapter 19 Review

A Work with Words Use the word or words from the Word Bank to complete the sentences.

Word Bank

- reverence
- Tabernacle
- Holy Communion
- Blessed Sacrament
- Presence

1. Real ________________ is Jesus really and truly with us in the Eucharist.
2. ________________________ is receiving the Body and Blood of Christ.
3. All Hosts reserved after Mass are placed in the ________________.
4. ________________ is the care and respect you show to God and holy persons and things.
5. The ________________________ is the name we give to the Body of Christ reserved in the Tabernacle.

B Check Understanding Use the numbers 1 to 5 to put the sentences in the order they happen at Mass.

6. ☐ The priest breaks the bread.
7. ☐ All stand to pray the Lord's Prayer.
8. ☐ After Communion the people continue to sing and then pray in silence.
9. ☐ The people offer the sign of peace.
10. ☐ The people receive Holy Communion.

¡Vayan y evangelicen!

Oremos

Líder: Dios, mientras evangelizamos, acompáñanos.

Que Dios tenga piedad y nos bendiga… para que sea conocido en la tierra su camino.

Basado en el Salmo 67, 2-3

Todos: Te damos las gracias, Dios, por acompañarnos mientras te compartimos con los demás. Amén.

La Palabra de Dios

"[Pablo] permaneció allí dos años enteros. Recibía a todos los que lo venían a ver, proclamaba el Reino de Dios y les enseñaba con mucha seguridad lo referente a Cristo Jesús, el Señor." Hechos 28, 30-31

¿Qué piensas?

- ¿Por qué la misión de Jesús es importante para nosotros hoy?
- ¿Cómo les cuentas a los demás sobre la misión de Jesús?

Go Forth!

Let Us Pray

Leader: God, as we go forth, be with us.

May God be merciful to us and bless us …
so that the whole world may know your will.
Based on Psalm 67:2–3

All: Thank you, God, for going with us as we share you with others. Amen.

God's Word

"[Paul] remained for two full years in his lodgings. He received all who came to him, and with complete assurance…he proclaimed the kingdom of God and taught about the Lord Jesus Christ." Acts 28:30–31

What Do You Wonder?

- Why is the mission of Jesus important to us today?
- How do you tell others about Jesus' mission?

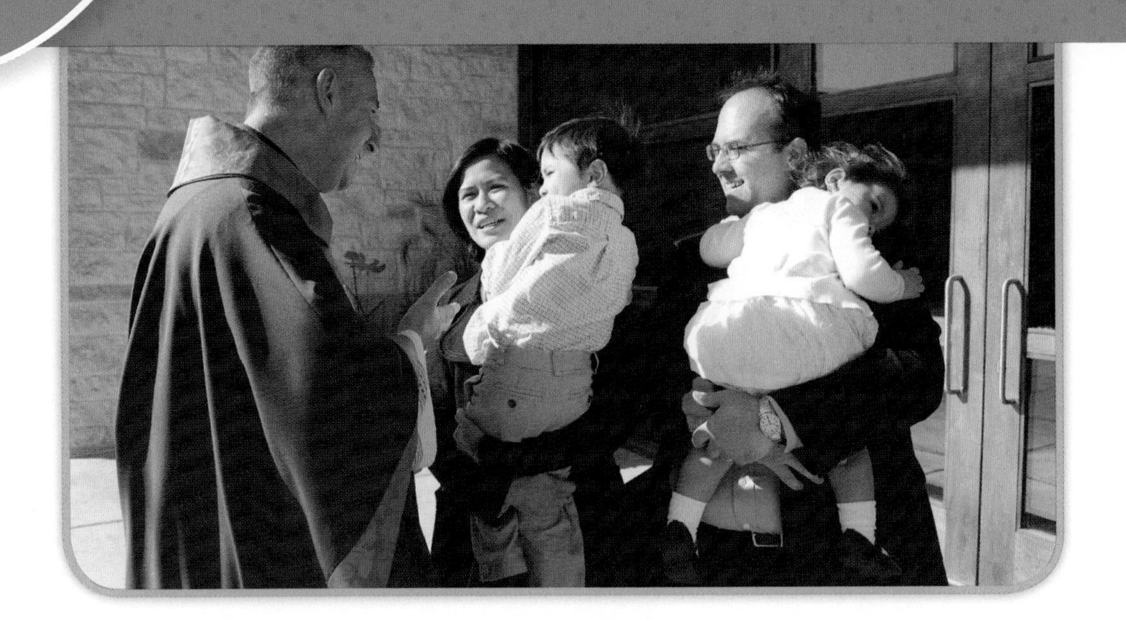

Vivir el Evangelio

¿Cómo compartimos la Buena Nueva?

Después de recibir la Sagrada Comunión, escuchamos algunos anuncios. Luego el sacerdote nos bendice y dice que la Misa ha terminado.

Nos despide con: "Pueden ir en paz." Respondemos: "Demos gracias a Dios." Esta parte final de la Misa se llama los Ritos de Conclusión.

Se nos envía a proclamar La Buena Nueva y a honrar a Dios por la forma en que vivimos. Los primeros seguidores de Jesús llevaron sus Buenas Nuevas a todos los pueblos.

Palabras católicas

misión un trabajo o propósito. La misión de la Iglesia es anunciar la Buena Nueva del Reino de Dios.

misioneros personas que atienden el llamado de Dios de llevar el mensaje de Jesús y anunciar la Buena Nueva de su Reino a las personas de otros lugares

La Palabra de Dios

Pedro predica

Pedro le dijo al pueblo de Jerusalén que Jesús envió a los Apóstoles a predicar a todos los pueblos.

Los Apóstoles compartieron la Buena Nueva del Reino de Dios. Pedro le dijo al pueblo que Jesús quería que todos creyeran en Él. Si creían, recibirían el perdón en nombre de Jesús.

Live the Gospel

How do we share the Good News?

After receiving Holy Communion, we may hear some announcements. Then, the priest blesses us and says the Mass has ended. He dismisses us to "Go in peace." We respond, "Thanks be to God." This final part of the Mass is called the Concluding Rites.

We are sent to proclaim the Good News and give honor to God by the way we live. Jesus' first followers took his Good News to people everywhere.

God's Word

Peter Preaches

Peter told the people of Jerusalem that Jesus sent the Apostles to preach to all people.

The Apostles shared the Good News of God's Kingdom. Peter told the people that Jesus wanted everyone to believe in him. If they believed, they would receive forgiveness through Jesus' name.

Catholic Faith Words

mission a job or purpose. The Church's mission is to announce the Good News of God's Kingdom.

missionaries people who answer God's call to bring the message of Jesus and announce the Good News of his Kingdom to people in other places

Después de escuchar a Pedro, muchas personas de lugares lejanos pidieron ser bautizadas. Pedro le dijo a la multitud que cualquiera que recibiera el Espíritu Santo podría ser bautizado.

Basado en Hechos de los Apóstoles 10, 42-48

La misión de la Iglesia

Pedro y los demás Apóstoles compartieron las Buenas Nuevas de Jesús y dirigieron la Iglesia. El Papa y los obispos siguen a los Apóstoles en esta labor. Dirigen a la Iglesia en su tarea de difundir la Buena Nueva de Jesús y el Reino de Dios por el mundo. Esta tarea se llama la **misión** de la Iglesia. Todos sus miembros comparten esta responsabilidad.

Muchos miembros de la Iglesia comparten el mensaje de Jesús en el lugar donde están. Otros llevan el mensaje de Jesús a lugares lejanos. Se llaman **misioneros**.

Los misioneros viajan por todo el mundo y ayudan a las personas a satisfacer sus necesidades básicas.

Comparte tu fe

Piensa ¿Qué puedes hacer para transmitir el mensaje de amor de Jesús a los demás?

1. ______________________________.

2. ______________________________.

Comparte Habla sobre tus respuestas con un compañero.

After listening to Peter, many people from faraway places asked to be baptized. Peter told the crowd that anyone who was moved by the Spirit could be baptized. Based on Acts 10:42–48

Missionaries travel to countries around the world and help people meet their basic needs.

The Church's Mission

Peter and the other Apostles shared Jesus' Good News and led the Church. The Pope and bishops follow the Apostles in this role. They lead the Church in her work to spread the Good News of Jesus and God's Kingdom throughout the world. This work is called the Church's **mission**. All her members share this responsibility.

Most Church members share Jesus' message right where they are. Others bring the message of Jesus to faraway places. They are called **missionaries**.

Share Your Faith

Think What can you do to bring Jesus' message of love to others?

1. ______________________________.

2. ______________________________.

Share With a partner, talk about your responses.

Un ejemplo para todos

¿Qué hizo la Madre Cabrini?

Todos tienen dones diferentes. Podemos usar esos talentos para difundir el mensaje de Jesús de diferentes maneras.

Santa Francisca Javier Cabrini

Francisca Javier Cabrini nació en una pequeña aldea en Italia. Su salud fue delicada toda su vida, pero eso no le impidió hacer el trabajo de Dios.

Después de escuchar historias de Santos, Francisca quería ser misionera en China. Quería ser una hermana religiosa, pero se consideraba que su salud era demasiado delicada para unirse a cualquier grupo. Así que fundó su propia comunidad. El Papa León XIII le sugirió a Francisca que fuera a los Estados Unidos para ayudar a los inmigrantes italianos que acababan de llegar.

An Example for All

What did Mother Cabrini do?

Everyone has different gifts. We can use those talents to spread Jesus' message in different ways.

Saint Frances Xavier Cabrini

Frances Xavier Cabrini was born in a small village in Italy. She was sickly throughout her life, but this did not stop her from doing God's work.

After hearing stories about the Saints, Frances wanted to be a missionary in China. She wanted to be a religious sister, but was thought too sickly to join any group. So she started her own community. Pope Leo XIII suggested Frances go to the United States to help Italian immigrants that had just arrived.

Aunque le temía mucho al agua, cruzó el océano hasta Nueva York. Allí fundó un hogar para niñas italianas huérfanas y otros servicios para los pobres.

Para cuando tenía sesenta y siete años, Francisca había fundado más de sesenta escuelas, hospitales, orfanatos y conventos en el mundo. Murió en 1917. En 1946, Francisca se convirtió en la primera ciudadana estadounidense en ser declarada Santa de la Iglesia Católica. Había llevado a cabo la misión de la Iglesia, dando el amor de Jesús a quienes lo necesitaban.

Practica tu fe

Difunde la Buena Nueva Si pudieras ir a cualquier lugar del mundo para contarles a los demás sobre el amor de Jesús, ¿adónde irías?

____

____

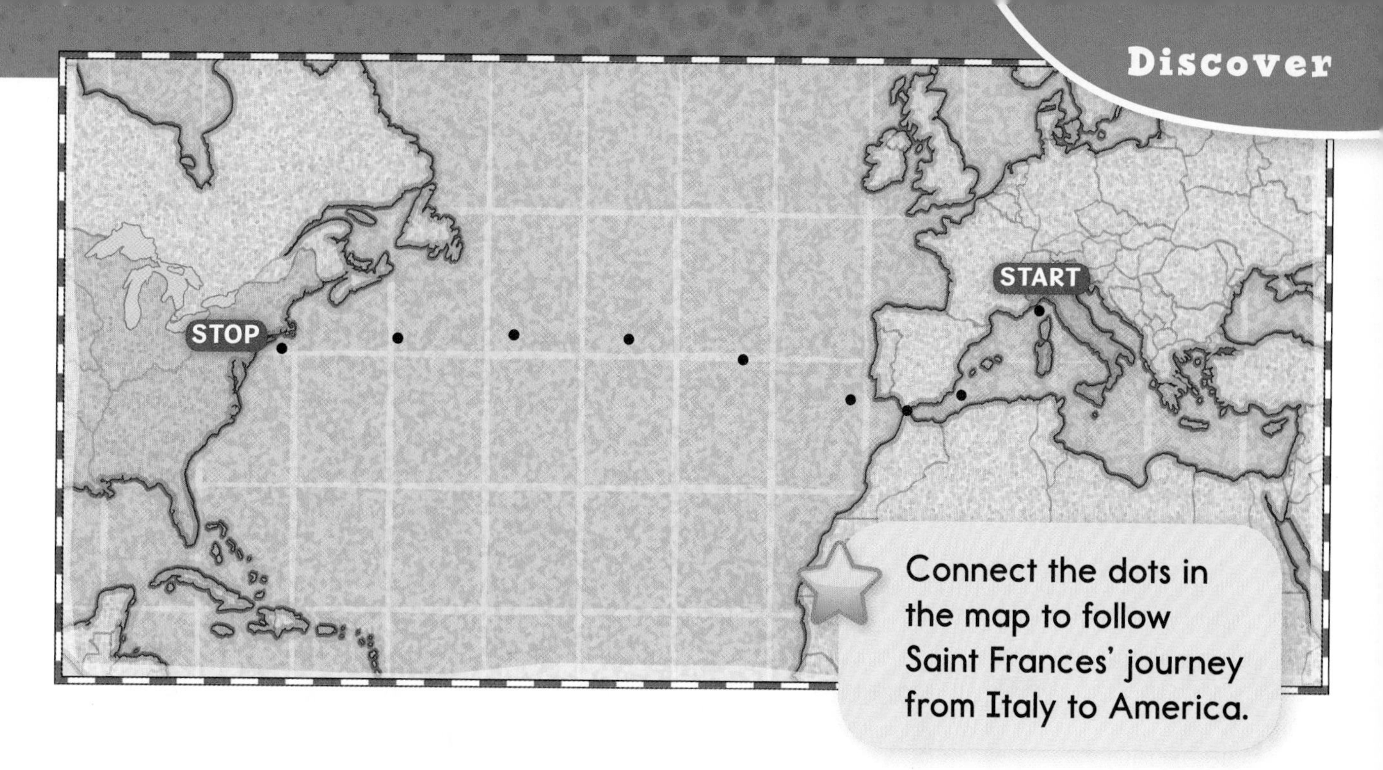

Although she had a great fear of water, she crossed the ocean to New York. There she set up a home for orphaned Italian girls and other services for those who were poor.

By the time she was sixty-seven years old, Frances had set up over sixty schools, hospitals, orphanages, and convents throughout the world. In 1917 she died. In 1946, Frances became the first United States citizen to be named a Saint of the Catholic Church. She had carried out the Church's mission, bringing the love of Jesus to those in need.

Connect Your Faith

Spread the Good News If you could go anywhere in the world to tell others about Jesus' love, where would you go?

____

____

Nuestra vida católica

¿Quién te puede ayudar a aprender sobre Jesús?

Aprender sobre Jesús es una travesía que dura toda tu vida. Siempre hay más para aprender. Es muy bueno que haya muchas personas que te puedan ayudar. Son tus guías durante la travesía, y te ayudan a crecer en la fe.

Sacerdote

- Celebra la Misa y los Sacramentos
- Da homilías para ayudarnos a entender la Biblia

Diácono

- Proclama el Evangelio durante la Misa
- Sirve y ayuda a los enfermos y a los necesitados

Ministro extraordinario de la Sagrada Comunión

- Ayuda a dar la Sagrada Comunión durante la Misa
- Lleva la Sagrada Comunión a las personas que no pueden asistir a Misa

Director de Educación Religiosa

- Planifica programas para todos los que quieran aprender más sobre Jesús

Catequista o Maestro de Religión

- Les enseña a niños y adultos sobre Jesús.
- Prepara a los niños para que reciban Los Sacramentos

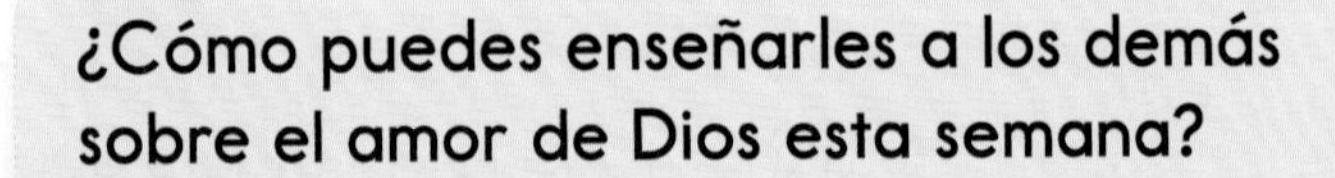

¿Cómo puedes enseñarles a los demás sobre el amor de Dios esta semana?

Tú

____

____

Our Catholic Life

Who can help you learn about Jesus?

Learning about Jesus is a journey that lasts your whole life. There is always more to learn. It's a good thing there are many people who can help you. They are your guides on the journey, helping you grow in faith.

Priest

- Celebrates Mass and the Sacraments
- Gives homilies to help us understand the Bible

Deacon

- Proclaims the Gospel at Mass
- Serves and helps those who are sick or in need

Extraordinary Minister of Holy Communion

- Helps give Holy Communion at Mass
- Brings Holy Communion to people who cannot attend Mass

Director of Religious Education

- Plans programs for everyone who wants to learn more about Jesus

Catechist or Religion Teacher

- Teaches children and adults about Jesus
- Prepares children to receive the Sacraments

How can you teach others about God's love this week?

You

____

____

Gente de fe

24 de octubre

San Antonio Claret, 1807–1870

San Antonio María Claret nació en España. Su padre le enseñó a tejer y crear diseños. También aprendió a imprimir libros. Más tarde se convirtió en sacerdote y luego en obispo. San Antonio usó sus habilidades para difundir el mensaje de Jesús. Fue a Cuba como misionero. También fundó una compañía que imprimía libros religiosos. Él mismo escribió más de 100 libros. Fundó una orden de sacerdotes llamada los Claretianos.

Comenta: ¿Qué habilidades puedes usar para ayudar a los demás a aprender sobre Jesús?

Aprende más sobre San Antonio en **vivosencristo.osv.com**

Vive tu fe

Cuenta ¿Qué está sucediendo en la ilustración?

Dibuja una ilustración de ti mismo enseñándole a alguien sobre Jesús.

People of Faith

Saint Anthony Claret, 1807–1870

Saint Anthony Mary Claret was born in Spain. His father taught him to weave and make designs. He also learned how to print books. Later, he became a priest and then a bishop. Saint Anthony used his skills to spread the message of Jesus. He went to Cuba as a missionary. He also started a company that printed religious books. He wrote more than 100 books himself. He started an order of priests called the Claretians.

October 24

Discuss: What skills can you use to help others learn about Jesus?

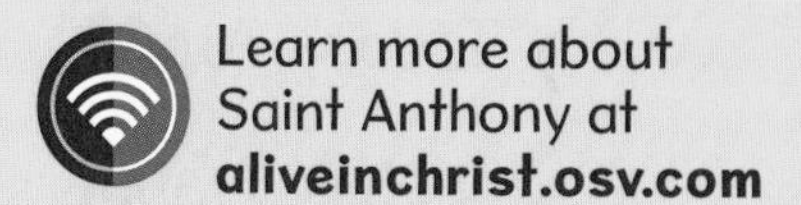

Live Your Faith

Tell what is happening in the picture.

Draw a picture of yourself teaching someone else about Jesus.

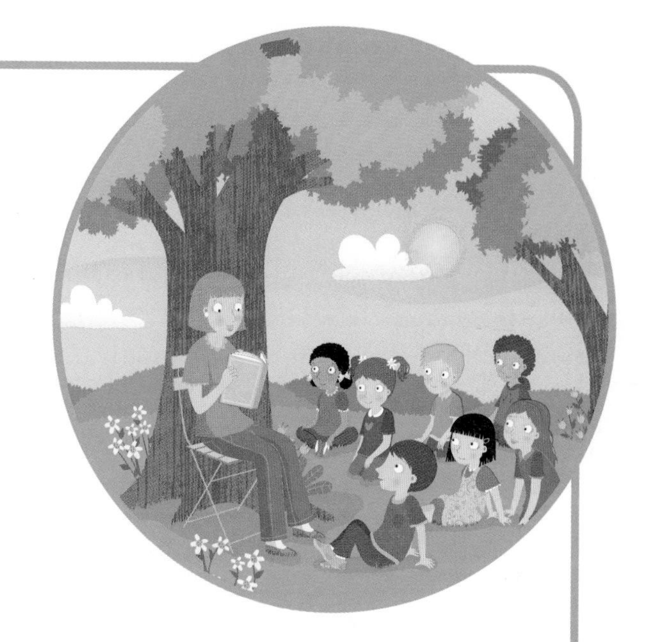

Oremos

Oración de bendición

Reúnanse y empiecen con la Señal de la Cruz.

Líder: Hagan la Señal de la Cruz sobre su frente. Que siempre recuerden seguir a Jesús.

Todos: Amén.

Líder: Hagan la Señal de la Cruz sobre sus ojos cerrados. Que aprendan a ver a Jesús en todas las personas que encuentren.

Todos: Amén.

Líder: Hagan la Señal de la Cruz sobre sus labios. Que todas sus palabras muestren respeto.

Todos: Amén.

Líder: Hagan la Señal de la Cruz sobre el corazón. Que el amor los mueva a la acción y que Dios les dé fortaleza para llevar a cabo la obra de Jesús.

Todos: Amén.

Canten "El Reino de la Vida"

Hemos celebrado ya la cena,
hemos compartido la esperanza.
Vamos a la vida en la confianza
que el amor redime nuestras penas.

Blessing Prayer

Gather and begin with the Sign of the Cross.

Leader: Make a Sign of the Cross on your forehead.
May you always remember to follow Jesus.

All: Amen.

Leader: Make a Sign of the Cross over your closed eyes.
May you learn to see Jesus in all whom you meet.

All: Amen.

Leader: Make a Sign of the Cross on your lips.
May all your words show respect.

All: Amen.

Leader: Make a Sign of the Cross over your heart.
May love move you to action and may God
give you strength to carry on the work of Jesus.

All: Amen.

Sing "Share the Light"

Share the light of Jesus.
Share the light that shows the way.
Share the light of Jesus.
Share God's spirit today.
Share God's spirit today.

Repeat Verse

Share the word …
Share the love …
Share the smile …
Share the light …

FAMILIA + FE

VIVIR Y APRENDER JUNTOS

SUS HIJOS APRENDIERON >>>

Este capítulo explica cómo desde la Misa se nos envía a vivir la misión de la Iglesia de compartir el mensaje de Jesús de amor y el Reino de Dios.

La Palabra de Dios

Lean **Hechos 28, 30–31** para aprender más acerca de San Pablo y de su misión.

Lo que creemos

- La misión de la Iglesia es compartir el amor de Jesús y anunciar la Buena Nueva del Reino de Dios.
- Todos los miembros de la Iglesia comparten su misión.

Para aprender más, vayan al *Catecismo de la Iglesia Católica* 900–905 en **usccb.org**.

Gente de fe

Esta semana, su hijo conoció a San Antonio María Claret, el fundador de los claretianos. Él usó su destreza como impresor para producir libros acerca de la fe católica.

CONSIDEREMOS ESTO >>>

¿Cuánto les cuesta callarse una buena noticia?

Usamos la frase "me muero por contarte la novedad" para describir lo difícil que es mantener en secreto una buena noticia. La Buena Nueva que cambió a toda la humanidad fue la vida, Muerte y Resurrección de Jesús. Y nosotros deberíamos estar "muriéndonos por contar" esa Buena Nueva. "Esta es la Buena Nueva que termina en amor, justicia y misericordia para todo el mundo. El Reino se realiza parcialmente en la tierra y permanentemente en el cielo. Entramos en este Reino mediante la fe en Cristo, la iniciación bautismal que nos lleva a la Iglesia y la vida en comunión de todos sus miembros" (*CCEUA, p. 86*).

LOS NIÑOS DE ESTA EDAD >>>

Cómo comprenden vivir como el pueblo de la Eucaristía A los niños se les dice a veces "Eres lo que comes" como una manera de ayudarlos a comprender que deben comer alimentos saludables que los ayuden a crecer y que deben evitar el exceso de comida chatarra. Ellos deben estar preparados para la idea de que, a medida de que se alimentan con Jesús mismo en la forma de la Eucaristía, Dios los ayudará a parecerse más a Cristo en su vida diaria. De hecho, somos enviados después de la celebración eucarística para ser las manos y los pies de Cristo en el mundo.

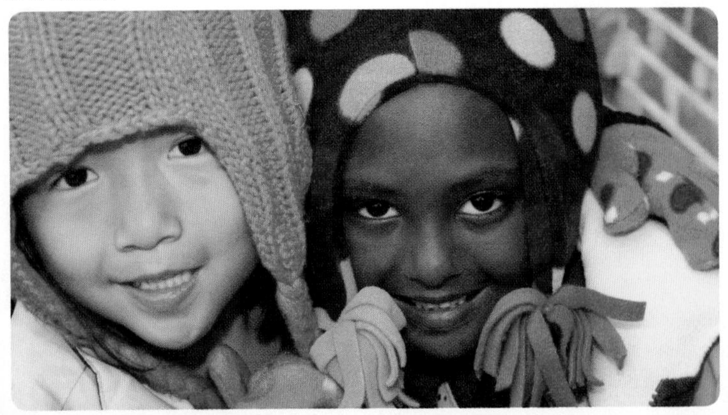

HABLEMOS >>>

- Pidan a su hijo que les explique la misión de la Iglesia (difundir la Buena Nueva y obrar por el Reino).
- Compartan cómo Dios nos nutre a través de los Sacramentos, su familia, la oración, el arte, etc.

OREMOS >>>

San Antonio, ruega por nosotros para que usemos nuestra habilidad para enseñar a los demás acerca de Jesús. Amén.

Visiten **vivosencristo.osv.com** para encontrar un glosario multimedia de Palabras católicas, lecturas dominicales, y recursos de Santos y tiempos festivos.

FAMILY + FAITH

LIVING AND LEARNING TOGETHER

YOUR CHILD LEARNED >>>

This chapter explains how we are sent from the Mass to live out the Church's mission of sharing Jesus' message of love and the Kingdom of God.

God's Word

Read **Acts 28:30–31** to learn more about Saint Paul and his mission.

Catholics Believe

- The Church's mission is to share Jesus' love and to announce the Good News of the Kingdom of God.
- All members of the Church share in her mission.

To learn more, go to the *Catechism of the Catholic Church* #900–905 at **usccb.org**.

People of Faith

This week, your child met Saint Anthony Mary Claret, the founder of the Claretians. He used his skills as a printer to produce books about the Catholic faith.

CHILDREN AT THIS AGE >>>

How They Understand Living as a Eucharistic People

Children have sometimes been told "you are what you eat" as a way of helping them understand that they should eat healthy things that will help them grow and stay away from too much junk food. They should be prepared for the idea that as they nourish themselves with Jesus himself in the form of the Eucharist, God will help them to become more like Christ in their daily lives. In fact, we are sent forth after the Eucharistic celebration to be the hands and feet of Christ in the world.

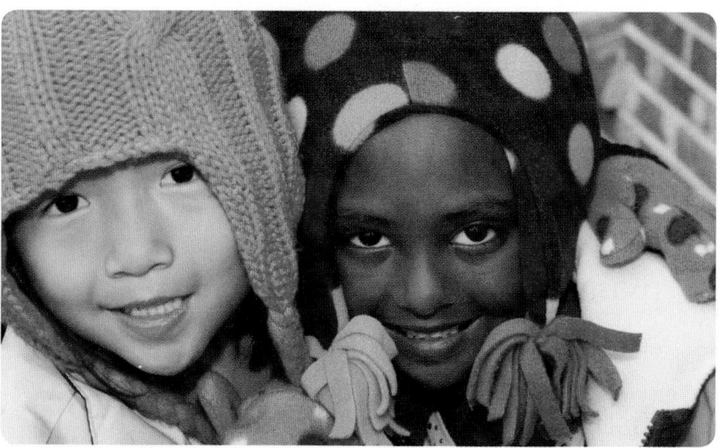

CONSIDER THIS >>>

How hard is it to keep good news to yourself?

We use the phrase, "bursting with good news" because it describes how difficult it is to keep good news to ourselves. The Good News that changed all of humanity was the life, Death, and Resurrection of Jesus. And we should be simply bursting with that Good News. "It is the Good News that results in love, justice, and mercy for the whole world. The Kingdom is realized partially on earth and permanently in heaven. We enter this Kingdom through faith in Christ, baptismal initiation into the Church, and life in communion with all her members" (*USCCA, pp. 79-80*).

LET'S TALK >>>

- Have your child explain the Church's mission (spreading the Good News and working for the Kingdom).
- Share how God nourishes you through the Sacraments, your family, prayer, art, and so on.

LET'S PRAY >>>

Saint Anthony, pray for us that we may use our skills to teach others about Jesus. Amen.

For a multimedia glossary of Catholic Faith Words, Sunday readings, seasonal and Saint resources, and chapter activities go to **aliveinchrist.osv.com**.

Capítulo 20 Repaso

A **Trabaja con palabras** Escribe la letra de la palabra correcta del Vocabulario para completar cada oración.

Vocabulario

a. misión
b. Francisca Cabrini
c. misionero
d. Iglesia
e. Buena Nueva

1. Santa ☐ fue una misionera que trabajó en los Estados Unidos.
2. El mensaje de Jesús del amor salvador de Dios se llama ☐.
3. La ☐ de la Iglesia es difundir la Buena Nueva.
4. Un ☐ es una persona enviada para llevar la Buena Nueva de Jesús a las personas en lugares lejanos.
5. Todos los miembros de la ☐ comparten su misión.

B **Confirma lo que aprendiste** Traza una línea desde los roles en la columna A hasta las descripciones correctas en la columna B.

Columna A	Columna B
6. Director de Educación Religiosa	sirve y proclama el Evangelio durante la Misa
7. Catequista	celebra la Misa y los Sacramentos
8. Ministro extraordinario	enseña sobre Jesús
9. Diácono	planifica programas para ayudar a los demás a aprender sobre Jesús
10. Sacerdote	distribuye la Sagrada Comunión

Chapter 20 Review

A **Work with Words** Write the letter of the correct words from the Word Bank to complete each sentence.

Word Bank

a. mission

b. Frances Cabrini

c. missionary

d. Church

e. Good News

1. Saint ☐ was a missionary who worked in the United States.
2. Jesus' message of God's saving love is called the ☐.
3. The Church's ☐ is to spread the Good News.
4. A ☐ is a person sent to bring the Good News of Jesus to people in faraway places.
5. All the members of the ☐ share in her mission.

B **Check Understanding** Draw a line from the roles in Column A to the correct descriptions in Column B.

Column A	Column B
6. Director of Religious Education	serves and proclaims the Gospel at Mass
7. Catechist	celebrates Mass and the Sacraments
8. Extraordinary Minister	teaches about Jesus
9. Deacon	plans programs to help others learn about Jesus
10. Priest	distributes Holy Communion

Una fiesta para todos

Oremos

Líder: Querido Dios, sabemos que siempre estarás con nosotros.

Ciertamente el bien y la misericordia irán conmigo todos los días de mi vida.
Basado en el Salmo 23, 6

Todos: Te damos gracias, Dios, por guiarnos y dirigirnos toda nuestra vida. Amén.

La Palabra de Dios

"Mira que estoy a la puerta y llamo. Si uno escucha mi voz y me abre, entraré en su casa y comeré con él y él conmigo." Apocalipsis 3, 20

¿Qué piensas?

- ¿Cómo está Jesús con nosotros en nuestro hogar?
- ¿Cómo puedo escuchar a Jesús llamando?

A Feast for Everyone

Let Us Pray

Leader: Dear God, we know you will be with us always.

Indeed, goodness and mercy will be with me
all the days of my life. Based on Psalm 23:6

All: Thank you, God, for guiding and directing us
all our life. Amen.

God's Word

"Behold, I stand at the door and knock. If anyone hears my voice and opens the door, [then] I will enter his house and dine with him, and he with me."

Revelation 3:20

What Do You Wonder?

- How is Jesus with us in our home?
- How can I hear Jesus knocking?

Están todos invitados

¿Qué quiere Dios para cada uno de nosotros?

Palabras católicas

Cielo la felicidad plena de vivir con Dios para siempre

Dios Padre invita a todos a la felicidad de su gran amor en esta Tierra y en el **Cielo** para siempre. Jesús contó esta historia para ayudar a las personas a entender que Dios Padre quiere que todos disfruten esta felicidad.

La Palabra de Dios

El banquete de bodas

Narrador: Un rey dio un banquete para la boda de su hijo. Cuando todo estaba listo, el rey mandó a sus servidores a llamar a los invitados.

Servidores: El banquete está listo. Es el momento de venir a celebrar.

Tres personas: No podemos ir. Tenemos mucho trabajo que hacer. Estamos muy ocupados.

Narrador: El servidor le dio este mensaje al rey.

All Are Invited

What does God want for each of us?

God the Father invites everyone to the happiness of his great love on this Earth and in **Heaven** forever. Jesus told this story to help people understand that God the Father wants everyone to enjoy this happiness.

Catholic Faith Words

Heaven the full joy of living with God forever

God's Word

The Wedding Feast

Storyteller: A king gave a wedding feast for his son. When everything was ready, the king sent his servants out to invite the guests.

Servants: The feast is ready. It's time to come and celebrate.

Three people: We can't come. We have a lot of work to do. We are very busy.

Storyteller: The servant brought this message home to the king.

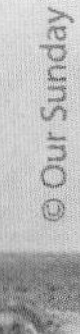

Rey: Vayan a los caminos y a los senderos. Busquen en todas las sendas y callejuelas. Díganles a todos que vengan. Quiero que mi casa esté llena de gente.

Narrador: Los servidores hicieron lo que el rey les había ordenado. Invitaron a todos al banquete. Y muchas personas asistieron. Asistieron jóvenes y ancianos. Ciegos asistieron. Los fuertes ayudaban a los tullidos. Muy pronto la casa estuvo llena.

Basado en Mateo 22, 2-10 y Lucas 14, 16-23

Comparte tu fe

Piensa 1. ¿A quiénes invitó el rey a la fiesta?

____

2. ¿A quién te recuerda el rey de esta historia?

____

Comparte tus respuestas con un compañero.

King: Go out to the highways and byways. Search all the paths and alleys. Tell everyone to come. I want my house bursting with people.

Storyteller: The servants did just as the king commanded. They invited everybody to come to the banquet. And many people came. Young and old people came. People who were blind came. People who were strong helped people with crutches. Soon the house was full. **Based on Matthew 22:2–10 and Luke 14:16–23**

Share Your Faith

Think **1.** Who did the king invite to the party?

____

2. Who does the king in this story remind you of?

____

Share your answers with a partner.

Con Dios ahora y siempre

¿Cómo puedes aceptar la invitación de Dios?

Subraya de qué es señal la Eucaristía.

Dios te invita a participar de la gran fiesta en el Cielo. En el Cielo, verás a Dios cara a cara.

Hasta que lo veas cara a cara, Dios te da el gran don de la Eucaristía. La Eucaristía es un signo de gozo y de cómo será el Cielo. Recibir la Eucaristía te ayuda a esperar el día en el que estarás junto a Dios en el Cielo.

Cada vez que recibes la Sagrada Comunión en la Misa, recibes el alimento que te ayuda a vivir para siempre en Jesucristo.

Dile "Sí" a Dios

Dios te llama para que lo conozcas, lo ames y lo sirvas. Eres como los invitados de la historia de la Biblia. Dios te invita a participar de una gran fiesta. Podrías negarte a ir o aceptar con alegría.

With God Now and Always

How can you accept God's invitation?

God invites you to share in the great feast in Heaven. In Heaven, you will see God face to face.

Until you see him face to face, God gives you the great gift of the Eucharist. The Eucharist is a sign of joy and of what Heaven will be like. Receiving the Eucharist helps you look forward to the day when you will be with God in Heaven.

Underline what the Eucharist is a sign of.

Every time you receive Holy Communion at Mass, you receive the food that helps you live forever in Jesus Christ.

Say "Yes" to God!

God calls you to know, love, and serve him. You are like the guests in the Bible story. God invites you to share in a great feast. You could refuse to come or joyfully accept.

Dios te invita a decir "sí" todos los días. Aquí hay algunas maneras de decirle "sí" a Dios.

- Obedece los Mandamientos.
- Escucha la Palabra de Dios en la Biblia.
- Participa en la Misa y recibe la Sagrada Comunión.
- Busca el perdón de Dios en el Sacramento de la Penitencia y de la Reconciliación.
- Perdona y ama a los demás.
- Ayuda a los necesitados.
- Rézale a Dios cada día.

Practica tu fe

Responder el llamado de Dios Dibuja una persona que conozcas que le dice "sí" a Dios.

God invites you to say "yes" each day. Here are some ways you say "yes" to God.

- Obey the Commandments.
- Listen to God's Word in the Bible.
- Take part in Mass and receive Holy Communion.
- Seek God's forgiveness in the Sacrament of Penance and Reconciliation.
- Forgive and love other people.
- Help people in need.
- Pray to God each day.

Connect Your Faith

Answering God's Call

Draw a picture of a person you know who says "yes" to God.

Nuestra vida católica

¿Cómo mostró María amor por Dios?

Dios llama a cada persona para que comparta su amor. María dijo "sí" gustosamente cuando Dios le pidió que fuera la Madre de Jesús, a pesar de que sabía que no iba a ser fácil. Puedes aprender de María cómo mostrar amor por Dios en tu propia vida.

Honramos a María por decirle "sí" a Dios con todo su corazón, su alma y su mente. Rezar el Ave María es una manera de honrar a María.

El Ave María

Palabras de la oración	Qué significan
Dios te salve, María, llena eres de gracia;	María, estás llena de la vida de Dios, su ayuda y su amor.
el Señor es contigo.	Estás muy cerca de Dios.
Bendita Tú eres entre todas las mujeres,	Dios te eligió para una misión muy importante.
y bendito es el fruto de tu vientre, Jesús.	El bebé que creció dentro de ti es sagrado y muy especial.
Santa María, Madre de Dios,	¡Tu hijo es el Hijo de Dios!
ruega por nosotros, pecadores,	Por favor ora por nosotros porque no siempre le decimos "sí" a Dios.
ahora y en la hora de nuestra muerte. Amén.	Acompáñanos durante toda nuestra vida. ¡Sí, creemos esto!

Our Catholic Life

How did Mary show love for God?

God calls each person to share his love. Mary gladly said "yes" when God asked her to be Jesus' Mother, even though she knew it would not be easy. You can learn from Mary how to show love for God in your own life.

We honor Mary for saying "yes" to God with all her heart, soul, and mind. Praying the Hail Mary is a way to honor Mary.

The Hail Mary

Words of the Prayer	What They Mean
Hail, Mary, full of grace,	Mary, you are filled with God's own life, help, and love.
the Lord is with thee.	You are very close to God.
Blessed art thou among women	God chose you for a very important mission.
and blessed is the fruit of thy womb, Jesus.	The baby that grew inside you is holy and very special.
Holy Mary, Mother of God,	Your child is the Son of God!
pray for us sinners,	Please pray for us, because we don't always say "yes" to God.
now and at the hour of our death. Amen.	Be with us now and all through our lives. Yes, we believe this!

Gente de fe

Santa María Magdalena de Pazzi, 1566-1607

25 de mayo

Santa María Magdalena de Pazzi fue una monja italiana que pasó toda su vida en oración. Pensaba mucho sobre el Cielo, hasta cuando cosía. Una vez, cuando su amiga murió, la vio entrando al Cielo. Santa María Magdalena dijo que su amiga parecía un pájaro blanco que volaba hacia adentro de una hermosa mansión. Dijo que el Cielo es hermoso, más hermoso que cualquier otra cosa que hayamos visto.

Comenta: ¿Cómo piensas que es el Cielo?

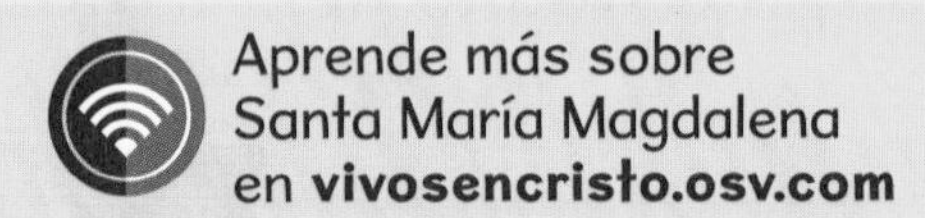

Aprende más sobre Santa María Magdalena en **vivosencristo.osv.com**

Vive tu fe

Escribe una historia sobre una vez en la que tú o alguien que conozcas le haya dicho "sí" a Dios.

____

____

____

____

____

____

____

____

People of Faith

Saint Mary Magdalene de Pazzi, 1566–1607

Saint Mary Magdalene de Pazzi was a nun from Italy who spent her whole life in prayer. She thought about Heaven a lot, even when she was sewing. Once, when her friend died, she saw her going into Heaven. Saint Mary Magdalene said that her friend looked like a white bird flying into a beautiful big house. She said that Heaven is beautiful, more beautiful than anything any of us have ever seen.

May 25

Discuss: What do you think Heaven looks like?

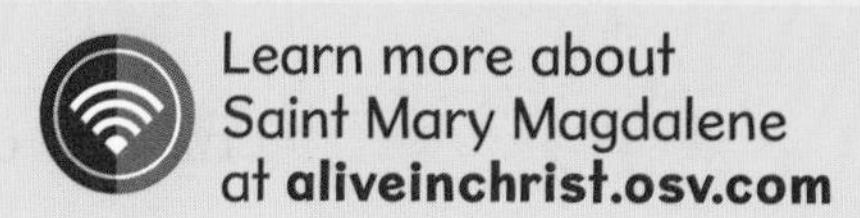

Live Your Faith

Write a Story about a time you or someone you know said "yes" to God.

____

____

____

____

____

____

____

____

Oremos

Oremos con la Palabra de Dios

Reúnanse y empiecen con la Señal de la Cruz.

Líder: Nos alegramos porque Dios nos invita al Cielo. Envió a Jesús para mostrarnos el camino.

Lector 1: Lectura del santo Evangelio según Juan.

Lean Juan 3, 16.

Palabra del Señor.

Todos: Gloria a ti, Señor Jesús.

Líder: Oremos.

Inclinen sus cabezas mientras el líder ora.

Todos: Amén.

Líder: Evangelicen y compartan el amor de Dios los unos con los otros.

Todos: Te alabamos, Señor.

Canten "Hosanna"

¡Hosanna! ¡Hosanna! ¡Hosanna!
¡Hosanna! ¡Hosanna! ¡Hosanna!
Viva el Hijo de David.
Viva el Hijo de David.
Hosanna en el cielo.
Hosanna en el cielo.

Pray with God's Word

Gather and begin with the Sign of the Cross.

Leader: We rejoice that God invites us to Heaven.
He sent Jesus to show us the way.

Reader 1: A reading from the holy Gospel according to John.

Read John 3:16.

The Gospel of the Lord.

All: Praise to you, Lord Jesus Christ.

Leader: Let us pray.

Bow your heads as the leader prays.

All: Amen.

Leader: Go forth and share God's love with one another.

All: Thanks be to God.

Sing "All That God Wants You to Be"

You can become all that God wants you to be!
Here am I, O Lord! I come to do your will.
Help me become all that you want me to be!

FAMILIA + FE

VIVIR Y APRENDER JUNTOS

SUS HIJOS APRENDIERON >>>

Este capítulo explica que la Eucaristía es una muestra del gran banquete de amor y felicidad que tendremos con Dios en el Cielo.

La Palabra de Dios

Lean **Apocalipsis 3, 20** para aprender cómo Jesús nos busca y nos responde cuando aceptamos su invitación.

Lo que creemos

- El Cielo es vida y felicidad para siempre con Dios.
- La Eucaristía es un signo de alegría y de lo que será el Cielo.

Para aprender más, vayan al *Catecismo de la Iglesia Católica* 1023–1030 en **usccb.org**.

Gente de fe

Esta semana, su hijo conoció a Santa María Magdalena de Pazzi. Ella decía que el Cielo es lo más hermoso que jamás se haya visto.

LOS NIÑOS DE ESTA EDAD >>>

Cómo comprenden la vida eterna en el Cielo Los niños de esta edad casi siempre tienen una experiencia limitada de la muerte. Tal vez haya muerto una mascota o un pariente lejano. Esto con frecuencia les resulta difícil, pero se reconfortan con la idea de que su ser querido está con Dios en el Cielo. Su idea del Cielo puede estar influenciada por lo que han visto en dibujos animados o en otros medios. Por ejemplo, es posible que piensen que la gente en el Cielo vive sobre nubes, tiene alas y toca el arpa. Les resultará útil saber que no estamos seguros del aspecto que tiene el Cielo, pero que Dios promete que todos allí son felices y que es un lugar de paz y amor.

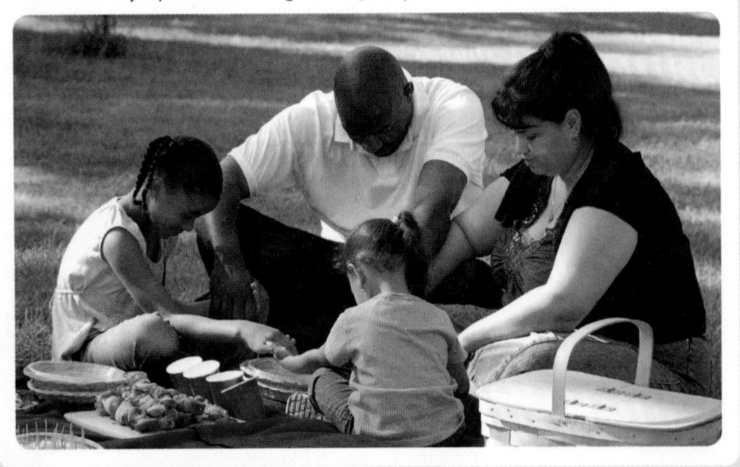

CONSIDEREMOS ESTO >>>

¿Alguna vez se han preguntado por qué los creó Dios?

Incluso, es posible que se hayan preguntado si Dios tiene un plan para su vida. "Llegamos a conocer el designio de Dios para nosotros no solo mediante un entendimiento de nuestra naturaleza humana y su orden creado, sino también porque Él nos habla directamente" (*CCEUA, p. 348*). Debemos sacar tiempo para prestar atención a la guía de Dios.

HABLEMOS >>>

- Pidan a su hijo que comparta algo que hayan aprendido acerca del Cielo.
- Hablen de los seres queridos que han muerto y cómo su familia los recuerda y los celebra.

OREMOS >>>

Querido Dios, ayúdanos a pensar en el Cielo como Santa María Magdalena y a desear estar contigo allí para siempre. Amén.

Visiten **vivosencristo.osv.com** para encontrar un glosario multimedia de Palabras católicas, lecturas dominicales, y recursos de Santos y tiempos festivos.

FAMILY + FAITH

LIVING AND LEARNING TOGETHER

YOUR CHILD LEARNED >>>

This chapter explains that the Eucharist is a taste of the great feast of love and happiness we will have with God in Heaven.

God's Word

Read **Revelation 3:20** to find out how Jesus seeks us and responds when we accept his invitation.

Catholics Believe

- Heaven is the full joy of living with God forever.
- The Eucharist is a sign of joy and of what Heaven will be like.

To learn more, go to the *Catechism of the Catholic Church* #1023–1030 at **usccb.org**.

People of Faith

This week, your child met Saint Mary Magdalene de Pazzi. She said that Heaven is more beautiful than anything ever seen.

CHILDREN AT THIS AGE >>>

How They Understand Eternal Life in Heaven Children at this age often have some limited experience with death. Perhaps a pet or a distant relative has died. This is often difficult for them, but they are comforted by the idea that their loved one is with God in Heaven. Their idea of Heaven may be influenced by what they have seen in cartoons or other media. For example, they might think people in Heaven live on clouds, have wings, and play harps. It is helpful for them to hear that we are not sure what Heaven looks like, but God promises that everyone there is happy—that it is a place of peace and love.

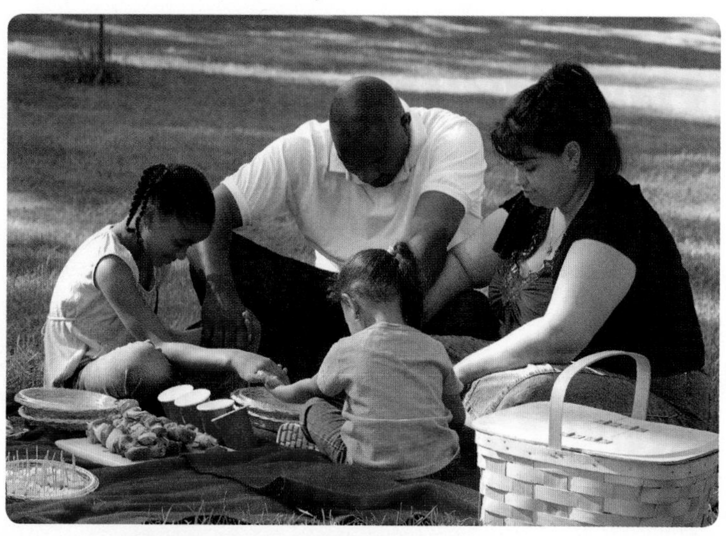

CONSIDER THIS >>>

Have you ever wondered why God created you?

You might even wonder if God has a plan for your life. "We come to know God's plan for us not only through an understanding of our human nature and his created order but also because he speaks directly to us." We must make time to pay attention to God's direction (*USCCA, p. 328*).

LET'S TALK >>>

- Ask your child to share one thing he learned about Heaven.
- Talk about loved ones who have died and how your family remembers and celebrates them.

LET'S PRAY >>>

Dear God, help us to think about Heaven, like Saint Mary Magdalene, and to want to be with you there forever. Amen.

For a multimedia glossary of Catholic Faith Words, Sunday readings, seasonal and Saint resources, and chapter activities go to **aliveinchrist.osv.com**.

Capítulo 21 Repaso

A Trabaja con palabras Completa el espacio en blanco con la palabra correcta del Vocabulario.

1. Dios quiere que las personas estén __________.
2. Dios nos llama para __________.
3. La __________ es una señal de la alegría del Cielo.
4. El Reino del Cielo es como una __________.

Vocabulario

fiesta

alegres

Eucaristía

servir

B Confirma lo que aprendiste Escribe la letra V si el enunciado es VERDADERO. Escribe la letra F si el enunciado es FALSO.

5. ☐ El Cielo es la alegría plena de vivir con Dios para siempre.
6. ☐ Dios llama solo a algunas personas para compartir su amor.
7. ☐ María contestó "sí" gustosamente al llamado de Dios para que fuera la Madre de su Hijo, Jesús.
8. ☐ Honras a María cuando muestras amor por Dios en tu propia vida.
9. ☐ El Padre Nuestro es acerca de María.
10. ☐ Cuando tu madre te pide que limpies tu habitación, y lo haces, estás diciéndole "sí" a Dios.

Chapter 21 Review

A **Work with Words** Fill in the blank with the correct word from the Word Bank.

Word Bank
feast
happy
Eucharist
serve

1. God wants people to be ______________.
2. God calls us to ______________.
3. The ______________ is a sign of the joy of Heaven.
4. The Kingdom of Heaven is like a ______________.

B **Check Understanding** Write the letter T if the sentence is TRUE. Write the letter F if the sentence is FALSE.

5. ☐ Heaven is the full joy of living with God forever.
6. ☐ God calls only some people to share his love.
7. ☐ Mary gladly said "yes" to God's call to be the Mother of his Son, Jesus.
8. ☐ You honor Mary when you show love for God in your own life.
9. ☐ The Lord's Prayer is about Mary.
10. ☐ When your mother asks you to clean your room, and you do it, you are saying "yes" to God.

Repaso de la Unidad

A Trabaja con palabras Completa cada enunciado con la letra de la palabra correcta del Vocabulario.

Vocabulario

a. Cielo
b. Cordero
c. servir
d. misión
e. reverencia

1. Jesús es el ☐ de Dios.
2. ☐ es el cuidado y respeto que muestras a Dios y a las personas y objetos santos.
3. Una ☐ es una tarea o un propósito.
4. Dios te llama para conocer, amar y ☐.
5. La felicidad plena de vivir con Dios para siempre es ☐.

Encierra la respuesta correcta en un círculo.

6. Una persona que lleva el mensaje de Jesús y anuncia La Buena Nueva a personas de otros lugares es un ____.

   misionero **catequista** **maestro**

7. El Cuerpo de Cristo que recibimos en la Misa es la ____.

   oración **Sagrada Comunión** **misión**

8. La primera Santa estadounidense fue ____.

   Francisca Cabrini **San Pedro** **El Papa León XIII**

9. Cuando recibes la Sagrada Comunión eres uno con ____.

   los misioneros **los sacerdotes** **la Iglesia**

10. Jesús enseña que el Cielo es como una gran ____.

   fiesta **misión** **historia**

A Work with Words

Complete each sentence with the letter of the correct word from the Word Bank.

Word Bank

a. Heaven
b. Lamb
c. serve
d. mission
e. reverence

1. Jesus is the ☐ of God.
2. ☐ is the care and respect you show to God and holy persons and things.
3. A ☐ is a job or purpose.
4. God calls you to know, love, and ☐.
5. The full joy of living with God forever is ☐.

Circle the correct answer.

6. A person who brings the message of Jesus and announces the Good News to people in other places is a ____.

   missionary   catechist   teacher

7. The Body of Christ received at Mass is ____.

   a prayer   Holy Communion   a mission

8. The first American Saint was ____.

   Frances Cabrini   Saint Peter   Pope Leo XIII

9. When you receive Holy Communion, you are one with ____.

   missionaries   priests   the Church

10. Jesus teaches that Heaven is like a great ____.

    feast   mission   story

Repaso de la Unidad

B **Confirma lo que aprendiste** **Ordena las palabras para completar cada enunciado.**

11. Las Hostias que se colocan en el Sagrario después de la Misa se llaman el Santísimo **CRAMENSATO**. ____________

12. Las personas que están en su hogar o en el hospital están unidos a la comunidad en **NCOARIÓ**. ____________

13. Después de la misa, los enfermos pueden recibir la visita de un sacerdote, un diácono o un ministro extraordinario de la Sagrada Comunión que les lleva la **TUÍECSRAIA**. ____________

C **Relaciona** **Escribe la letra V si el enunciado es VERDADERO. Escribe la letra F si el enunciado es FALSO.**

14. ☐ Jesús está real y verdaderamente presente en la Eucaristía.

15. ☐ Al finalizar la Misa, se nos invita a que “Nos vayamos en paz” y proclamemos la Buena Nueva.

16. ☐ Jesús te envía en una misión para que les enseñes a los demás acerca de ti.

17. ☐ María siempre le dijo “sí” a Dios.

B Check Understanding Unscramble the words to complete each sentence.

11. Hosts placed in the Tabernacle after Mass are called the Blessed **CRAMENSAT**. ____________________

12. People at home or in the hospital are still joined to the community in **YAERPR**. ____________________

13. After Mass, people who are ill may be visited by a priest, a deacon, or an extraordinary minister of Holy Communion who brings the **HUISECTRA**. ____________________

C Make Connections Write the letter T if the sentence is TRUE. Write the letter F if the sentence is FALSE.

14. ☐ Jesus is really and truly present in the Eucharist.

15. ☐ At the end of Mass we are sent out to "Go in peace" and proclaim the Good News.

16. ☐ Jesus sends you on a mission to teach other people about yourself.

17. ☐ Mary always said "yes" to God.

Repaso de la Unidad

18. ☐ Orar el Padre Nuestro es una manera de alabar al Padre y pedirle su ayuda.

19. ☐ Nos ofrecemos mutuamente la Señal de la Paz después de recibir la Sagrada Comunión.

20. ☐ Dios solo llama a los sacerdotes y misioneros para compartir su amor.

Completa cada uno de los siguientes enunciados con la respuesta correcta.

21. Caminar hacia el altar con devoción es mostrar

_______________________________________.

22. La Sagrada Comunión que recibes durante la Misa es

_______________________________________.

23. Difundir la Buena Nueva de Jesús y El Reino de Dios por el mundo es la _______________________________ de la Iglesia.

24. Un catequista o maestro de religión ayuda a los niños

_______________________________________.

25. Rezar el Ave María es una manera de honrar a

_______________________________________.

18. ☐ Praying the Lord's Prayer is one way you praise the Father and ask for his help.

19. ☐ We offer each other the Sign of Peace after we receive Holy Communion.

20. ☐ God calls only priests and missionaries to share his love.

Complete each sentence below with the correct answer.

21. Walking to the altar prayerfully is showing

______________________________.

22. The Holy Communion that you receive at Mass is

______________________________.

23. Sharing the Good News of Jesus and God's Kingdom throughout the world is the Church's

______________________________.

24. A catechist or religion teacher helps children by

______________________________.

25. Praying the Hail Mary is a way to honor

______________________________.

La vida y la dignidad

En la Biblia leemos que Dios nos conoce incluso desde antes de que naciéramos: "Antes de formarte… ya te conocía" (Jeremías 1, 5). Dios creó a cada uno de nosotros. Él tiene un plan para nuestras vidas. Él sabe para qué nos hizo.

Cada vida es valiosa para Dios. Porque Dios hizo a cada persona, debemos ser bondadosos y justos con todos. Debemos cuidar el cuerpo y la mente que Dios nos dio y usarlos para hacer cosas buenas.

Dios quiere que seamos amables con los demás y que hablemos sobre los problemas en vez de pelear. Si vemos que alguien es malvado, debemos defendernos y buscar ayuda si fuera necesario. Debemos tratar de proteger a los demás porque cada vida es importante para Dios.

Life and Dignity

We read in the Bible that God knew us before we were even born: "Before I formed you … I knew you" (Jeremiah 1:5). God created each one of us. He has a plan for our lives. He knows what he made us to be.

Every life is valuable to God. Because God made each person, we should be kind and fair to everyone. We should take care of the bodies and minds God gave us and use them to do good things.

God wants us to be nice to others, and talk about problems instead of fighting. If we see someone else being mean, we should speak up, and get help if necessary. We should try to protect others because every life is important to God.

Respeta a cada persona

Dios te creó a su propia imagen. No hay nadie más exactamente igual a ti. Dios te bendijo con muchos dones y talentos. ¡Dios hizo esto por todos!

A veces es fácil olvidar esta buena nueva. Es posible que pienses en las cosas que no puedes hacer, o en las cosas que no te gustan sobre otra persona. Pero Dios te llama para que trates a todas las personas, incluyéndote a ti, con respeto. ¡Estás maravillosamente creado!

» ¿Cómo puedes mostrar respeto por ti mismo y por los demás?

Comparte la Buena Nueva

Escribe el nombre de alguien con quien quieras compartir La Buena Nueva.

____

1. Escribe una razón por la que esa persona te importa.

   ____

   ____

2. Nombra algunos de los dones y talentos que hacen especial a esa persona.

   ____

   ____

Respect Each Person

God created you in his own image. There is no one else exactly like you. God blessed you with many gifts and talents. God did this for everyone!

Sometimes it is easy to forget this good news. You might think of the things you can't do, or the things you don't like about someone else. But God calls you to treat all people, yourself included, with respect. You are wonderfully made!

How can you show respect for yourself and others?

Share the Good News

Write the name of someone you want to share the Good News with.

___

1. Write one reason why you care for him or her.

___

___

2. Name some of the gifts and talents that make this person special.

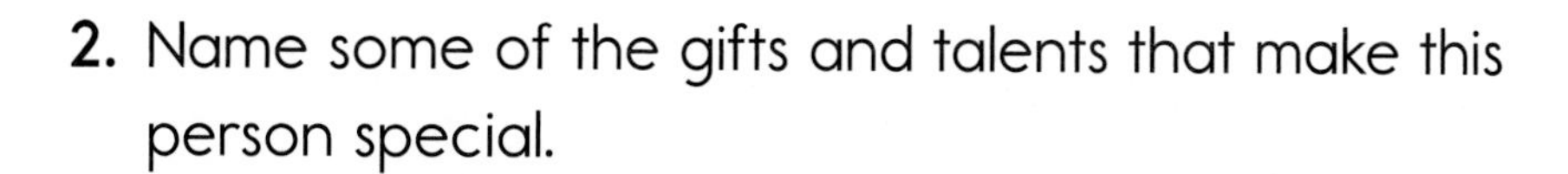

___

___

Vive tu fe
Enseñanza Social Católica

El llamado a la comunidad

Dios nos da familias y comunidades porque sabe que no es bueno que vivamos solos. De hecho, la Biblia dice que esa es la razón por la que Dios creó a Eva, para que fuera compañera y amiga de Adán, el primer ser humano. (Ver Génesis 2, 18.)

La Iglesia enseña que Dios nos da familias para ayudarnos a aprender quién es Dios y cómo amarnos los unos a los otros. Nuestra comunidad parroquial también nos ayuda a aprender acerca de Dios. En las familias y en las comunidades trabajamos para cuidarnos y convertirnos en las personas que Dios quiere.

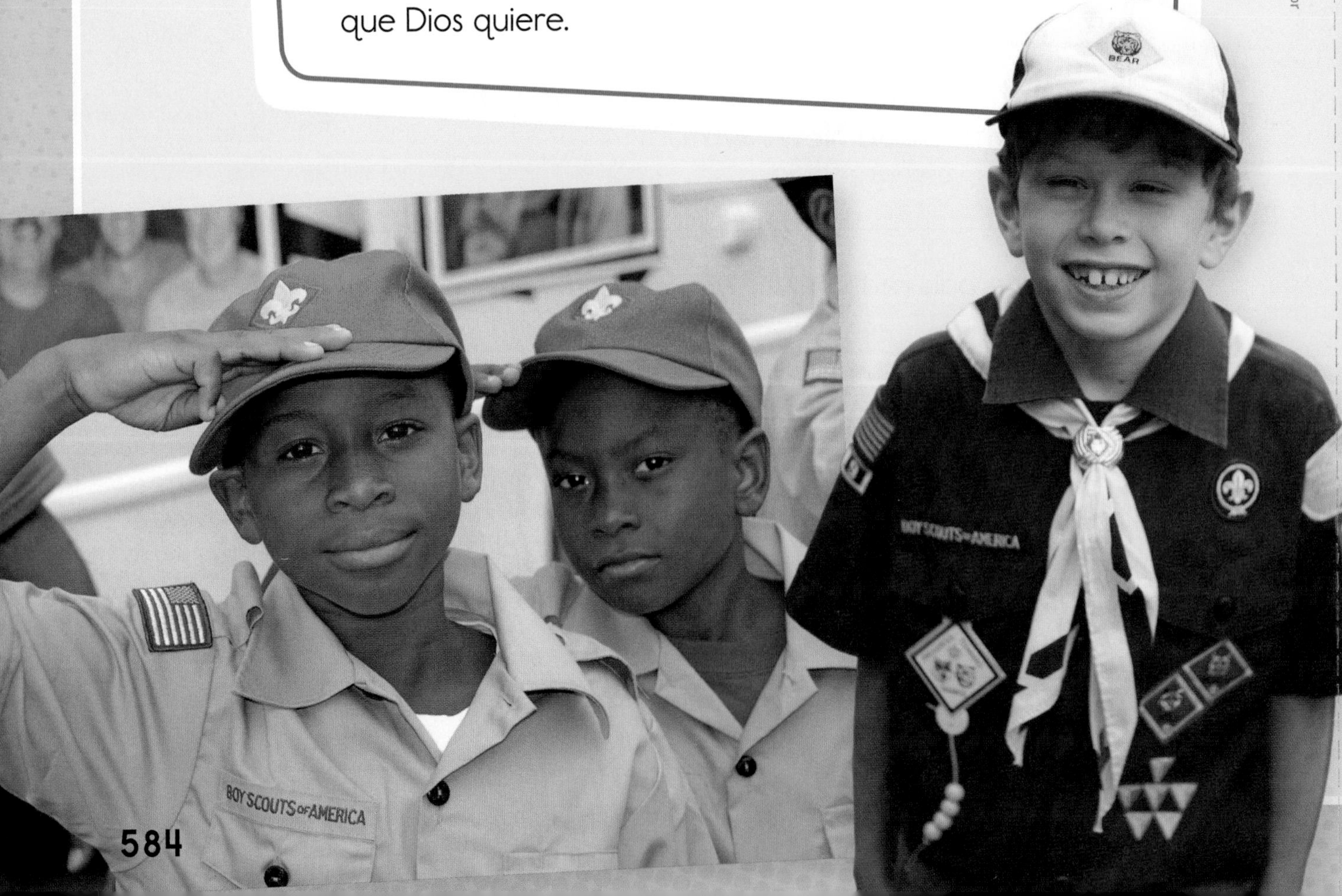

Call to Community

God gives us families and communities because he knows it would not be good for us to live our lives alone. In fact, the Bible says that this is why God created Eve to be a companion and friend to Adam, the first human being. (See Genesis 2:18.)

The Church teaches that God gives us families to help us learn who God is and how to love one another. Our parish community also helps us to learn about God. In families and in parish communities, we work together to take care of one another and to become the people God made us to be.

LIGHT OF CHRIST

¡Participa!

Dios hizo que las personas vivieran en familias y comunidades para que compartieran el amor de Dios. Tú eres parte de tu propia familia y parte de la familia de todo el pueblo de Dios. Tú eres parte de muchas comunidades: tu vecindario, tu escuela, tu parroquia y la Iglesia de todo el mundo.

Emblema católico de fe para los Niños Exploradores Tigres y Lobatos.

Los dones de la familia y la comunidad traen responsabilidades. Dios llama a todos a ayudar a los demás para que nadie sea excluido y nadie se sienta solo.

¿Cuáles son algunas cosas que podrías hacer con tu familia para ayudar en tu comunidad?

Haz un dibujo

Dibuja una manera en la que participas en la vida de tu familia y tu comunidad.

LIGHT OF CHRIST

Get Involved!

God made people to live in families and communities to share God's love. You are part of your own family, and part of the family of all God's People. You are part of many communities— your neighborhood, your school, your parish, and the Church around the world.

The gifts of family and community come with responsibilities, too. God calls everyone to help others so no one is left out, and no one feels alone.

A Catholic emblem of faith for Tiger and Wolf Cub Scouts

What are some things that you could do with your family to help in your community?

Draw a Picture

Draw one way you take part in the life of your family and your community.

Los derechos y las responsabilidades

Debido a que Dios creó a todas las personas, cada una tiene derechos y responsabilidades. Los derechos son las libertades o cosas que cada persona necesita y debe tener. Las responsabilidades son nuestros deberes, o las cosas que debemos hacer.

Jesús dijo: "Amarás a tu prójimo como a ti mismo" (Mark 12:31). Seguir este mandamiento significa asegurarnos de que los derechos de todos están protegidos. También tenemos la responsabilidad de tratar bien a los demás y de trabajar juntos por el bien de todos.

Rights and Responsibilities

Because God made every person, everyone has rights and responsibilities. Rights are the freedoms or things every person needs and should have. Responsibilities are our duties, or the things we must do.

Jesus said, "You should love your neighbor as yourself" (Mark 12:31). Following this command means making sure everyone's rights are protected. We also have a responsibility to treat others well and work together for the good of everyone.

Tener lo que necesitamos

Los humanos necesitan muchas cosas para vivir vidas felices y saludables: un lugar seguro donde vivir, vestido, alimento, agua limpia y cuidados médicos. Estas cosas importantes se llaman derechos humanos. Todas las personas merecen tener cubiertas estas necesidades.

La Iglesia enseña que los humanos tienen derechos porque están hechos a imagen de Dios. Cada persona tiene la responsabilidad de asegurarse de que los demás obtengan lo que necesitan. Estamos llamados a proteger los derechos humanos de todas las personas.

¿Cómo podemos ayudar a los demás a obtener lo que necesitan?

Haz una lista

Haz una lista de dos maneras en las que puedes ser responsable en tu hogar y en la escuela. ¿Cuáles son algunas de las cosas que puedes hacer para ayudar a los demás?

1. ______________________________

____

2. ______________________________

____

Having the Things We Need

Humans need many things to live happy and healthy lives: a safe place to live, clothes, food, clean water, and medical care. These important things are called human rights. All people deserve to have these needs met.

The Church teaches that humans have rights because they are made in God's image. Each person has the responsibility to make sure other people get what they need. We are called to protect the human rights of all people.

How can we help others get what they need?

Make a List

List two ways you can be responsible at home and at school. What are some things you can do that will help others?

1. ______________________________

____

2. ______________________________

____

La opción por los pobres

En la Sagrada Escritura, Jesús dice que lo que hayamos hecho por los pobres o los indefensos, también lo hemos hecho por Él. (Ver Mateo 25, 40) Debemos tratar a las personas de la misma manera en que trataríamos al mismo Jesús. Cuando las personas necesitan alimento, bebida, vestido, vivienda o atención médica, o cuando están solas, debemos esforzarnos por ayudar.

Santa Rosa de Lima dijo: "Cuando servimos a los pobres y a los enfermos, servimos a Jesús". Nuestra Iglesia nos enseña que debemos amar y cuidar especialmente a los pobres, y poner sus necesidades en primer lugar. Cuando hacemos esto, Dios nos bendice.

Option for the Poor

In Scripture, Jesus says that whatever we have done for people who are poor or needy, we have also done for him. (See Matthew 25:40.) We should treat people the same way we would treat Jesus himself. When people need food, drink, clothing, housing, or medical care, or when they are lonely, we should try extra hard to help.

Saint Rose of Lima said, "When we serve the poor and the sick, we serve Jesus." Our Church teaches that we should have special love and care for those who are poor and put their needs first. When we do this, God will bless us.

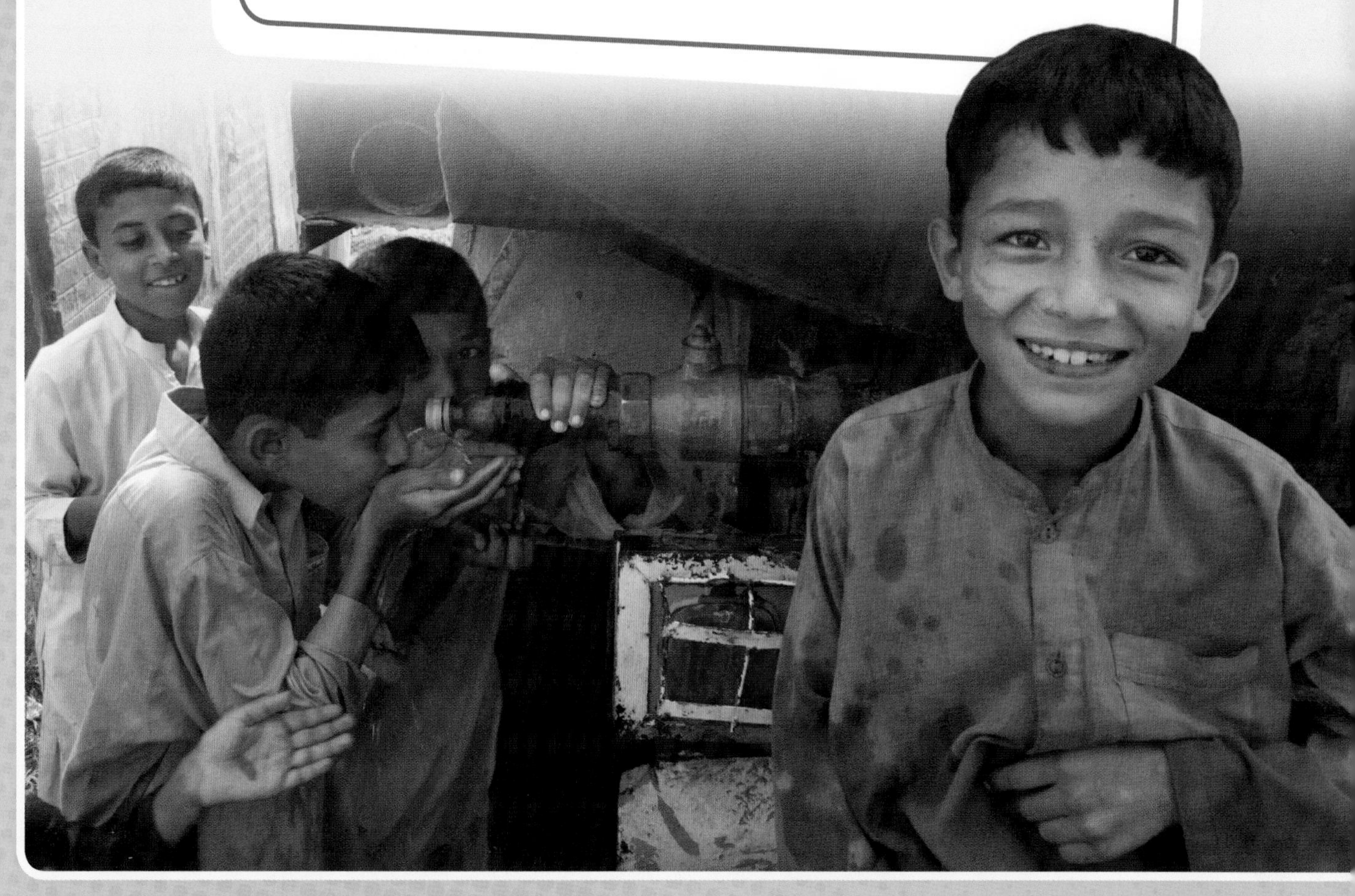

Los más necesitados

Un día Jesús estaba hablando con sus discípulos. Le preguntaron cómo podían seguirlo más de cerca. Jesús les dijo:

"Lo que hagan por sus hermanos y hermanas más necesitados, lo hacen por mí. Cuando se preocupan por ellos, se preocupan por mí. Cuando les dan la espalda, me dan la espalda a mí"
(Basado en Mateo 25, 31-46).

Jesús nos pide que usemos el mismo mensaje. "Busquen a aquellos que más necesiten de sus cuidados", dice Jesús. "Cuando los busquen para ayudarlos, me encontrarán a mí."

¿Quiénes son las personas más necesitadas de tu comunidad?

Haz un collage

Pega una imagen de Jesús en el espacio de abajo. Busca imágenes de personas ayudando a los demás y pégalas alrededor de Jesús.

Those Most in Need

One day Jesus was talking with his disciples. They asked him how they could follow him more closely. Jesus told them,

"Whatever you do for your brothers and sisters who are most in need, you do for me. When you care for them, you care for me. When you turn your back on them, you turn your back on me" (Based on Matthew 25:31–46).

Jesus asks us to use the same message. "Look for those who need your care the most," Jesus says. "When you reach out to help them, you will find me."

Who are the people in your community who are most in need?

Make a Collage

Glue a picture of Jesus in the space below. Find pictures of people helping others and glue them around Jesus.

Vive tu fe
Enseñanza Social Católica

La dignidad del trabajo

Los diferentes trabajos que tienen las personas las ayudan a ganar dinero para comprar alimentos y otras cosas que necesitan para vivir. El trabajo también permite a las personas trabajar junto a Dios y su creación. El trabajo es parte del plan de Dios para las personas, y todos deben trabajar, ya sea en sus hogares o en un empleo fuera de casa.

Todos los adultos deben poder conseguir un empleo si lo desean. La Sagrada Escritura enseña que los trabajadores deben ser tratados con justicia por sus jefes. (Ver Deuteronomio 24, 14.) Deben recibir un pago justo por su trabajo. (Ver Levítico 19, 13 y Deuteronomio 24, 15.) Si los trabajadores están descontentos, deben ser capaces de defenderse y de hablarlo con sus jefes.

Live Your Faith

Catholic Social Teaching

The Dignity of Work

The different jobs people have help them earn money to buy food and other things they need to live. Jobs also allow people to work together with God and his creation. Work is part of God's plan for people, and everyone should work, either in the home or in a job outside the home.

All adults should be able to have a job if they want one. Scripture teaches that workers should be treated fairly by their bosses. (See Deuteronomy 24:14.) They should be given fair pay for their work. (See Leviticus 19:13 and Deuteronomy 24:15.) If workers are unhappy, they should be able to speak up and talk about it with their bosses.

El valor del trabajo

El trabajo es una parte importante de la vida. Las personas trabajan para ganar dinero para las cosas que necesitan y desean. Muchos trabajadores se enorgullecen de hacer bien su trabajo.

Jesús aprendió a trabajar con su padre adoptivo, José, un carpintero que hacía cosas hermosas y útiles con la madera. Y María trabajaba duro para enseñar a Jesús y para formar un hogar amoroso.

Todas las clases de trabajo son importantes. Los trabajadores y los empleadores deben tratarse con respeto. Todos los que trabajan merecen recibir un pago justo. Nadie debe trabajar en condiciones inseguras.

¿Quiénes son algunos trabajadores que ayudan a que tu vida sea segura, cómoda e interesante?

Escribe una carta de tu clase

Con ayuda de tu catequista, escribe una carta de la clase al Presidente o a los senadores de tu estado. Pídeles a tus líderes electos que ayuden a aprobar leyes más estrictas que protejan la salud y la seguridad de los trabajadores de todas las edades.

The Value of Work

Work is an important part of life. People work to earn money for both the things they need and want. Many workers take pride in doing their jobs well.

Jesus learned about work from his foster father, Joseph, a carpenter who made beautiful and useful things from wood. And Mary worked hard to teach Jesus and make a loving home.

All kinds of work are important. Workers and bosses have to treat one another with respect. Everyone who works deserves to be paid fairly. No one should work in unsafe conditions.

Who are some of the workers who help make your life safe, comfortable, and interesting?

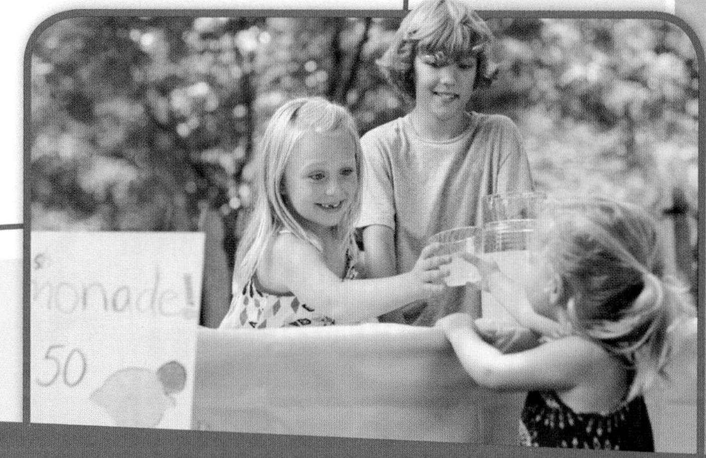

Write a Class Letter

With your catechist's help, write a class letter to the President or to your state senators. Ask your elected leaders to help pass stronger laws that protect the health and safety of workers of all ages.

Vive tu fe

Enseñanza Social Católica

La solidaridad humana

Las personas de todo el mundo son diferentes de muchas maneras. Tenemos el cabello, los ojos y la piel de muchos colores diferentes. Hay personas que son ricas, personas que son pobres y personas que están en el medio. Las personas creen cosas diferentes acerca de cómo debemos vivir.

Pero algo en lo que todos nos parecemos es que Dios nos creó. Somos una familia humana. (Ver Gálatas 3, 28.) Dios nos llama a todos a ser sus hijos. Porque Dios nos creó, debemos tratar a todos con amor, bondad y justicia. En Las Bienaventuranzas, Jesús dice: "Felices los que trabajan por la paz" (Mateo 5, 9). Tratar a los demás con justicia nos ayudará a vivir en paz los unos con los otros.

Human Solidarity

People around the world are different in many ways. Our hair, eyes, and skin are many different colors. There are people who are rich, people who are poor, and people who are in-between. People believe different things about how we should live.

But one way we are all alike is that God made us. We are one human family. (See Galatians 3:28.) God calls everyone to be his children. Because God made everyone, we should treat everyone with love, kindness, and fairness. In the Beatitudes, Jesus says, "Blessed are the peacemakers" (Matthew 5:9). Treating others fairly will help us to live in peace with one another.

Una familia humana

Es posible que los miembros de la familia humana, como los miembros de tu familia, no se parezcan entre sí. Las personas tienen diferente color de piel. Es posible que hablen idiomas diferentes y vivan en lugares diferentes. Pero todos somos parte de una familia humana.

Así como cuidas a tus hermanos y hermanas en tu hogar, así quiere Jesús que cuides a tus hermanos y hermanas en todo el mundo. Una manera como podemos hacer esto es orando por ellos.

¿Cómo puedes cuidar a los miembros de la familia humana?

Aprende acerca de la familia humana

Elige un país, investiga sobre las personas que viven allí, y responde las preguntas.

1. ¿En qué se parecen a ti las personas?

____

2. ¿En qué se diferencian de ti las personas?

____

3. ¿Qué podrías aprender de las personas?

____

One Human Family

The members of the human family, like the members of your family, may not all look alike. People have different skin colors. They may speak different languages and live in different places. But we are all part of one human family.

Just as you care for your brothers and sisters at home, Jesus wants us to care for our brothers and sisters around the world. One way we can do this is to pray for them.

> **How can you care for members of the human family?**

Learn about the Human Family

Choose a country, do some research to find out about the people there, and answer the questions.

1. How are the people are like you?

____

2. How are the people different from you?

____

3. What could you learn from the people?

____

Vive tu fe

Enseñanza Social Católica

El cuidado de la creación

Dios creó el mundo entero: la Tierra y el cielo, las montañas y los desiertos, y todas las plantas, los animales y las personas. Cuando Dios hizo estas cosas, dijo que eran "muy buenas" (Génesis 1, 31). Dios les dio autoridad a las personas "sobre los peces del mar, sobre las aves del cielo y sobre todo ser viviente que se mueve sobre la tierra" (Génesis 1, 28). Dios quiere que disfrutemos y cuidemos todo lo que Él ha hecho.

Nuestra Iglesia nos enseña que Dios nos dio las plantas y los animales para el bien de todos. Necesitamos trabajar para cuidar las plantas y los animales y los lugares donde viven, para que todos podamos disfrutarlos ahora y en el futuro. También debemos ser bondadosos con los animales, porque son criaturas de Dios.

Care for Creation

God created the whole world—the Earth and sky, the mountains and deserts, and all of the plants, animals, and people. When God made these things, he called them "very good" (Genesis 1:31). God put people in charge of the "fish of the sea, the birds of the air, and all the living things that crawl on the earth" (Genesis 1:28). God wants us to enjoy and take care of everything he has made.

Our Church teaches us that God gave the plants and animals for the good of all people. We need to work to take care of the plants and animals and the places where they live, so everyone can enjoy them now and in the future. We should also be kind to animals, because they are God's creatures.

Los dones de Dios

Dios te llama a proteger sus dones y a usarlos con sabiduría. Le muestras respeto a Dios cuando cuidas el planeta y todo lo que hay en él.

Dios quiere que las personas tengan agua limpia, aire y el alimento que necesitan para vivir. Las cosas que las personas hagan hoy pueden ayudar a salvar los dones de Dios para que las personas puedan usarlos por muchos años a partir de ahora.

¿Cuáles son algunas maneras como puedes cuidar la creación de Dios?

Planea un jardín

Imagina que estás plantando un jardín. Trabaja con un compañero para hacer tus planes.

1. ¿Qué dos cosas te gustaría cultivar?

____

2. ¿Cuáles son algunas cosas que necesitas para el jardín?

____

3. ¿Qué necesita el jardín para seguir creciendo?

____

4. ¿Cómo compartirías tu jardín?

____

God's Gifts

God calls you to protect his gifts and to use them wisely. You show God respect when you take care of the planet and all that is in it.

God wants people to have clean water, air, and the food they need to live. The things people do today can help save God's gifts for people to use many years from now.

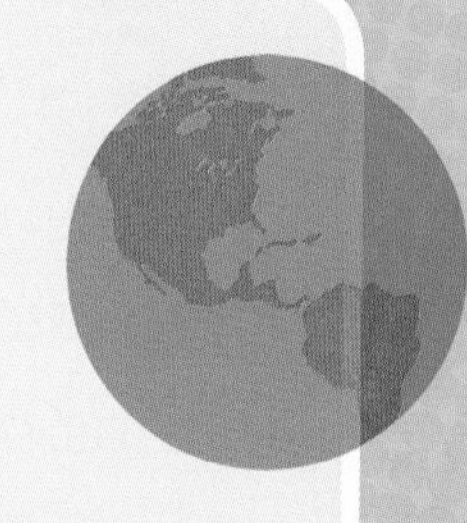

> **What are some ways you can care for God's creation?**

Plan a Garden

Imagine that you are planting a garden. Work with a partner to make your plans.

1. What are two things you would like to grow?

___

2. What are some things you need for the garden?

___

3. What does the garden need to keep growing?

___

4. How would you share your garden?

___

Los credos

El Credo habla de la fe de la Iglesia. Reúne las creencias más importantes de la Iglesia acerca de la Santísima Trinidad y nuestra fe católica.

- Dios Padre, el Creador de todo lo que existe.
- Jesús, el Hijo de Dios y el Salvador.
- Dios Espíritu Santo, nos ayuda y nos guía como Jesús lo prometió.
- La Iglesia, el Cuerpo de Cristo en este mundo.

Credo de los Apóstoles

Este credo resume las creencias de los Apóstoles. Se usa con frecuencia en la Misa durante el tiempo de Pascua y en las Misas con niños. Este credo es parte del Rosario.

Creo en Dios, Padre todopoderoso,
Creador del cielo y de la tierra.
Creo en Jesucristo, su único Hijo, nuestro Señor,

En las palabras que siguen, hasta María Virgen, todos se inclinan

que fue concebido por obra y gracia del Espíritu Santo,
nació de santa María Virgen,
padeció bajo el poder de Poncio Pilato,
fue crucificado, muerto y sepultado,
descendió a los infiernos,
al tercer día resucitó de entre los muertos,
subió a los cielos
y está sentado a la derecha de Dios, Padre todopoderoso.
Desde allí ha de venir a juzgar a vivos y muertos.

Creo en el Espíritu Santo,
la santa Iglesia católica,
la comunión de los santos,
el perdón de los pecados,
la resurrección de la carne
y la vida eterna.
Amén.

Creeds

The Creed tells the faith of the Church. It brings together the Church's most important beliefs about the Holy Trinity and our Catholic faith.

- God the Father, the Creator of all that is.
- Jesus, God's Son and the Savior.
- God the Holy Spirit, helps and guides us as Jesus promised.
- The Church, the Body of Christ in this world.

Apostles' Creed

This creed gives a summary of the Apostles' beliefs. It is often used at Mass during the season of Easter and in Masses with children. This creed is part of the Rosary.

I believe in God,
the Father almighty,
Creator of heaven and earth,
and in Jesus Christ, his only Son, our Lord,

At the words that follow, up to and including the Virgin Mary, *all bow.*

who was conceived by the
Holy Spirit,
born of the Virgin Mary,
suffered under Pontius Pilate,
was crucified, died and was buried;
he descended into hell;
on the third day he rose again from
the dead;
he ascended into heaven,
and is seated at the right hand
of God the Father almighty;
from there he will come to judge
the living and the dead.

I believe in the Holy Spirit,
the holy catholic Church,
the communion of saints,
the forgiveness of sins,
the resurrection of the body,
and life everlasting. Amen.

Credo de Nicea

Este credo, que se reza en la Misa, fue escrito hace casi dos mil años por los líderes de la Iglesia que se reunieron en una ciudad llamada Nicea. Los cristianos han rezado este credo durante siglos.

Creo en un solo Dios,
Padre todopoderoso, Creador del cielo y de la tierra,
de todo lo visible y lo invisible.
Creo en un solo Señor, Jesucristo, Hijo único de Dios,
nacido del Padre antes de todos los siglos:
Dios de Dios, Luz de Luz,
Dios verdadero de Dios verdadero,
engendrado, no creado,
de la misma naturaleza del Padre,
por quien todo fue hecho;
que por nosotros, los hombres,
y por nuestra salvación bajó del cielo,

En las palabras que siguen, hasta se hizo hombre, *todos se inclinan.*

y por obra del Espíritu Santo
se encarnó de María, la Virgen, y se hizo hombre;
y por nuestra causa fue crucificado
en tiempos de Poncio Pilato;
padeció y fue sepultado,
y resucitó al tercer día, según las Escrituras,
y subió al cielo, y está sentado a la derecha del Padre;
y de nuevo vendrá con gloria
para juzgar a vivos y muertos,
y su reino no tendrá fin.
Creo en el Espíritu Santo, Señor y dador de vida,
que procede del Padre y del Hijo,
que con el Padre y el Hijo
recibe una misma adoración y gloria,
y que habló por los profetas.
Creo en la Iglesia,
que es una, santa, católica y apostólica.
Confieso que hay un solo bautismo
para el perdón de los pecados.
Espero la resurrección de los muertos
y la vida del mundo futuro.
Amén.

Nicene Creed

This creed which is prayed at Mass was written nearly two thousand years ago by leaders of the Church who met at a city named Nicaea. Christians over the centuries have prayed this creed.

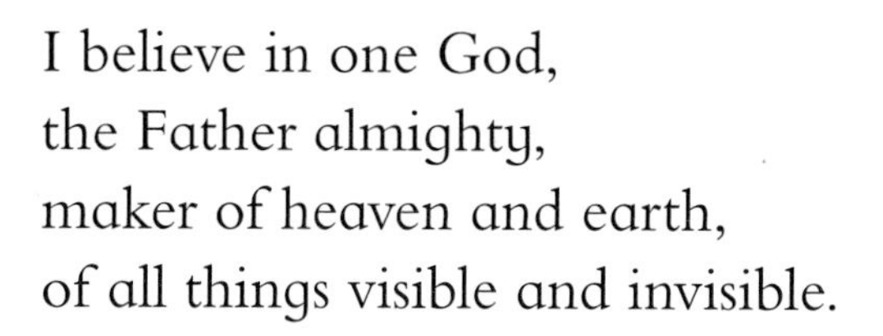

I believe in one God,
the Father almighty,
maker of heaven and earth,
of all things visible and invisible.

I believe in one Lord Jesus Christ,
the Only Begotten Son of God,
born of the Father before all ages.
God from God, Light from Light,
true God from true God,
begotten, not made, consubstantial
with the Father;
through him all things were made.
For us men and for our salvation
he came down from heaven,

At the words that follow, up to and including and became man, *all bow.*

and by the Holy Spirit was incarnate
of the Virgin Mary, and
became man.

For our sake he was crucified under
Pontius Pilate,
he suffered death and was buried,
and rose again on the third day
in accordance with the Scriptures.
He ascended into heaven
and is seated at the right hand of
the Father.
He will come again in glory
to judge the living and the dead
and his kingdom will have no end.

I believe in the Holy Spirit, the Lord,
the giver of life,
who proceeds from the Father and
the Son,
who with the Father and the Son is
adored and glorified,
who has spoken through the prophets.

I believe in one, holy, catholic and
apostolic Church.
I confess one Baptism for the
forgiveness of sins
and I look forward to the resurrection
of the dead
and the life of the world to come.
Amen.

La Iglesia

La Iglesia es la comunidad del Pueblo de Dios. Tiene muchas partes que forman un cuerpo. Cristo es la cabeza y todos los católicos son los miembros. Por eso la Iglesia se llama el Cuerpo de Cristo.

Su misión

Jesús eligió a doce Apóstoles para que participaran en su obra y en su ministerio de una manera especial. Antes de su Ascensión, Jesús les dijo a sus Apóstoles que llevaran su mensaje a todas partes.

El Papa Francisco

Los doce Apóstoles

Pedro	Felipe	Tadeo
Andrés	Bartolomé	Tomás
Santiago	Mateo	Santiago
Juan	Simón	Judas

La Iglesia es conducida por el Papa y los obispos, quienes continúan la obra de los Apóstoles de difundir en todo el mundo la Buena Nueva de Jesús y del Reino de Dios. La Iglesia es también un signo de la gloria del Cielo, destinada a todos.

María y los Santos

María es la más importante de todos los Santos por aceptar ser la Madre de Dios. También se reconoce como Santos a otras personas virtuosas. Se las recuerda en festividades especiales del año litúrgico.

The Church

The Church is the community of the People of God. She has many parts that form one body. Christ is her head, and all Catholics are her members. That is why the Church is called the Body of Christ.

Her Mission

Jesus chose Twelve Apostles to share in his work and ministry in a special way. Before his Ascension, Jesus told his Apostles to take his message everywhere.

Pope Francis

The Twelve Apostles

Peter	Philip	Thaddeus
Andrew	Bartholomew	Thomas
James	Matthew	James
John	Simon	Judas

The Church is led by the Pope and bishops, who continue the Apostles' work to spread the Good News of Jesus and God's Kingdom throughout the world. The Church is also a sign of the glory of Heaven meant for everyone.

Mary and the Saints

Mary is the greatest of the Saints because she said "yes" to being the Mother of God. Other holy people are also recognized as Saints. They are remembered on special feast days in the Church year.

Los Siete Sacramentos

Los Siete Sacramentos son signos y celebraciones especiales que Jesús le dio a su Iglesia. Ellos nos permiten participar de la vida y de la obra de Dios. Los Sacramentos se dividen en tres grupos.

Sacramentos de la Iniciación	Los tres Sacramentos que celebran convertirse en miembros de la Iglesia Católica.	• Bautismo • Confirmación • Eucaristía
Sacramentos de Curación	En estos Sacramentos, se les da el perdón y curación de Dios a quienes sufren enfermedades físicas y espirituales.	• Penitencia y Reconciliación • Unción de los enfermos
Sacramentos al Servicio de la Comunidad	Estos Sacramentos celebran el compromiso de las personas de servir a Dios y a la comunidad, y de ayudar a construir el Pueblo de Dios.	• Orden Sagrado • Matrimonio

Gestos y acciones

Practicar el culto significa adorar y honrar a Dios, especialmente en la celebración de la Eucaristía (Misa) y en la oración. Cuando practicamos el culto, realizamos ciertas acciones. Estas son algunas de ellas.

- Una inclinación, bajar la parte superior del cuerpo desde la cintura, o un movimiento respetuoso con la cabeza son gestos de reverencia y adoración.
- Juntar las manos es una postura tradicional para la oración. Es un signo de devoción, humildad y atención a la presencia de Dios.
- Cuando te arrodillas, te colocas en posición de adoración o de arrepentimiento. Cuando te pones de pie, muestras respeto.

The Seven Sacraments

The Seven Sacraments are special signs and celebrations that Jesus gave his Church. They allow us to share in God's life and work. The Sacraments are divided into three groups.

Sacraments of Initiation	The three Sacraments that celebrate membership into the Catholic Church.	• Baptism • Confirmation • Eucharist
Sacraments of Healing	In these Sacraments, God's forgiveness and healing are given to those suffering physical and spiritual sickness.	• Penance and Reconciliation • Anointing of the Sick
Sacraments at the Service of Communion	These Sacraments celebrate people's commitment to serve God and the community and help build up the People of God.	• Holy Orders • Matrimony (Marriage)

Gestures and Actions

To worship means to adore and honor God, especially in the celebration of the Eucharist (Mass) and in prayer. There are certain actions we do during worship. Here are some of them.

- A bow, a bending at the waist of the upper part of your body, or a reverent nod of your head is a gesture of reverence and worship.
- Folded hands is a traditional prayer posture. It is a sign of prayerfulness, humility, and attentiveness to the presence of God.
- When you kneel, you are in a posture of adoration or repentance. When you stand, you are showing respect.

El calendario litúrgico

El año litúrgico es una celebración de los sucesos en la vida de Jesús, María y los Santos. Cada tiempo del año litúrgico tiene días, colores y símbolos especiales.

Adviento

Nos preparamos para celebrar la venida de Dios en el tiempo a través de Jesús, y esperamos la venida de Cristo al final de los tiempos.

Días festivos: Inmaculada Concepción, Nuestra Señora de Guadalupe

Color: morado

Símbolos: corona de Adviento, figura de Juan Bautista

Navidad

La Iglesia recuerda el nacimiento de Jesús y celebra la venida en el tiempo del Hijo de Dios.

Días festivos: Navidad, Natividad del Señor, Epifanía, Bautismo de Jesús

Colores: blanco o dorado

Símbolos: escenas del pesebre, estrella de Belén, árbol de Jesé

The Church's Seasons

The Church year is a celebration of events in the lives of Jesus, Mary, and the Saints. Every season of the Church's year has special feasts, colors, and symbols.

Advent

We prepare to celebrate God's coming in time through Jesus, and we await Christ's coming at the end of time.

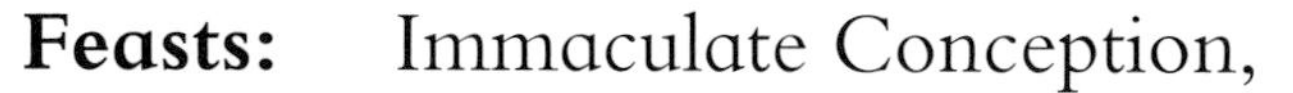

Feasts: Immaculate Conception, Our Lady of Guadalupe

Color: violet

Symbols: Advent wreath, figure of John the Baptist

Christmas

The Church remembers the birth of Jesus and celebrates the coming in time of the Son of God.

Feasts: Christmas, Nativity of the Lord, Epiphany, Baptism of Jesus

Colors: white or gold

Symbols: manger scenes, star of Bethlehem, Jesse tree

Tiempo Ordinario

La Iglesia celebra las palabras y las obras de Jesús. El Tiempo Ordinario ocurre dos veces al año.

Días festivos: Corpus Christi, Transfiguración, Solemnidad de Cristo Rey

Color: verde

Símbolos: vid y ramas, el Buen Pastor

Cuaresma

Recordamos las promesas bautismales de cambiar nuestra vida por medio de la oración, el ayuno y las buenas obras.

Días festivos: Miércoles de Ceniza, Domingo de Ramos

Colores: morado; rojo en el Domingo de Ramos

Símbolos: cenizas, Estaciones de la Cruz, palmas

Triduo Pascual

Los tres días de fiesta más sagrados de la Iglesia, cuando recordamos el paso de Jesús de la Muerte a una nueva vida.

Días festivos: Jueves Santo, Viernes Santo, Sábado Santo, Pascua

Colores: blanco o dorado y rojo (Viernes Santo)

Símbolos: lavatorio de los pies, veneración de la cruz, encender el Cirio Pascual

Pascua

La Iglesia celebra la Resurrección de Jesús y la nueva vida que nos trae a todos.

Días festivos: Ascensión, Pentecostés

Colores: blanco o dorado, rojo para Pentecostés

Símbolos: Aleluya, azucenas

Ordinary Time

The Church celebrates the words and works of Jesus. Ordinary Time occurs twice in the year.

Feasts: Corpus Christi, Transfiguration, Solemnity of Christ the King

Color: green

Symbols: vine and branches, Good Shepherd

Lent

We recall our baptismal promises to change our lives through prayer, fasting, and good works.

Feasts: Ash Wednesday, Palm Sunday

Colors: violet (reddish-purple); red on Palm Sunday

Symbols: ashes, Stations of the Cross, palms

Easter Triduum

The three most holy days of the Church, when we remember Jesus' passing from Death to new life.

Feasts: Holy Thursday, Good Friday, Holy Saturday, Easter

Colors: white or gold and red (Good Friday)

Symbols: feet washing, veneration of cross, lighting the Paschal Candle

Easter

The Church celebrates Jesus' Resurrection and the new life that it brings to all.

Feasts: Ascension, Pentecost

Colors: white or gold, red for Pentecost

Symbols: Alleluia, Easter lilies

Sacramento de la Eucaristía

La Eucaristía es uno de los Sacramentos de la Iniciación. Es la oración de acción de gracias fundamental de Jesús y de la Iglesia. Es el acto católico más importante de adoración y oración a Dios. También es un signo del banquete celestial al que estamos todos invitados al final de los tiempos. En su celebración, Jesús está completamente presente en nosotros.

La celebración de la Eucaristía se llama también la Misa. Tiene dos partes principales. La Liturgia de la Palabra es la primera parte importante de la Misa. Durante esta parte, la asamblea escucha y responde a la Palabra de Dios escrita en la Biblia. La segunda parte importante es la Liturgia Eucarística. Durante esta parte, el sacerdote nos guía para que demos gracias y alabemos a Dios, y recibimos la Sagrada Comunión.

La Misa también incluye:

- la proclamación de la Palabra de Dios;
- dar gracias a Dios por todos sus dones;
- la consagración del pan y del vino;
- recibir el Cuerpo y la Sangre de Cristo en la Sagrada Comunión.

Los días de precepto

Como la Misa es tan importante, los católicos tienen la obligación de asistir a ella los domingos (o los sábados por la tarde) y los días de precepto. En los Estados Unidos se celebran seis días de precepto.

- Navidad, 25 de diciembre
- Solemnidad de María, Madre de Dios, 1 de enero
- La Ascensión del Señor, 40 días después de Pascua o el séptimo domingo de Pascua
- Asunción de María, 15 de agosto
- Día de Todos los Santos, 1 de noviembre
- Solemnidad de la Inmaculada Concepción, 8 de diciembre

Sacrament of Eucharist

The Eucharist is one of the Sacraments of Initiation. It is the great thanksgiving prayer of Jesus and the Church. It is a Catholic's greatest act of worship and prayer to God. The Eucharist is also a sign of the heavenly feast that all are invited to at the end of time. In the celebration, Jesus is fully present with us.

The celebration of the Eucharist is also called the Mass. It has two main parts. The Liturgy of the Word is the first great part of the Mass. During it, the assembly listens to and responds to God's Word written in the Bible. The second main part is the Liturgy of the Eucharist. During it, the priest leads us in offering thanks and praise to God, and we receive Holy Communion.

The Mass always includes:

- the proclamation of the Word of God.
- thanksgiving to God for all his gifts.
- the consecration of bread and wine.
- receiving Christ's Body and Blood in Holy Communion.

Holy Days of Obligation

Because the Mass is so important, Catholics are required to attend Mass on Sundays (or Saturday evening) and Holy Days of Obligation. The United States celebrates six Holy Days of Obligation.

- Christmas, December 25
- Solemnity of Mary, Mother of God, January 1
- Ascension of the Lord, 40 days after Easter or the Seventh Sunday of Easter
- Assumption of Mary, August 15
- All Saints Day, November 1
- Solemnity of the Immaculate Conception, December 8

Ordinario de la Misa

Ritos iniciales

1. Canto de entrada
2. Saludo
3. Rito para la bendición y aspersión del agua
4. Acto penitencial
5. Señor, ten piedad (Kyrie)
6. Gloria
7. Colecta

Liturgia de la Palabra

1. Primera lectura (por lo general, tomada del Antiguo Testamento)
2. Salmo responsorial
3. Segunda lectura (tomada de las cartas del Nuevo Testamento)
4. Aclamación del Evangelio (Aleluya)
5. Diálogo del Evangelio
6. Lectura del Evangelio
7. Homilía
8. Profesión de fe (Credo)
9. Oración de los fieles

Liturgia Eucarística

1. Preparación de los dones
2. Invitación a orar
3. Oración sobre las ofrendas
4. Plegaria Eucarística
   - Diálogo del Prefacio
   - Prefacio
   - Aclamación del Prefacio
   - Consagración
   - Misterio de la Fe
   - Doxología final
5. Rito de la Comunión
   - Padre Nuestro
   - Rito de la paz
   - Cordero de Dios
   - Invitación a la Comunión
   - Comunión
   - Oración después de la Comunión

Rito de conclusión

1. Saludo
2. Bendición
3. Despedida

The Order of Mass

Introductory Rites

1. Entrance Chant
2. Greeting
3. Rite for the Blessing and Sprinkling of Water
4. Penitential Act
5. Kyrie
6. Gloria
7. Collect

Liturgy of the Word

1. First Reading (usually from the Old Testament)
2. Responsorial Psalm
3. Second Reading (from New Testament letters)
4. Gospel Acclamation (Alleluia)
5. Gospel Dialogue
6. Gospel Reading
7. Homily
8. Profession of Faith (Creed)
9. Prayer of the Faithful

Liturgy of the Eucharist

1. Preparation of the Gifts
2. Invitation to Prayer
3. Prayer over the Offerings
4. Eucharistic Prayer
    - Preface Dialogue
    - Preface
    - Preface Acclamation
    - Consecration
    - Mystery of Faith
    - Concluding Doxology
5. Communion Rite
    - The Lord's Prayer
    - Sign of Peace
    - Lamb of God
    - Invitation to Communion
    - Communion
    - Prayer After Communion

Concluding Rites

1. Greeting
2. Blessing
3. Dismissal

Recibir la Sagrada Comunión

Cuando recibes a Jesús en la Sagrada Comunión, le das la bienvenida mostrando reverencia. Estos pasos pueden ayudarte.

- Junta las manos y canta mientras esperas en la fila.
- Inclínate un poco mientras la persona que está delante de ti la recibe.
- Cuando sea tu turno, puedes recibir el Cuerpo de Cristo en la mano o sobre la lengua.
- La persona que te ofrece la Comunión dirá: "El Cuerpo de Cristo". Tú dices: "Amén". Te apartas y masticas y tragas la hostia.
- Si quieres, puedes beber del cáliz. Cuando te lo ofrezcan, la persona dirá: "La Sangre de Cristo". Tú dices: "Amén". Toma un sorbo pequeño.
- Regresa a tu lugar en la iglesia.
- Ora en silencio con tus propias palabras, dándole gracias a Jesús por estar siempre contigo.

Como es tan importante la presencia de Jesús en tu vida a través de la Sagrada Comunión, la Iglesia dice que debes recibirla con frecuencia. De hecho, cada vez que vas a Misa deberías recibir a Jesús en la Sagrada Comunión, pero todos los católicos tienen la obligación de recibirla por lo menos una vez al año.

Receiving Holy Communion

When you receive Jesus in Holy Communion, you welcome him by showing reverence. These steps can help you.

- Fold your hands and join in the singing as you wait in line.
- Bow slightly as the person before you is receiving.
- When it is your turn, you can receive the Body of Christ in your hand or on your tongue.
- The person who offers you Communion will say, "The Body of Christ." You say, "Amen." Step aside, and chew and swallow the host.
- You may choose to drink from the cup. When the cup is offered to you, the person will say, "The Blood of Christ." You say, "Amen." Take a small sip.
- Return to your place in church.
- Pray quietly in your own words, thanking Jesus for always being with you.

Because it is so important to have Jesus in your life through Holy Communion, the Church tells you to receive Communion frequently. In fact whenever you go to Mass, you should receive Jesus in Holy Communion, but all Catholics are required to at least once a year.

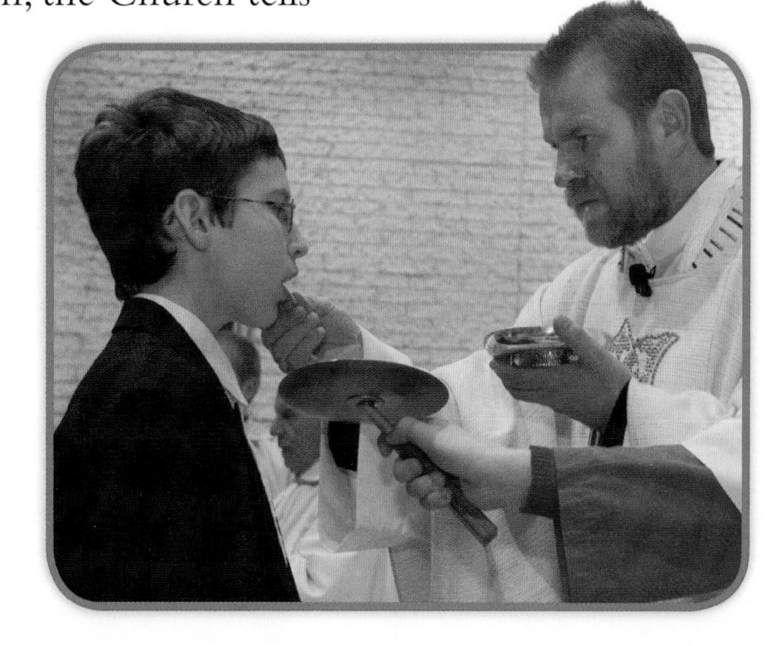

Objetos especiales de la iglesia

Altar Mesa donde se celebra la Eucaristía

Púlpito (ambón) Atril desde donde se proclama la Palabra de Dios en las lecturas de la Misa

Vinajeras Botellas pequeñas con agua o vino

Sagrario Lugar especial de la iglesia donde se guarda el Santísimo Sacramento después de la Misa para los enfermos o para la Adoración Eucarística

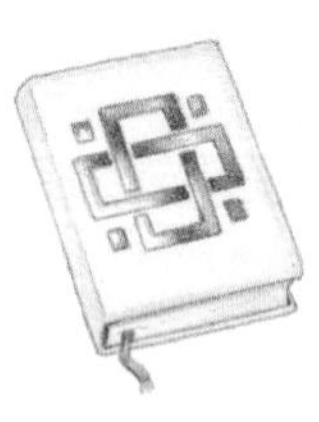

Evangeliario Libro especial que contiene las lecturas del Evangelio que se usan en la Misa

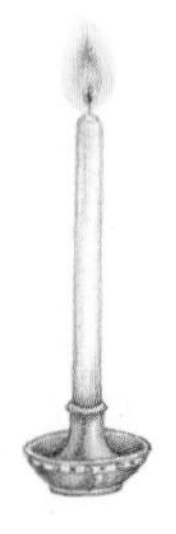

Velas Las velas que se encienden durante la Misa son, por lo general, columnas de cera de abeja. Muestran que Cristo, la luz del mundo, está presente.

Cáliz Copa para la Sangre de Cristo

Copón Recipiente especial que se guarda en el Sagrario y que contiene las Hostias Eucarísticas, el Cuerpo de Cristo

Leccionario Libro especial que se usa en la Misa y que contiene lecturas del Antiguo y del Nuevo Testamento

Patena Plato pequeño, por lo común de plata o de oro, usado para colocar el Cuerpo de Cristo

Misal Romano Libro especial que contiene las oraciones de la Misa

Special Church Objects

Altar The table where the Eucharist is celebrated

Lectern (ambo) A stand for announcing God's Word in the readings at Mass

Cruets Small bottles of water or wine

Tabernacle A special place in the church where the Blessed Sacrament is reserved after Mass for those who are ill or for Eucharistic Adoration

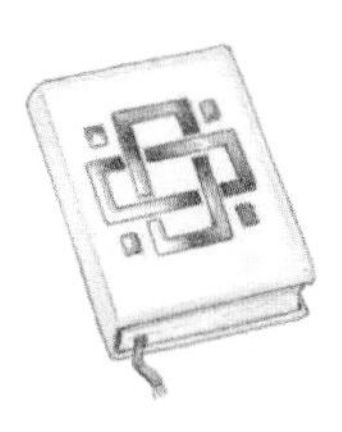

Book of Gospels The special book that contains the Gospel readings used at Mass

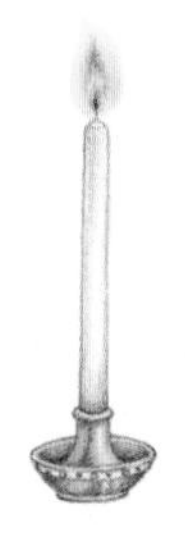

Candles Candles lit during Mass are usually beeswax pillars. They show that Christ, the light of the world, is present.

Chalice The cup for the Blood of Christ

Ciborium The special container placed in the Tabernacle that holds the Eucharistic Hosts, the Body of Christ

Lectionary A special book used at Mass that contains readings from the Old and New Testament

Paten The small plate, usually made of silver or gold, used to hold the Body of Christ

Roman Missal The special book that contains the prayers of the Mass

Penitencia y Reconciliación

Aunque tratemos, no siempre vivimos como Dios quiere. A veces necesitamos curación y perdón. Por eso, Jesús nos da la oportunidad de vivir el amor, la misericordia y el perdón de Dios en el Sacramento de la Reconciliación. En este Sacramento, si en verdad te arrepientes, Dios perdona cualquier pecado que hayas cometido. Estos son los pasos del Sacramento celebrado con varios penitentes, las personas que confiesan sus pecados al sacerdote. Todos los pasos, excepto el 4, son comunitarios.

Paso 1: Ritos iniciales

Paso 2: Lectura de la Sagrada Escritura

Paso 3: Examen de conciencia, letanía de contrición (a veces, una Oración del Penitente, que se encuentra en las páginas 340 y 646), Padre Nuestro

Paso 4: Cada penitente se reúne en forma individual con el sacerdote para confesarse y recibir su penitencia y absolución

Oración de absolución

Dios, Padre misericordioso,
que reconcilió al mundo consigo
por la muerte y la resurrección de su Hijo
y envió al Espíritu Santo para el perdón de los pecados,
te conceda, por el ministerio de la Iglesia,
el perdón y la paz.
Y YO TE ABSUELVO DE TUS PECADOS,
EN EL NOMBRE DEL PADRE, Y DEL HIJO,
Y DEL ESPÍRITU SANTO.
Amén.

Paso 5: Despedida

Penance and Reconciliation

Even though we try, we do not always live as God wants us to live. Sometimes we need healing and forgiveness. So Jesus gives us the opportunity to experience God's love, mercy, and forgiveness in the Sacrament of Reconciliation. In this Sacrament, if you are truly sorry, God forgives any sins you have committed. Below are the steps of the Sacrament when it's celebrated with several penitents, the people who confess their sins to the priest. All steps but Step 4 are communal.

Step 1: Introductory Rites

Step 2: Reading from Scripture

Step 3: Examination of conscience, litany of contrition (Sometimes an Act of Contrition, which can be found on pages 341 and 647), the Lord's Prayer

Step 4: Each penitent meets individually with a priest for confession, penance, and absolution by the priest

Prayer of Absolution

God, the Father of mercies,
through the death and resurrection of his Son
has reconciled the world to himself
and sent the Holy Spirit among us
for the forgiveness of sins;
through the ministry of the Church
may God give you pardon and peace,
and I absolve you from your sins
in the name of the Father, and of the Son,
and of the Holy Spirit. Amen.

Step 5: Closing

Examen de conciencia

El don de Dios de la conciencia te ayuda a distinguir lo bueno de lo malo. Su don de la gracia, la vida de Dios dentro de ti, te da fuerzas para hacer lo correcto. Para aprender más sobre la conciencia y sobre cómo se forma, busca la página 638.

Nos preparamos para el Sacramento de la Penitencia pensando en cómo hemos seguido los Diez Mandamientos, las Bienaventuranzas y otras enseñanzas de la Iglesia. Preguntas como las siguientes nos ayudan a saber si lo que hemos hecho es bueno o malo, correcto o incorrecto. Recuerda, los errores y los accidentes no son intencionales. No son cosas hechas a propósito. No son pecados.

- Usé siempre el nombre de Dios con respeto?
- ¿Mostré de alguna manera mi amor por Dios y por los demás?
- ¿Recé con regularidad mis oraciones diarias?
- ¿Obedecí siempre a mi madre y a mi padre?
- ¿Fui amable con quienes me rodean o los traté mal?
- ¿Fui justo cuando jugué o trabajé con los demás?
- ¿Compartí mis cosas con los demás?
- ¿Evité tomar las pertenencias de otra persona?
- ¿Cuidé mis cosas y las de los demás?
- ¿Herí a los demás, insultándolos o diciendo mentiras sobre ellos?
- ¿Fui a Misa y participé en la celebración?

Examination of Conscience

God's gift of conscience helps you choose right from wrong. His gift of grace, God's life within, gives you the strength to do what is right. For more on conscience and to learn more about conscience formation, see page 639.

We prepare for the Sacrament of Penance by thinking about how we have followed the Ten Commandments, Beatitudes, and other Church teachings. Questions like the ones below help us know whether what we've done is good or bad, right or wrong. Remember, mistakes and accidents are not intentional. They are not things done on purpose. They are not sins.

- Did I always use God's name with respect?
- Did I show my love for God and others in some way?
- Did I usually say my daily prayers?
- Did I always obey my mother and father?
- Was I kind to those around me, or was I mean?
- Was I fair in the way that I played and worked with others?
- Did I share my things with others?
- Did I avoid taking what belongs to someone else?
- Did I care for my own things and others' things?
- Did I hurt others by calling them names or telling lies about them?
- Did I go to Mass and take part in the celebration?

Los sacramentales

La Iglesia tiene signos y símbolos especiales para recordarnos a Dios. Se llaman sacramentales. Un sacramental puede ser un objeto, palabras, gestos o acciones. Se vuelven sagrados a través de las oraciones de la Iglesia.

Palabras	bendiciones letanías otras oraciones	
Acciones	Señal de la Cruz señal de la paz genuflexión procesión	
Objetos	crucifijo estatuas agua bendita velas	palmas rosario imágenes medallas

El Rosario

El Rosario es un sacramental que nos recuerda a María, Madre de Jesús, y nos ayuda a reflexionar sobre los sucesos y los misterios en la vida de Jesús y María. La honramos con devociones, como el Rosario, y con estatuas.

Sacramentals

The Church has special signs and symbols to remind us of God. They are called sacramentals. A sacramental can be an object, words, gestures, or actions. They are made sacred through the prayers of the Church.

Words	blessings litanies other prayers	
Actions	Sign of the Cross sign of peace genuflection procession	
Objects	crucifix statues holy water candles	palms rosary images medals

The Rosary

The rosary is a sacramental that reminds us of Mary, the Mother of Jesus, and helps us reflect on the events and mysteries in the lives of Jesus and Mary. We honor her with devotions, like the Rosary, and statues.

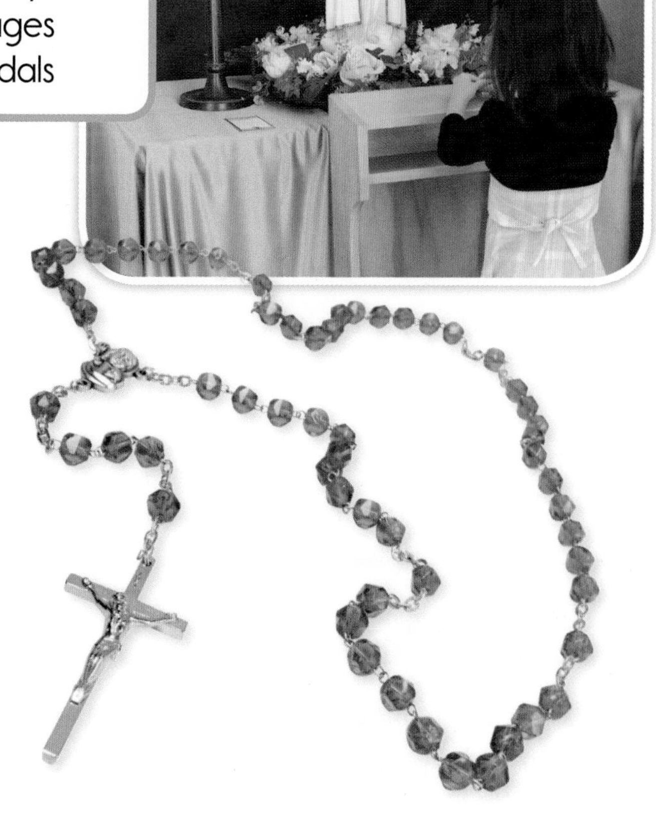

Las leyes de Dios

Dios desea que tengas una relación personal con Él. Para ayudarte a hacerlo y a saber lo que es correcto, Él te ha dado leyes.

	Los Diez Mandamientos	Qué significan
1	Yo soy Yavé, tu Dios: no tendrás otros dioses fuera de mí.	Haz que Dios sea lo más importante de tu vida.
2	No tomes en vano el nombre de Yavé, tu Dios.	Usa siempre el nombre de Dios de manera reverente.
3	Acuérdate del día del Sábado para santificarlo.	Asiste a Misa y descansa los domingos.
4	Respeta a tu padre y a tu madre.	Ama y obedece a tus padres y tutores.
5	No mates.	Sé amable con las personas y con los animales que Dios creó; cuídate y cuida a los demás.
6	No cometas adulterio.	Sé respetuoso con tu cuerpo.
7	No robes.	No tomes las cosas de los demás.
8	No atestigües en falso contra tu prójimo.	Di siempre la verdad.
9	No codicies la mujer de tu prójimo.	Ten siempre pensamientos y palabras limpios; no sientas celos de las amistades de los demás.
10	No codicies nada de lo que le pertenece a tu prójimo.	Sé feliz con las cosas que tienes; no sientas celos de lo que tienen los demás.

El Gran Mandamiento

"Amarás al Señor tu Dios con todo tu corazón, con toda tu alma, con todas tus fuerzas y con toda tu mente; y amarás a tu prójimo como a ti mismo." Lucas 10, 27

God's Laws

God desires you to be in relationship with him. To help you do this and to know what is right, he has given you laws.

	The Ten Commandments	What They Mean
1	I am the Lord your God: you shall not have strange gods before me.	Make God the most important thing in your life.
2	You shall not take the name of the Lord your God in vain.	Always use God's name in a reverent way.
3	Remember to keep holy the Lord's Day.	Attend Mass and rest on Sunday.
4	Honor your father and your mother.	Love and obey your parents and guardians.
5	You shall not kill.	Be kind to the people and animals God made; care for yourself and others.
6	You shall not commit adultery.	Be respectful of your body.
7	You shall not steal.	Don't take other people's things.
8	You shall not bear false witness against your neighbor.	Always tell the truth.
9	You shall not covet your neighbor's wife.	Keep your thoughts and words clean; don't be jealous of other people's friendships.
10	You shall not covet your neighbor's goods.	Be happy with the things you have; don't be jealous of what other people have.

The Great Commandment

"You shall love the Lord, your God, with all your heart, with all your being, with all your strength, and with all your mind, and your neighbor as yourself." Luke 10:27

La ley del Evangelio

Las Bienaventuranzas

Felices los que tienen el espíritu del pobre, porque de ellos es el Reino de los Cielos.
Felices los que lloran, porque recibirán consuelo.
Felices los pacientes, porque recibirán la tierra en herencia.
Felices los que tienen hambre y sed de justicia, porque serán saciados.
Felices los compasivos, porque obtendrán misericordia.
Felices los de corazón limpio, porque verán a Dios.
Felices los que trabajan por la paz, porque serán reconocidos como hijos de Dios.
Felices los que son perseguidos por causa del bien, porque de ellos es el Reino de los Cielos. Mateo 5, 3-10

El Mandamiento Nuevo de Jesús

"Este es mi mandamiento: que se amen unos a otros como yo los he amado."
Juan 15, 12

La ayuda divina

Lo que Dios nos manda que hagamos, él lo hace posible por su gracia (ver el CC 2082). La gracia de Dios es su vida y su ayuda dentro de ti. Ella te ayuda a crecer en virtud. Las virtudes son los buenos hábitos espirituales que te fortalecen y te permiten hacer lo que es correcto y bueno.

Las tres virtudes de fe, esperanza y caridad (amor) son dones de Dios que nos ayudan a conocerlo y amarlo.

Los Dones del Espíritu Santo

- La sabiduría te ayuda a verte a ti y a ver a los demás como Dios te ve.
- El entendimiento te ayuda a comprender las verdades de la fe.
- El consejo (buen juicio) te ayuda a tomar buenas decisiones.
- La fortaleza (valor) te ayuda a actuar valientemente.
- La ciencia te ayuda a conocer mejor a Dios.
- La piedad (reverencia) te ayuda a orar todos los días.
- El temor de Dios (admiración y veneración) te ayuda a entender lo grande y poderoso que es Dios.

The Law of the Gospel

The Beatitudes

Blessed are the poor in spirit,
for theirs is the kingdom of heaven.
Blessed are they who mourn,
for they will be comforted.
Blessed are the meek,
for they will inherit the land.
Blessed are they who hunger and thirst
for righteousness,
for they will be satisfied.
Blessed are the merciful,
for they will be shown mercy.
Blessed are the clean of heart,
for they will see God.
Blessed are the peacemakers,
for they will be called children of God.
Blessed are they who are persecuted
for the sake of righteousness,
for theirs is the kingdom of heaven.
Matthew 5:3–10

Jesus' New Commandment

"This is my commandment: love one another as I have loved you."
John 15:12

Divine Help

What God commands us to do, he makes possible by his grace. (See CC 2082.) God's grace is his life and help within you. It helps you grow in virtue. Virtues are good spiritual habits that strengthen you and enable you to do what is right and good.

These three virtues of faith, hope, and charity (love) are gifts from God that help us know and love him.

Gifts of the Holy Spirit

- Wisdom helps you see yourself and others as God sees you.
- Understanding helps you comprehend the truths of faith.
- Counsel (right judgment) helps you make good choices.
- Fortitude (courage) helps you act bravely.
- Knowledge helps you know God better.
- Piety (reverence) helps you pray every day.
- Fear of the Lord (wonder and awe) helps you understand how great and powerful God is.

Formar tu conciencia

La conciencia es la habilidad que Dios nos da para poder juzgar si nuestras acciones son buenas o malas. Es importante que conozcamos las leyes de Dios para que nuestra conciencia pueda ayudarnos a tomar buenas decisiones.

Es tarea tuya fortalecer, o formar, tu conciencia. Esto es algo que harás a lo largo de toda tu vida. A medida que nos hacemos mayores, continuamos educando nuestra conciencia. Fortalecer tu conciencia ayuda a tu corazón a ser pacífico y amoroso. Esto también es necesario para tomar buenas decisiones.

Pero no puedes hacer esto solo. La Palabra de Dios es una guía muy importante para formar tu conciencia. Cuando lees, rezas o estudias la Sagrada Escritura, fortaleces tu conciencia.

Maneras de formar tu conciencia

El Espíritu Santo te da fuerzas para tomar buenas decisiones.

Orar y estudiar te ayuda a pensar bien en las cosas.

La enseñanza de la Sagrada Escritura y de la Iglesia guía tus decisiones.

Los padres, maestros y personas sabias te dan consejos.

Forming Your Conscience

Our conscience is the God-given ability that helps us judge whether our actions are right or wrong. It is important for us to know God's laws so our conscience can help us make good decisions.

It is your job to strengthen, or form, your conscience. This is something you will do throughout your life. We continue to educate our conscience as we grow older. Strengthening your conscience helps your heart be peaceful and loving. It is also necessary for making good choices.

But you cannot do this alone. God's Word is a very important guide for forming your conscience. When you read, pray, and study Scripture, you strengthen your conscience.

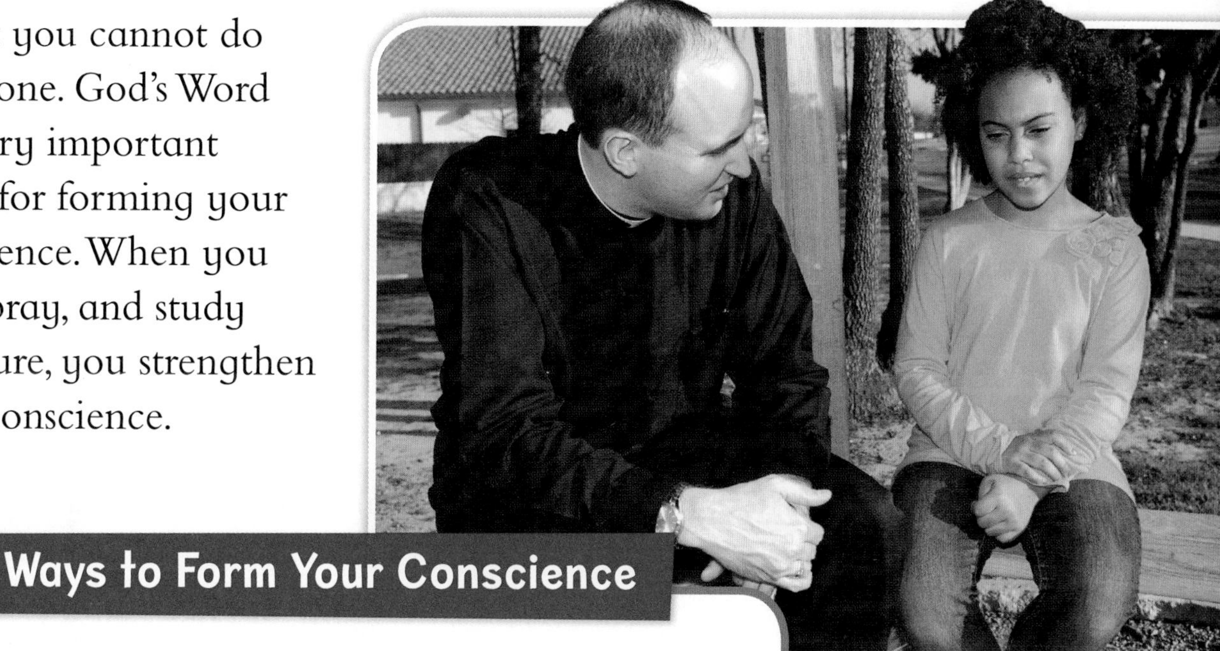

Ways to Form Your Conscience

The Holy Spirit strengthens you to make good choices.

Prayer and study help you think things through.

Sacred Scripture and Church teaching guide your decisions.

Parents, teachers, and wise people give you advice.

Oraciones tradicionales

Estas son las oraciones básicas que todo católico debe conocer. El latín es el idioma universal oficial de la Iglesia. Sin importar el idioma que una persona hable en su vida diaria, estas oraciones se rezan en común en latín.

Señal de la Cruz

En el nombre del Padre
y del Hijo
y del Espíritu Santo.
Amén.

Signum Crucis

In nómine Patris
et Fílii
et Spíritus Sancti.
Amen.

Padre Nuestro

Padre nuestro, que estás en el cielo,
santificado sea tu Nombre;
venga a nosotros tu reino;
hágase tu voluntad
en la tierra como en el cielo.
Danos hoy nuestro pan de cada día;
perdona nuestras ofensas,
como también nosotros perdonamos
a los que nos ofenden;
no nos dejes caer en la tentación,
y líbranos del mal.
Amén.

Pater Noster

Pater noster qui es in cælis:
santificétur Nomen Tuum;
advéniat Regnum Tuum;
fiat volúntas Tua,
sicut in cælo, et in terra.
Panem nostrum
cotidiánum da nobis hódie;
et dimítte nobis débita nostra,
sicut et nos
dimítimus debitóribus nostris;
et ne nos indúcas in tentatiónem;
sed líbera nos a Malo.

Basic Prayers

These are essential prayers that every Catholic should know. Latin is the official, universal language of the Church. No matter what language is someone's first or they speak daily, these prayers are prayed in common in Latin.

Sign of the Cross

In the name of the Father,
and of the Son,
and of the Holy Spirit.
Amen.

Signum Crucis

In nómine Patris
et Fílii
et Spíritus Sancti.
Amen.

The Lord's Prayer

Our Father, who art in heaven,
hallowed be thy name;
thy kingdom come,
thy will be done
on earth as it is in heaven.
Give us this day our daily bread,
and forgive us our trespasses,
as we forgive those who trespass
against us;
and lead us not into temptation,
but deliver us from evil.
Amen.

Pater Noster

Pater noster qui es in cælis:
santificétur Nomen Tuum;
advéniat Regnum Tuum;
fiat volúntas Tua,
sicut in cælo, et in terra.
Panem nostrum
cotidiánum da nobis hódie;
et dimítte nobis débita nostra,
sicut et nos
dimítimus debitóribus nostris;
et ne nos indúcas in tentatiónem;
sed líbera nos a Malo.

Ave María

Dios te salve, María, llena eres de gracia;
el Señor es contigo.
Bendita Tú eres entre todas las mujeres,
y bendito es el fruto de tu vientre, Jesús.
Santa María, Madre de Dios,
ruega por nosotros, pecadores,
ahora y en la hora de nuestra muerte.
Amén.

Ave, Maria

Ave, María, grátia plena,
Dóminus tecum.
Benedícta tu in muliéribus,
et benedíctus fructus ventris tui, Iesus.
Sancta María, Mater Dei,
ora pro nobis peccatóribus,
nunc et in hora mortis nostræ.
Amen.

Gloria al Padre

Gloria al Padre
y al Hijo
y al Espíritu Santo.
Como era en el principio,
ahora y siempre,
por los siglos de los siglos.
Amén.

Gloria Patri

Gloria Patri
et Fílio
et Spíritui Sancto.
Sicut erat in princípio,
et nunc et semper
et in sǽcula sæculorem.
Amen.

The Hail Mary

Hail, Mary, full of grace,
the Lord is with thee.
Blessed art thou among women
and blessed is the fruit of thy womb,
Jesus.
Holy Mary, Mother of God,
pray for us sinners,
now and at the hour of our death.
Amen.

Ave, Maria

Ave, María, grátia plena,
Dóminus tecum.
Benedícta tu in muliéribus,
et benedíctus fructus ventris
tui, Iesus.
Sancta María, Mater Dei,
ora pro nobis peccatóribus,
nunc et in hora mortis nostræ.
Amen.

Glory Be

Glory be to the Father
and to the Son
and to the Holy Spirit,
as it was in the beginning
is now, and ever shall be
world without end.
Amen.

Gloria Patri

Gloria Patri
et Fílio
et Spíritui Sancto.
Sicut erat in princípio,
et nunc et semper
et in sǽcula sæculorem.
Amen.

Oraciones de los Sacramentos

Yo Confieso/*Confíteor*

Yo confieso ante Dios todopoderoso
y ante vosotros, hermanos,
que he pecado mucho
de pensamiento, palabra, obra y omisión.

Golpeándose el pecho, dicen:

Por mi culpa, por mi culpa, por mi gran culpa.

Luego, continúa:

Por eso ruego a santa María, siempre Virgen,
a los ángeles, a los santos
y a vosotros, hermanos,
que intercedáis por mí ante Dios,
nuestro Señor.

Credo de los Apóstoles

Ver página 608 para esta oración.

Credo de Nicea

Ver página 610 para esta oración.

Gloria

Gloria a Dios en el cielo,
y en la tierra paz a los hombres
que ama el Señor.
Por tu inmensa gloria
te alabamos, te bendecimos,
te adoramos, te glorificamos
te damos gracias,
Señor Dios, Rey celestial,
Dios Padre todopoderoso.
Señor, Hijo único, Jesucristo.
Señor Dios, Cordero de Dios,
Hijo del Padre;
tú que quitas el pecado del mundo,
ten piedad de nosotros;
tú que quitas el pecado del mundo,
atiende nuestra súplica;
tú que estás sentado a la derecha del Padre,
ten piedad de nosotros;
porque sólo tú eres Santo,
sólo tú, Señor,
sólo tú Altísimo, Jesucristo,
con el Espíritu Santo
en la gloria de Dios Padre.
Amén.

Prayers from the Sacraments

I Confess/*Confiteor*

I confess to almighty God
and to you, my brothers and sisters,
that I have greatly sinned,
in my thoughts and in my words,
in what I have done and in what I
have failed to do,

Gently strike your chest with a closed fist.

through my fault, through my fault,
through my most grievous fault;

Continue:

therefore I ask blessed Mary
ever-Virgin,
all the Angels and Saints,
and you, my brothers and sisters,
to pray for me to the Lord our God.

The Apostles' Creed

See page 609 for this prayer.

The Nicene Creed

See page 611 for this prayer.

Gloria

Glory to God in the highest,
and on earth peace to people of
good will.

We praise you, we bless you, we adore
you, we glorify you, we give you
thanks for your great glory,
Lord God, heavenly King, O God,
almighty Father.

Lord Jesus Christ,
Only Begotten Son,
Lord God, Lamb of God,
Son of the Father,
you take away the sins of the world,
have mercy on us;
you take away the sins of the world,
receive our prayer;
you are seated at the right hand of
the Father, have mercy on us.

For you alone are the Holy One,
you alone are the Lord,
you alone are the Most High,
Jesus Christ, with the Holy Spirit,
in the glory of God the Father.
Amen.

Santo, Santo, Santo es el Señor

Santo, Santo, Santo es el Señor,
Dios del Universo.
Llenos están el cielo y la tierra de tu gloria.
Hosanna en el cielo.
Bendito el que viene en nombre del Señor.
Hosanna en el cielo.

Oración del Penitente

(Tomado del Ritual de la Penitencia)

Por lo general, se usa de noche después de un breve examen de conciencia.

Dios mío, me arrepiento de todo corazón de todo lo malo que he hecho y de lo bueno que he dejado de hacer, porque pecando te he ofendido a ti, que eres el sumo bien y digno de ser amado sobre todas las cosas.

Propongo firmemente, con tu gracia, cumplir la penitencia, no volver a pecar y evitar las ocasiones de pecado.

Perdóname, Señor, por los méritos de la pasión de nuestro salvador Jesucristo.

Oración de Jesús

Señor Dios,
Hijo de Dios vivo,
ten piedad de mí,
este pobre pecador.

Holy, Holy, Holy Lord

Holy, Holy, Holy Lord God of hosts.
Heaven and earth are full of your glory.
Hosanna in the highest.
Blessed is he who comes in the name of the Lord.
Hosanna in the highest.

Act of Contrition

(From Rite of Penance)

Often used at night after a brief examination of conscience.

My God, I am sorry for my sins
with all my heart.
In choosing to do wrong
and failing to do good,
I have sinned against you
whom I should love above all things.
I firmly intend, with your help,
to do penance, to sin no more,
and to avoid whatever leads me to sin.
Our Savior Jesus Christ
suffered and died for us.
In his name, my God, have mercy.

The Jesus Prayer

Lord Jesus Christ, Son of God,
have mercy upon me, a sinner.

Oraciones familiares y personales

Bendición de la mesa

Bendícenos, Señor, a nosotros, y bendice estos dones que dados por tu bondad vamos a tomar. Amén.

Acción de gracias

Te damos gracias por todos tus beneficios, Omnipotente Dios, que vives y reinas por los siglos de los siglos. Amén.
El Señor nos dé su paz.
—Y la vida eterna. Amén.

Ángel de la guarda

Un ángel es un ser espiritual que es un mensajero de Dios. Los ángeles se mencionan cerca de 300 veces en la Biblia. Tres ángeles importantes son Gabriel, Miguel y Rafael.

Ángel de la guarda
mi dulce compañía,
no me desampares
ni de noche ni de día,
hasta que me pongas
en paz y alegría,
con todos los santos,
Jesús, José y María. Amén.

Acto de fe, esperanza y caridad

Esta oración se reza generalmente en las mañanas para recordarnos que todos los dones vienen de Dios y que Él nos puede ayudar a creer, confiar y amar.

Dios mío, creo en ti, espero en ti,
te amo por sobre todas las cosas, con
toda mi mente,
con todo mi corazón y todas
mis fuerzas.

Oración de la mañana

Señor, te alabo y doy gracias por todos los dones que derramas sobre mí. Tu bondad me salva. Te ofrezco cuanto soy, mis pensamientos, palabras y obras, al igual que todas las pruebas de este día. Amén.

Oración de la noche

Te adoro, Dios mío, y te doy gracias por haberme creado, por haberme hecho cristiano y cuidado de mí en el día de hoy. Protégeme mientras descanso y haz que tu amor esté siempre conmigo. Amén.

Personal and Family Prayers

Grace Before Meals

Bless us, O Lord, and these thy gifts
which we are about to receive
from thy bounty, through
Christ our Lord. Amen.

Grace After Meals

We give you thanks, Almighty God,
for all your gifts
which we have received,
through Christ our Lord. Amen.

Angel Guardian

An angel is a spiritual being that is a messenger of God. Angels are mentioned nearly 300 times in the Bible. Three important angels are Gabriel, Michael, and Raphael.

Angel of God, my Guardian dear,
to whom God's love commits me here.
Ever this day, be at my side,
to light and guard, to rule and guide.
Amen.

Act of Faith, Hope, and Love

Often prayed in the morning to remind us that all gifts come from God, and that he can help us believe, trust, and love.

My God, I believe in you, I hope in you,
I love you above all things, with all my mind
and heart and strength.

Morning Prayer

Blessed are you, Lord, God of all creation:
you take the sleep from my eyes
and the slumber from my eyelids.
Amen.

Evening Prayer

Protect us, Lord, as we stay awake;
watch over us as we sleep,
that awake, we may keep watch with Christ,
and asleep, rest in his peace.
Amen.

Oración de la noche (Oración antes de dormir)

Amado Dios, ahora que este día llega a su fin,
bendice a mi familia y a mis amigos.

Gracias por darme un día feliz,
lleno de alegría, aprendizajes y juegos.

Quédate esta noche conmigo mientras duermo,
y despiértame mañana con tu luz.

Buenas noches, Dios.
Amén.

Bendición de cumpleaños

Te damos gracias, Señor, porque has bendecido
nuestra casa y nos has confiado este(a) hijo(a).
Una vez más lo(a) ponemos en tus manos paternales.
Guíalo(a) y condúcelo(a), bajo la protección de los santos ángeles
y de tu santo patrono, juntamente con nosotros, a la felicidad eterna.
Defiéndelo(a) del pecado y de la malicia del mundo, mantenlo(a) en la fe y en tu amistad.
Hazlo(a) fuerte, leal, generoso, para que su vida difunda un hábito de bondad y alegría,
que manifieste a todos la belleza de la vida cristiana.
Amén.

Bedtime Prayer

Dear God, as this day comes to
an end,
bless my family and my friends.

Thank you for my happy day,
filled with laughter, learning,
and play.

Stay with me while I sleep tonight,
and wake me with your morning light.

Good night, God.
Amen.

Birthday Blessing

Loving God,
you created all the people of the world
and you know each of us by name.
We thank you for N.,
who today celebrates his/her birthday.
Bless him/her with your love and friendship
that he/she may grow in wisdom, knowledge,
and grace.
May he/she love his/her family always
and be faithful to his/her friends.
Grant this through Christ our Lord.
Amen.

Oramos con los Santos

Cuando oramos con los Santos, les pedimos que rueguen a Dios por nosotros y que recen con nosotros. Los Santos están junto a Cristo. Ellos hablan por nosotros cuando necesitamos ayuda.

Una letanía es una oración con una frase que se repite una y otra vez para que quienes rezan participen en la oración misma. Algunas letanías son para Jesús; otras son conocidas como las Letanías de los Santos.

Santa María, ayuda del desvalido

Santa María, ayuda del desvalido, alimenta a los temerosos, consuela a los afligidos, ora por el pueblo, ruega por los clérigos, intercede por las mujeres consagradas a Dios; que todos los que guardan tu sagrada conmemoración experimenten el poder de tu ayuda. Amén.

Oración de San Miguel por la familia

Arcángel San Miguel, protector y guardián de los hombres, tú que brillas con resplandor, líbranos de todo mal. Con plena confianza recurrimos a ti para que guardes en unión y amor a nuestras familias. Fortalece con tu presencia la unión familiar y libérala de todo egoísmo y discordia. Amén.

Letanías

Cristo, óyenos.
Cristo, escúchanos.
Señor, óyenos.
Señor, escúchanos.

Santa María, Madre de Dios, **ruega por nosotros.**
San Juan Bautista, **ruega por nosotros.**
San José, **ruega por nosotros.**
San Pedro y San Pablo, **rueguen por nosotros.**

Señor, ten piedad de nosotros.
Señor, ten piedad de nosotros.
Cristo, ten piedad de nosotros.
Cristo, ten piedad de nosotros.
Señor, ten piedad de nosotros.
Señor, ten piedad de nosotros.

Praying with the Saints

When we pray with the Saints, we ask them to pray with us and for us. The Saints are with Christ. They speak for us when we need help.

A litany is a prayer with one line that is meant to be repeated so that those praying are caught up in the prayer itself. Some litanies are to Jesus; others are known as Litanies of the Saints.

Mary, Help of Those in Need

Holy Mary,
help those in need,
give strength to the weak,
comfort the sorrowful,
pray for God's people,
assist the clergy,
intercede for religious.
Mary, all who seek your help
experience your unfailing protection.
Amen.

Saint Michael's Prayer for the Family

Archangel Michael, protector and guardian of men, you who shine with radiance, deliver us from evil. With confidence we turn to you to keep our families in unity and love. Strengthen with your presence the family union and free it from all selfishness and discord. Amen.

Litanies

Lord, have mercy.
Lord, have mercy.
Christ, have mercy.
Christ, have mercy.
Lord, have mercy.
Lord, have mercy.

Holy Mary, Mother of God,
pray for us
Saint John the Baptist, pray for us
Saint Joseph, pray for us
Saint Peter and Saint Paul,
pray for us

Lord [Jesus], we ask you,
hear our prayer.
Lord [Jesus], we ask you,
hear our prayer.

Christ, hear us.
Christ, graciously hear us.

Oración para el Día de San Valentín

Dios, Creador nuestro,
bendice el amor que une a las personas y que crece con la fuerza de tu aliento en nuestro corazón.
Que todos los mensajes que lleven el nombre de tu Santo Obispo Valentín sean enviados con gozo y recibidos con agrado.
Te lo pedimos por Cristo nuestro Señor. Amén.

Oración de San Francisco

Señor, hazme un instrumento de tu paz:
donde haya odio, que siembre yo amor;
donde haya injuria, perdón;
donde haya duda, fe en ti;
donde haya desaliento, esperanza;
donde haya oscuridad, tu luz.

Oración de petición

Te adoramos, Santísimo Señor Jesucristo, aquí y en todas las iglesias del mundo, y te bendecimos porque con tu santa Cruz redimiste al mundo. Ten piedad de nosotros. Amén.

Prayer for Saint Valentine's Day

God our Creator,
bless the love that brings people together
and grows ever stronger in our hearts.
May all the messages that carry the name
of your holy Bishop Valentine
be sent in good joy
and received in delight.
We ask this through Christ our Lord.
Amen.

Prayer of Saint Francis

Lord, make me an instrument of your peace;
where there is hatred, let me sow love;
where there is injury, pardon;
where there is doubt, faith;
where there is despair, hope;
where there is darkness, light;
and where there is sadness, joy.

Prayer of Petition

Lord God, you know our weakness.
In your mercy grant that the example
of your Saints may bring us back to
love and serve you through Christ
our Lord.
Amen.

Palabras católicas

absolución palabras pronunciadas por el sacerdote durante el Sacramento de la Penitencia y de la Reconciliación para otorgar el perdón de los pecados en nombre de Dios **(336)**

acción de gracias agradecer a Dios por todo lo que nos ha dado **(424)**

alabanza honrar a Dios y agradecerle porque Él es Dios **(424)**

ángel un tipo de ser espiritual que hace la obra de Dios, como entregar mensajes de Dios o ayudar a proteger a las personas del peligro **(196)**

Antiguo Testamento la primera parte de la Biblia acerca de Dios y su Pueblo antes de que naciera Jesús **(150)**

Apóstoles los Doce discípulos que Jesús eligió para que sean sus seguidores más cercanos. Después de la venida del Espíritu Santo, participaron en su obra y misión de una manera especial. **(222)**

asamblea las personas reunidas para celebrar el culto **(450)**

Bautismo el Sacramento en el que la persona es sumergida en agua o se le derrama agua sobre la cabeza. El Bautismo quita el Pecado Original y todos los pecados personales y convierte a la persona en un hijo de Dios y un miembro de la Iglesia. **(314)**

bendición una oración que bendice a Dios, quien es la fuente de todo lo bueno **(424)**

Biblia la Palabra de Dios escrita en palabras humanas. La Biblia es el libro sagrado de la Iglesia. **(150)**

Cielo la felicidad plena de vivir con Dios para siempre **(556)**

conciencia una habilidad que recibimos de Dios y que nos ayuda a decidir entre el bien y el mal **(270)**

confesión contando tus pecados al sacerdote **(336)**

confiar creer en alguien y contar con esa persona **(182)**

consagración a través del poder del Espíritu Santo y las palabras y acciones del sacerdote, las ofrendas del pan y el vino se convierten en el Cuerpo y la Sangre de Jesús. **(494)**

contrición arrepentirse por los pecados cometidos y querer vivir mejor **(334)**

creación todo lo hecho por Dios **(108)**

credo un enunciado de las creencias de la Iglesia **(474)**

culto adorar y alabar a Dios, especialmente en la Misa y en oración **(352)**

D – F

Diez Mandamientos leyes de Dios que le dicen a las personas cómo amarlo a Él y a los demás **(246)**

Dios Padre la Primera Persona Divina de la Santísima Trinidad. **(176)**

discípulos seguidores de Jesús que creen en Él y viven según sus enseñanzas **(220)**

Espíritu Santo la Tercera Persona Divina de la Santísima Trinidad. **(216)**

Eucaristía el Sacramento en el que Jesús se da a sí mismo, y el pan y el vino se convierten en su Cuerpo y su Sangre **(450)**

Evangelio una palabra que significa "Buena Nueva" o "buena noticia". El mensaje del Evangelio es la Buena Nueva del Reino de Dios y su amor salvador. **(400)**

examen de conciencia una manera devota de pensar cómo hemos seguido los Diez Mandamientos, las Bienaventuranzas y las enseñanzas de la Iglesia **(334)**

fe creer en Dios y en todo lo que Él nos ayuda a entender acerca de sí mismo. La fe nos lleva a obedecer a Dios. **(380)**

gracia el don de Dios que nos hace participar de su vida y su ayuda. **(316)**

Gran Mandamiento la ley de amar a Dios por sobre todas las cosas y a los demás como a ti mismo **(246)**

Hijo de Dios un nombre para Jesús que te dice que Dios es su Padre. El Hijo de Dios es la Segunda Persona Divina de la Santísima Trinidad. **(112)**

homilía un discurso corto acerca de las lecturas de la misa **(472)**

intercesión pedir a Dios que ayude a los demás **(424)**

libre albedrío poder elegir entre obedecer o desobedecer a Dios. Dios nos creó con libre albedrío porque quiere que tomemos buenas decisiones. **(264)**

liturgia la oración pública de la Iglesia. Incluye los Sacramentos y formas de oración diaria. **(352)**

Liturgia de la Palabra la primera parte principal de la Misa en la que escuchamos la proclamación de la Palabra de Dios **(468)**

Liturgia Eucarística la segunda parte principal de la Misa que incluye la Sagrada Comunión **(492)**

Mandamiento Nuevo el mandamiento de Jesús para sus discípulos de amarse los unos a los otros como Él nos ha amado **(248)**

María la Madre de Jesús, la Madre de Dios. También se la llama "Nuestra Señora" porque es nuestra Madre y la Madre de la Iglesia. **(196)**

Misa la reunión de católicos para adorar a Dios. Incluye la Liturgia de la Palabra y la Liturgia Eucarística. **(450)**

misericordia la bondad y preocupación por aquellos que sufren. Dios tiene misericordia de nosotros aunque seamos pecadores. **(284)**

misión un trabajo o propósito. La misión de la Iglesia es anunciar la Buena Nueva del Reino de Dios **(536)**

misioneros personas que atienden el llamado de Dios de llevar el mensaje de Jesús y anunciar la Buena Nueva de su Reino a las personas de otros lugares **(536)**

N – O

Nuevo Testamento la segunda parte de la Biblia acerca de la vida y las enseñanzas de Jesús, de sus seguidores y de la Iglesia primitiva **(154)**

oración hablar con Dios y escucharlo **(182)**

Oración de los fieles oración de la Misa por las necesidades de la Iglesia y el mundo **(474)**

Padre Nuestro la oración que Jesús enseñó a sus discípulos para rezarle a Dios Padre. **(420)**

parábola un relato corto sobre la vida cotidiana que Jesús contó para enseñar algo acerca de Dios **(248)**

parroquia la comunidad local de católicos que se reúne en un lugar en particular **(406)**

paz cuando las cosas están calmadas y las personas se llevan bien entre sí **(380)**

pecado la decisión de una persona de desobedecer a Dios a propósito y de hacer algo que esa persona sabe que está mal. Los accidentes y los errores no son pecados. **(112)**

pecado mortal un pecado grave que rompe la relación de la persona con Dios **(270)**

Pecado Original el primer pecado cometido por Adán y Eva y que fue transmitido a todas las personas **(130)**

pecado venial un pecado que daña la amistad de la persona con Dios pero que no la rompe del todo **(270)**

penitencia una oración o un acto para reparar un pecado **(336)**

Pentecostés cincuenta días después de la Resurrección cuando el Espíritu Santo desciende por primera vez sobre los Doce discípulos y la Iglesia **(222)**

petición pedir a Dios lo que se necesita **(424)**

Presencia Real la enseñanza de que Jesús está real y verdaderamente con nosotros en la Eucaristía. Recibimos a Jesús en su plenitud. **(520)**

proclamar hablar acerca de Jesús con palabras y acciones **(404)**

Reino de Dios el mundo de amor, paz y justicia que está en el Cielo y se sigue construyendo en la Tierra **(384)**

Resurrección el acto por el cual Dios Padre, a través del poder del Espíritu Santo, hace que Jesús pase de la Muerte a una nueva vida **(356)**

reverencia el cuidado y respeto que muestras a Dios y a las personas y objetos santos **(522)**

sacramentales bendiciones, objetos y acciones que te recuerdan a Dios y que se vuelven sagrados a través de las oraciones de la Iglesia **(426)**

Sacramento de la Penitencia y de la Reconciliación el Sacramento en el que el perdón de Dios por los pecados es administrado a través de la Iglesia **(336)**

Sacramentos de la Iniciación los tres Sacramentos que celebran ser miembros de la Iglesia Católica: Bautismo, Confirmación y Eucaristía **(316)**

sacrificio renunciar a algo por amor a otra persona o por el bien común (el bien de todos). Jesús sacrificó su vida por todas las personas. **(488)**

Sagrada Comunión recibir el Cuerpo y la Sangre de Jesús en la celebración de la Eucaristía **(516)**

Sagrada Familia el nombre con el que se conoce a la familia humana de Jesús, María y José **(200)**

Sagrario el lugar especial en la iglesia donde se guarda el Santísimo Sacramento después de la Misa para aquellos que están enfermos o para la Adoración Eucarística **(522)**

salmos poemas y oraciones de la Biblia; pueden decirse o cantarse **(108)**

Salvador un título de Jesús, quien fue enviado al mundo para salvar a todas las personas perdidas por el pecado, y para guiarlas de regreso a Dios Padre **(132)**

Santísima Trinidad un solo Dios en tres Personas Divinas: Dios Padre, Dios Hijo y Dios Espíritu Santo **(216)**

Santísimo Sacramento un nombre de la Sagrada Eucaristía, en especial el Cuerpo de Cristo que se guarda en el Sagrario **(522)**

Santo un héroe de la Iglesia que amó mucho a Dios, que llevó una vida santa y que ahora está con Dios en el Cielo **(176)**

Siete Sacramentos signos especiales y celebraciones que Jesús le dio a su Iglesia. Nos permiten participar de la vida y la obra de Dios. **(314)**

tentación querer hacer algo que no debemos, o no hacer algo que debemos hacer **(284)**

Última Cena la comida que Jesús compartió con sus discípulos la noche antes de morir. En la Última Cena, Jesús se dio a sí mismo en la Eucaristía. **(488)**

virtudes buenos hábitos que te hacen más fuerte y te ayudan a hacer lo que es correcto y bueno **(284)**

Catholic Faith Words

absolution words spoken by the priest during the Sacrament of Penance and Reconciliation to grant forgiveness of sins in God's name **(339)**

angel a type of spiritual being that does God's work, such as delivering messages from God or helping to keep people safe from harm **(197)**

Apostles the Twelve disciples Jesus chose to be his closest followers. After the coming of the Holy Spirit, they shared in his work and mission in a special way. **(223)**

assembly the people gathered together for worship **(451)**

Baptism the Sacrament in which a person is immersed in water or has water poured on him or her. Baptism takes away Original Sin and all personal sin, and makes a person a child of God and member of the Church. **(315)**

Bible the Word of God written in human words. The Bible is the holy book of the Church. **(301)**

Blessed Sacrament a name for the Holy Eucharist, especially the Body of Christ kept in the Tabernacle **(523)**

blessing a prayer that blesses God, who is the source of everything that is good **(425)**

confession telling your sins to the priest **(337)**

conscience an ability given to us by God that helps us make choices about right and wrong **(269)**

consecration through the power of the Holy Spirit and the words and actions of the priest, the gifts of bread and wine become the Body and Blood of Jesus **(495)**

contrition being sorry for your sins and wanting to live better **(335)**

creation everything made by God **(109)**

creed a statement of the Church's beliefs **(475)**

D – F

disciples followers of Jesus who believe in him and live by his teachings **(221)**

Eucharist the Sacrament in which Jesus shares himself, and the bread and wine become his Body and Blood **(451)**

examination of conscience a prayerful way of thinking about how we have followed the Ten Commandments, Beatitudes, and Church teachings **(335)**

faith believing in God and all that he helps us understand about himself. Faith leads us to obey God. **(381)**

free will being able to choose whether to obey God or disobey God. God created us with free will because he wants us to make good choices. **(265)**

God the Father the First Divine Person of the Holy Trinity **(177)**

Gospel a word that means "Good News." The Gospel message is the Good News of God's Kingdom and his saving love. **(401)**

grace God's gift of a share in his life and help **(317)**

Great Commandment the law to love God above all else and to love others the way you love yourself **(247)**

H – K

Heaven the full joy of living with God forever **(557)**

Holy Communion receiving Jesus' Body and Blood in the celebration of the Eucharist **(517)**

Holy Family the name for the human family of Jesus, Mary, and Joseph **(201)**

Holy Spirit the Third Divine Person of the Holy Trinity **(217)**

Holy Trinity the one God in three Divine Persons—God the Father, God the Son, and God the Holy Spirit **(217)**

homily a short talk about the readings at Mass **(473)**

intercession asking God to help others **(425)**

Kingdom of God the world of love, peace, and justice that is in Heaven and is still being built on Earth **(385)**

Last Supper the meal Jesus shared with his disciples on the night before he died. At the Last Supper, Jesus gave himself in the Eucharist. **(489)**

liturgy the public prayer of the Church. It includes the Sacraments and forms of daily prayer. **(353)**

Liturgy of the Eucharist the second main part of the Mass that includes Holy Communion **(493)**

Liturgy of the Word the first main part of the Mass during which we hear God's Word proclaimed **(469)**

Lord's Prayer the prayer that Jesus taught his disciples to pray to God the Father **(421)**

Mary the Mother of Jesus, the Mother of God. She is also called "Our Lady" because she is our Mother and the Mother of the Church. **(197)**

Mass the gathering of Catholics to worship God. It includes the Liturgy of the Word and the Liturgy of the Eucharist. **(451)**

mercy kindness and concern for those who are suffering. God has mercy on us even though we are sinners. **(285)**

mission a job or purpose. The Church's mission is to announce the Good News of God's Kingdom **(537)**

missionaries people who answer God's call to bring the message of Jesus and announce the Good News of his Kingdom to people in other places **(537)**

mortal sin a serious sin that causes a person's relationship with God to be broken **(271)**

N – O

New Commandment Jesus' command for his disciples to love one another as he has loved us **(249)**

New Testament the second part of the Bible about the life and teachings of Jesus, his followers, and the early Church **(155)**

Old Testament the first part of the Bible about God and his People before Jesus was born **(301)**

Original Sin the first sin committed by Adam and Eve and passed down to everyone **(131)**

parable a short story Jesus told about everyday life to teach something about God **(249)**

parish the local community of Catholics that meets at a particular place **(407)**

peace when things are calm and people get along with one another **(381)**

penance a prayer or an act to make up for sin **(339)**

Pentecost fifty days after the Resurrection when the Holy Spirit first came upon the Twelve disciples and the Church **(223)**

petition asking God for what we need **(425)**

praise giving God honor and thanks because he is God **(425)**

prayer talking to and listening to God **(183)**

Prayer of the Faithful prayer at Mass for the needs of the Church and the world **(475)**

proclaim to tell about Jesus in words and actions **(405)**

psalms poems and prayers from the Bible; they can be said or sung **(109)**

Real Presence the teaching that Jesus is really and truly with us in the Eucharist. We receive Jesus in his fullness. **(521)**

Resurrection the event of Jesus being raised from Death to new life by God the Father through the power of the Holy Spirit **(357)**

reverence the care and respect you show to God and holy persons and things **(523)**

S

Sacrament of Penance and Reconciliation the Sacrament in which God's forgiveness for sin is given through the Church **(337)**

sacramentals blessings, objects, and actions that remind you of God and are made sacred through the prayers of the Church **(427)**

Sacraments of Initiation the three Sacraments that celebrate membership in the Catholic Church: Baptism, Confirmation, and Eucharist **(317)**

sacrifice giving up something out of love for someone else or for the common good (good of everyone). Jesus sacrificed his life for all people. **(489)**

Saint a hero of the Church who loved God very much, led a holy life, and is now with God in Heaven **(177)**

Savior a title for Jesus, who was sent into the world to save all people lost through sin and to lead them back to God the Father **(133)**

Seven Sacraments special signs and celebrations that Jesus gave his Church. They allow us to share in God's life and work. **(315)**

sin a person's choice to disobey God on purpose and do what he or she knows is wrong. Accidents and mistakes are not sins. **(113)**

Son of God a name for Jesus that tells you God is his Father. The Son of God is the Second Divine Person of the Holy Trinity. **(113)**

T

Tabernacle the special place in the church where the Blessed Sacrament is reserved after Mass for those who are ill or for Eucharistic Adoration **(523)**

temptation wanting to do something we should not, or not doing something we should **(285)**

Ten Commandments God's laws that tell people how to love him and others **(247)**

thanksgiving giving thanks to God for all he has given us **(425)**

trust to believe in and depend on someone **(183)**

V – W

venial sin a sin that hurts a person's friendship with God, but does not completely break it **(271)**

virtues good habits that make you stronger and help you do what is right and good **(285)**

worship to adore and praise God, especially in the liturgy and in prayer **(353)**

Índice

Los números en negrita indican las páginas donde se definen los términos.

Index

Boldfaced numbers refer to pages on which the terms are defined.

I

Index

M

N

O

P

R

Photo Credits

v © Paulinas; **vii, xiii** © Our Sunday Visitor; **xi** © Our Sunday Visitor; **2, 3** © Stockbyte/Thinkstock; **4, 5** © iStockphoto.com/Mike Sonnenberg; **6, 7** © Bill & Peggy Wittman; **10, 11** © iStockphoto.com/Skip ODonnell; **12, 13** © Ocean/Corbis; **14, 15** (bg) © Image Copyright Joan Kerrigan, 2012 Used under license from Shutterstock.com; **14, 15** (inset) © Image Copyright Zvonimir Orec, 2012 Used under license from Shutterstock.com; **20, 21** © Hemera/Thinkstock; **22, 23** © Digital Vision/Thinkstock; **26, 27** © Image Copyright Philip Meyer, 2012 Used under license from Shutterstock.com; **28, 29** © Digital Vision/Thinkstock; **30, 31** © Bill & Peggy Wittman; **32, 33** © Bill & Peggy Wittman; **34, 35** © Image Copyright Philip Meyer, 2012 Used under license from Shutterstock.com; **36, 37** © Bill & Peggy Wittman; **40, 41** © David Young-Wolff/Alamy; **44-47** © Image Copyright Philip Meyer, 2012 Used under license from Shutterstock.com; **48, 49** © Thomas Northcut/Photodisc/Thinkstock; **50, 51** © Photo by Janet Jensen/Tacoma News Tribune/MCT via Getty Images; **52, 53** © Image Copyright djem, 2012 Used under license from Shutterstock.com; **56-59** (bg) © Image Copyright Philip Meyer, 2012 Used under license from Shutterstock.com; **62, 63** © Image Copyright CREATISTA, 2012 Used under license from Shutterstock.com; **64, 65** © M.T.M. Images/Alamy; **66, 67** © Bill & Peggy Wittman; **68-71** (bg) © Image Copyright Philip Meyer, 2012 Used under license from Shutterstock.com; **72, 73** © Bill & Peggy Wittman; **76, 77** © Bill & Peggy Wittman; **80-83** (bg) © Image Copyright Philip Meyer, 2012 Used under license from Shutterstock.com; **86, 87** © Stockbyte/Thinkstock; **88, 89** © iStockphoto/Thinkstock; **90, 91** © Image Copyright Philip Meyer, 2012 Used under license from Shutterstock.com; **92, 93** © Stockbyte/Thinkstock; **98, 99** © Image Copyright Philip Meyer, 2012 Used under license from Shutterstock.com; **104, 105** (t) © Phillipe Lissac/Godong/Corbis; **104, 105** (b) © PhotoAlto/Laurence Mouton/Getty Images; **106, 107** © iStockphoto.com/Jani Bryson; **108-111** (bg) © iStockphoto.com/Robert Churchill; **108, 109** (bc) © SuperStock; **108, 109** (br) © Kayte Deioma/PhotoEdit; **114, 115** © SuperStock/Glowimages; **120, 121** (bg) © Image Copyright Joan Kerrigan, 2012 Used under license from Shutterstock.com; **120, 121** (inset) © iStockphoto/Thinkstock; **122, 123** © SuperStock/Glowimages; **126, 127** © iStockphoto.com/Shawn Gearhart; **128, 129** © IMAGEZOO/SuperStock; **136, 137** © Tuan Tran/Flickr/Getty Images; **138, 139** (l) © Photos.com/Thinkstock; **138, 139** (c) © Brand X Pictures/Thinkstock; **138, 139** (r) © iStockphoto.com/Jaren Wicklund; **140, 141** (bg) © Image Copyright Joan Kerrigan, 2012 Used under license from Shutterstock.com; **140, 141** (inset) © Godong/Robert Harding World Imagery/Getty Images; **142, 143** © iStockphoto.com/Shawn Gearhart; **146, 147** © Yousuke Tanaka/Aflo/Corbis; **152, 153** © Image Copyright magicinfoto, 2012 Used under license from Shutterstock.com; **154, 155** © iStockphoto.com/Nicole S. Young; **156, 157** © Digital Vision/Thinkstock; **160, 161** (bg) © Image Copyright Joan Kerrigan, 2012 Used under license from Shutterstock.com; **160, 161** (inset) © iStockphoto.com/Jason Doiy; **162, 163** © iStockphoto.com/Nicole S. Young; **172, 173** (t) © iStockphoto.com/Andrew Howe; **172, 173** (b) © Our Sunday Visitor; **174, 175** © iStockphoto/Thinkstock; **176, 177** © Exactostock/SuperStock; **180, 181** © iStockphoto/Thinkstock; **182, 183** © The Crosiers/Gene Plaisted, OSC; **188, 189** (bg) © Image Copyright Joan Kerrigan, 2012 Used under license from Shutterstock.com; **188, 189** (inset) © SuperStock/Ken Seet/Corbis; **194, 195** (l) © iStockphoto/Thinkstock; **194, 195** (r) © Image Copyright Sergii Figurny, 2012 Used under license from Shutterstock.com; **196, 197** (l) © Image Copyright Zvonimir Atletic, 2012 Used under license from Shutterstock.com; **196, 197** (r) © Image Copyright Zvonimir Atletic, 2012 Used under license from Shutterstock.com; **196, 197** (inset) © iStockphoto/Thinkstock; **202, 203** © Sean Justice/Corbis; **204, 205** © JGI/Jamie Grill/Blend Images/Corbis; **208, 209** (bg) © Image Copyright Joan Kerrigan, 2012 Used under license from Shutterstock.com; **208, 209** (inset) © PhotoSpin/age fotostock; **214, 215** © iStockphoto.com/Hallgerd; **218, 219** © iStockphoto.com/Jaren Wicklund; **224, 225** © iStockphoto/Thinkstock; **226, 227** © Ingram Publishing/Thinkstock; **228, 229** (bg) © Image Copyright Joan Kerrigan, 2012 Used under license from Shutterstock.com; **228, 229** (inset) © FogStock LLC/SuperStock; **240, 241** (c) © iStockphoto/Thinkstock; **240, 241** (b) © The Crosiers/Gene Plaisted, OSC; **242, 243** © iStockphoto.com/Patrick Herrera; **252, 253** © Stockbyte/Thinkstock; **256, 257** (bg) © Image Copyright Joan Kerrigan, 2012 Used under license from Shutterstock.com; **256, 257** (inset) © Image Copyright Zvonimir Atletic, 2012 Used under license from Shutterstock.com; **258, 259** © iStockphoto.com/Patrick Herrera; **264, 265** © Photoservice Electa/Universal Images Group/Getty Images; **266, 267** (t) © Brooklyn Museum/Corbis; **266, 267** (b) © Myrleen Ferguson Cate/PhotoEdit; **268, 269** © Somos Images/age fotostock; **276, 277** (bg) © Image Copyright Joan Kerrigan, 2012 Used under license from Shutterstock.com; **276, 277** (inset) © Photos.com/Thinkstock; **282, 283** © Fancy Collection/SuperStock; **292, 293** © Odilon Dimier/PhotoAlto/Corbis; **296, 297** (bg) © Image Copyright Joan Kerrigan, 2012 Used under license from Shutterstock.com; **296, 297** (inset) © Our Sunday Visitor; **298, 299** © Fancy Collection/SuperStock; **308, 309** (c) © Bill & Peggy Wittman; **308, 309** (b) © Jim West/age fotostock; **310, 311** © Image Copyright Valua Vitaly, 2012 Used under license from Shutterstock.com; **312, 313** (t) © Photo by Alinari/Alinari Archives, Florence/Alinari via Getty Images; **312, 313** (b) © Ryan McVay/Photodisc/Thinkstock; **314, 315** © David Young-Wolff/PhotoEdit; **318, 319** © Bill & Peggy Wittman; **324, 325** (bg) © Image Copyright Joan Kerrigan, 2012 Used under license from Shutterstock.com; **324, 325** (inset) © Design Pics/Con Tanasiuk/Getty Images; **326, 327** © David Young-Wolff/PhotoEdit; **332, 333** © zatletic/Bigstock.com; **338, 339** (t) © Our Sunday Visitor; **338, 339** (c) © Our Sunday Visitor; **338, 339** (b) © Our Sunday Visitor; **344, 345** (bg) Image Copyright Joan Kerrigan, 2012 Used under license from Shutterstock.com; **344, 345** (inset) © Image Copyright Zack Clothier, 2012 Used under license from Shutterstock.com; **346, 347** © Our Sunday Visitor; **350, 351** © david sanger photography/Alamy; **352-354, 353-355** (bg) © Adrian Sherratt/Alamy; **352, 353** (inset) © iStockphoto/Thinkstock; **354, 355** © iStockphoto.com/borojoint; **356, 357** © Jim West/Alamy; **364, 365** (bg) © Image Copyright Joan Kerrigan, 2012 Used under license from Shutterstock.com; **364, 365** (inset) © laurentiu iordache/Alamy; **366, 367** © iStockphoto/Thinkstock; **376, 377** (c) © Bill & Peggy Wittman; **376, 377** (b) © Photo by Joe Raedle/Getty Images; **378, 379** © Our Sunday Visitor; **378, 379** © Image Copyright Frannyanne, 2012 Used under license from Shutterstock.com; **384, 385** © Comstock/Thinkstock; **386, 387** (t) © Image Copyright Maria Dryfhout, 2012 Used under license from Shutterstock.com; **386, 387** (b) © Our Sunday Visitor; **392, 393** (bg) © Image Copyright Joan Kerrigan, 2012 Used under license from Shutterstock.com; **392, 393** (inset) © Image Copyright Kaetana, 2012 Used under license from Shutterstock.com; **394, 395** © Comstock/Thinkstock; **398, 399** © iStockphoto.com/Pathathai Chungyam; **400, 401** © Jim West/age fotostock; **404, 405** (tl) © P Deliss/GODONG; **404, 405** (cr) © Blend Images/SuperStock; **404, 405** (bl) © Our Sunday Visitor; **406, 407** (l) © Our Sunday Visitor; **406, 407** (r) © Mario Ponta/age fotostock; **412, 413** (bg) © Image Copyright Joan Kerrigan, 2012 Used under license from Shutterstock.com; **412, 413** (inset) © Creatas/Thinkstock; **418, 419** © Our Sunday Visitor; **420, 421** © Christie's Images Ltd./SuperStock; **430, 431** © iStockphoto.com/Maria Pavlova; **432, 433** (bg) © Image Copyright Joan Kerrigan, 2012 Used under license from Shutterstock.com; **432, 433** (inset) © mandy godbehear/Bigstock.com; **434, 435** © Our Sunday Visitor; **444, 445** (t) © Our Sunday Visitor; **444, 445** (b) © Corbis/SuperStock; **450, 451** © Our Sunday Visitor; **452, 453** © Our Sunday Visitor; **454, 455** © Our Sunday Visitor; **456, 457** (t) © Bill & Peggy Wittman; **456, 457** (b) © Caro/Alamy; **460, 461** (bg) © Image Copyright Joan Kerrigan, 2012 Used under license from Shutterstock.com; **460, 461** (inset) © Our Sunday Visitor; **462, 463** © Caro/Alamy; **466, 467** © Alex Mares-Manton/Asia Images/Corbis; **470, 471** © Our Sunday Visitor; **472, 473** © Our Sunday Visitor; **474, 475** © Bill & Peggy Wittman; **478, 479** © Kayte Deioma/PhotoEdit; **480, 481** (bg) © Image Copyright Joan Kerrigan, 2012 Used under license from Shutterstock.com; **480, 481** (inset) © Bill & Peggy Wittman; **482, 483** © Our Sunday Visitor; **486, 487** © iStockphoto.com/dtimiraos; **490, 491** (t) © PoodlesRock/Corbis; **490, 491** (b) © Myrleen Ferguson Cate/PhotoEdit; **492, 493** © Bill & Peggy Wittman; **494, 495** © Our Sunday Visitor; **496, 497** © Image Copyright Sergii Figurny, 2012 Used under license from Shutterstock.com; **500, 501** (bg) © Image Copyright Joan Kerrigan, 2012 Used under license from Shutterstock.com; **500, 501** (inset) © Robert Harding Picture Library/age fotostock; **502, 503** © Our Sunday Visitor; **512, 513** (c) © Peter Mather/First Light/Corbis; **512, 513** (b) © iStockphoto.com/g01xm; **514, 515** © Our Sunday Visitor; **520, 521** © Our Sunday Visitor; **522, 523** © Our Sunday Visitor; **524, 525** © Our Sunday Visitor; **528, 529** (bg) © Image Copyright Joan Kerrigan, 2012 Used under license from Shutterstock.com; **528, 529** (inset) © David Young-Wolff/PhotoEdit; **536, 537** © Our Sunday Visitor; **538, 539** © Joseph Project - Malawi/Alamy; **540, 541** (l) © Folio/Alamy; **540, 541** (r) © iStockphoto.com/Kim Gunkel; **540, 541** (inset) © iStockphoto/Thinkstock; **548, 549** © Image Copyright Joan Kerrigan, 2012 Used under license from Shutterstock.com; **550, 551** © iStockphoto.com/Kim Gunkel; **554, 555** © Our Sunday Visitor; **560, 561** © iStockphoto.com/Glenda Powers; **562, 563** (t) © Bill & Peggy Wittman; **562, 563** (b) © iStockphoto/Thinkstock; **564, 565** © Our Sunday Visitor; **568, 569** (bg) © Image Copyright Joan Kerrigan, 2012 Used under license from Shutterstock.com; **568, 569** (inset) © iStockphoto.com/Magdalena Kucova; **570, 571** © iStockphoto.com/Glenda Powers; **580, 581** (cl) © iStockphoto.com/blackred; **580, 581** (cr) © iStockphoto.com/blackred; **580, 581** (bl) © Ariel Skelley/Blend Images/Getty; **580, 581** (br) © iStockphoto.com/blackred; **582, 583** (cr) © iStockphoto.com/blackred; **582, 583** (br) © iStockphoto.com/blackred; **584, 585** (l) © Dennis MacDonald/Alamy; **584, 585** (r) © Raymond Forbes/age fotostock; **588, 589** © iStockphoto.com/Steve Debenport; **592, 593** © Ton Koene/age fotostock; **596, 597** © PhotoAlto/SuperStock; **598, 599** © iStockphoto.com/Blend_Images; **600, 601** © Tim Gainey/Alamy; **604, 605** © John Lund/Sam Diephui/age fotostock; **610, 611** © The Crosiers/Gene Plaisted, OSC; **612, 613** © FILIPPO MONTEFORTE,FILIPPO MONTEFORTE/AFP/Getty Images; **624, 625** © Jim West/Alamy; **628, 629** © Our Sunday Visitor; **632, 633** (t) © Our Sunday Visitor; **632, 633** (b) © Stockbyte/Thinkstock; **638, 639** © Our Sunday Visitor

Acknowledgements:

Allelu! Growing and Celebrating with Jesus ® Music CD © Our Sunday Visitor, Inc. Music written and produced by Sweetwater Productions. All rights of the owners of these works are reserved.

La Oración de San Francisco de *Oraciones Católicas del Pueblo de Dios* © 2003 de Arquidiócesis de Chicago: Liturgy Training Publications.

"Bedtime Prayer" from *My Book of Prayers* © 2010, Our Sunday Visitor, Inc. All rights reserved.

Bendición de cumpleaños es tomada de Oraciones para nuestra familia católica © Our Sunday Visitor Publishing.

Bendición de la mesa, Acción de gracias, Oración de la mañana, Oración de la noche, y Santa María, ayuda del desválido del *Libro católico de oraciones* © 1984, de Catholic Book Publishing Corp.

"Canticle of Simeon" (retitled "Evening Prayer"), "Angel of God" (retitled "Angel Guardian") and "Grace Before Meals" from *Catholic Household Blessings and Prayers Revised Edition*. Translation copyright © 2007 by United States Conference of Catholic Bishops.

Excerpt from English translation of "Blessing on Birthdays or the Anniversary of Baptism" (retitled "Birthday Blessing") in *Book of Blessings*. Translation copyright © 1988 by United States Conference of Catholic Bishops.

Twenty-Third Publications, A Division of Bayard: "Grace After Meals" (retitled "Grace After Mealtime") from *500 Prayers for Catholic Schools and Parish Youth Groups* by Filomena Tassi and Peter Tassi. Text copyright © Filomena Tassi and Peter Tassi.